道家文化研究

第九輯

陳鼓應主編

文史哲出版社印行

國家圖書館出版品預行編目資料

道家文化研究 / 陳鼓應主編. -- 校訂一版. -- 臺北市: 文史哲, 民 89
面 ; 公分
ISBN 957-549-300-1 (一套：精裝) ISBN 957-549-301-x (第一輯)ISBN 957-549-302-8 (第二輯)ISBN 957-549-303-6(第三輯)ISBN 957-549-304-4 (第四輯)ISBN 957-549-305-2 (第五輯) ISBN 957-549-306-0 (第六輯) ISBN 957-549-307-9 (第七輯) ISBN 957-549-308-7 (第八輯) ISBN 957-549-309-5 (第九輯) ISBN 957-549-310-9 (第十輯) ISBN 957-549-311-7 (第十一輯) ISBN 957-549-312-5 (第十二輯)

1.道家 - 論文-講詞等 2. 道教 - 論文-講詞等
121.307 89011271

道家文化研究 第九輯

主編者：陳鼓應
出版者：文史哲出版社
登記證字號：行政院新聞局版臺業字五三三七號
發行人：彭正雄
發行所：文史哲出版社
印刷者：文史哲出版社
臺北市羅斯福路一段七十二巷四號
郵政劃撥帳號：一六一八〇一七五
電話886-2-23511028・傳眞886-2-23965656

精裝全十二冊售價新台幣 元

中華民國八十九年八月校訂一版

ISBN 957-549-300-1 全
ISBN 957-549-309-5 (九)

《道家文化研究》在臺重版序言

八十年代以來，在中國大陸陸續創辦了一些學術性的刊物，如《管子學刊》、《孔子研究》等，對推動儒家、管子思想及稷下學的研究，起了積極的作用。在此之前，1979 年創刊的《中國哲學》，它是以書代刊的形式出版，給我留下深刻的印象，為此我和一些研究道家的學者曾多次商議想辦一個專門討論道家思想的專刊，這想法終於得到香港道教學院院長侯寶垣先生和副院長羅智光先生的大力支持。於是，《道家文化研究》第一輯很快就於 1992 年面世了。

時光荏苒，轉眼之間，《道家文化研究》已經出版了十八輯，辦刊的過程是艱辛的，但每一輯的出版也都帶來收穫的愉快。特別是它能夠穫得海內外學術界的廣泛關注與好評。

眾所周知，《道家文化研究》一直是在大陸印行的。這對於臺灣感興趣的讀者帶來諸多不便。兩年多前，我剛回臺大的時候，就感到了這個問題，也就有了在臺灣重新印行它的念頭。當然，我也知道，這並不是很容易做到的。因為，任何一個出版公司若要出版它，大半是要賠錢的。所以，我非常感謝我的老朋友——文史哲出版社的彭正雄社長，願意幫忙印行《道家文化研究》一到十二輯，目前僅印三百部提供專業學者研究之需。同時，我也要借此機會，向上海古籍出版社和北京三聯書店表示感謝，由於他們的慷慨，得以使本刊在臺重印。

陳　鼓　應

1999 年 8 月

《道家文化研究》臺灣版出版開言

《道家文化研究》是道家及道教研究的專業研究性刊物，在知名道家專家陳鼓應教授多年努力耕耘下，今天它已經是國際同行不可或缺的學術園地。世界學人只要想用中文發表有關這個領域的研究成果，莫不努力爭取在這個學術園地刊出。試看《道家文化研究》出版至今共十餘輯，作者群就已經遍佈世界各地了，除了海峽兩岸外，更包括韓國、日本、新加坡、澳洲、加拿大、美國及歐洲等地。而且其中更包括張岱年、柳存仁、王叔岷、湯一介、李學勤、朱伯崑、金谷治、余敦康、許抗生、蒙培元、李豐楙、劉笑敢、陳鼓應等等知名學者。

可惜，從前受限於現實情況，海峽兩岸資訊交流不易，臺灣地區的學者專家，並不容易取得這一份刊物的。而且《道家文化研究》從創刊號到今天，已經出版了十八本了，好些早已銷售一空；特別是期數較早的，更是一冊難求。有鑒於此，本社認爲需要重印整套《道家文化研究》，以饗讀者。

也許關心我們的讀者會替本社擔心成本效益問題，但我們的老客戶都知道本社成立近三十年，始終沒有只以營利爲唯一的宗旨。雖然我們還不至於像莊子所說的「舉世而譽之而不加勸，舉世而非之而不加沮」，但是，正如同許多讀者一般，我們欣賞這樣高水準的學術雜誌，我們更希望能讓更多人分享到這許許多多知名學人的學術成就。當然學術性專業期刊的銷路，本身就很有限，所以本社也將限量發售，只印三百套，供有興趣的專家學人們選購，當然更希望學校機關及圖書館能夠購備，以便更多讀者可以讀到這份雜誌。這樣，我們的辛勞就不會白費。

最後，我們得感謝陳鼓應教授的信賴，更感謝上海古籍出版社及北京三聯書店的慷慨，使得我們的重印計畫得以實現。

彭 正 雄

文史哲出版社發行人

2000 年 7 月 15 日

《道家文化研究》合刊總目

《道家文化研究》第一輯目錄

《道家文化研究》創辦的緣起……………………………… 陳鼓應 1
儒道兩家思想在中國何以影響深遠長久不衰……………… 任繼愈 1
道家學說與流派述要………………………………………… 牟鍾鑒 7
道家注重個體說……………………………………………… 涂又光 31
道家思想的現代性世界意義………………………………… 董光璧 39
論老子在哲學史上的地位…………………………………… 張岱年 74
老子對死亡的看法——《道德經》第五章新解……〔美〕陳張婉莘 83
"無"的思想之展開——從老子到王弼………………〔日〕金谷治 91
生命・自然・道——論莊子哲學…………………………… 顏世安 101
《周易》的思想精髓與價值理想
——一個儒道互補的新型的世界觀……………………… 余敦康 122
《易傳》與楚學齊學………………………………………… 陳鼓應 143
《易傳・繫辭》思想與道家黃老之學相通………………… 胡家聰 157
從馬王堆帛書本看《繫辭》與老子學派的關係…………… 王葆玹 175
《黃帝四經》書名及成書年代考…………………………… 余明光 188
《黃帝四經》和《管子》四篇……………………………… 王 博 198
論尙黃老與《淮南子》……………………………………… 潘雨廷 214
《大學》、《中庸》與黃老思想…………………〔臺灣〕莊萬壽 230
道家理論思維對荀子哲學體系的影響……………………… 李德永 249
莊子與印度商羯羅之比較研究……………………………… 馮 禹 265
《莊子》與《壇經》………………………………………… 陸玉林 276
道家古籍存佚和流變簡論…………………………………… 王 明 285
論道教儀式的結構——要素及其組合……………………… 陳耀庭 293
道家內丹養生學發凡 ……………………………………… 胡孚琛 310
略論隋唐老莊學……………………………………………… 李大華 319
《鶡冠子》與兩種帛書……………………………………… 李學勤 333

《列子》考辨…………………………………………… 許抗生 344
漫遊：莊子與查拉斯圖拉 ［美］格拉姆·帕克斯 胡軍、王國良譯 359
《衆妙之門——道教文化之謎探微》評介………………… 劉良明 378
陳鼓應《老莊新論》評介………………………………… 李維武 383
稿　約……………………………………………………………… 390

《道家文化研究》第二輯　目錄

道家風骨略論…………………………………………… 蕭萐父 1
道家的思維方式與中國形上學傳統……………………… 朱伯崑 11
超越的思想理論之建構——論道家思想對中華
　　民族精神形成的傑出貢獻………………………… 王樹人 41
道家開闢了中國的審美之路…………………………… 成復旺 67
李約瑟的道家觀………………………………………… 董光璧 87
莊子思想簡評…………………………………………… 蔡尚思 106
老莊哲學思維特徵……………………………………… 蒙培元 111
論《莊子》內七篇……………………………………… 潘雨廷 125
道家與海德格爾………………………………………… 熊　偉 130
我讀《老子》書的一些感想…………………………… 葉秀山 133
以海德格爾爲參照點看老莊…………………………… 鄭　湧 153
稷下道家精氣說的研究………………………………… 裘錫圭 167
西漢國家宗教與黃老學派的宗教思想………………… 王葆玹 193
董仲舒與"黃老"之學——《黃帝四經》對董仲舒的影響 余明光 209
《淮南子》的易道觀…………………………………… 周立升 223
莊子思想與兩晉佛學的般若思想……………………… 崔大華 236
論理學的道家化………………………………………… 吳重慶 248
道教與楊朱之學的關係………………………………… 李養正 259
杜道堅的生平及其思想………………………………… 卿希泰 272
論李筌的道教哲學思想………………………………… 李　剛 286
唐代的《老子》注疏…………………………………… 李　申 301
管子的《心術》等篇非宋尹著作考…………………… 張岱年 320

《管子·輕重》篇的年代與思想…………………………………… 李學勤 327
《管子·水地》篇考論…………………………………………………… 黃 釗 336
《尹文子》並非僞書……………………………………………………… 胡家聰 348
論《繫辭傳》是稷下道家之作
——五論《易傳》非儒家典籍……………………………… 陳鼓應 355
論《周易參同契》的宇宙模型…………………………………… 蕭漢明 366
《陰符經》與《周易》……………………………………………… 詹石窗 384
人與自然——尼采哲學與道家學說之比較研究
…………………………………〔美〕格拉姆·帕克斯 隋宏譯 402
讀任繼愈主編的《中國道教史》……………………………… 唐明邦 421
《道家思想史綱》評介……………………………………………… 劉周堂 427
《道家文化與現代文明》讀後…………………………………… 張明慧 434

《道家文化研究》第三輯 目錄

初觀帛書《繫辭》……………………………………………………… 張岱年 1
帛書《繫辭傳》"大恒"說………………………………………… 饒宗頤 6
帛書《繫辭》"易有大恒"的文化意蘊………………………… 余敦康 20
馬王堆帛書《周易·繫辭》校讀……………………………… 張政烺 27
帛書本《繫辭》文讀後……………………………………………… 朱伯崑 36
讀帛書《繫辭》雜記………………………………………………… 樓宇烈 47
略談帛書《老子》與帛書《易傳·繫辭》………………… 許抗生 55
《繫辭傳》的道論及太極、大恒說……………………………… 陳鼓應 64
帛書《繫辭》與戰國秦漢道家《易》學…………………… 王葆玹 73
帛本《繫辭》探源…………………………………………………… 陳亞軍 89
帛書《繫辭傳》校證………………………………………………… 黃沛榮 104
帛書《繫辭》與通行本《繫辭》的比較…………………… 張立文 120
論帛書《繫辭》與今本《繫辭》的關係…………………… 廖名春 133
從帛書《易傳》看今本《繫辭》的形成過程……………… 王 博 144
帛書《繫辭》初探…………………………………………………… 陳松長 155
帛書《繫辭傳》與《文子》……………………………………… 李定生 165

帛書《繫辭》和帛書《黃帝四經》…………………………… 陳鼓應 168
帛書《周易》所屬的文化地域
及其與西漢經學一些流派的關係………………………… 王葆玹 181
帛書《二三子問》簡說………………………………………… 廖名春 190
帛書《易之義》簡說…………………………………………… 廖名春 196
帛書《要》簡說………………………………………………… 廖名春 202
帛書《繆和》、《昭力》簡說……………………………… 廖名春 207
帛書《繆和》、《昭力》中的老學與黃老思想之關係…… 陳鼓應 216
論《黃帝四經》產生的地域………………………………… 王 博 223
《稱》篇與《周祝》………………………………………… 李學勤 241
馬王堆帛書《老子》乙本卷前古佚書并非《黃帝四經》 裘錫圭 224
楚帛書與《道原篇》………………………………………… 饒宗頤 256
帛書《道原》和《老子》論道的比較……………………… 胡家聰 260
《黃老帛書》哲學淺議……………………………………… 蕭萐父 265
馬王堆帛書《經法・大分》及其他………………………… 李學勤 274
帛書"十四經"正名………………………………………… 高 正 283
董仲舒和黃老思想………………………… [美]薩拉・奎因 285
書《馬王堆老子寫本》後…………………………………… 饒宗頤 297
關于帛書《老子》——其資料性的初步探討………… [日]金谷治 299
帛書《周易》與卦氣說……………………………………… 邢 文 317
前黃老形名之學的珍貴佚篇
——讀馬王堆漢墓帛書《伊尹・九主》……………… 魏啓鵬 330
帛書《伊尹・九主》與黃老之學…………………………… 余明光 340
馬王堆漢墓帛書《五行篇》所見的身心問題……… [日]池田知久 349
馬王堆古佚書的道家與醫家………………………………… 魏啓鵬 360
帛書《卻穀食氣》義證……………………………………… 胡翔驊 378
道家與《帛書》……………………………………………… 李 零 386
從馬王堆出土文物看我國道家文化………………………… 周世榮 395
馬王堆漢墓帛書的道家傾向………………………………… 陳松長 408
帛書《繫辭》釋文…………………………………………… 陳松長 416
帛書《二三子問》、《易之義》、《要》釋文… 陳松長 廖名春 424

《馬王堆漢墓文物》述評…………………………………… 王少聞 436

《道家文化研究》第四輯　目錄

道家玄旨論…………………………………………………… 張岱年 1
試論道家文化在中國傳統文化中的地位…………………… 卿希泰 9
論道家的自然哲學…………………………………………… 劉蔚華 16
道家傳統與泰州學派………………………………………… 牟鍾鑒 32
老子思維方式的史官特色…………………………………… 王　博 46
老子：嬰兒與水………………………………… [南]拉多薩夫 58
莊學生死觀的特徵及其影響
　　——兼論道家生死觀的演變過程…………………… 朱伯崑 63
《莊子》的音樂美學思想…………………………………… 蔡仲德 77
漢賦中所見《老》《莊》史料述略………………………… 董治安 91
論荀學是稷下黃老之學……………………………………… 趙吉惠 103
尹文黃老思想與稷下"百家爭鳴"………………………… 胡家聰 118
黃老學說：宋鈃和愼到論評…………………………[美]史華慈 128
《文言》解《易》的道家傾向……………………………… 陳鼓應 147
道家陰陽剛柔說與《繫辭》作者問題…………………… 王葆玹 153
《黃帝內經》與《老》《莊》……………………………… 潘雨廷 159
蘇轍和道家…………………………………………………… 孔　繁 163
陸王心學與老莊思想——心的解放與老莊思想之一……… 成復旺 180
白沙心學與道家自然主義…………………………………… 陳少明 198
揚雄自然哲學述要…………………………………………… 鄭萬耕 210
嚴遵與王充、王弼、郭象之學源流……………………… 王德有 222
郭象哲學的"有"範疇及其文化含蘊……………………… 馮達文 232
略論道教的幾個思想特徵…………………………………… 許抗生 241
道家小說略論……………………………………… 詹石窗　汪　波 252
道教義理與《管子》之關係………………………………… 李養正 277
也論《太平經鈔》甲部及其與道教上清派之關係………… 李　剛 284
孫登"托重玄以寄宗"的思想根源………………………… 盧國龍 300

李白與道教…………………………………………………… 蔣見元 318
全眞盤山派以道合禪心性論研究…………………………… 張廣保 326
明抄本《玉笈金箱》及其主要內容………………………… 陳耀庭 345
西方道教研究鳥瞰………………………………………… 蔣見元 355
追求道家形而上學的中心思想——希臘形而上學和道家
形而上學的比較……………………………… [美]陳張婉華 381
從"思"之大道到"無"之境界——海德格與老子……… 張天昱 396
論《老子》晚出說在考證方法上常見的謬誤
——兼論《列子》非僞書…………………………… 陳鼓應 411
《老子》早期說之新證…………………………………… 劉笑敢 419
文子其人考………………………………………………… 李定生 438

《道家文化研究》第五輯 目錄

陰陽：道器之間…………………………………………… 龐 樸 1
道家學說與明清文藝啓蒙………………………………… 成復旺 20
關于對話哲學的對話……………………………………… 滕守堯 36
老子之道的史官特色……………………………………… 王 博 57
《莊子》的生死觀……………………………… [日]金谷治 70
從接受美學看《莊子》…………………………………… 王 玫 84
莊子語言符號與"副墨之子"章之解析……………… 莊萬壽 95
莊子與惠施………………………………………………… 李存山 104
尙水與守雌——《老子》學說探源……………………… 劉寶才 122
試談《文子》的年代與思想……………………………… 張岱年 133
說"黃老" ……………………………………………… 李 零 142
《管子·經言》思想"法、道、儒"融合的特色
——再論《經言》并非管仲遺著………………… 胡家聰 158
《管子》論攝生和道德自我超越………………………… 劉長林 171
秦漢新道家之"殿軍"諸葛亮…………………………… 熊鐵基 187
《象傳》中的道家思維方式……………………………… 陳鼓應 197
陰陽五行、八卦在西藏…………………………………… 王 堯 214

楚帛書與道家思想……………………………………………… 李學勤 225
《孫子兵法》所受老子思想的影響……………………………… 姜國柱 233
從竹簡《十問》等看道家與養生………………………………… 周一謀 239
老莊玄學與僧肇佛學………………………………………………… 洪修平 247
周敦頤與道教……………………………………………………… 容肇祖 262
氣質之性源于道教說………………………………………………… 李 申 271
“理一分殊”思想源流論……………………………………………… 任澤峰 282
傅山哲學中的老莊思想……………………………………………… 魏宗禹 291
照徹幽暗，破獄度人——論燈儀的形成及其社會思想內容 陳耀庭 303
再論墨家與道教……………………………………………………… 秦彥士 317
道教與玄學歧異簡論………………………………………………… 劉仲宇 327
兩漢宇宙期與道教的產生…………………………………………… 馬良懷 342
昊天上帝、天皇大帝和元始天尊
——儒教的最高神和道教的最高神 ………… [日]福永光司 353
養生和飛升——魏晉時期道家和道教生死觀的一個側面 李 慶 383
隋唐時期的道教內丹學……………………………………………… 李大華 404
元後期江南全眞道心性論研究……………………………………… 張廣保 420
太原龍山全眞道石窟初探…………………………………………… 李養正 439
墨子與《老子》思想上的聯繫——《老子》早出說新證… 陳鼓應 457
《文子》非僞書考…………………………………………………… 李定生 462
顏鈞《論三教》附記………………………………………………… 黃宣民 474
劉鶚手記考釋………………………………………………………… 高 正 477

《道家文化研究》第六輯　目錄

道家在中國哲學史上的地位………………………………………… 張岱年 1
存在自然論…………………………………………………………… 王中江 10
先秦道家研究的新方向——從馬王堆
漢墓帛書《黃帝四經》 說起…………………………… 陳鼓應 23
簡論“道法自然”在中國哲學史上的影響……………………… 王德有 47
老子的道論及其現代意義…………………………………………… 牟鍾鑒 59

申論《老子》的年代…………………………………………… 李學勤 72
從劉向的敘錄看《列子》並非僞書………………………… 胡家聰 80
范蠡及其天道觀…………………………………………………… 魏啓鵬 86
莊子的觀點主義…………………………………………………… 劉昌元 102
莊子的薪火之喻與“懸解” ………………………………… 李存山 116
老子對孟子思想的影響——本心本性及其喪失與復歸…… 郭 沂 124
《管子》心氣論對孟子思想的影響……………………… 白 奚 137
稷下黃老之學對孟子思想的影響………………………… 孫開泰 150
荀子思想與黃老之學……………………………………… 余明光 160
論儒家荀況思想與道家哲學的關係…………………… 胡家聰 175
韓非與老子……………………………………………………… 陳奇猷 183
我對《淮南子》的一些看法……………………… [加]白光華 192
《淮南鴻烈》與《春秋繁露》 …………………………… 張國華 200
董仲舒的黃老思想………………………………………… 陳麗桂 217
魏晉玄學與儒道會通……………………………………… 余敦康 232
道與禪——道家對禪宗思想的影響…………………… 方立天 249
程朱理學與老學…………………………………………… 馮達文 265
論王陽明與道家的思想聯繫…………………………… 昊 光 284
帛書《繫辭》騈枝……………………………………………… 魏啓鵬 293
帛書《繫辭》校勘札記……………………………………… 陳松長 304
帛書本《易》說讀後………………………………………… 朱伯崑 310
《要》篇略論……………………………………………………… 王 博 320
論《易》之名“易”——兼談帛書《要》篇……………… 劉昭瑞 329
《鶡冠子》與帛書《要》………………………………………… 邢 文 336
帛書《要》與《易之義》的撰作時代及其與《繫辭》的關係 王葆玹 350
馬王堆帛書《繆和》、《昭力》釋文…………………… 陳松長 367
海德格論“道”與東方哲學………………………… 張祥龍 編譯 381
道、佛關於經驗的形而上學及其挑戰……………… [美]稻田龜男 393

《道家文化研究》第七輯 目錄

論道教心性之學…………………………………………………… 張廣保 1
簡論道教倫理思想的幾個問題………………………………… 卿希泰 18
道教功過格解析…………………………………………………… 李 剛 26
中國外丹黃白術仙學述要………………………………………… 胡孚琛 40
從道家到道教……………………………………………………… 李 申 59
道教追求長生——《湘綺樓說詩》卷一紀夢衍義…… ［澳］柳存仁 70
道教神仙譜系的演變……………………………………………… 石衍豐 85
論道教神仙體系的結構及其意義……………………………… 郭 武 103
試論道教咒語的起源和特點……………………………………… 劉仲宇 116
道教"守一"法非濫觴佛經議…………………………………… 李養正 132
遍游山川說輿地——道教地學思想簡述……………………… 賀聖迪 137
法國道教學研究…………………………………………………… 劉楚華 149
《太平經注》序…………………………………………………… 龍 晦 165
成玄英"道"概念分析……………………………… ［韓］崔珍皙 175
成玄英《道德經義疏》中的重玄思想………………………… 強 昱 199
周敦頤《太極圖》淵源愼思…………………………姜廣輝 陳寒鳴 211
論敦煌本《本際經》的道性論…………………………………… 姜伯勤 221
《坐忘論》的"安心"思想研究…………………… ［日］中嶋隆藏 244
論《陰符經》產生的歷史過程及其唐代詮釋的思想特點… 李大華 259
介紹《道藏》中收錄的幾種易著………………………………… 潘雨廷 275
論《老子想爾注》中的黃容"僞伎"與天師道"合氣"說 劉昭瑞 284
彭山道教銅印與道教養生………………………………………… 王家佑 294
江西高安出土南宋淳熙六年徐永墓"酆都羅山拔苦超生
　鎭鬼眞形"圖石刻——兼論歐陽文受《太上元始天
　尊說北帝伏魔神咒妙經》的時代…………………………… 張勛燎 300
試論我國南方地區唐宋墓葬出土的道教
　"柏人俑"和"石眞"……………………………………… 張勛燎 312
試論早期道教在巴蜀發生的文化背景………………………… 江玉祥 323

道教與玄言詩…………………………………………… 張松輝 338
論元代道教戲劇的兩個藝術特徵……………………… 詹石窗 352
《金瓶梅》與明代道教活動…………………………… 王　堯 373

《道家文化研究》第八輯　目錄

道的突破——從老子到金岳霖…………………………… 王中江 1
道家黃老學的"天、地、人"一體觀…………………… 胡家聰 18
道教的超越哲學與中國文藝的超越精神……………… 成復旺 31
道家中興和中古美學風氣的轉換……………………… 朱良志 50
道實在的雙重結構……………………………………… 金吾倫 72
"終極關懷"的儒道兩走向……………………………… 馮天瑜 86
莊子氣論發微……………………………… 王世舜 王　蒨 91
莊子超越精神賞析……………………………………… 李德永 110
中國古代哲學中的混沌………………………… [日]池田知久 122
漫談莊子的"自由"觀…………………………………… 葉秀山 137
莊子言與不言…………………………………………… 劉　光 156
試論莊子的辯學思想及其影響………………………… 張斌峰 170
論田駢、慎到學術之異同……………………………… 白　奚 183
宋鈃思想及其道、墨融合的特色……………………… 胡家聰 193
鄒衍與道家的關係……………………………………… 孫開泰 213
《易》《老》相通論……………………………………… 周立升 227
《彖傳》道論三題……………………………………… 魏啓鵬 240
漢代的氣化宇宙論及其影響…………………………… 陳麗桂 248
兩漢之際的儒學與老莊學……………………………… 王　卡 267
貴無之學——王弼……………………………………… 湯周彤 277
簡論魏晉玄學是新道家………………………………… 許抗生 286
晉宋山水詩與道家精神………………………………… 王　玫 299
北宋理學與唐代道教…………………………………… 李大華 310
北宋儒學三派的《老子》三注………………………… 盧國龍 322
憨山德清的以佛解老莊………………………………… 張學智 339

海德格理解的“道”…………………………………………………… 張祥龍 351
道與本文…………………………………………………………………… 滕守堯 366
德里達與道家之道………………………………………………………… 劉 鑫 382

《道家文化研究》第九輯 目錄

道家與道教學術研討會紀要……………………………………………………… 1
道教的文化意義…………………………………………………………… 羅智光 4
道教的文化根柢…………………………………………………………… 陳 兵 7
簡述道教的倫理思想……………………………………………………… 許抗生 17
論道教生命哲學…………………………………………………………… 李 剛 24
《太平經》的民衆政治思想……………………………………………… 張偉國 41
論《太平經》中的儒家思想……………………………………………… 龍 晦 54
道教的創立與佛教東傳無關……………………………………………… 李養正 66
六朝道教的終末論——末世、陽九百六與劫運說……… 李豐楙 82
隋唐孝道宗源……………………………………………………………… 王 卡 100
朱熹與先天學……………………………………………………………… 劉仲宇 122
對全眞教心性學說的幾點思考…………………………………………… 鄺國強 135
從《磻溪集》看丘處機的苦修…………………………………………… 朱越利 158
道士傅金銓思想述略……………………………………………………… 曾召南 177
內丹之丹及其文化特徵……………………………… 王家祐 郝 勤 190
論精氣神…………………………………………………………………… 鍾肇鵬 201
榮格的道教研究…………………………………………………………… 王宗昱 225
東漢墓葬出土的解注器材料和天師道的起源………… 張勛燎 253
文物所見中國古代道符述論……………………………………………… 王育成 267
北魏姚伯多道教造像碑考論……………………………………………… 劉昭瑞 302
一張新出土的明代酆都冥途路引………………………………………… 江玉祥 319
論道教對中國傳統小說之貢獻…………………………………………… 張振軍 332
道教與中國畫略論………………………………………………………… 丁若木 347
論道教對宋詩的影響……………………………………………………… 詹石窗 374
從《小山樂府》看張可久的道家道教思想……………………… 韋金滿 387

正一道音樂與全眞道音樂的比較研究…………………… 甘紹成 402
道教音樂特徵簡論……………………………………… 蒲亨強 424
道教對雲南文化的影響………………………………… 郭　武 438
論《揚善半月刊》……………………………………… 吳亞魁 462

《道家文化研究》第十輯　目錄

道家學風述要…………………………………………… 蕭萐父 1
道家在先秦哲學史上的主幹地位……………………… 陳鼓應 7
道家學說及其對先秦儒學的影響……………………… 胡家聰 65
道家與中國古代的“現代化”——重讀先秦諸子的提綱… 李　零 71
道家思想中的語言問題………………………… [斯洛文尼亞]瑪亞 86
試析“棄儒從道”……………………………………… 朱越利 96
《老子》爲中國哲學主根說…………………………… 涂又光 105
老子哲學的中心價値及體系結構
——兼論中國哲學史研究的方法論問題……………… 劉笑敢 112
論老子“不爭”的智慧………………………………… 王樹人 135
帛書《老子》含義不同的文句………………………… 尹振環 145
論韓非《解老》和《喻老》…………………………… 李定生 159
自我和無我……………………………………………… 湯一介 170
自由與自然——莊子的心靈境界說…………………… 蒙培元 176
試論莊子的技術哲學思想……………………………… 劉　明 193
莊子、尼采與藝術的世界觀…………………………… 劉昌元 206
讀莊論叢………………………………………………… 王叔岷 226
呂氏春秋引用莊子舉正………………………………… 王叔岷 250
爲張湛辨誣——《列子》非僞書考之一……………… 陳廣忠 267
《列子》三辨——《列子》非僞書考之二…………… 陳廣忠 278
從古詞語看《列子》非僞——《列子》非僞書考之三…… 陳廣忠 289
《管子・水地》新探…………………………………… 魏啓鵬 300
《呂氏春秋》道家說之論證…………………………… 牟鍾鑒 312
道、玄與二程理學……………………………………… 蔡方鹿 327

王陽明的良知說與道家哲學…………………………………… 陳少峰 336
謝靈運山水詩與道家之關係………………………………… 王 玫 356
道家哲學的現代理解——以嚴、章、梁、王、胡爲例…… 王中江 373
金岳霖論“道”……………………………………………… 胡 軍 390
重建本體論：熊十力與道家哲學…………………………… 李維武 400
馮友蘭“境界說”的精神與傾向…………………………… 金春峰 416
馮友蘭道家觀舉隅…………………………………………… 羅 熾 434
略論道家思想在日本的傳播………………………………… 徐水生 445
《道家文化研究》十輯編後…………………………………………… 457

《道家文化研究》第十一輯 目錄

編者寄言…………………………………………………………………… 1
道教易學論略………………………………………………… 盧國龍 1
以科學的觀點看象數學——兼論道家與易學……………… 董光璧 25
《周易參同契》的易學特徵………………………………… 蕭漢明 46
論《周易參同契》的外丹術……………………蕭漢明 郭東升 64
論唐五代道教的生機觀
——《參同契》與唐五代道教的外丹理論…………… 盧國龍 76
《參同契》與唐宋內丹道之流變…………………………… 盧國龍 121
陳摶易學思想探微…………………………………………… 李遠國 159
論邵雍的物理之學與性命之學……………………………… 余敦康 201
論邵雍的先天之學與後天之學……………………………… 余敦康 223
論朱熹易學與道家之關係…………………………………… 詹石窗 239
《悟眞篇》易學象數意蘊發秘……………………………… 詹石窗 258
論俞琰易學中的道教易……………………………………… 蕭漢明 265
李道純易學思想考論………………………………………… 詹石窗 292
雷思齊的河洛新說——兼論宋代的河洛九、十之爭……… 張廣保 309
道教科儀和易理……………………………………………… 陳耀庭 338
道藏之易說初探……………………………………………… 張善文 358
《道藏》《續道藏》《藏外道書》中易學著作提要……… 劉韶軍 372

《道家文化研究》第十二輯　目錄

先秦道家易學發微…………………………………………… 陳鼓應 1
"黃老易"和"莊老易"——道家經典的系統性及其流變 王葆玹 31
《易傳》與道家思維方式合論………………………………… 羅　熾 52
乾坤道論…………………………………………………………… 趙建偉 67
《易經》咸卦卦爻辭新解——論其與針灸醫術的關係…… 周策縱 85
老子與周易古經之關係………………………………………… 李中華 103
由帛書《易之義》看《易》《老》之關係…………………… 尹振環 120
《周易》與《道德經》在思維方式上的內在聯繫　王樹人 喻柏林 130
《老子》的"道器論"——基於馬王堆漢墓帛書本 [日]池田知久 143
《易傳》與西漢道家……………………………………………… 鄭萬耕 157
帛書《繫辭》的年代與道論…………………………………… 王　博 174
論《文子・上德》的易傳特色………………………………… 陳鼓應 192
《韓詩外傳》的黃老思想及其易說…………………………… 周立昇 206
嚴遵引易入道簡論……………………………………………… 王德有 223
《太玄》・黃老・蜀學——讀《玄》札記之一……………… 魏啓鵬 236
《太玄經》道家易札記——讀《玄》札記之二……………… 魏啓鵬 253
讖緯文獻與戰國秦漢間的道家………………………………… 徐興無 269
析鄭玄宇宙生成與衍化的象數模式
——兼談鄭注《乾鑿度》所透顯的道家思想………… 周立昇 284
虞翻的易說與老學……………………………………………… 周立昇 313
論王弼易學之時代精神與歷史意義…………………………… 張善文 324
王弼的崇本息末觀與易學革命………………………………… 高晨陽 352
王弼用《莊》解《易》論略…………………………………… 陳少峰 369
王弼《周易大演論》佚文研究………………………………… 王葆玹 388
王弼《易》學中的政治學說…………………………………… 馬良懷 412
周敦頤《易》學的道家思想淵源……………………………… 陳少峰 423
《蘇氏易傳》與三蘇的道家思想……………………………… 曾棗莊 432
程頤易學和道家哲學…………………………………………… 陳少峰 453

道家文化研究

第九輯

道家與道教學術研討會論文專號

香港道教學院　主辦

陳鼓應　主編

上海古籍出版社

《道家文化研究》編委會

目　錄

道家與道教學術研討會紀要…………………………………………(1)

道教的文化意義………………………………………羅智光 (4)
道教的文化根柢………………………………………陳　兵 (7)
簡述道教的倫理思想 ……………………………許抗生 (17)
論道教生命哲學 ……………………………………李　剛 (24)

《太平經》的民衆政治思想 ………………………張偉國 (41)
論《太平經》中的儒家思想 ………………………龍　晦 (54)

道教的創立與佛教東傳無關 ………………………李養正 (66)
六朝道教的終末論
——末世、陽九百六與劫運説 …………李豐楙 (82)
隋唐孝道宗源…………………………………………王　卡 (100)
朱熹與先天學…………………………………………劉仲宇 (122)
對全真教心性學説的幾點思考……………………鄺國强 (135)
從《磻溪集》看丘處機的苦修……………………朱越利 (158)
道士傅金銓思想述略………………………………曾召南 (177)

內丹之丹及其文化特徵…………王家祐　郝　勤 (190)

論精氣神……………………………………鍾肇鵬 (201)
榮格的道教研究…………………………王宗昱 (225)

道　教　考　古

東漢墓葬出土的解注器材料和
　　天師道的起源…………………………張勛燎 (253)
文物所見中國古代道符述論……………王育成 (267)
北魏姚伯多道教造像碑考論……………劉昭瑞 (302)
一張新出土的明代酆都冥途路引………江玉祥 (319)

論道教對中國傳統小説之貢獻…………張振軍 (332)
道教與中國畫略論………………………丁若木 (347)
論道教對宋詩的影響……………………詹石窗 (374)
從《小山樂府》看張可久的道家
　　道教思想……………………………韋金滿 (387)

正一道音樂與全真道音樂的比較研究……甘紹成 (402)
道教音樂特徵簡論………………………蒲亨强 (424)

道教對雲南文化的影響…………………郭　武 (438)

論《揚善半月刊》…………………………吴亞魁 (462)

道家與道教學術研討會紀要

1994 年 12 月 23—27 日,香港青松觀道教學院、北京大學中國哲學與中國文化研究所、四川大學宗教學研究所在四川大學學術交流中心聯合舉辦了首屆"道家、道教與中國文化"學術研討會。來自香港、臺灣和大陸的百餘名學者出席了會議。會議由四川大學宗教所所長卿希泰教授主持。

此次研討會由青松觀道教學院院長侯寶垣先生資助。八十高齡的侯院長還親率羅智光副院長及校董會董事韓輝南、蔡惠霖、陳霖生、麥子飛諸先生組團與會。侯院長在開幕致辭中說:"我中華傳統文化,有五千多年的悠久歷史,具有東方文明智慧之光輝。我們今次聚會,目的就在於將此文明光輝,加以承傳和發揚。"侯老先生以其弘揚民族文化的拳拳之心和對與會學者的殷殷厚望,拉開了會議的序幕。

會上,學者就道家與道教的關係進行了主題討論。過去,道家與道教的學術研究,處於一種專業分離狀態,道家指學者們口議心思的玄理,道教是教友們身體力行的修持。隨着研究的深入,學者們日益清楚地認識到,歷史上的道家與道教是密切聯繫着的。臺灣學者李豐楙指出,不宜印象地區別道家與道教。道教學者也讀老莊、注老莊,並將老莊義理實踐於修道之中。大陸學者盧國龍認爲,道家與道教,從理論上講是理與教的關係,從歷史上看是源與流的關係。先秦道家創發的天道自然、天道性命,是道教所以立教的“理本”；歷代仙真據其理旨以化俗度人，乃行教之事迹。理本乘教迹而顯，教迹因理本而彰。大陸學者王卡概括道家與道教的關係爲“教無學不立，學無教不行”，道教若無道家的理念作指導，將處於迷信的低級水平，而道家若無道教在實踐領域的推廣，則將局限於少數知識分子之内而無廣泛的影響。可以説，學界的這一認識有力地促成了這次道家與道教聯席的學術會議。

道家與道教聯席召開學術會議，這在大陸、臺灣、香港三地區還是第一次。這也是此次學術研討會的一個顯著特點。

站在新的視角探討道家與道教在中國思想史上的意義和地位，是此次研討會取得的重要成果。自西漢武帝獨尊儒術，百家皆偃旗息鼓，或從此湮滅不彰，或悄然匯聚於儒家的旗幟之下，唯道家昂然獨立，繼續展示儒家既不能包容、又不能取代的獨特精神價值。佛教傳入中國後，道家又與道教併力，成爲儒釋道三教鼎立之文化格局中不可或缺的一足。關於道家和道教的意義，中國社會科學院的王樹人教授説，儒家執着現實，道家倡導超越。對於一個民族來説，如果没有執着現實的人文精神就不能生存；而如果没有超越的人文精神就不能發展。事實上，儒學在歷史上幾次受挫或陷入僵化而終能振興，重新發展，大都得益於道家之補，而有發展眼光的大儒能援道入儒，卻也是使儒學得到新的升華和活力的重要原因。北京大學教授陳鼓應先生認爲，道家的意義在於它築造了支拱整個中國思想的哲學基礎：道家開拓了中國的形而上學致思路向；建構了中國第一個完整的形而上學思想體系；提出了中國思想中大部分最重要的形而上學概念與範疇。如果没有道家，中國思想將難出禮樂文化之樊籬，將長期停留在原始儒家僅矚目於政治倫理的水平。道家的玄思使中國思想具有了哲學的意味，因此以專業哲學的眼光來看，確實可以説道家是中國哲學的主幹。其他與會學者也從各自的角度對道家和道教在中國文化中的意義和地位進行了説明。例如唐明邦的發言《道家道教對中國醫學、藥學、養生學的貢獻》;羅熾的發言《道家道教與中華民族精神》;王德有的發言《道法自然與國人的思維方式》;石衍豐的發言《道教的神靈崇拜與中國文化》等等。

此次研討會還有一個特點,就是廣泛延請各地區各年齡層的專家與會。蕭萐父、唐明邦、李德永等老一輩學者已年逾七十,而北大年輕的副教授王博纔二十多歲。儘管學術風格並不以年齡劃分,但老中青不同年齡層的學者在關注問題的角度、論述問題的方法上確有一定的差異。總的説來,老一輩學者功底深厚,“史”味較足,而年青的一代機智敏鋭,“哲”思横溢。研討會上多次出現熱烈辯論的場景。皆執着於真理,皆寄情於傳統,中華文化的道脈就這樣在一代代學人的學、問、辯、難中逶迤伸延,走向未來。

此次研討會收到論文數十篇,這裏特選出有關道教的論文二十餘篇,作爲《道家文化研究》的第九輯予以發表。此外還有關於道家研究的數篇重要文章,如蕭萐父先生的《道家學風述要》、陳鼓應先生的《道家在先秦哲學史上的主幹地位》、劉笑敢先生的《老子哲學的中心價值及體系結構》等等,將刊載在《道家文化研究》第十輯。

(陳静整理)

道教的文化意義

羅智光

道教原出道家，道家始自羲軒，而伏羲、軒轅係我中華文化之祖，因此稱許道教是中華文化之母，並不爲過。

論中華文化者，必推儒道二家，數千年來，二家之學術思想，孕育陶鑄我中華民族之精神生活、風俗習慣，以至歷史文化，使中華文化博大精深，屹立世界上歷數千年而不替，更且化及鄰邦，爲遠識者所固守發揚，察其所以，自有其真一不二之理存在。

儒道二家學術，名雖有別，理則相同，老子標榜“尊道貴德”乃言其大者，即《陰符經》“觀天之道，執天之行，盡矣”。“失道而後德，失德而後仁，失仁而後義，失義而後禮”，乃首次之分也。孔子祖述堯舜、憲章文武，以“仁、義”教化天下，其“誠”、“正”、“修”、“齊”、“治”、“平”純爲入世之學，對於天道，略而不詳，而老子則擬議伏羲、彌綸黃帝，以“道德”教化天下，雖簡短《道德》五千言，但已追原天地之始、揭明宇宙之理、證驗古今之變，首標“道德”、次言“仁義”，指陳禮樂之不足，載言刑政之過煩，其秉要執本，在乎性情之極致，其道始於身心，表現於家國，最終則修之於天下，故老子之學包括天、人。既入世亦出世，此於儒、道二家，同中求異之處。

老子洞明宇宙真理，悟出萬事萬物變化之規律，定名曰“道”，故言“道德”。孔子在老子後問道於老子，既明此理乃專用之於治世，故言“仁”；孟子繼孔子後，詳加發揮，故言“仁”

必帶"義";荀子繼孟子後發"禮"以補"仁義"之不足;韓非學於荀子,知"禮"之不足範圍人心,故又言"法術刑名",由"道德"遞轉而至"刑兵",其源皆出老子。儒家之"五常"、"八德",乃將老子之"德"字分目詳細演繹,"温、良、恭、儉、讓"即老子之"慈、儉不敢爲天下先",足見儒家與老子相通。墨子之"非攻"、"節用",蘇秦師於鬼谷稱"縱横"宗"陰符",亦不出老子疇範。其他如楊朱、莊列、關尹諸子,直承老子之學,更不待言。周秦諸子雖不盡出於老子,但亦不相抵觸,可云相通。後世道家融匯成五大派,均託始於老子,更足知老子與百家相通矣。

佛教傳入中國,任翻譯經文者,必通儒道二家,故多融入道家義理,加以修正、發揮,成爲中國化。例如佛之"色空"即道家之"有無",佛之去"六根"、"六塵"即演繹道家之"無欲",佛之"妙常"即老子之"復命曰常"、"衆妙之門",至如佛之"究景涅盤",道家更言之詳矣。佛教各宗派如融入道家義理者,定必盛行,就中最著者,如禪宗,此宗在印度幾無存在,而固守印度色彩者,則難推闡,可知佛亦與老子相通,但佛衹言出世,對於家、國、天下,貴乎擺脱牽纏,與道之入世亦出世,乃同中相異之處。

尤有進者,道學博大精深,希微玄妙,道籍浩如海,但宇宙真理,衹渾然一個,《老子》經簡略揭明,中國學者用以治世,而西方學者則用以格物,所以中國則道德倫理特精而西方則科學物理獨擅,然物理之學即探求萬物所含有之宇宙真理,如老子云,"常無欲以觀其妙,常有欲以觀其徼"之謂。如中國某學者曾獲諾貝爾物理學獎,在接受香港中文大學博士學位時發表演詞,承認成功獲獎,全得力於道家太極陰陽之理,所啓發所循理鑽研,並云現今丹麥一物理學家以太極圖作爲族徽,以表尊崇。再者近世英國學者李約瑟畢生浸淫道籍,心有所得,寫成巨著,對道家推崇備至。宇宙真理無地域,無分古今,在乎學者之觀妙徼而識衆妙之門而已。現世交通發達，天涯若比鄰，學術交流無時地之阻隔，冀望將來，道教文化之發揚，能使道學會通科學，作出驚世發明，普利萬民，光大玄門，更使中華文化，風靡萬方，中華民族卓立大地之間，億萬斯年有厚望焉。

大道隱顯，有其時、有其地、有其人，時逢否運，大道隱晦，則太陰純精昇，奸邪彌，賢良隱，而致龍蛇起陸，天地反覆，浩劫頻仍，曠古未見，今否極泰來，大道常顯，至陽真精降，賢良輔，奸邪伏，是得其時、得其地、得其人，道教之興起，乃順天而起，"執天之行"，無限前程，可爲預卜，願與各位專家學者共勉。

作者簡介　羅智光，1916年生，廣東南海人。從事道教學術與實踐工作六十餘年，現爲香港道教聯合會副會長，青松觀香港道教學院副院長。

道教的文化根柢

陳　兵

與社會之轉型相應，中國文化，當前正面臨着一個轉型創新的新時代。在多元文化之共存互融、磨礱激勵中，百花齊放，百家爭鳴，吸收人類創造的一切優秀精神成果的精華，發展創造，形成應時適世、堪以振作國魂民心、引導中國盡快步入世界強國前列的民族新文化，已成爲中國文化發展的大勢所趨。在熔鑄民族新文化的諸原料中，中國傳統文化，無疑是最爲重要的。雖然那種"祇有傳統文化纔能振興華夏、拯救人類"的主張未免片面，"中學爲體，西學爲用"的老調也不宜重彈，但中國傳統文化，必然要作未來民族新文化的根基，這是由文化發展的客觀規律和中國傳統文化本身的優勢所決定了的。中國傳統文化的根子在哪裏？爲當今一些關心國家命運、民族文化的人們所探討的重要問題。弄清這一問題，的確有利於把握傳統文化的來龍去脈，形成清醒的民族自覺心。不少人認爲，中國文化的根子在易學，或說在儒學或原始宗教。對此，魯迅先生早有答案，他在 1918 年致許壽裳的信中曾說過："中國根柢全在道教，此説近頗廣行。以此讀史，有多種問題可以迎刃而解。"

魯迅所言"中國根柢"，當是指中國文化之根柢，爲什麼説它"全在道教"？魯迅未作明確解釋，後人對這句話的理解也不大一致。筆者認爲，這句話應從兩個方面去理解：第一，道教作爲中國土生土長的唯一正統宗教，源遠流長，吸收凝聚了多家文化營養，在中國傳統文化中占有重要地位，在社會上有深遠影響。關於這一點，卿希泰先生在《試論"中國根柢全在道教"》一文中言之甚悉，本文無須贅述。第二，從魯迅先生議論中國歷史文化的一貫着眼點看，"中國根柢全在道教"，應主要指道教集中表現出中國文化的民族性格，尤其集中表現出民族文化心理素質的特點，表現出民族的優良傳統和"民族劣根性"，因而，從道教可直探中國文化之深根。本文擬就此略呈管見，求教於諸賢，以作引玉之磚。

任何民族的傳統文化，都不是一個一成不變的東西，而是在歷史長河中由各種社會、文化因緣之波濤交相作用而流動變化的過程。若論其中較爲穩定、最具惰性，最能反映其淵源所自、根株所在的東西，便要數民族文化心理素質了。海外有學者認爲：民族文化心理素質對決定中國命運，起着舉足輕重的作用，這話頗發人深省。就像一個人，從主觀方面講，決定其命運的，主要是他的性格、智商和心理素質。正確認識自己民族的性格和文化心理素質，發揚優良傳統，革治"民族劣根性"，通過文化建設、社會教育等途徑，鑄造出健全的新型民族文化心理素質，是振興華夏的重要基礎工程。就此而言，深入研究道教，具有重大現實意義。這是因爲，道教總攝了中華本土最原始、最傳統的宗教信仰，而傳統宗教信仰，是民族心理深層景觀的表露，因而是正確認識民族性格、民族文化心理，探索中國文化根柢的捷徑。

民族文化心理素質，一般說有人生態度、情感方式、致思途徑、思維模式、價值觀念等方面。通過道教這個窗口，可以直窺中華民族文化心理素質的方方面面。集中表現中華民族文化心理素質、民族性格、民族神魂的道教精神，主要有以下四點。

一、求道不已的精神

道教以"道"名其教，樹"道"爲標幟，"道"被列爲道教徒歸依對象“三寶”之首,爲道教最高信仰、道教教理之最高範疇,職業道教徒自稱“道士”、“道人”、“貧道”,道教徒互稱“道友”,道教宗教實踐被稱爲“學道”,不同時代、不同風貌的諸多道派會合於“道”的旗幟之下而統稱道教,這一切,說明求道是道教的主體精神,“得道”是道教的理想境界。

從“道路”之本義引伸抽象而爲哲學範疇的“道”,不僅爲道教所向往尊崇,而且是先秦諸家幾乎都予以關注的東西,其淵源所出,遠在道教教團成立之前,是中華民族理性初熟階段對世界形成宏觀認識的重要表現。《左傳·昭公十八年》載鄭子產有“天道”、“人道”之分。《莊子·天下篇》以“道術”總括華夏古學,謂天下道術“皆原於一”,出於合政治、倫理、個人修養之道爲一的“內聖外王之道”,後來被諸子百家分裂,各有所長而不能相通。道家之學,特以“道”爲綱宗,欲圖以一“道”統合百家學說,以一哲學之“道”一統政治、倫理、軍事、養生等枝末之道乃至精神超脫的出世之道。道家道論的成熟,表現出中華古代文化精英以其慧眼審視世界的一大特點:首先從宏觀着眼,從人與自然的根本關係着眼,把握能解決宇宙人生一切問題的大本——道,用莊子的比喻說,即掌握能“得其環中,以應無窮”的中樞、樞機——“道樞”。道家一方面通過理性思辨,運用樸素辯證法,從世界萬物的現象中概括出道的規律和屬性,一方面又以“道可道,非常道”爲以理性認識道的終極結論,認爲常道不能僅以概念分別的理性思維方式去認識,須通過超理性的特殊認識途徑,用“致虛守靜”、“坐忘”、“守心”等方法去直覺。道家還把通過冥心無念“與道爲一”作爲解決人與自然根本矛盾、獲得絕對自由的大道。

道教關於道的思想,主要承自道家。道教教團成立後,道家道論便主要由道教所發揮。與道家一樣,道教也奉道爲解決一切問題的樞機,爲“萬物之元首”(《太平經》),爲“虛無之系,造化之根,神明之本,天地之元”(《玄綱論》),以虚、無、通等爲道的基本屬性。道教從當時的思辨水平,對道論作了發揮,或從宇宙論、元氣論角度,將道闡釋爲元氣、先天祖氣等;或從心性論角度,將道指爲未經後天欲念污染的本來心、元神等。對體證道的操作技術,道教發展尤多,道教五花八門的修煉方術及齋戒儀範等,皆爲體道、得道這一終極目的而設。

與道家論道以“內聖外王之道”爲出發點不同,道教論道、求道,重在從人存在的根本問題、個人生命與自然的矛盾之解決出發,從生命超越的宗教性立場出發,重在追求長生不死、與道合一之道。道教對道的闡釋,也比道家之道多了些宗教色彩,如《老子想爾注》、《太平經》等,皆將道神格化,解釋爲被神化了的老子——太上老君或道君。

道教確信道爲解決宇宙人生根本問題的樞機,以得道爲人生鵠的,表現出一種求道不已的精神。一代代道教徒以得道爲人生終極價值,孜孜追求,矻矻探索實踐,爲求道,他們寧願捨棄世俗的物質享受、功名富貴、天倫之樂,采藥訪道於窮山僻野,煉丹修氣於巖窟静室,自甘於清貧樸素的生活而怡然自樂,乃至爲道獻身,爲求道而刻苦磨煉,主動忍受一般人難以忍受的痛苦折磨。

道教繼承發揚道家傳統,尊道重道、求道不已的精神,通過特具民族風格的宗教形式,長期傳播於社會,對形成中華民族的文化心理素質,尤其是溝通精英文化與大衆文化,起了重大作用。中國文化人、高尚之士歷來唯道是求的人生價值觀,安貧樂道的人生態度,及從宏觀上巧握道樞的思維特點,偏重直覺體悟的致知途徑,無疑多分受惠於道家、道教。求道不已的精神,起着提高國民精神層次的積極作用,能針治因過度貪着物質生活而陷於庸俗低級以至腐化糜爛的民族劣根性。當然,畸重求道和個人永生,有忽視物質生産和社會羣體生活之弊;側重直覺冥思,有忽視邏輯理性之弊。這些缺陷,雖爲儒學(重社會羣體生活)和佛學(重邏輯思辨)所填補,但仍顯不足,形成中華民族文化心理素質中不利於實現現代化的一面,需要引進西方文化予以補充糾治。

二、從貴生到長生不死的追求

注重現實人生,摯愛生活,是華夏民族從遠古以來便已成型的一大傳統。先秦諸子百家立言雖有不同,但無不以現實人生的改善爲宗旨,以政治倫理中心之道爲主題。中華民族這種摯愛人生的現世主義人生態度,在道教中有突出表現。

道教的核心信仰長生不死,便是基於珍惜人生的態度而建立。早期道書《太平經》倡導“重生”、“貴生”,認爲天地之間“人命最重”、“壽爲最善”,樂生惡死、貪生怕死,乃人的本性。并以陽尊陰卑之理,論證生重於死,活人重於死鬼,生前重於身後,號召人將關懷寄予現世的生存。珍愛人生,自然要不滿於人生之短暫,畏懼死亡之到來,爲延壽長生而與自然抗爭。嘆惜人生短暫,“百歲光陰石火爍”,“百年彈指一聲中”,成爲道教詩文中的主調,此中流露出的不是佛教式的揭露“有生皆苦”,而是對現實人生價值的肯定、欲永保人生幸福而不得的遺憾。追求長生不死,成爲道教的顯豁主題,這在世界諸宗教中確是一幟獨樹。道教所説長生不死,雖有肉體或“陽神”飛昇天界仙境的超離人間的不死,但很多道教徒追求的,是肉體不死以永享人間幸福。《抱朴子·對俗》説:“篤而論之,求長生者,正惜今日之所欲耳,本不汲汲於昇虚,以飛騰爲勝於地上也。”集中表現了道教長生不死信仰的特點。儘管後來道教受佛教影響,愈來愈注重精神不死、陽神飛昇天界,甚至如全真道之否定肉體長生、肉體飛昇爲“大愚不達道理”,但與佛教相比,道教還是相當注重現實,重視養生延命,道教在儒釋道三教中一直以擅長修身(保養身體)著稱。

爲達長生不死,道教發明、實踐了成百上千種方術,從服食辟穀、導引按摩、燒煉丹藥,到服氣、存思、守一、守道、服日月光華、采五方氣、修煉內丹,若論養生延壽方術之多之雜,道教大概可稱世界之冠。道教對長生不死的不懈追求,從一個極端集中表現出華夏民族摯愛人生的文化心理素質。道教的經久流傳,使華夏民族的這一文化心理特徵愈益明顯。從當今氣功鍛煉之風行,不難發現中華民族的這一文化心理特徵,發現道教貴生重生精神影響之深遠。

珍惜人生,貪愛個人生命,執着肉體不死以永享物質、倫理生活之幸福,當然會促使人們全力投入現實生活的改善,有利於物質文明的建設,但也難免孳生享樂主義、拜金主義、個人主義,造成鋪張浪費、紙醉金迷、貪污賄賂、腐化墮落等妨礙文明建設的社會弊病,這在宗教影響微小、價值觀念混亂的當今社會表現尤爲突出。中華民族文化心理素質的這一弊端,佛教冷靜審察人生價值、尚精神解脱的教義可以起到糾治的作用。

三、從天人合一到"我命由我不由天"

天人合一,是華夏古代思想尤其是儒家思想的一大特徵,是華夏先民解決人與自然界矛盾的基本立脚點。天人合一論把人與自然界看作緊密聯繫、不可分割的整體,用道教《太平經》的話説,即"天地人三統,相須而立,相形而成",有如組成人身體的各個部分。中國儒釋道諸家,都主張從人與自然的關係中去認識世界,認識自身,掌握、順應自然規律,發揮人應有的主觀能動性,"參贊天地化育",保持與自然界的高度和諧。

天人合一論在道教思想中表現至爲突出。道教繼承發揮道、儒等諸家的天人合一説,將其作爲觀察宇宙人生、解決人生終極關懷問題的指針。從《老子》"道法自然"出發,道教哲學奉自然爲最高實在,道須從自然、天地本具之法則中去體認。道"法天象地”,人欲得道,須效法天地,如“天清地静”爲天地之根本特性,人若要得道,須令自心常清常静;天地無爲,人若要得道,亦須無爲。從修身治國,到修煉成仙,皆以順應自然、效法天地、絶不以主觀意志違拗自然爲基本原則。道教各種煉養方術,皆強調攝心調息須順其自然,忌勉強做作,當今氣功諸家,對道教煉養術的這一要點,都予以肯定。

道教着重循天人合一的途徑,探究人生命的秘奥,發現長生不死、超越自然之道,形成了“人身一小天地”的天人合一的人體生命學説。《陰符經》云,“宇宙在乎手,萬化生乎身”,意謂人身是天地之縮微,天地是人身之放大,人身小天地等於宇宙大天地,具足宇宙大天地的一切。這一學説在宋元内丹學中高度成熟,認爲人身與天地同一本元,皆出於道或虚無;人身與天地同一生成程序,乃由虚化神、神化炁、炁化精、精生形,或由無極而太極、而陰陽、而五行;人身與天地同一運轉法度,“氣液升降如天地之陰陽,肝肺傳導若日月之往復”(《鍾吕傳道集》);人身的内在結構與外表形象,也是天地日月的縮微,如頭圓象天、足方象地、二目象日月等,所謂“天法象我,我法象天”(《真氣還元銘》)。

道教還以天人合一論爲其祈禳祓禬之術的理論依據,以崇祀天地神明爲解決人與自然界矛盾的重要途徑,並利用天地神明宣揚倫理規範,爲維護封建社會秩序服務。《太平經》等宣揚:天地人三才一體,互不分離,天地爲人之父母,有衆多神鬼精,主宰着自然現象與人事。天人、人神互相感應,天地神明以災禍變怪等警誡世人,謂之“天譴”。帝王不行正道,人民不忠不孝,世風不正,會感得水旱瘟疫等“天譴”,人應尊重“天譴”,修善立德。敬奉、祭祀、祈禱神明,可滿足祈雨求晴、治病除瘟、消災免難、生兒育女、安邦定國等願。以符籙咒術感通神鬼,爲人治病、驅邪、求雨祈晴,爲道士尤其是正一派道士的職事。道教還認爲:天地之神明亦縮微於人身,人身中各部位皆有神居之,身内身外之神,終歸爲人身的精氣神所變化,人心爲天人感應的樞機。人身所居“三尸”神及深入每家每户的竈神等,在冥冥中監察記録人們的善惡,及時上報天曹,以作賞罰,善惡之念始萌,神明便已知之,獎懲報應,絲毫不爽。這種神道設教,通過通俗的《太上感應篇》、《文昌帝君陰騭文》等勸善書,普及於民間,起到了巨大的社會教化作用。

崇祀神鬼,自是原始巫教之餘習。人們常把行賄、巴結權貴喻爲燒香供神,即説明這種行爲與崇祀神鬼一樣,都是出於同一種屈從權力的心理,此可謂中華民族的一種劣根性,這種民族劣根性由道教的多神崇祀作了集中的反映。然而,道教對自然、天地、神明,尚非僅是消極的順應、服從,而頗有以智慧參透天地玄機、掌握自然規律,從而主宰自然的積極意味。《陰符經》云:“是故聖人知自然之道不可違,因而制之”,與荀子“制天命而用之”的精神相通。道教確信:從觀察天地萬物的變化及其象數中,歸根返本,與道合真,便可實現自身生命的變革,成爲自己生命及自然的主人,從而超出生死,“重鑄陰陽,再造乾坤”,乃至驅遣鬼神,無爲而無所不爲。“我命由我不由天”,因而成爲道教的豪壯口號。

天人合一的思維模式,順應自然以控制自然,乃至“我命由我不由天”的精神,經道教之經久宣揚,深入人心,積澱於中華民族文化心理之深層。天人合一的傳統,使中華民族具有人定勝天的自信,慣於用整體的、辯證的方法、抽取象數的模式思考人與自然。這種傳統的片面發展,雖然可能較難産生建立於理性邏輯之上的近代科學,但當它與西方現代科學結合後,便可補科學之不足,使中國有可能在下一世紀科學的整合和研究人自身的科學上居領先地位,有利於針治近代西方文明因割裂人與自然而造成的環境污染、生態失衡、道德淪喪等弊病。

四、兼容並蓄,包容一切

在自己民族文化的基地上,廣收博納别種文化的營養,以滋潤培植民族文化之林不斷成長壯大,很少文化的排他性,具很強的文化包容性和吸收消化能力,是中華民族的一大文化傳統。這一傳統,在道教中表現最爲突出。

道教承先秦道家以道賅攝百家之學的家風,及華夏古代宗教多神崇祀的傳統,對別種宗教、文化具有極強的包容、吸收能力。從包羅天地萬物、不受時空局限的"道"出發,道教可以總攝、接納諸家之學、外來文化;從多神崇祀出發,道教可以把其他民族、其他宗教信奉的神接納進自家的祭壇。道教教團從創立之初起,便廣泛汲取道家、神仙家、陰陽家、墨家、儒家、醫家等多家學説以組建其教義。道教雖然被看作漢民族的宗教,實際上並不分別民族界畛,吸收統合了華夏多種民族的宗教,《太平經》明言:夷狄亦有道,應重視、採納其道,與儒家之嚴別華夷很是不同。佛教傳入後,道教教團上層人物雖因教團利益,與佛教進行過幾次你死我活的鬥争,但在思想內容上,則不斷地、大幅度地吸收佛教,攝取佛教的輪回、因果報應、空、佛性、心性等學説豐富自家的教義,甚至抄襲、模仿佛經以製造道經,將佛、觀音菩薩、達摩祖師等增補進道教神團的隊伍,模仿佛教的出家、寺院叢林、戒律清規等制度。道教還吸收了外來的婆羅門教、摩尼教等的一些內容,對儒學、民間宗教更是不斷吸收。這種兼容并蓄與不斷吸攝,使道教的內涵在不斷發展變化,這成爲道教的一大特色。

由道教集中表現出的文化上的包容性、不排它性、吸攝性,使中華民族具有開闊的文化胸懷,容易接納吸收先進文化,不斷發展民族文化,有可能在將來集世界文化之大成。

除以上四點外,由道教所表現出的民族傳統精神,還有重慈尚儉、和平不争、注重自律等。道教發揚老子之學,以仁慈儉樸爲美德,道教戒律將仁慈戒殺、慈愍萬物置於首要地位,道教有憫恤孤貧、救濟厄難、勸殺息諍、施醫治病等傳統,道教界歷來注重開辦慈善事業。道教的宮觀建築、道士的衣着和飲食習慣,至今尚表現出一種節儉樸素的風格。節儉樸素傳統的發揚，十分有利於資金的積纍，對鋪張浪費、非理性消費主義的奢靡之風有抑制作用。道教還承道家之風，尚和平謙讓，不喜争鬥，表現出一種寬容謙厚的君子之風。道教十分重視道德自律，製有各種戒律、清規、功過格等約束道徒行爲，其所宣揚的道德規範在今天看來雖具封建性，但其中如不欺不盜、不淫亂、普度厄難、所爲之事先人後己等，還是可適用於現代社會的。

道教的這些精神，乃中華文化傳統中的主要精神，它們雖淵源於遠古，但經道教的弘揚，益加深入人心，形成中華民族的文化心理素質。中華文化之根柢，嚴格而言雖然不能説唯在道教，但道教的確集中表現出中華文化的主要精神，爲直窺中華文化根柢時視綫必經之窗口。深入研究道教，探明中華文化之根柢，認清本民族的性格、文化心理特徵，發揚優良傳統，糾治民族劣根性，對於鑄造新型的、健全的民族文化心理素質，建設新型的民族文化，是很有現實意義的。

簡述道教的倫理思想

許抗生

道教與佛教不一樣,它是我國土地上自生的宗教。它的產生深深根植於我國古代社會傳統文化的氛圍之中。道教正式形成於東漢末年,是從戰國時期的神仙方術思想發展而來。它吸取了我國古代的巫術文化和原始宗教信仰,並以道家哲學作爲自己的理論基礎而建構起來的,道教組織最早產生於漢代民間,當時流行於下層社會的主要有兩大道教組織:一爲五斗米道,一爲太平道。之後,道教由民間發展成爲得到朝廷支持的帶有全國性的具有廣泛影響的一大宗教,並與儒、佛兩教鼎立而三。道教成爲中國傳統文化中的一個重要組成部分。道教的宗旨與佛教不同,佛教講無生,求得涅槃寂静,道教講長生,求得不死成神仙。佛教是外來的宗教,它原有的倫理學說與我國占統治地位的儒家倫理學說有着不少的矛盾與衝突,因此佛教傳入中國之後,有一個協調和融合儒家倫理思想的過程。道教則是在自己的國土上產生的,因此它一開始就接受了儒家倫理思想的影響,並在它的發展過程中很自覺地大量地吸取儒家的倫理思想以充實、豐富自己的學說。所以,在我國歷史上儒、道兩教之間的矛盾紛爭,遠不如儒佛之間矛盾對立的尖鋭。且道教還常常站在儒家一邊,以維護儒家的禮教出發(道教就這點講不大同於先秦的老莊猛烈攻擊儒家),以攻擊佛教。由此可見,道教的倫理思想,除了它一部分繼承了老子道家的倫理思想之外,基本上是與儒家倫理思想相一致的。

早在早期的道教經典《太平經》中,就已滲透了儒家倫理思想的影響。《太平經》基本上是東漢方士們的一部著作,它把神仙方術思想與漢代的陰陽五行學説、讖緯迷信思想等糅合在一起,是部思想十分龐雜的書。其書所講的倫理道德思想則主要來自儒家的三綱五常學説。而其中尤以"孝"與"忠"爲最稱重要。《太平經》中卷九十六有"六極六竟孝順忠訣",卷一百八有"忠孝上異聞訣",卷一百十四有"不孝不可久生戒"等節,專門闡説了"忠孝"思想,並把孝與長生聯繫了起來。《太平經》説:"天下之事,孝爲上第一。"(《太平經》卷一百一十四《某訣》)並認爲孝是天的命令,"天稟其命,令使孝慈"(同上)。以此行孝能得到天的保佑,"此念恩不忘,爲天所善,天遣善神常隨護,是孝所致也"(同上)。孝不僅要孝順父母,而且要把它推及到天下國家,也就是要孝順君主,孝順君主即爲忠。爲此《太平經》説:"不但自孝於家,並及內外。爲吏皆孝於君,益其忠誠,常在高職,孝於朝廷。"(同上)由此可見,孝與忠是不可分離的,在內孝父母,在外忠君主,忠孝兩全正是我國古代宗法制封建專制社會的要求,以此也就成爲了儒家所宣揚的三綱中的主要內容。對此《太平經》説:"子不孝,弟不順,臣不忠,罪皆不與於赦。令天甚疾之,地甚惡之,以爲大事,以爲大咎也,鬼神甚非之,故爲最惡下行也。"(《太平經》卷九十六《六極六竟孝順忠訣》)不孝不忠罪大惡極,天地惡之,鬼神非之,罪不可赦。可見早期道教經典《太平經》是完全接受了儒家忠孝倫理之道的。

漢代的神仙道教思想發展有兩個路向:一是盛行於上層社會,一是流行於下層民間。前者如楚王劉英交通方士,誦黄老微言,作金龜玉鶴,刻文字以爲符瑞等。又如桓帝好神仙事,在宮中並祭二氏(佛與老子),並遣使至苦縣祠老子等。這些皆屬於上層社會的神仙學,但當時未形成道教組織。後者方士們流散於民間,並在東漢末年逐步形成了五斗米道和太平道兩大道教組織。五斗米道活動於現今的四川、漢中一帶,創始人爲張陵,其子張衡、張魯並在漢中建立了政教合一的地方民間政權。張角則創建了太平道,活動於青、徐、幽、冀、荆、揚、兗、豫八州,發動了歷史上有名的黃巾農民大起義。張角雖"頗得《太平經》其書",但並沒有按照書中所說的"孝於朝廷"、"助帝王治"的原則辦,而是高揭起了"蒼天已死,黃天當立"的口號,造了漢王朝的反,成了"賊子"(所謂"黃巾賊")。以此早期的道教組織(太平道,五斗米道)與農民的反抗、起義結下了不解之緣。當然這樣的道教組織是不可能得到上層社會支持的,以此統治者們用武力鎮壓了黃巾起義,直至三國時的曹魏政權與孫吳政權,仍然對民間道教採取了抑制或鎮壓的政策。爲了使道教成爲上層社會所需要的宗教,就必須對早期的道教作一番改造,使之適應封建社會的需要。兩晉以來的道教改革運動就是適應着這一需要而展開的。其改革的一個重要內容就是把儒家的倫理政治思想大量地引進到道教的教義之中,使之原始的民間道教上昇成爲封建社會所需要的一大宗教。其時倡導道教改革的代表人物主要有東晉的葛洪和北魏的寇謙之等人。

葛洪,字稚川,丹陽句容(今屬江蘇南京市)人。約生於西晉武帝太康四年(283),卒於東晉康帝建元元年(343)。葛洪站在維護儒家禮教的立場上,指責早期道教的領導人張角等人說:

> 曩者有張角、柳根、王歆、李申之徒,或稱千歲,假託小術,坐在立亡,變形易貌,誑眩黎庶,糾合羣愚,進不以延年益壽爲務,退不以消災治病爲業,遂以招集姦黨,稱合逆亂,……威傾邦君,勢凌有司,亡命逋逃,因爲窟藪。(《抱朴子·道意》)

這是指責張角等人,違背了道教的原有宗旨(即"延年益壽"、"消災治病"),而去假託小術,糾合羣愚,招集姦黨,作亂謀反的。爲了要革除道教這些政治上的危險性,葛洪認爲就必須把正統的儒家禮教引入道教中。以此他所著的《抱朴子》一書，其內篇“言神仙方藥，鬼怪變化，養生延年，禳邪卻禍之事，屬道家”，外篇則“言人間得失，世事臧否，屬儒家”，就是把儒家的倫理政治思想與道教神仙學説結合在一起，認爲兩者是互爲補充，缺一不可的。他並把道教與儒家的關係説成是本末關係：“道者，儒之本也；儒者，道之末”，本來不可分。以此儒家的倫理思想，也就成爲了道教的思想內容。爲此葛洪認爲，作爲道教信徒，就必須遵循儒家禮教，修習仁義。《抱朴子·對俗篇》説：

> 欲求仙者，要當以忠孝、和順、仁信爲本，若德行不修，而但務方術，皆不得長生也。

修仙要以忠孝仁信爲本，德行不修不得長生。這就是説，遵循儒家的倫理道德思想，已成爲了道教成仙的根本要務。要成爲道教的神仙，就必須首先修養儒家的道德，決不能像張角那樣違背禮教、作亂臣賊子的。這樣葛洪就把早期道教納入了符合儒家禮教的軌道，使道教成爲了封建社會所需要的宗教。

北魏的寇謙之，生於前秦建元元年(365)，卒於北魏太平真君九年(443)，上谷昌平(今屬北京市)人。他在道教改革活動中，主要是改造了原有的天師道(即五斗米道)，清整了原道教組織，創立了新天師道。寇謙之自稱太上老君授予他“天師之位”，賜給他《雲中音誦新科之戒》，令他“清整道教”，“除去三張(指張陵、張衡、張魯)僞法，租米錢税(指五斗米税)及男女合氣之術(指房中術)”，而“專以禮度爲首，而加之以服食閉練”(見《魏書·釋老志》)。這是説，寇謙之掃除了五斗米道的舊道法，引進了儒家的禮教(“以禮度爲首”)思想，從而使新天師道成爲了封建社會所需要的宗教。現存《老君音誦誡經》中説：“老君曰：……謙之，汝就係天師正位，並教生民，佐國扶命……”在這裏“佐國扶命”成爲了新天師道的宗旨，這就完全改造了原有民間道教的性質。經中又説：“太上老君樂音誦誡令，文曰，‘我以今世人作惡者多,父不慈,子不孝,臣不忠,運數應然,當疫毒臨之,惡人死盡,吾是以引而遠去'。”可見,寇謙之要清整道教目的是要維護儒家的父慈、子孝、臣忠的封建綱常禮教的。

自東晉南北朝以來,原有道教的性質發生了根本性的變化,道教受到了上層社會和朝廷的支持與提倡,從而得到了蓬勃的發展,成爲了我國封建社會中三大社會思想意識(儒、佛、道)之一。占統治地位的儒家倫理思想,則更多地滲透到了道教教義和戒律之中。尤其是儒家的三綱五常思想竟成爲了道教戒律的主要內容。如《洞玄靈寶天尊説十戒經》中所列出的十戒內容是:一、不殺,當念衆生;二、不得妄作邪念;三、不得取非義財;四、不欺善惡反論;五、不醉,常思淨行;六、宗親和睦,無有非親;七、見人善事,心助歡喜;八、見人有憂,助爲作福;九、彼來加我,志在不報;十、一切未得,我不有望。(見《道藏》洞玄部戒律類,陶下,《洞玄靈寶天尊説十戒經》)從這十戒中可以看出,儒家的仁愛思想,尤其是宗親和睦思想已明顯地貫徹到了道教戒律之中,這是完全符合我國中世紀宗法制社會需要的。在同書中還提出了十四治身之法:一、與人君言則惠於國;二、與人父言則慈於子;三、與人師言則愛於衆;四、與人臣言則忠於上;五、與人兄言則友於弟;六、與人子言則孝於親;七、與人友言則信於交;八、與人夫言則和於室;九、與人婦言則貞於夫;十、與人弟言則恭於禮;十一、與野人言則勤於農;十二、與賢人言則志於道;十三、與異國人言則各守其城;十四、與奴婢言則慎於事。這十四治身法包括了君惠於國、父慈於子、兄友於弟、臣忠於上、師愛於衆、子孝於親、友交於信、夫和於室、婦貞於夫、弟恭於禮等等原則,這些道德原則,顯然是按照儒家倫常學説來處理家庭、社會、國家乃至一切人與人之間關係的具體化。這是道教對儒家倫理思想有條理地闡説和發揮。在正一五戒文中,道教徒們更有用儒家的五常觀念來闡釋道教的五戒內容的。其戒文是:一、行仁,慈愛不殺,放生度化。內觀妙門,目久久視，肝魂相安。二、行義，賞善伐惡，謙讓公私，不犯竊盜，耳了玄音，肺魂相給。三、行禮，敬老恭小，陰陽静密，貞正無淫，口盈法露，心神相和。四、行智，化愚學聖，節酒無昏，腎精相合。五、行信，守忠抱一，幽顯效微，始終無忘，脾志相成，成則名入正一 (見《道藏》太平部，子下第 773 册)。在這裏儒家的仁義禮智信五常道德思想與道教的養生説結合在一起了。儒家的道德思想已成爲了道教戒文中的主要內容。由此可見，道教的倫理思想，主要來源於儒家學説。

道教倫理思想的另一個重要來源，則是先秦道家 (主要是老子的) 清虚、抱樸、謙遜、自然無爲等思想。如道教戒律中就有“修齋念道，恭心道法。內外清虚，不生穢惡。退身護義，不争功名。抱泰守樸，行當自然” (見《道藏》洞玄部戒律類，陶上，《太上洞玄靈寶智慧罪根上品大戒經》) 等等，就是來自於先秦道家的清虚、謙退、不争、素樸、自然的思想。這些思想尤其在《道德尊經想爾戒》中闡説得更爲明顯。想爾戒分上、中、下三品。上品戒文説：“行無爲，行柔弱，行守雌，勿先動。”中品戒文説：“行無名，行清静，行諸善。”下品戒文説：“行無欲，行知止足，行推讓。”(見《道藏》，同神部戒律類，力上，第 562 册，《太上老君經律》) 這裏的無爲、柔弱、守雌、勿先動、無名、清静、無欲、知止足，推讓等等無一不是來源於先秦老子的思想。又如在所謂老君二十七戒中，還有“戒常當處謙下”、“戒勿輕躁”、“戒勿恣身好衣美食”、“戒勿爲耳目口鼻所誤”、“戒勿盈溢”、“戒勿與人争曲直”、“戒勿樂兵” (同上) 等等，也是直接繼承了老子的謙下、勿躁、素樸、勿盈、不争、勿樂殺人等思想的。在這裏，道教的倫理思想又與先秦以老子爲代表的道家倫理思想有着密切不可分的聯繫。

由此可見，道教倫理思想主要有兩方面的思想所組成①：一是

①當然道教倫理思想還受到佛家倫理的影響，這方面內容本文從略。

來自儒家的忠孝仁愛思想,一是來自道家的清靜無爲樸素謙遜的思想。這兩部分思想在宋金元時期的全真道中,更是把它們當作爲兩種緊密相關的修養思想。例如全真教中的龍門派就是這樣做的,以丘處機、尹清和等人爲代表的全真龍門派,主張內道外儒的雙修功夫。他們稱儒家的修養功夫爲"有爲"功夫,爲"外日用",稱道家的修養功夫爲"無爲"功夫,爲"內日用",主張內外雙修。關於內外日用問題,丘處機在《寄西州道友書》中說:"舍己從人,克己復禮,乃外日用,饒人忍辱,絶盡思慮,物物心體,乃內日用。"又說:"常令一念澄湛,十二時中時時覺悟,性上不昧,心定氣和,乃真內日用;修仁蘊德,苦己利人,乃真外日用。"可見所謂內日用就是"令念澄湛"做清靜功夫,這是講的內丹修煉,但其中也要遵循道家的道德原則(如饒人忍辱、清靜無爲不争等等),而所謂外日用即是踐履儒家德行,所謂內外結合,實就是儒道雙修。

總之,從整個道教的發展過程來看,道教的倫理思想主要吸取的是儒家的倫理學說,同時它又繼承與發揮了先秦道家的倫理思想。

作者簡介 許抗生,1937年生,江蘇武進人。現任北京大學哲學系教授。著有《帛書老子注譯與研究》、《中國的道家》和《魏晉玄學史》(主編)等。

論道教生命哲學

李　剛

内容提要　道教哲學主要是種生命哲學,這種生命哲學不僅要取得人生的安全立足點,而且要獲得個體生命之永恒。道教生命哲學具有重生性、主體性、實證性、超越性等特性。道教生命哲學是内聖外王結合的産物,它不僅僅以内聖之道解決人的生死問題,而且發而爲外王之用,以其獨有的政治倫常學説濟世救人,這就是道教生命倫理學和生命政治學。

道教哲學以生命爲本位,可以説它主要是種生命哲學。這種生命哲學不僅要取得人生的安全立足點,而且要獲得個體生命的永恆。此一永恆性在道教中體現爲"神仙不死",形成一套神仙學理論。道教神仙學從人的生命衝動出發,試圖超越死亡,飛升到與永恆之"道"同一的位置,再從這種天人合一的境界中把握自我的生命存在。道教高度禮贊生命之神聖,以生死爲人生第一要事,所謂"人生大事惟生死",體現出對道家重生觀的繼承發揚。這種發揚是理想主義的,理想化爲長生不死。不死是道教對於生命的終極關懷,也是道教最基本的信仰。道教哲學所關心和所要論證的,就是人怎樣纔能不死長生。在道教哲學裏,宇宙論和認識論是其人生論的裝飾品和論證工具,而人生論的核心就是神仙不死學。道教所構造的宇宙論模式無非是爲其最終解決生命問題大開方便之門,借此找到一塊生命不朽的安頓之地。圍繞神仙不死學，道教形成了一套獨特的哲學範疇和命題。如神仙不死之"道"、元氣、心性、無極、玄等是道教哲學的重要範疇。神仙不死存在，人能長生成仙，形神可固，我命在我不在天等是道教哲學的核心命題。這些範疇和命題都展示出它主要是種生命哲學，以生命的永恆存在爲己任，從而滿足人們對終極關懷的需求。本文將首先分析道教生命哲學的種種特性，其次敘論其社會政治功用，從不同角度和側面揭示其底蘊。

一、道教生命哲學的特性

分析道教生命哲學，主要有如下特性。

1.重生性。

道教把人生的價值意義定位於生——永生。《太平經》認爲生是最根本的，天上神仙都不貪圖尊貴，但樂活命。《老子想爾注》把"生"提到"道"的高度來體認："生，道之別體也。"《養性延命録序》稱：人所貴者生。《三天內解經》卷上說："死王乃不如生鼠。故聖人教化使民慈心於衆生，生可貴也！"死去的帝王連隻活着的老鼠都不如，可見生命價值之寶貴無比。這些都充分展示了道教"重生"、"貴生"的思想。假如我們套用一首小詩，道教的人生價值觀可以表述爲：金錢誠可貴，權勢價亦高。若爲生命故，二者皆可拋。在虔誠的道教徒看來，不可去經商營利，因爲這意味着生命將冒風險；也不可去爲官從政，因爲這隨時有掉腦袋的危險。除了個別道教徒明確主張捨生取義，一般道教徒都儘量回避、不討論這個問題，似乎"生"和"義"天然地統一在一起，不存在矛盾衝突。站在儒家的立場，定會嘲諷此乃活命哲學。這裏透示出道教的人生價值取向與儒家不同，道教把修煉生命，獵取不死（肉體的或精神的），看成是大丈夫建功立業、功成名就的象徵，故它以追求"生"爲價值目標。這也是對道家重生觀的繼承發揚。老子主張厚生。《莊子·讓王》稱:天下至重,但不能以天下危害自我生命。把生命的價值看得高貴於天下,在楊朱派道家中尤爲突出。《韓非子·顯學》稱楊朱爲"輕物重生之士"。《淮南子·氾論訓》稱楊朱"全生保真,不以物纍形"。道教即繼承了道家這種"輕物重生"的價值觀。

敬重生命,畏懼生命毀滅,走向極點就是神仙不死。道教不死的觀念,刨根問底可以追到原始宗教那裏。在原始人那裏,"對生命的不可毀滅的統一性的感情是如此強烈如此不可動搖,以致到了否定和蔑視死亡這個事實的地步。"①先秦時,神仙不死已見諸文字記載。《山海經》載有"不死民"、"不死之山"等。人們渴求不死的心理反映在文學作品中。《楚辭·遠游》吟誦"貴真人之休德兮,美往世之登仙";"仍羽人於丹丘兮,留不死之舊鄉"。道教的神仙長生説繼承了先民們不死的理想,提出"不死之道"。《雲笈七籤》卷十七引《太上老君內觀經》説:生與道合一,可以長生不死,羽化成仙。這樣,道教就將其生命哲學與本體論接通,形成生命本體論型的宗教哲學。有人將宗教哲學分爲兩種類型,即本體論型和宇宙論型。所謂本體論型是説接近上帝的彌合分裂方式,當人發現上帝時就發現了自己,他發現了某種與他自身等同的東西,儘管這種東西無限地超越於他②。這是説的基督教。對道教來説,所謂本體論就是接近神仙之道,人發現了神仙之道就發現了自身,儘管神仙之道無限地超越於他,但道教徒總是想接近它,與它合爲一體。從這種本體追求出發,道教生命哲學追求無限存在,即所謂"無極之道"。這種無極之道是此在的③。一般來説,世界上絕大多數宗教強調對彼岸天國的追求,道教與衆不同,重視對此岸生命獲得永恆的追求,人生的意義和價值是此在世界,

①卡西爾《人論》第 107 頁,上海譯文出版社 1985 年版。

②參見保羅·蒂利希《文化神學》第 10 頁,工人出版社 1988 年版。

③這裏主要針對道教中主張肉體不死的一派而言。

而非彼岸世界。

從宇宙本體論向下落實到人的生命現象,兩相貫通,便有永恆之生命存在,這就是道教神仙不死的生命本體論類型哲學。這個哲學鮮明地展示出其重生性。

2.主體性。

從神仙長生出發,道教建立起我命在我、神仙可學的生命主體論,主張在生命化育歷程中奮進不息,在生死海中無畏拚搏,勇猛精進,直至到達長生不死的理想境界。這種主體性展示了道教對個體自我自由選擇的重視。在道教看來,個人的生命能否永恆,并非由外在他物所決定,而是取決於內在的自覺意志選擇。這種主體性繼承了先秦道家對個體意識的渲染。成仙了道畢竟是個體的事,生命永恆存在衹能具體地體現於個人身上,故道教與儒家的羣體主義有差異。道教在承認羣體、不違背羣體利益的前提下,又給個體生命保留了一塊地盤,使個體的生命價值得以實現。可以説,在道教生命哲學的主體性中含有較強的個人主義精神,正因爲有了這種個人主義意識的覺醒,纔激發了道教對個體生命永恆存在的主體能動追求,使道教把生命看成是個人自己不斷作出各種價值選擇的歷程。因此,道教生命哲學的主體性與其個人主義精神是分不開的。

這種主體性突出地表現在對儒家天命觀的否定,對"我命在我"的高揚。《書經》卷三《商書・西伯戡黎》説:"我生不有命在天。"這是儒家命定論的生命觀。與此針鋒相對,道教主張"我命在我不在天"。《西升經・我命章》假託老子説:"我命在我,不屬天地。"對此李榮注稱:"天地無私,任物自化,壽之長短,豈使之哉!但由人行有善有惡,故命有窮通。若能存之以道,納之以氣,氣續則命不絶,道在則壽自長,故云不屬天地。"這意思是説,人的生命長短由人自己所把握,人通過存道納氣的修煉,延長了自我生命,甚至使生命不絶。另外,人的道德表現有善有惡,所以人的命運有好有壞，壽命有長有短。道德表現是人能自主選擇的，這種選擇決定自我的生命走向。這就是人在生命問題上的主體性發揮。

《西升經》“我命在我”的主體性原則爲後世道教廣泛引用闡發。《真氣還元銘》堅信：“天法象我，我法象天。我命在我，不在於天。”司馬承禎《坐忘論序》引《西升經》“我命在我，不屬於天”後指出：生命長短在自己，長壽不是天賜予，短命夭亡也不是他人造成的。既然人的生命主動權操於自己手中，通過修習坐忘之法，人就能依靠自我力量戰勝死亡，求得永生。《谷神賦》説：“養神在心，不死由我。”《太上洞淵神咒經》卷二也説：“生死在我。”是生還是死，全在於主體自我抉擇，自我發揮主觀能動性。用《修真十書》卷二十三的話講就是：“自家知自家性命事，自家了得自家性命便宜。”同書卷二十五《天地交神論》亦指出：“人生天地之間，本終於天壽，若不知回忌之辰，而有萬死之因，非天地之所殺，乃人所自殺也。”人的生命本來應享盡天年，但如果不瞭解生命的禁忌，不管死於何種原因，都是由人自己一手所造成的，衹有人纔是自我生命的主宰者，人也是自我生命最危險的殺手。

道教堅信：“人能弘道，非道弘人。”(《淨明宗教録》)就是説，生命之道長青，在於人去弘揚。人若不能將生命價值高揚，生命之流就不會衝破種種障礙，排除“天”的制約，流向無限的時空。人“可以得道”，然而“道”在哪裏去尋求？按照《淨明宗教録》的看法，“道非他求，本自我身”。道就在我自身之中，調動自我奔放的生命活力，以艱苦卓絶的精神，在充滿荆棘的人生路上披荆斬棘，何愁不能尋求到“道”？而一旦獲得長生之道，便可以“游行超宇宙，掌握回死生”(《吕祖全書》卷九)。超越宇宙，掌握生死，這就是道教生命哲學主體性的恢宏氣度。

這種主體性尤其强調“修心”。爲什麽要修心？《三十代天師虛靖真君語録》卷一《心説》認爲:“夫心者,萬法之宗,九竅之主,生死之本,善惡之源,與天地而并生,爲神明之主宰。”既然心是生命的本根,善惡來源,那麽不斷培育這一根基,生命之樹纔會常青。《葆光集》卷下:“劫運天災,都是人人心上來。”既然人生一切災禍都從心起,那麽修心治心的功夫就必不可缺。怎樣修心?《盤山語録》要人積善心,所謂:“積木成林,積石成山,積水成海,積善成福,積惡成禍,禍福之源,本自一心,積心方成,可不慎之!”從量的積纍上培養善心,積少成多,使心中之善如同海洋般寬闊,如同大山一樣崇高。《墉城集仙録》卷一《聖母元君》要人“洗心責己,悔過自修,即可反惡爲善”。洗去惡心,衹留善心。《玉詮》卷一《正陽帝君》要人回歸本真之心,認爲人心本來是“有正無邪,有真無僞”的,爲情慾所動摇,於是本真之心喪失,衹有回歸“一絲不掛”的先天本心,纔能與“道”日親。凡此種種方法,皆展現了道教生命哲學的主體性。

3. 實證性。

道教生命哲學并非純粹思辨性的産物,而是種應用性很強的哲學,要求在實際運用中加以驗證。道教生命哲學是行動哲學,它鼓勵人們在行動中去體驗生命的真味,去證實生命的不朽。道教生命哲學重視現世利益,不追求來生,但求今生今世生命得到了證,而對現世幸福的追求,對死亡的否定,是不能通過空談來實現的,必須親自踐行。道教生命哲學強調“神仙可學”,學習神仙之道就是種實證行爲,故所謂“神仙可學”強烈地體現了道教生命哲學的實證性。

直到近現代,道教仍十分注重仙學的實證性。近代著名道教學家陳櫻寧先生在《答上海錢心君七問》中説:“神仙要有憑有據,萬目共睹,并且還要能經過科學家的試驗,成功就説成功,不成功就説不成功,其中界限,假如銅牆鐵壁,没有絲毫躲閃的餘地。”在陳先生看來,神仙家走的就是條實證的路,故他講:“我勸君還是走神仙家實修實證這一條路罷。”①這就是對生命所抱的一種實證態度。

實證性,這既是道教生命哲學的一個特色,也是其致命的弱點所在。道教的神仙不死説從未得到驗證,人們從未見過有不死之人,久而久之,信的人變爲不信,多指責其虛誕。正如李覯《重修麻姑殿記》所説:“三代之英既往,禮教不競,人欲大勝。欲莫甚乎生,惡莫甚乎死。而道家流誦秘書,稱不死法以啖之。故秦漢之際,神仙之學入於王公,而方士甚尊寵。然或云延年,或云輕舉,皆人耳目間事,久而未驗,衆則非之矣。”②

在道教對神仙不死頑強地追求中,也産生了一些相當有效的實證手段或者説操作方法,這些方法雖不能做到使人不死,卻可以讓人延年益壽,强身健體。這些方法正是道教生命哲學實證性的具體展示。這些操作方法主要有:

一、外丹服食術。

二、氣功內丹術。

三、醫藥養生術。

這三大類方法表明道教生命哲學的確與衆不同,它不是空談義理,而是主張實證,通過親身踐行去體驗生命。

4. 超越性。

所謂超越性,對道教來説,就是超越死亡,超越人與自然的對立,這是其超越性的內涵。

生命是什麼? 有位叫比夏的西方學者説:“生命乃是抗拒死亡的各種功能的總和。”他認爲生物機能的目標主要是維持機體生命和“抵制死亡”,就是説,生命的本質是抗拒死亡,不死是生物的本能意識③。道教對不死的追求,在這裏可以找到生物意義上

---

①陳櫻寧《道教與養生》第331、332頁,華文出版社1989年版。

②《李覯集》卷23,中華書局1981年版第255頁。

③參見莫里斯·迪韋爾熱《政治社會學》第83、184頁,華夏出版社1987年版。

的解釋，換言之，道教講神仙不死實際上出於生物的本能追求，是潛意識中抗拒死亡的自然表露。人類最深切最永恆的焦慮莫過於死亡焦慮，道教對神仙不死的信仰和追求，在某種程度上使人這種最深切的內心焦慮得到緩解和慰藉。人對死亡的焦慮，強烈地反彈過來，使人產生出不死的渴望，可以説這是形成道教試圖超越死亡的心理機制。這樣的心理機制與人體本能地抵制死亡的生理機制是一致的，可見人無論在生理上還是在心理上都力圖抗拒死亡。由此也説明，道教的神仙不死信仰并非憑空産生的、完全是毫無根據的胡説八道，而有其生理和心理的依據。

在世界上許多民族的神話中，都曾幻想過有一個没有死亡的時代，原始宗教思想也斷然否認人會死亡的真實可能性。直到現代，相信自己不死的仍有人在。美國學者菲力浦·勞頓等在所著《生存的哲學》第九章《死亡——生命不受歡迎的結局》中指出：大多數人從八至十歲起就知道他們也會死，但他們覺得自己難以真正地相信這一點，難以嚴肅地對待自己的死亡這個問題，這是奇怪的心理現象。更爲嚴重的是，無法相信自己會死的顯然大有人在。他們認爲，他人會死，當我們想象到自己的死時，我們把自己想象成了他人。書中提出這樣一個問題："前人的死是直接而不容置疑的事，在這極爲頻繁的事面前，爲什麽會有如此衆多的人公然否認自己也終有一死呢？"①作者認爲，這些人意識到自己會死，而否認自己終有一死不過是消除這種意識的一個辦法而已。也就是説，這樣可以消除對死亡的恐懼，獲得心理上的安寧平和。既然自人類的童年直到現在，都有人否認自己會死，從而追求不死，那麽便有産生長生不死思想和學説的温床，而此種不死的信仰一旦形成，也有接受和信奉它的羣衆基礎，在某些特定的時

①湖南人民出版社 1988 年版第 302 頁。

代,甚至信奉它的人趨之若鶩。這就是自道教產生以來,其神仙不死説在信仰領域始終占有一席之地的一個重要的客觀原因。總之,道教對死亡的超越,既有主觀的生理心理因素,也有客觀的民衆信仰因素,決非純粹癡人説夢。對此我們應作審慎地研究,不可簡單從事。

其超越性還表現在超越天人對立,實現天人和諧合一。道教認爲,人的生命與自然界不是二元對立的,人的生存不是通過征服自然界而實現的;人祇有將個體的小我生命與生生不已的宇宙大我生命合爲一體,交融互攝,纔能化育不止,獲得永恆。董思靖《洞玄靈寶自然九天生神章經解義》説:當以我之精合天地萬物之精,以我之神合天地萬物之神,以我之魂魄合天地萬物之魂魄,這樣,天地萬物就都是我的精神魂魄。所以,能夠"守中抱一,與天相畢,此終不死壞之義也";我的精神魂魄若"與道同體",與自然相始終,則生命不朽。王希巢《洞玄靈寶自然九天生神章經解》勸人"返身成誠","與天爲一","和同天人之際,使之無間"。華陽復《洞玄靈寶自然九天生神章經注》以"天人一貫","天與人無二理",説明我之心即天地之心,我之氣即天地之氣,人天彼此感應,生命可以長存。這些都顯示出道教對天人對立的超越。

以上從横切面分析了道教生命哲學的四個特性,從中反映出它與其他宗教生命哲學不同的個性特徵,透過這些特徵我們更清楚地認識到道教哲學主要是種生命哲學。

二、道教生命哲學的外王之用
——生命倫理學與生命政治學

道教生命哲學是内聖外王結合的產物,它不僅僅以内聖之道解決人的生死問題,而且發而爲外王之用,以其獨有的政治倫常學説濟世救人,這就是道教生命倫理學和生命政治學。

1. 生命倫理學。

本世紀 70 年代,興起了一門新學科——生命倫理學 (bioethics)。據稱,生物技術的進步,使醫學面臨許多前所未有的新難題,并對傳統的倫理觀念提出了新挑戰,這是產生生命倫理學的根本原因[①]。其實,生命倫理學也可説是一門古老的學科,祇不過古人没有創造生命倫理學一詞,其含義亦不同於現代。這尤其表現在古代的宗教倫理學中,世界三大宗教的倫理觀可以説都是種生命倫理觀,它們都把生命問題的終極解決與道德行爲的善與惡連在一起。如果説當代生命倫理學主要關心的是生殖技術、遺傳和優生、器官移植等形而下的問題,那麼古代的宗教生命倫理學則對人的生命表現出終極關懷,關注人的生命怎樣纔能得到拯救而永存不朽等形而上的問題。

與世界三大宗教一樣,道教也有一套生命倫理學。道教生命倫理學以"勸善成仙"爲主題,由生命哲學和倫理學結合而成,或者説是其生命哲學向外發散構造而成。

解决生命存在問題,即是道教勸善成仙生命倫理學的出發點,又是其目的地。人總是不情願接受死亡這一事實,針對此種心態,"宗教總是象徵性地保證,'生命和有序一定勝利,死亡和混亂一定失敗'"[②]。但各個宗教的保證是不同的,各有特色。道教的特色是成仙不死,是面對死亡的主體性抗爭。問題在於:怎樣去抗爭,通過什麽途徑獲得成仙不死? 道教的答案是除了修煉生命,或外丹或內丹煉養之外,不可或缺的就是道德上爲善立功德,洗去自己的罪惡。這樣,就將其生命哲學與倫理學接通了,形成别具一格的生命倫理學。

---

①參見邱仁宗《生命倫理學》I《難題和挑戰》,上海人民出版社 1987 年版。
②瑪麗·梅多、理查德·卡霍《宗教心理學》第 31 頁,四川人民出版社 1990 年版。

這套生命倫理學主張“長生之本，惟善爲基”(《墉城集仙録》卷 1)；“人善爲生，爲惡而死”(《太上老君戒經》)；“若能行善無惡，功德備足者，可得白日升天，尸解成仙”(《太上妙始經》)；“積惡造罪，無由冀仙”(《北極真武普慈度世法懺》)。善則生，惡則死；善則長生成仙，惡則與仙無緣。這樣生命存在的長度便與道德上的善惡相聯繫，長生成仙即爲至善的標志。衹要行善，生命就是充實的，人會意識到生命是種享受，值得永久維持下去，而長生不死正是人行善所得的回報。

這套生命倫理學認爲，“修善得福，爲惡得罪”；“修善者福至，爲惡者禍來”；“唯修善者得福”；“積修功德，謙讓行仁義，柔弱行諸善，清正無爲，初雖勤苦，終以受福”；“不犯惡，善積行著，與道法相應，受福無極”(《正一法文天師教戒科經》)；“積善隆福基”(《太上三洞傳授道德經紫虚釋表儀》)。善意味着福，惡意味着罪與禍，這樣生命存在的質量高低便與道德行爲相關聯。在道教看來，人生的命運際遇實際上掌握在人自身手上，人要想離苦得樂，獲無量福，與滅惡興善是分不開的。行善可以使人産生快樂幸福，是對自己生存能力的一種體驗，體驗到自己的能力不僅足以保證自我的存在，而且有能力幫助他人，在行善中實現了自我。故在道教那裏，善的人生是福與樂的人生。

既然生命存在的長度與質量和善惡相關，所以道教生命倫理學勸人爲善除惡。《正一法文天師教戒科經》勸人“除去已往之惡，修今來之善”。《女青鬼律》告誡説：“親善遠惡，與體自然。”《玄門十事威儀》要人：“咸生善意。”《太上洞神三皇儀》呼籲人們“心識覺悟，捨惡就善”。善是人生的最高價值之一，其價值目標在於“成仙不死”。

道教生命倫理學從心性論去尋找善惡産生的淵源。《北極真武普慈度世法懺》分析説：“凡世衆生，自從有命，善心因被外色侵凌，耽諸愛慾，遂乃障蔽善事，積習惡緣。”《太上洞神三元妙本福壽真經》指出:人的本元天性,清寂虛明,了無慾情,怎麼會有善惡呢?但自心念一起,邪正區分,人慾甚而天性喪,於是生出種種罪惡來,致使良善受殃,生命夭折。既然問題出在人的心性上,那麼解決問題的根本方法也就找到了,衹有找回人失落的天性,心不爲外色所動,善就伴隨着人的生命,生命就可能獲得永恆。

日本學者西田几多郎在《善的研究》中指出:"古來的倫理學說大致可以分爲兩種:一種叫做他律的倫理學說,把善惡的標準放在人性以外的權力上;另一種叫做自律的倫理學說,想在人性之中尋求善惡的標準。"①一般說來,宗教倫理的善惡標準是來自外在神的權力,神說是善便是善,是惡便是惡(當然神的權威無非是人的權威的異化),形式上表現爲他律。道教生命倫理學也求助於神的權威,表面上似乎全然以神爲中心,神成爲人類道德行爲的裁定者,但實際上并不單單依賴於神的權威,而是把依神的權威而來的他律原理同人自身的自律原理相結合,雙向并舉,規範人的道德行爲。有時候,道教更強調人的自律的一面,強調發揮人的道德主體能動性。黑格爾批評說:"當中國人如此重視的義務得到實踐時,這種義務的實踐衹是形式的,不是自由的內心的情感,不是主觀的自由。"②這或許指的是儒家道德所帶來的形式主義花架子。道教生命倫理學恰恰是要把行善去惡變爲一種"自由的內心的情感",使之出於"主觀的自由",而不僅僅是被外在壓力所逼迫。儘管有外在神的監視,但最終是要形成個人的自覺,發自內心自願行善,衹有這樣,生命纔能"成仙不死"。基督教以外在最高神——上帝公正地審判萬民。道教生命倫理學除了設立外在神的審判,還講求內在心性的自我審判,是他律與自律結合的倫理學。

---

①商務印書館 1965 年第 91 頁。

②《哲學史講演録》第 1 卷第 125 頁,商務印書館 1959 年版。

道教生命倫理學是道德理想主義的重建,《太上老君説解釋咒詛經》認爲:“上古之時,人民淳樸,心行正直,禀性柔和,不相嫉妒。末世浮澆,人心狡詐,不修善行,唯習凶惡。”《女青鬼律》卷六抨擊説:“末世廢道,急競爲身,不順天地,伐逆師尊,尊卑不别,上下乖離,善惡不分,賢者隱匿,國無忠臣,亡義違仁,法令不行,更相欺詐。”《真武靈應護世消災滅罪寶懺》也指責末世人心澆薄,惟用邪行背真就僞,“不義不仁”,“不忠不孝”,欺騙萬民,虐待百姓,殺戮衆生。既然末世道德淪喪,世風不古,那就應該重構道德理想,回到上古淳樸真實、祇修善行的理想社會。

怎樣重構道德理想?道教提出了若干方案,這些方案中不乏代代相傳的傳統美德。這些美德有:(1)先人後己,舍己爲人,損己濟物,利他自稱。《太上洞玄靈寶八威召龍妙經》卷下稱,“爾欲度身,必先度人”;其“十八善”之一即講先人後己。(2)助人爲樂,尊老愛幼。《雲笈七籤》卷四十《崇百藥》提倡“扶接老弱”,“以力助人”,“救禍濟難”,“尊奉老者”。(3)寬容精神。《玉詮》卷一説:“寶光現處空罪垢,容得他人即善壽。”(4)不取非義之財。《洞玄靈寶天尊説十戒經》強調:“不得取非義財。”其他還有一些,這裏略舉四條,以見一斑。道教要人具備這些美德的目的是度人成仙,但也在一定程度上産生了積極的社會作用。宗教道德本身是世俗道德宗教化的結果,因而同世俗道德有密切聯繫,并在一定條件下起世俗道德起不到的作用。宗教道德“較之世俗的道德有更強的束縛力和更大的社會效力。這不僅使得有些虔誠的善男信女能成爲執行人道主義的楷模,而且對於社會罪惡勢力也有一定的約束作用”①。道教生命倫理學也具有此種“社會效力”,其中不少道德條目積澱爲民族傳統美德,至今仍有價值意義。

①陳麟書《宗教學原理》第114頁,四川大學出版社1988年版。

站在宗教社會學的立場上看,道教生命倫理學在中國古代社會裏發揮了補償功能、調節功能和整合功能。所謂補償功能是指它慰藉着人們的心靈,使社會事實上存在的德福不一致變爲人們心目中的一致,補償儒家道德所起社會功能的不足之處。所謂調節功能是指它調節人們的社會行爲,使人們爲了求仙不死而行善,從而起到某種淨化社會空氣的作用。所謂整合功能是指它把人們的道德意識、行爲集結起來,形成某種整體的力量,一致的社會道德意識(如行善成仙),從而強化社會秩序,促進社會的安定。在《社會與宗教》一書中,威爾遜説:"由於人的行爲的善惡而得到相應的褒獎或懲罰的教義,有助於社會控制體系的建立和倫理秩序的維持。這是高度發達的宗教特有的作用。"①道教生命倫理學即具有這樣的功能作用,它一方面從消極即懲罰人們短命出發爲社會控制提供幫助,另一方面又從積極即褒獎人們不死成仙出發爲社會穩定助一臂之力。人們爲了避免受懲,爲了獲得褒獎,都會自覺行善,這樣一來社會秩序得到良性調節。此即道教生命哲學向外擴充,以生命倫理秩序促成社會控制的實現。這是其外王之用的一個環節。

2. 生命政治學。

所謂生命政治學是道教生命哲學擴充運作的產物,亦即生命哲學和政治哲學的聯姻,其主要內涵就是道教的"身國同治"論,即從治身的原理出發向外推到政治之道,以治身之道來治理天下,天下太平。此即道教經常所講的"理身理國之道"。

這種身國同治的生命政治學并非道教的發明,而是從道家那裏繼承的遺產。《道德經》十三章説:"貴以身爲天下,若可寄天下,愛以身爲天下,若可託天下。"身是天下的出發點。《莊子・在

①[日]池田大作、[英]B・威爾遜著《社會與宗教》,四川人民出版社 1991 年版第 50 頁。

宥》進一步發揮此義説:“故君子不得已而臨莅天下,莫若無爲。無爲也,而後安其性命之情。故貴以身於爲天下,則可以託天下;愛以身於爲天下,則可以寄天下。”無爲既是治身的原則,也是理國之道。到秦漢黄老道家更將身與國同格,以治身作爲治國的先行條件。《呂氏春秋·先己》説:“昔者先聖王,成其身而天下成,治其身而天下治。”同書《審分》也説:“治身與治國,一理之術也。”《淮南子·詮言訓》引詹何的話説:“未嘗聞身治而國亂者也,未嘗聞身亂而國治者也。”王符《潛夫論·思賢》借用古代“上醫醫國”的比喻,説明“夫人治國,固治身之象”。儒道二家的政治學都以“身”爲出發點,不同的是儒家所修之身爲道德之身,樹立起道德理想人格,由這樣的君子出而齊家、治國、平天下;道家則是保養自然生命,所操作的方法是自然無爲,并以此種修身之道的原則治理國家。

道教對道家這套生命政治學完全予以認同,并將其加以發展和系統化。《太平經》説:“端神靖身,乃治之本也,壽之徵也。無爲之事,從是興也。先學其身,以知吉凶。是故賢聖明者,但學其身,不學他人,深思道意,故能太平也。”①“靖身”是治國之本,治身的原則是“無爲”,故先學會以無爲治身,通曉“道意”,推而廣之,天下即可太平。在這裏,懂得治身之道是十分關鍵的。《道藏目録詳注》卷四評論《太平經》:“皆以修身養性,保精愛神,內則治身長生,外則治國太平,消災治疾。”的確如此,《太平經》將其生命哲學原理擴充到政治運作上,主張治身與治國有同一性。《抱朴子內篇·地真》認爲:“一人之身,一國之象也。……神猶君也,血猶臣也,氣猶民也。故知治身,則能治國也。夫愛其民所以安其國,養其氣所以全其身。民散則國亡,氣竭即身死。”②以身

①王明《太平經合校》第 12 頁,中華書局 1960 年版。
②王明《抱朴子內篇校釋》第 326 頁,中華書局 1985 年版。

喻國,以養氣喻愛民,知道如何治身,便懂得怎樣治國。《莊子・徐无鬼》成玄英疏説:“夫欲修爲天下,亦如治理其身,身既無爲,物有何事!”“治身治國,豈有異乎!”也是把治國與治身看作同一原理,應以“無爲”的原則指導治身治國。在《莊子》思想中,不以天下害其生,不以天下易生的“有道者”,纔“可以託天下。”(《莊子・讓王》)對此成玄英疏解説,“夫忘天下者,無以天下爲也,唯此之人,可以委託於天下”;“夫帝王之位,重大之器也,而不以此貴易奪其生,自非有道,孰能如是!”“以其重生輕位,故可屈而爲君”(成玄英《莊子・讓王疏》)。在成玄英看來,祇有懂得重生養生的人,祇有把生命價值放在天下之上者,纔可以將天下委託給他,因爲這樣的人纔能治理好天下。《大唐新語》卷 10 載唐睿宗問司馬承禎:“理身無爲,則清高矣;理國無爲,如之何?”回答是:“國猶身也,《老子》曰:‘游心於澹,合氣於漠,順物自然,而無私焉,而天下理。’《易》曰:‘聖人者,與天地合其德。’是知天不言而信,不爲而成。無爲之旨,理國之要也。”①“無爲”既是理身的準則,又是治國的要點,因爲“國猶身”,其運作原理一致。

以上廣泛引用道教的身國同治論,旨在説明道教將其修煉生命以達長生的一系列生命原理擴充於政治運作,認爲國家按照治身的原則治理可以長治久安,天下太平。這套生命政治學主張治天下不應擾民困民,而應清静無爲,無慾自化,并勸告皇帝節慾養生,獲得長壽,纔能坐天下。皇帝私慾膨脹,好大喜功,勞民傷財,是中國古代政治的一大問題。如何對皇帝的私慾加以抑制,使其愛惜民力,這是古代思想家們一直試圖解決的問題。道教生命政治學可以説從生命修煉的角度力求對這一問題加以解決。《太上洞玄靈寶國王行道經》勸説帝王應順天化人,愛民養物,寡私少

①中華書局 1984 年版第 158 頁。

慾，如此纔可長生久視，國祚永安。這就鮮明地體現了道教的上述精神。這種精神是道教生命哲學外王之用的又一個環節。

歸納上述兩個環節，道教生命哲學并非衹追求純粹的終極關懷，它對於現世社會的政治倫理問題也表現出熱切的關懷，它力圖用自己的原則去解決現實的政治倫理問題，并且也確實發揮了特定的社會作用，故我們説它由內聖之道發而爲外王之用。

作者簡介　李剛，1953年生，山西汾陽人。四川大學宗教研究所研究員，四川道家文化研究所副所長。發表學術論文三十餘篇。

《太平經》的民衆政治思想

張偉國

内容提要 漢末黄巾起義,“旬日之間,天下嚮應”,舊史家歸因於“符水咒説以療病”的效果,没有觸及太平道的政治觀點及政治理想。本文從四個方面叙論《太平經》的政治思想,認爲這種政治思想纔是太平道能够發動民衆的動力。

(一) 引言

東漢靈帝中平元年 (公元 184 年),爆發以鉅鹿人張角、張梁、張寶兄弟爲首的大規模民變①。民變的細節、記述於《後漢書》卷七十一《皇甫嵩傳》,其略云:

初鉅鹿張角自稱“大賢良師”奉事黄老道,畜養弟子,跪拜首過,符水咒説以療病,病者頗愈,百姓信向之。角因遣弟子八人使於四方,以善道教化天下,轉相誑惑。十餘年間,衆徒數十萬,連結郡國,自青、徐、幽、冀、荆、揚、兗、豫八州之人,莫不畢應。遂置三十六方,方,猶將軍號也。大方萬餘人、小方六七千,各立渠帥,訛言“蒼天已死,黄天當立,歲在甲子,天下大

①大陸學者習慣上把民衆集體武力反抗統治者的活動稱爲“農民起義”。

吉。”……中平元年(甲子),大方馬元義等先收荆、揚數萬人,期會發鄴。元義數往來京師,以中常侍封諝、徐奉等爲內應,約以三月五日內外俱起。……(事泄馬元義被殺,張角)晨夜馳敕,一時俱起,皆著黄巾爲標幟,時人謂之“黄巾”,亦名爲“蛾賊”。……所在燔燒官府、劫略聚邑,州郡失據,長吏多逃亡,旬日之間,天下嚮應,京師震動。

這段記述,是現存有關黄巾起事的最詳細記載,已廣爲治漢史及道教史學者所引用。張角所領導的黄巾起事,是道教史上的大事,張角“以善道教化天下”,在民衆之中“轉相誑惑”的依據,是《太平清領書》,《後漢書》卷三十下《襄楷傳》云:

初,順帝時,琅邪宫崇詣闕,上其師干吉於曲陽泉水上所得神書百七十卷,皆縹白素朱介青首朱目,號《太平清領書》。其言以陰陽五行爲家,而多巫覡雜語。有司奏崇所上妖妄不經,乃收藏之。後張角頗有其書焉。

所謂《太平清領書》即《太平經》,古今學者皆無異議①。因此張角所宣揚的道教教派,亦稱爲“太平道”,以别於黄老道及五斗米道等教派。《三國志・張魯傳》裴注引《典略》謂:

熹平(漢靈帝年號,公元172—177年)中,妖賊大起,三輔有駱曜。光和(漢靈帝年號公元178—183年)中,東方有張角,漢中有張修。駱曜教民緬匿法,角爲太平道,修爲五斗米道。太平道者,師持九節杖爲符祝,教病人叩頭思過,因以符水飲之,得病或日淺而愈者,則云此人信道,其或不愈,則爲不信道。

①唐章懷太子李賢《後漢書注》引述《太平經》章句,稱《太平清領書》。又,引文中“干吉”一作“于吉”。李賢《注》引《江表傳》云:“時有道士琅邪干吉,先寓居東方,來吳會,立精舍,燒香讀道書,製作符水以療病,吳會人多事之。”任繼愈主编《中國道教史》(上海人民出版社,1990)認爲《太平清領書》即《太平經》,書中謂:“《後漢書・襄楷傳》在談到《太平經》時説:‘張角頗有其書’”(34頁)。其實《後漢書・襄楷傳》原文並未採用“太平經”書名而稱“太平清領書”。王明《太平經合校・前言》也指出:“范曄《後漢書・襄楷傳》裡襄楷疏稱于吉(于一作干)所得神書,據這就是道教相傳的《太平經》。

前述的古代治史者把太平道首領能夠在民間“轉相誑惑”,受民衆信奉,擁戴的原因,強調爲以“符水咒説以療病”的效果,没有觸及太平道的政治觀點及政治理想。

而《太平經》實有其政治、社會思想,反映出農村低下層民衆對幸福、公平的期望,實在十分珍貴。《太平經》喚起受腐敗政治涂毒、受貧官污吏和地方豪強壓迫、在貧富懸殊之中陷入困境的民衆,給他們帶來美好前景的希望,願意追隨太平道首領張角,締造福的生活、這纔是太平道能夠發動民衆的動力。

(二) 治有三名:君、臣、民,欲太平也

《太平經》的政治理想,反映基層民衆的期望,可以從經中的君主形象窺見一二,經中的君主,形象模糊,近乎一個抽象的概念,君主没有個人性格、没有喜怒哀樂、心没有作爲。經中甚至没有提及朝廷三公九卿及其他執政官員,也没有提及各種行政制度。以下是其中一例:

> 帝王尸上皇天之第一貴子也,皇后乃地之第一貴女也。夫至神聖貴人,職當居百重之内,而反憂天下萬里之外,受天業爲陰陽六合八方持統首。天地之尊位,爲神靈所因任,上下洞極萬物蚑行之屬,莫不歸心。①

其他類似的空泛形象,遍見《太平經》全書。另一方面,《太平經》對地方官吏的描述,深刻而具體。例如一則記述長吏召見部民時的坐席安排,不見於其他史籍:

> 長吏到其發所,悉召其部里人民,故大臣故吏其東向坐,明經及道德人使北向坐,孝悌人使西向坐,佃家謹子使居東南角

①《太平經合校》卷七十三至八十五《闕題》,303頁。

中西北向坐,惡子少年使居西南角中向坐,君自南向坐,何必正如此坐乎? 各從其類,乃天道順人立善也。①

民間對漢朝察舉孝子廉吏制度的觀感,在《太平經》中也有所反映:

善孝之人,人自從崇之,亦不犯剋人。流聞八遠,州郡縣長吏有空缺相補。豫知善孝之家,縣中薦舉,長吏以人情慾聞其孝善,遣吏勞來。又有用心者,以身往來候之,知聞行意薦之。歲歲被榮,高德佩帶,子孫相承,名爲傳孝之家,無惡人也。②

《太平經》中有關政治、社會的實況,詳郡縣而略中央,正好反映老百姓的心理。民衆生活於郡縣,直接控制、壓迫他們的,是州、郡、縣官吏,因此對他們印象深刻,所以描述比較具體:

一州界有彊長吏,一州不敢語也;一郡有彊長吏,一郡不敢語也;一縣有剛強長吏,一縣不敢語也;一閭亭有剛彊亭長,尚乃一亭爲不敢語。③

帝王居於深宫之中,公卿大臣在京城任職,與百姓懸隔,帝王公卿的實際情況,民衆並不瞭解,印象模糊,所以《太平經》没有具體描述帝王公卿,給帝王在民衆心目中保留一個承受天命、仲裁天下是非的形象,也就是人神溝通代理者的形象:

人君、天也,……人君之心不暢達,天心不得通於下。

《太平經》中,經常以家人關係譬喻君、臣、民④,也顯示借用民衆習慣的觀念,去解釋政治:

形體有三名,天、地、人。天有三名,日、月、星,北極爲中也。地有三名,爲山、川、平土。人有三名,父、母、子。治有三名,君、臣、民,慾太平也。此三常當腹心,不失銖分,使同一憂,合成一

①《太平經合校》卷三十五《興善止惡法》第四十三,40 頁。
②同上,卷一百十四《某訣》第一百九十二,592 頁。
③同上,卷八十六《來善集三道文書訣》一百二十七,312 頁。
④同上,卷十八至三十四《和三氣興帝王法》,19 頁。

> 家,立致太平,延年不疑矣。①
>
> 男女相通,併力同心,共生子;三人相通,並力同心,共治一家;君、臣、民相通,並力同心,共成一國。②

《太平經》亦以家人慈孝關係作譬喻君臣相處之道:

> 爲吏皆孝於君,益其忠誠,常在高職,孝於朝廷。郡縣出奇僞之物,自以家財市之,取善不煩於民,無所役。郡縣皆慈孝,五穀爲豐熟,無中夭之民。天爲其調和風雨,使時節。是天上孝善之人,使天下不孝之人相效,爲設孝意。③

家人倫理關係,正是庶民百姓最關切,最感到信任和安全。君、臣、民應該並力同心,建立幸福安康的生活。

(三)"故天之法,常使君臣民都同,命同,吉凶同"

《太平經》提出,君主、官吏、民衆關係恰似家人,雖然地位有上下之别,權力大小不同,君主需要臣民的支持纔可以擁有權力,官吏需要民衆支持纔可以治事,民衆則需要君主主持公義,君、臣、民的命運連在一起。《經》文謂:

> 故君者須臣,臣須民,民須臣,臣須君,乃後成一事,不足一,使三不成也。故君而無民臣,無以名爲君;有臣民而無君,亦不成臣民;臣民無君,亦亂,不能自治理,亦不能成善臣民也。④

又强調,"無民,君與臣無可治,無可理也",君、臣、民"命同、吉凶同":

> 君少民,乃衣食不足,令常用心愁苦。故治國之道,乃以民爲本也。無民,君與臣無可治,無可理也。是故古者大聖賢共治

---

①《太平經合校》卷十八至三十四《和三氣興帝王法》,19頁。
②同上,卷四十八《三合相通訣》第六十五,149頁。
③同上,卷一百一十四《某訣》第一百九十二,593頁。
④同上,卷四十八《三合相通訣》第六十五,150頁。

事,但旦夕專以民爲大急,憂其民也。若家人父母憂無子,無子以何自名爲父母,無民以何自名爲君也。故天之法,常使君臣民都同,命同,吉凶同。①

但假如君主處事不公,措施失當,則令臣民致怨:

爲人君父,而使其臣子致怨,非慈父君也。②

漢代名義上儒家禮教維持政治、社會秩序,但事實上,孟子所謂的"民爲貴、社稷次之、君爲輕"的觀念,並不受統治者重視。實際運作上,帝王的權威和權力,凌駕臣民之上,甚至以法令形式,維護君主的權威。《漢律》之中有"大不敬"罪,即對君主不尊敬的罪名,犯者可判處死刑③。君主,官員高高在上,民衆不敢批評,已成習慣。《太平經》提出"無民、君與臣無可治,無可理也",提醒民衆:老百姓纔是天下的主體,"治國之道,乃以民爲本也"。又指出:君主需靠人民生存,没有民衆,君主就會"衣食不足,令常用心愁苦"。《太平經》向民衆宣揚民本思想,提昇他們的覺醒意識,無異是挫抑君主、官吏的絶對權威。君主之所以受臣民敬重,是因爲他能維護百姓福祉,使百姓安居樂業,順乎天心,可享太平:

陰陽者,要在中和,中和氣得,萬物滋生,人民調和,王治太平。④

君主承受天命,擁有至高無上的權力,受萬民供奉,能爲民衆謀幸福,是合乎天意,可享昌盛;不能爲民衆謀福祉,處事偏差,便是違反天心地意,令人心背叛,趨向滅亡:

四時樂喜,五行不逆,則人民興。人民興則帝王壽,帝王壽則凡民樂。⑤

---

①《太平經合校》,152 頁。

②同上,卷三十五《興善止惡法》第四十三,40 頁。

③參考安作璋《秦漢官吏法研究》(濟南:齊魯書社,1993)231－241 頁。"非所宜言"是大不敬罪的其中一項,即説了不該説的話《漢書・梅福傳》記述廷尉 (律政司法長官) 之言:"非所宜言,大不敬"。

④《太平經合校》卷十八至三十四《和三氣興帝王法》,20 頁。

⑤同上,卷一百十五至一百十六《闕題》,648 頁。

國有道與德，而君臣賢明，則民從也。國無道德，則民叛也。故治國之大要，以多民爲富，少民爲大貧困。①

"國無道德，則民叛也"，是《太平經》向統治階層的示警，也是民衆因統治者苛政而生活困苦的最後反應。君與民的命運在一起，人民貧困，最終的結果，是君主得不到民衆支持，同樣陷於貧困，由此可見，《太平經》不是只講忠孝。

(四)"與天爲怨，與地爲咎，與人爲大仇，百神憎之"

《太平經》明確肯定，人民是天下的根本，天地萬物的興衰，隨著民衆的意願而轉移，民衆所珍視的事物，纔會產生價值，否則，成爲廢物。《經》文卷六十五《興衰由人訣》有詳細的論證：

夫天地之爲法，萬物興衰反隨人故。凡人所共興事，所貴用其物，悉王生氣；人所休廢，悉衰而囚。故人所興事者，即成人君長師也；人所爭用物，悉貴而無平也；人所休廢物，悉賤而無賈也。是故天下人所興用者，王自生氣，不必當須四時五行氣也，故天法，凡人興衰，乃萬物興衰，貴賤一由人。是故古者聖人知天格法，不可妄犯也。故上古時人，深知天尊道、用道、興行道，時道王。中古廢不行，即道休囚，不見貴也；中古興用德，則德王。下古廢至德，即德復。休囚也。故人興用文則文王，興用武則武王，興用金錢則金錢王，興用財貨則財貨王。天下人所興用，悉王自生氣，其所共廢而不用者，悉由凡物，何必乃當須天四時五行王乃王哉？②

"天下人所興用者，王自生氣，不必當須四時五行氣也"。表示上天的"氣運"，是由民衆意願支配，以"天下人所興用，悉王自生

①《太平經合校》，卷六十九《天讖支干相配法》第一百五，264頁。
②同上，卷六十五《興衰由人訣》第一百一，232頁。

氣，其所共廢而不用者，悉由凡物”作爲事物興衰的規律。這明顯打破漢朝官方所提倡由上天支配，而帝王代表天命的“五德終始”學説。隱然提出民意引導天命，民意凌駕君權，假如君主不受民衆擁戴，則成爲毫無價值的“凡物”。民衆意願是君主明瞭天意的耳目：

夫民臣，乃是帝王之使也，手足也。當主爲君王達聰明，使上得安而無憂，共稱天心。①

君主得民衆擁戴，統治纔會穩定、長久。《經》文又謂：

凡人之行，君王之治也。人最善者，莫若常欲樂生，汲汲若渴，乃後可也。其次莫若善於樂成，常悒悒欲成之，比若自愛身，乃可也。其次莫若善於仁施，與見人貧乏，爲其愁心，比若自憂饑寒，乃可也。其次莫若善爲設法，下欲樂害，但懼而置之，乃可也。其次人有過莫善於治，而不治陷於罪，乃可也，其次人既陷罪也，心不欲深害之，乃可也。其次人有過觸死，事不可奈何，能不使及 其家與比伍，乃可也。其次罪過及家比伍也，願指有罪者，慎毋盡滅煞人種類，乃可也，夫人者，乃天地之神統也。……是以聖人治，常思太平，令刑格而不用也。②

使百姓“樂生”、“樂成”、“善於施仁”、“善於設法”，對百姓慈愛，都是君主治理天下的職責。但《太平經》指出，當世的君主，深處宮中，受到蒙蔽，令民間疾苦不能上達，《經》文云：

今帝王雖神聖，一人之源，乃處百重人之內，萬里之外，百重內，雖欲往通言，迫脅於比近，不得往達也。夫帝王雖有萬萬人之仁聖，人各迫劫畏事，天地極最神聖，人乃仰視俯睹，尚倚之當前自解而已，帝王安能神聖於天與地乎？③

東漢政治日趨腐敗，民衆感受最深刻者，是地方官吏的貪污腐化，

①《太平經合校》，卷八十六《來善集三道文書訣》一百二十七，318頁。
②同上，卷四十《樂生得天心法》第五十四，80頁。
③同上，卷八十六《來善集三道文書訣》一百二十七，316頁。

荼毒民間,加上地方官吏與州郡豪強勾結,威迫殘害百姓,民不堪命[①]。《太平經》就民衆的切身感受,把政治的腐敗,民間的困苦,歸咎地方官吏的貪橫苛暴,及豪強的聚斂爲姦,欺凌弱小。《經》文云:

> 今太上中古以來,多失道德,反多以威武相治,威相迫協,有不聽者,後會大得其害,爲傷甚深,流子孫。故人民雖見天災怪咎,駭畏其比近所屬,而不敢妄言,爲是獨積久,更相承負。到下古尤益劇,……故民臣悉結舌杜口爲暗,雖見愁冤,睹惡,不敢上通。故今帝王聰明絶也,而天變日多,是明證效也。[②]

人民愁苦,無從申訴,怨恨日漸纍積,而官吏豪強,越加横暴,於是:

> 一州界有彊長吏,一州不敢語也;一郡有強長吏,一郡不敢語也;……一間亭有剛彊亭長,尚乃一亭部爲不敢語。[③]

《太平經》認爲,天地間的資財,是上天賜予天下人,"此物乃天地中和所有,以共養人也",應該人人都可享用,"主當周窮救急":

> 夫天地生凡財物,已屬於人,使其無根,亦不上著於天,亦不下著於地。物者,中和之有,使可推行,浮而往來,職當主周窮救急也。[④]

上天賜予天下人分享的資財,在貪污官吏及地方豪強勾結的宰制下,被少數人霸佔:

---

①東漢後期政治腐敗情況,史學家論述甚多,《後漢書·宦者列傳》記述不少事例,如順帝時,宦官當權,"兄弟姻戚皆宰州臨郡,辜較百姓,民不堪命",其後宦官左悺當權,其兄"請托州郡,聚斂爲奸,賓客放縱,與後宮有親,賂遺中官,以此得顯位,用勢縱横",又"小黄門趙津貪横放慾,爲一縣巨患",此類例子,不可勝數。東漢後期民間苦況,民間詩歌之中,可反映一二,例如古詩《東門行》云:"出東門,不顧歸,東入門,悵欲悲,盎中無文儲,還視桁上無懸衣……"

②《太平經合校》卷八十六《來善集三道文書訣》一百十七,314－315 頁。

③同上,卷八十六《來善集三道文書訣》一百二十七,312 頁。

④《太平經合校》卷六十七《六罪十治訣》第一百三,246 頁。

或有遇得善富地，並得天地中和之財，積之乃億萬種，珍物金銀億萬，反封藏逃匿於幽室，令皆腐塗。見人窮困往求，罵詈不予；既予不即許，必求取增倍也；而或但一增，或四五乃止。賜予富人，絶去貧子，令使其飢寒而死，不以道理，反就笑之。①

這是違反天意，令大多數民衆陷入困苦境地的，是不可饒恕的罪行：

中和之物隔絶日少，因而生之不足，飢寒而死者衆多，與人爲重仇！②

霸佔天地中和人所共有的資財，令其他人陷入絶境，是應該受天譴的：

與天爲怨、與地爲咎、與人爲大仇，百神憎之！③

君主的職責，應該爲民衆主持公義，解除困苦，然現實的情況是：君主闇昧不明：

太陽，君也；太陰，民臣也。太陽，明也；太陰，闇昧也。今闇昧當上流人太明中，此比若民臣暗昧，無知困窮，當上自附歸明王聖主，求見理冤結。今反太明下入闇昧中，是象詔書施恩，下行者見斷絶，闇昧而不明，下治內獨亂而闇蔽其上也。又象比近下民，所屬長吏，共蔽匿天地災變，使不得上通冥冥，與民臣共欺其上，共爲姦之證也。④

君主從容、允許官吏、豪強欺罔、蒙蔽，倒行逆施，必被衆所棄，致天下大亂，趨於滅亡。

(五)集議·來善之宅

《太平經》認爲，天下昏亂的主要原因，是君主與民衆懸隔，不

①《太平經合校》卷六十七《六罪十治訣》246－247頁。
②同上，247頁。
③同上，247頁。
④同上，卷八十六《來善集三道文書訣》一百二十七，313頁。

能體察民情，不能據天意伸張公義。容許官吏豪強欺壓貧民，是不道義的。《經》文云：

天地者，乃以氣風化萬物之命也，而氣節不通者，是天道閉，不得通達之明效也。①

夫君乃一人耳，又可處深隱，四遠冤結，實閉不通，治不得天心，災變怪異，委積而除。天地所欲言，人君不得知之，大咎在此，不三並力，聰明絶，邪氣結不理。上爲皇天大仇，下爲地大咎，爲帝王大憂，災紛紛不解，爲民大害。②

今帝王乃居百重之內，去其四境萬萬餘里，大遠者多冤結，善惡不得上通達也；奇方殊文異策斷絶，不得到其帝王前也；民臣冤結，不得自訟通也。爲此積久，四方蔽塞，賢儒因而伏藏，久懷道德，悒悒而到死亡，帝王不得其奇策辭，以安天下，大咎在四面八方遠界閉不通。③

《經》文反覆申論，君主受官吏豪強蒙蔽、欺罔，“四方蔽塞”，“爲民大害”，因此提出一個君主與民衆直接溝通的構想——集議。《經》文云：

人民萬物所病苦大小，皆集議而記之。所以使其共記之者，吏自相知長短，民民自相知長短；迫近山阜而居者，知山阜變；近市城郭而居者，知市城郭變；近平土而居者，知平土變；近水下田而居者，知水下田變。高下外內，悉得知之，故無失也，是立致太平之術也。而帝王所宜用，不失大心之法也。④

共上書言事也，勿得獨有孤一人言也，皆令集議。⑤

所謂“集議”，是民衆直接向君主反映民間情況，使君主不受蒙蔽，能瞭解民間意願。民衆集議，可制衡官吏欺罔：

①《太平經合校》卷八十六《來善集三道文書訣》一百二十七，317 頁。
②同上，卷四十八《三合相通訣》第六十五，151 頁。
③同上，卷八十八《作來善宅法》第一百二十九，335 頁。
④同上，卷八十六《來善集三道文書訣》一百二十七，324 頁。
⑤同上，318 頁。

吏亦畏民，民亦畏吏，兩相畏恐，所上皆得實，不失銖分之間，則令帝王安坐幽室無憂矣。①

主者長吏，亦畏民泄其事，而生之六考問，長得其信也；民亦畏縣官，得其短，亦復信也；縣官長吏居民亦畏行於他方上書者，得其短，亦信也；行上書者，亦畏縣長吏居民得其短也，亦信也；更相畏，非敢有妄語者也，亦非有可隱也。②

集議的好處，是可以使君主對官吏，對民衆的認知更廣泛、更全面、更能分辨是非善惡：

又大集議，無敢欺者，一兩人欲欺，餘人會不從之也。有欲欺不信者，即時衆共記之上之。其法應爲背天地、欺帝王、詐僞大逆不道之人也，天怨之，人惡之，其罪不得與赦也。③

任何人都有資格參加集議，包括老、弱、奴婢。"使衆人老小，賢不肖男女、下及奴婢者，大小集議"，因爲這些人更能反映民間隱秘的情況。"災變異之見，常於曠野民間，庶賤反先知之也"，因此庶民奴婢的意見，反而比官吏更可靠：

所以使下及庶人奴婢者，今天之法界，萬里異天地，五千里復小異；千里異風氣，五百里復小異，百里異陰雨，五十里復小異。……災變異之見，常於曠野民間，庶賤反先知之也。④

是故使衆人老小，賢不肖男女，下及奴婢者，大小集議，不可得以僞，其以公報私也。⑤

庶民、奴婢應該有資格參加議政，在古代中國的政治學説之中，可謂首創。

中國地方遼闊，民間如何"集議"，《太平經》有具體的構想，主要是設置"來善之宅"，收集民間意見：

①《太平經合校》卷八十六《來善集三道文書訣》一百二十七，322頁。
②同上，328頁。
③同上，319頁。
④同上，320頁。
⑤同上，327頁。

敕州郡下及四境遠方，縣邑鄉部，宜合作一善好宅於都市四達大道之上也。①

所謂“善好宅”，即下文的“來善之宅”。宅的建築規格是“高三丈，其中廣、縱亦三丈”，“善庇其户也，勿令人得妄開入也”。任何人都可以把“奇文殊異之方”，“胸心所常懷，所能言”的意見，“悉各書之，投於此宅中，自記姓名”。“其老弱婦女有言者”，可得官府獎勵。宅中文書太多，由看管者開宅收集。“持入與長吏衆賢共次。其中善者，以類相從，除其惡者，去其複重，因事前後，齎而上付帝王”，供帝王作施政參考。《太平經》對“來善宅”的功能，有極高期望，《經》文云：

今使下民臣各得奏上其辭於其君，令帝王得奇策異文殊方，可以長自安全者。又天地得通其談語，百姓下賤得達其善辭，以解天地悒悒，以助其君爲聰明。天地與人，爲凡物之長也，乃得悉通達，故大樂也。②

如“來善宅”法能推行，則“民臣百姓大小，盡忠信得達其情實矣。天下莫不歡喜”③，天下太平可得。

作者簡介 張偉國，1950年生，原籍廣州市。北京大學歷史系博士，現爲香港公開進修學院講師。著有《關隴武將與周隋政權》。

---

①《太平經合校》卷八十八《作來善宅法》一百二十九，332頁。

②同上，336－337頁。

③同上，322頁。

論《太平經》中的儒家思想

龍　晦

内容提要　本文從孝道、中和及《易》學三個角度研究《太平經》與儒家的關係，認爲《太平經》繼承了儒學的上述三個方面，並進行了改造和總結，經過傳教及以後道教徒的推闡，深刻地影響了社會生活的各階層。

道教在古代號稱“雜而多端”，作爲道教最重要的經典《太平典》，經王明先生加以整理後，爲它寫的《合校序》文中，也說《太平經》“全部内容多而且雜，雜而不純”。王先生從宇宙觀、認識論、社會思想三方面舉出《太平經》裏“自相矛盾的言論”，從哲學思想揭示它的多而且雜，這當然是很重要的。但我還覺得有更加深入的必要，就我個人的意見，如果我們從古代學術源流去加以探討闡發，我們會發現《太平經》另一種層面的“多而且雜”，對研究中國文化的形成，或將不無小補。

在《太平經》中我們發現至少有三個較大的組成部分，第一部分的來源是道家，道教不宣傳道家，那還叫什麼道教？第二部分是儒家，第三部分是陰陽家。論《太平經》裏的道家思想探索者已多，我現在打算先論儒家，以後再研究它與陰陽家的關係問題。

在《太平經》裏吸收儒家最多的是孝道。封建社會矛盾複雜，孝是紛紜複雜社會矛盾的粘合劑，它能把那些矛盾彌合起來，所以孔子非常注重孝道,在《論語》裏,弟子問孝,孔子答孝,論孝言論特多,一部十三經裏還專門有一本《孝經》。按照孔子的看法,衹要講究孝道,則父子關係必很融洽,父子既融洽,與自己同生的兄弟姊妹,在同氣連根的血緣關係下,也必然會兄友弟恭,這樣可以造成家庭和睦,做到齊家,由齊家便會做到治國平天下。封建經濟是自然經濟,以家庭爲社會的基本單位,按照這種設想,有一定的合理性,中國歷史上有過這麼一些年代,按照儒家辦法出現過短暫的太平。

封建統治者看重孝,還因爲"君子之事親孝,故忠可移於君"①。過去常有"求忠臣必於孝子之門"的説法,又"事親者居上不驕,爲下不亂,在醜不爭"②。能安定封建社會秩序,也很合乎統治階級的利益,故漢代很重視孝。在《漢書·惠帝紀》卷末,顔師古有一個注説:"孝子善述父之志,故漢家之謚,自惠帝已皆稱孝也。"

不但皇帝講孝,士庶人也講孝,漢代朝廷還采用"孝悌力田","孝廉方正"等科目,薦舉人才。《太平經·爲父母不易訣第二百三》提出人如盡了孝道之後,"郡縣聞之,取召便爲有職之吏,輒轉入府,府有(又)署顯職,州復聞之,闢召親近,舉〔孝〕廉茂才"③。可見《太平經》的作者如何積極地擁護當時的漢代制度,在傳教過程如何積極地與政府的中心政策相配合。

《太平經》不但注重孝,還在儒家那裏去承襲了"君、親、師"的概念。《書·泰誓》"天佑下民,作之君,作之師",才兩位。到了《晉語一》裏,便有"民生於三,事之如一,父生之,師教之,君食之",便變成三位一體了。《太平經》便仿效着説:"子不孝,則不能盡力養其親;弟子不順,則不能盡力修明其師道;臣不忠,則不能盡力共事其君,爲此三行而不善,罪名不可除也。"④

①②見《孝經·廣揚名章第十四》及《記孝行章第十一》。

③茂才即秀才,後漢爲避光武帝的諱,改秀才爲茂才,光武姓劉名秀。

④《太平經·六極六竟孝順忠訣第一百五十一》。

儒家從三位一體後來又有所發展,《荀子·禮論》:“禮有三本,天地者生之本也;先祖者類之本也;君師者治之本也”,雖然保存了“三本”的框架,但已有了天、地、先祖、君、師五位[①],而先祖放在君之前,也不大合統治者的胃口。《太平經·上善臣子弟爲君父師得仙方訣第六十三》裏説:“太上中古以來,人益愚,日多財,爲其邪行,反自言有功於天地君父師,此即大逆不達理之人也。”這一改把君放在父師之上,從封建統治者看來,很合他們的意。我在 1982 年拙文《全真教三論》裏,曾提出解放前每一家有一個神龕(更老的稱呼是“影堂”),上面寫的是“天地君親師位”[②]。它的根子就在《太平經》裏。

清人廖燕在《續師説》裏説:“宇宙有五大,師其一也。一曰天,二曰地,三曰君,四曰親,五曰師,……魏和公(即魏禮、魏禧之弟)曰:‘天、地、君、親、師五字爲里巷常談,一經妙筆拈出,遂成千古大文、至文。’”不但民間,就連開封一賜樂業教的教堂裏也掛着楹聯:“識得天地君親師,不遠道德正路;修在仁義禮智信,便是聖賢源頭。”可見由《太平經》傳下來的這一觀念影響之深遠。但是純粹儒家是重禮的,祭祀既有等級,更有禮儀和祭品規格的差異。《禮記·曲禮下》:“天子祭天地,祭山川,祭五祀,歲遍;諸侯方祀,祭山川,祭五祀,歲遍;大夫祭五祀,歲遍;士祭其先”。又《王制》:“天子祭天下名山大川,五嶽視三公,四嶽視諸侯,諸侯祭名山大川之在其地者。”董仲舒更明確地指出:“諸侯祭社稷,諸山川不在境內者不祭。”[③]聯繫起來説,衹有天子才有祭天地之權,諸侯雖有權祭山川,但衹能祭其所轄境內的山川,至於地位最低的士,衹能祭自己祖先。《禮記·曲禮下》又説:“支子不祭,

①《禮記·禮運第九》亦有類似的話:“故天生時而地生財,人其父而師教之,四者君以正用之,故君者立於無過之地也。”天、地、父、師、君也是五位。

②見《世界宗教研究》1982 年第 2 期。

③《春秋繁露卷四·王道第六》。

祭必告於宗子。”孔穎達《正義》云:“支子,庶子也,祖禰廟在嫡子之家,而庶子賤,不敢輒祭之。”可見儒家在祭祀規定上是很嚴格的。就在祭祖先這個問題上,也有特殊規定。

至於君,那更是嚴格。《禮記·郊特牲》:“諸侯不敢祖天子,大夫不敢祖諸侯,而公廟之設於私家,非禮也。”諸侯尚不能祭天子,小小百姓更不能祭君。因此,士庶祇能在祭祖先的規定下,建立家廟,在自己的家中,祇能寫上“×氏歷代高曾祖之神位”或“×氏祖宗昭穆香位”作爲早晚香敬及婚喪大事舉行儀式的對象。大概在元初《馬可波羅行紀》第103章説到大都和北方,“其人是偶像教徒,……各人置牌位一方於房壁高處,牌上寫一名代表最高天帝,每日焚香禮拜,合手向天,扣齒三次,求天保佑安寧,所禱之事祇此;地上供一偶像,名‘納的蓋’,奉之如同地上一切財産及一切收穫之神”。這當是記載士庶祭天地的開始。《夢粱録》卷十《家廟》,“太傅平章魏國公賈秋壑,按舊典賜第及家廟,在葛嶺集芳園,改建廟,奉五室同宇以饗”①,都没有提到“天地君親師”。因此我很懷疑它起源於金元時代的北方,特别是元代統一了全國,元人雖然也祭天地,從漢人眼光看來,那是祭他們元人的天地,趙氏亡了國,祭趙氏是犯忌的,改成一個“君”字就起了障眼的作用。這個想法極有可能是全真教想出來的,金元的全真教在初中期具有强烈的民族意識②,王重陽在他屋子的四隅各植海棠一株,曰:“吾將使四海教風爲一家耳。”③全真教既想的是“四海教風爲一家”,他必然看到了《太平經》的“天地君親師”,他們以教義作掩護,塞進了天地,塞進了“君”(暗指趙氏),

①古代諸侯有五廟,即二昭二穆和始祖“五室同宇”,即立始祖,二昭、二穆同在一個屋子。

②陳垣《南宋初河北新道教考·全真教之起源第一》:“立教之初,本爲不仕新朝,抱東海西山之意。”東海指魯仲連義不帝秦、寧蹈東海而死的故事;西山指伯夷叔齊不食周粟,隱於西山采薇而餓死的故事。

③劉祖謙《重陽仙迹記》,轉引自《南宋初河北新道教考》頁5。

按儒家的另一説法“鬼神非其類不享”①。漢人的天地不會去享受元人的祭祀,而漢人又不能没有人祭天地,這樣便以士庶人代行了祭天地之權,加上亡國的慘痛,大家心領神會的“君”,於是“天地君親師”便成了北方(後來傳至南方)每家的神龕牌位。這種信仰起源於《太平經》,而完成於全真教,這不能不算道教對中國文化上影響最重大最深遠的事件,它範圍了許多人的思想,成爲許多人的道德法則,甚至生活規範。明代王圻著的《三才圖會》雖没有紀録“天地君親師”,而祇記録了“×氏歷代高曾祖香位”,祇能説明他堅持儒家的禮制,認爲不經,而廣大民間士庶仍是崇敬“天地君親師”的。

《太平經》發揚儒家最力的第二個問題是“和”,《老子》書裹也有關於“和”的論述,如42章“萬物負陰而抱陽,沖氣以爲和”;54章“終日號而不嗄,和之至也,知和曰常,知常曰明”及8章的“和其光,同其塵”。他還提倡“不争”。“不争”從某種角度上講也是“和”,《老子》7章説“夫唯不争,故無尤”,65章提到“以其不争,故天下莫能與之争”,以及81章説“聖人之道,爲而不争”。不過他提倡“不争”,是爲了“天下莫能與之争”,是爲了大争,是爲了全面勝利,它與《太平經》裏的“和”,不是同一個概念。

《太平經》裏論述的“和”,偏重於“中和”,《和三氣與帝王法》:“中和者,主調和萬物者也,……陰陽者,要在中和,中和氣得,萬物滋生,人民和調,王治太平。”《分别貧富法第四十一》又説:“行仁者,中和,仁神出助其治,故小富也。”按《老子》的説法“聖人不仁,以萬物爲芻狗”,老子是毁棄仁義的,可見《太平經》中的“中和”顯然與老子的説法是很不一致的。

---

①《左傳·僖公三十一年》:“鬼神非其族類,不歆其祀。”

"中和"一詞出於《禮記·中庸》:"喜怒哀樂之未發,謂之中,發而皆中節,謂之和,中也者,天下之大本也,和也者,天下之達道也,致中和,天地位焉,萬物育焉。"這段話的上半段雖是從人的修養喜怒哀樂立論,成爲宋代理學家最愛探討的課題,與《太平經》拉不上關係,但是它的下半段談到"致中和"的功效,可以使"天地位焉,萬物育焉"就與《太平經》的"萬物滋生","仁神助其治"非常接近,這不能不說《太平經》接受了儒家的思想①。

在《九天消先王災法第五十六》裏,《太平經》提出了:"元氣不和,無形神人不來至;天氣不和,大神人不來至;地氣不和,真人不來至;四時不和,仙人不來至;五行不和,大道人不來至;陰陽不和,聖人不來至;文字言語不真,大賢人不來至;萬物不和,凡民亂,財貨少,奴婢逃亡,凡事失其職。"共提出了七種不和。但《太平經》在其它的篇章更多地提到陰陽不和,更多地提到人。因爲"人者,在陰陽之中央,爲萬物之師長",在《不同書言命不全訣,第一百九十九》提出"俗人雖少,知中和之間,各有禁忌,文書天下,中和民間,道上佃夫,阡陌聚社",《某訣第二百四》:"相氣,微氣,象中和人,夫中和人卑於天地,故其樂少。"似乎"中和"就是指的是人。《太平經鈔壬部》更提出:"故萬物不生者,失在太陽;生而不養者,失在太陰;養而不成者,失在中和。故生者,道也;養者,德也;成者,仁也。"把"養而不成者,失在中和",與"成者,仁也"聯繫起來,似乎它與"萬物育焉","萬物滋生"是一脈相承的。

這種思想的老根子還可以追溯更早一點,《左傳·成公十三年》:"劉子曰:吾聞之,民受天地之中以生,所謂命也。"又《漢書·五行志中之上》也有同樣的引文,師古注:"劉子即劉康公

①《淮南子·泰族訓》,"所謂仁者愛人也,所謂知者知人也,愛人則無虐刑矣,知人則無亂政矣,治由文理則無悖謬之事矣,刑不侵濫,則無暴虐之行矣,上無煩亂之治,下無怨望之心,則百殘除而中和作矣",最與《太平經》近,當爲《太平經》之所本。

也，中謂中和之氣。”《左傳》那段話的全文是：“是以動作禮義威儀之則，以定命也，能者養之以福，不能者敗以取禍，是故君子勤禮，小人盡力，勤禮莫如致敬，盡力莫如敦篤，篤在守業。”劉康公短短的幾句話，既提到禮義、勤禮，又提到致敬，應當是一位儒家或儒家思想很濃厚的人。魯成公十三年爲公元前 578 年，比孔子的出生公元前 551 年還要早二十七年，可說得上孔子的先驅。

這種中和思想轉到醫藥上便成爲重視六脈的平和爲無病，害病便叫“違和”，注意脈的太過與不及，注意脾土和胃氣的培養。《太平經》繼承了《內經》，在《八卦還精念文第一百三十》說，“中和之氣，與脾相連，四出季鄉，乃返戊巳（代表土）”；《內經素問·平人氣象論第十八》，“平人之常氣，禀於胃，胃者，平人之常氣也，人無胃氣曰逆，逆者死”；《玉機真藏論第十九》，“歧伯曰：脾脈者，土也，孤藏以灌四旁者也”。古代名醫莫不重視養和，晉代著《脈經》的名醫叫王叔和，金元四大家之一的張從正字子和，他們之所以取“和”爲名，都是受這種思想的影響，宋代的醫官在大夫這一級的就取名爲和安大夫，成和大夫，保和大夫、低一點的叫和安郎、成和郎、保和郎①。光緒爲慈禧太后改建清漪園爲頤和園，其取名也是立義於此。按《爾雅·釋詁二》：“頤，養也”，頤和就是要孝養太后，使太后身體常健，永不違和。

《太平經·知盛衰還年壽法第八十三》：“天之授事，各有法律，命有可屬，道有可爲，出或先或後，比若萬物始萌於子，生於卯，垂技於午，成於酉，終於亥。”卯在陰曆是二月，在暖和的春季之中，百花盛開，最得天地之和，因此唐代李泌建議把二月一日建爲中和節，李泌是著名的道士。又許多農事都興於此月，清代順治二年把明代的華蓋殿改建爲中和殿，把耕籍田視五穀農具的禮在

①見《宋史》卷一百六十九《職官九》。

此舉行,當亦與《太平經》提倡“中和”不無關係。

《禮記·樂記》是儒家講音樂的理論文章,它非常強調“和”,它說“樂極和,禮極順”,又說:“是故樂在宗廟之中,君臣上下同聽之,則莫不和敬;在族長鄉里之中,長幼同聽之,則莫不和順;在閨門之內,父子兄弟同聽之,則莫不和親;故樂者,審一以定和。”不過儒家講樂,但同時也要講禮。《太平經》承襲了儒家音樂要和的觀點,在《某訣第二百四》裏說:“三曰先順樂,動相氣微氣,令中和之氣大喜悅,君臣人民順謹,各保其處,則佞僞盜賊不作,境界保,故和氣日興,王氣生,凡物好善。”《諸樂古文是非訣第七十七》:“諸樂者,所以通聲音,化動六方八極之氣,其面和則來應順善,不和則其來應戰逆。”他們之間的觀點極其相似,《莊子·天下》云:“樂以道和。”《太平經》在“和”的問題上,既承繼了儒家的觀點,又繼承了莊子的觀點。

《太平經》與儒家關係密切的第三個問題是《易經》,《太平經》一書提到《易經》的地方特別多。還有一章專標名八卦的,如《八卦還精念文第二十八》,此外還多次提到《河圖》與《洛書》。不過《太平經》涉及《易經》的部分多與陰陽家相混,這部分我們將留在討論《太平經》與陰陽家的關係時再談。

《易經》裏有一種重生的思想,《易·咸》“天地感而萬物化生,聖人感人心而天下和平”,《繫辭上》“生生之謂易”,《繫辭下》“天地之大德曰生”。《太平經》非常重視這種思想,在《生物方訣第七十一》說:“夫天道惡殺而好生,蠕動之屬皆有知,無輕殺傷用之也。”又《不用書言命不全訣第一百九十九》“是曹之事,要當重生,生爲第一”,《壬鈔》“道乃主生,道絶萬物不生,則無世類”,都表現了《太平經》闡發《易經》裏的“天地之大德曰生”的觀點,特別是“天道惡殺而好生”成爲以後日常用語的口頭禪。《元史·丘處機傳》:“明年(庚辰·公元1220年)宿留山北,先馳表謝,拳拳以止殺爲勸,……太祖時方西征,日事攻戰,處機每言欲一天下者必在乎不嗜殺人……歲癸未(1223)太祖大獵於東山，馬踣，處機請曰:'天道好生，陛下春秋高，數畋獵，非宜'。"①《元史新編·耶律楚材傳》則謂:"甲申(1224)帝西征至北印度，駐鐵門關，有獸鹿形馬尾，色綠而獨角，作人言，謂侍衛者曰:'天道好生，汝主宜早還。'帝即日班師，歸至尋思於城，以問楚材，對曰:'此角端獸也，能言四方語，好生惡殺，乃昴星之精，此天降符以告陛下，願止殺以承天意。'帝納之。"不管這件事到底是丘處機，抑是耶律楚材？但他們都用了同樣的話"天道惡殺而好生"，這句話出自《太平經》，而《太平經》又是承襲《易》裏的"天地之大德曰生"的思想。按耶律楚材是調和儒釋的人，他當引用儒教與佛教的經典，而不當引用《太平經》，況且楚材傳裏又引進了一個"角端"異獸能通四方語的神話，且記載年代也相互差異②，很值得懷疑，因此我覺得丘長春是這個故事的主人公，元代東征西討，殺戮至慘，處機多次進諫，保存了成千成萬人的生命，對歷史是有功的。但這種功還要追溯到《太平經》。

由於《太平經》重視"生"，便產生了一系列重視增加人口的思想，它主張"理國之道，多人則國富，少人則國貧"③，在《一男二女法第四十二》裏提出"太皇天上平氣將到，當純法天，故令一男者當得二女"，使後代繁衍，把不結婚不生育咒罵爲"二人共斷天地之統，貪小虛僞之名，反無後世，失其實核，此天下之大

①《元史》這段話當本諸《長春真人西游記》:(癸未[1237])二月八日，上獵東山下，射一大豕，馬踣失馭，豕旁立不敢前，……師聞之，入諫曰:"天道好生，宜少出獵，墜馬，天戒也。"

②《元史新編》當本之於宋子貞《中書令耶律公神道碑》，《碑》云:"行次東印度鐵門關，侍衛者見一獸，鹿形馬尾，綠色而獨角，能爲人言曰:'汝君宜早回!'上怪而問公，公曰:'此獸名角端，日行一萬八千里，解四夷語，是惡殺之象，蓋上天遣之以告陛下，願承天心，宥此數國人命'。"與《長春真人西游記》比較，丘長春的弟子記其師這段話何等平實，耶律與丘不和，爲了掩蓋丘長春，不惜僞造一日行一萬八千里且能四夷語之怪獸，又宋子貞係此事於甲申，與丘之壬午年不合，後人多疑爲虛妄，故我覺得《長春真人西游記》的記載比較可信。

③見《太平經佚文》，載王明《太平經合校》728頁。

害也”。在《天咎四人辱道誡第二百八》更從兩種角度,攻擊不結婚、不生育,一是“古今聖人大賢尚知諱,不肯與無後世類之人共事”,第二,不生育的人“皆死於不毛之地,不生之土,無人之野”。這樣地出力替儒家宣傳“不孝有三,無後爲大”。在古代載籍中是少見的,這對於我國人口的膨脹,產生了極大的影響。

《易·乾》:《彖》曰:“乾道變化,各正性命,保合大和,乃利貞,首出庶物,萬國咸寧。”高亨注曰:“大,讀爲太。”《淮南子·覽冥訓》:“故以智爲治者,難以持國,唯通於太和,而持自然之應者,爲能有之。”馬融《廣成頌》:“重以皇太后體唐堯親九族篤睦之德,陛下履有虞烝烝之孝,外舍諸家,每有憂疾,聖恩普勞,遣使交錯,稀有曠絶,時時寧息,又無以自娱樂,殆非所以逢迎太和,裨助萬福也。”①《太平經》的時代與馬融的時代差不多。它在《和三氣與帝王法》裏提出:“元氣有三名,太陽、太陰,中和,……中和者,主調和萬物者也,中和者爲赤子,子者乃因父母而生,其命屬父,其統在上,托生於母,故冤則想君父也。此三乃夫婦父子之象也,宜當相通辭語,併力共憂,則三氣合併爲太和也,太和即出太平之氣。斷絶此三氣,一氣絶不達,太和不至,太平不出。陰陽者,要在中和,中和氣得,萬物滋生,人民和調,王治太平。”②它把太和與太平的關係,太和與中和的關係解釋得清清楚楚,這種企求太和,使得一些皇帝的年號也以“太和”取名③,清初把明代的奉天殿改建爲太和殿,與之對應的紫禁城門也改爲太和門,與《易》

①文載《後漢書·馬融傳》。

②胡炳文《周易本義通釋》:“蓋太和者,陰陽會和沖和之氣也”,沖即“中”。來知德《周易圖解》:“太和,陰陽會合,中和之氣也。”來知德直採自《太平經》更直接,似更優勝。

③魏明帝,後趙石勒,成李勢,晉海西公,北魏孝文帝,唐文宗,日本持統天皇,新羅真德女王,他們的年號均曾以“太和”爲名。

及《太平經》不無關係①。

此外,《太平經》還直接爲《易》的一些句子作了注解,注得很有特色,與傳統儒家不同,它解釋"潛龍無用",在《師策文》中說,"潛龍勿用坎爲紀,人得見之壽長久",又在《天讖支干相配法第一百五》中說:"然《易》者,迺本天地陰陽微氣,以元氣爲初,故南方極陽生陰,故記其陰;北方極陰生陽,故記其陽。微氣者未能王(旺)持事也,故《易・初九》子,爲潛龍勿用,未可以主持事也,故勿用此者,但以元氣之端首耳。"②原來坎卦屬位北方,坎卦上下兩爻均陰惟中獨陽.照《太平經》看來,陽氣衹一爻,還處在微細階段,正如一天中間的子時,陰氣剛過,陽氣方生,並未興旺,所以還不能起來治事。在《三者爲一家陽火數五訣第二百一十二》說:"今甲子,天正也,日以冬至,初還反本;乙丑,地正也,物以布根;丙寅人正也,平旦人以興起,開門就職。"過去有常語說"天開於子,地闢於丑,人興於寅",人在寅時才起來,才能開門治事,逆推到子時③。那時陽氣方生,其氣甚微,所以不能起來,要潛龍勿用。不難看出,《太平經》是用陰陽與曆法去解釋的,跟儒家用人事去釋"潛龍勿用"有許多不同。《莊子・天下篇》說"《易》以道陰陽"。《太平經》正是循着莊子道家的觀點去解釋《易》的。這正是

①太和殿在明代爲皇極殿(又稱奉天殿),清時每年元旦,冬至,萬壽三大節及國家大慶典,均在此舉行。冬至一陽生,即太和氣之初生,故應迎之,正與馬融《廣成頌》要"逢迎太和"之說合,又紫禁城與太和門對應的北門爲神武門,它是根據《繫辭上》"古之聰明睿知,神武不殺者乎"!太和主上天好生,神武主不殺,完全用了《易經》、《太平經》與丘處機的"上天惡殺好生"的思想,但《易經》是把"天地之大德曰生"和"神武不殺"在兩處分開了的,衹有《太平經》才把它合成一處。這樣太和、中和、保和三殿,與乾清宮,交泰殿、坤寧宮均在以太和,神武爲主軸的中心綫上,它的設計思想是很有意思的。

②這個微氣的解釋本之於《禮緯》,《後漢書・章帝紀》:"元和二年秋七月庚子,詔曰,《春秋》於春每月書王者,重三正,慎三微也。"章懷太子注引《禮緯》曰:"正朔三而改,文質再而復,三微者,三正之始,萬物皆微,物色不同,故王者取法焉。"

③坎離正北與正南相對,子午亦正北正南相對,坎代表水,子亦代表水,故坎與子可於此互用。

道家的傳統。

此外,《太平經》還有直接引用《易》裏的話來解釋社會上所發生現象的,如《作來善宅法第一百二十九》:“夫天道乃轉而相因,更相使也,故兑爲天地之口,人亦然,故以類相求,故人爲天地談也。”“兑爲天地之口”出《説卦》,《説卦》云,“兑爲澤,爲少女,爲巫、爲口舌”,而《兑》的彖辭也説,“兑、説也,剛中而柔外,説以利貞,是以順乎天而應乎人,説以先民,民忘其勞,説以犯難,民忘其死,説之大,民勸矣哉”?兩相比勘,可見《太平經》應用了《説卦》與《易・兑》的彖辭,這説明作者非常熟習《易經》,故能信手拈來的。

從上述,我們可以知道,《太平經》從儒家那裏繼承了儒家的重要學説“孝”,繼承了儒家的中和學説,和《易經》,并進行了改造和總結,作出了一些有自己特色的加工,經過傳教以及以後道教徒的推闡,它們深刻地影響了封建社會的各個階層,滲透到他們的思想和生活中去,成爲我國古代文化中的一個重要組成部分,其中有許多值得我們探索和繼承。當然其中封建迷信值得批判的也不少。

作者簡介 龍晦,1924年生,四川教育學院中文系教授。著有《馬王堆出土〈老子〉乙本前古佚書四種探原》、《讀〈中國科學技術史〉第5卷第2、3分册,兼評其有關煉金術和道家部分》、《全真教三論》等論文。

道教的創立與佛教東傳無關

李養正

内容提要　本文引據史料，概略論述了佛教傳入中土的時間及道教興起的過程，認爲佛教的初入中土，與早期道教的太平道、五斗米道之初興基本同時。道教的根本信仰是神仙崇拜，淵源甚爲遠古，是在我國古代宗教文化的思想基礎上，融攝諸子百家中的神秘主義思想因素與方術而逐漸形成的，是在中華民族遠古自發宗教基礎上發展形成的人爲宗教。道教的宗教思想、體驗、行爲與活動、組織制度等各方面，在其創立時並未受到佛教東傳的刺激與啓示，故道教的創立與佛教東傳無關。

往年所讀有關道教歷史方面的論著，學者們每謂道教之産生，乃因受佛教傳入中土之刺激與啓發，或徑謂爲模仿佛教而創立。余亦曾遵循前輩學者之説，隨和而從之。近年來，再讀有關史料及近代諸名家宗教史論，覺得史料及諸名家對此問題，看法並非一律。這便促使我再思道教創立的歷史條件，對以往我所受前輩之成見，不覺生出一些疑惑。究竟佛教初入中土，給予了巫祝、方仙之士何種刺激與何種啓示，而使之萌生創立“道教”的意念呢？具體究索，似乎又未見確鑿之史證。我的淺識是：佛教之初入中土，與道教太平道、五斗米道之初興，基本是同時的。道教的核心信仰是神仙崇拜，吸取我國古代宗教思想爲其義理結構基礎，它的産生並不是由於佛教傳入中土的刺激和啓示,更不是模仿的産物。我以爲這點讀書隨想之淺見,有具體陳述的必要,藉以就教於專家學者,求取大致弄清道教發生的史迹。

一、佛教究竟何時傳入中土?

在我國古籍中,關於佛教初入中土的傳説性記載頗多,説法紛紜,使人甚難肯定。湯用彤先生説:"佛教入華,果在何時,傳説紛歧,實難確定。蓋佛教自魏晉以後,在中國文化思想上,雖大放異彩,而方其初來,中夏人士僅視爲異族之信仰,細微已甚,殊未能料瞿曇教化,後將光被神區,而爲之記也。漢明求法,見之於《牟子理惑》,然上距永平之世,已過百年。其後乃轉相滋益,揣測附會,種種傳説,與時俱增。"(《漢魏兩晉南北朝佛教史》第一分第一章《佛教入華諸傳説》) 湯公考其原由,一則爲佛教徒及博物好奇之士的取異聞而附益;二則爲佛教徒誇耀佛法無邊,三皇五帝時佛法便已爲華夏所知;三則爲佛道鬥争,"信佛者大造僞書,自張其軍"。

關於此問題的種種紛歧之説,大致可以歸納爲以下一些説法:

(一) 佛教已聞於三皇五帝之世:南北朝劉宋宗炳《明佛論》:"伯益述《山海》,天毒之國,偎人而愛人。郭璞傳,古謂天毒即天竺,浮圖所興。偎愛之義,亦如來大慈之訓矣。固亦既聞於三五之世也。……東方朔對漢武劫燒之説,劉向列仙叙七十四人在佛經,學者之管窺於斯,又非漢明而始也。"(梁釋僧祐《弘明集》卷二)

(二) 西周時期已知西方有佛:唐釋法琳《對傅奕廢佛僧事》引《周書異記》(按,係僞書):"按《周書異記》云:'周昭王即位二十四年 (公元前 1029),甲寅歲四月八日,江河泉池,忽然泛漲,井泉並皆溢出,宫殿人舍,山川大地,咸悉震動。其夜五色光氣,入貫太微,徧於西方,盡作青紅色。周昭王問太史蘇由曰:'是何祥也?'由對曰:'有大聖人,生於西方,故現此瑞。'……至穆王五十三年,壬申歲二月十五日平旦,暴風忽起,發損人舍,傷折樹木,山川大地,皆悉震動。午後天陰雲黑,西方有白虹十二道,南北通過,連夜不滅。穆王問太史扈多曰:'是何徵也?'對曰:'西方有大聖人滅度,衰相現耳。'穆王大悦曰:'朕常懼於彼,今已滅度,朕何憂也。'當此之時,佛入涅槃也。"(唐釋道宣《廣弘明集》卷十一)

按:佛教創始人釋迦牟尼,古印度迦毘羅衛國(在今尼泊爾境內)人,姓喬答摩,原名悉達多。其生卒年代,傳説不一。1956年東南亞國家曾舉行佛涅槃二千五百年紀念,各佛教國家據史料公認1956年爲佛涅槃二千五百年,亦即釋迦牟尼去世於公元前544年。再往前推八十年,即佛之誕生年,爲公元前624年。按中國歷史年代對照,則悉達多生於周襄王二十八年,去世於周景王元年。《周書異記》虚構異説,亦顯然矣。《中國佛教》卷一《中國佛國史略·後漢佛教》中説:"北齊僧統法上曾沿此説以答高麗使者,後來更爲一般佛徒所習用。"此蓋爲以訛傳訛,將錯就錯。

(三)春秋戰國之際已知有佛:唐終南山釋道宣《歸正篇·商太宰問孔子聖人》引《列子·仲尼篇》:"太宰嚭問孔子曰:'夫子聖人歟?'對曰:'丘也博識強記,非聖人也。'又問:'三王聖人歟?'對曰:'三王善用智勇,聖非丘所知。'又問:'五帝聖人歟?'對曰:'五帝善用仁義,聖非丘所知。'又問:'三皇聖人歟?'對曰:'三皇善用時,聖非丘所知。'太宰大駭曰:'然則孰爲聖人乎?'夫子動容有間曰:'丘聞西方有聖者焉,不治而不亂,不言而自信,不化而自行,蕩蕩乎人無能名焉。'據斯以言,孔子深知佛爲大聖也。"(唐釋道宣《廣弘明集》卷一)

(四)秦始皇時沙門曾賫經來華:唐釋法琳《對傅奕廢佛僧事》:"釋道安、朱士行《經録》目云:始皇之時,有外國沙門釋利防等一十八賢者賫持佛教,來化始皇,始皇弗從,乃囚防等。夜有金剛丈六人來,破獄出之,始皇驚怖,稽首謝焉。”(《廣弘明集》卷十一)

按此説始載於隋費長房《歷代三寶記》卷一,但文中並未言此説出至釋道安及朱士行《經録》。湯用彤先生説:“按道安《經録》如載此事,則僧祐、慧皎等必有稱述。至如朱士行《經録》,亦首見《房録》,此前罕有所聞。費長房自言未見其書。《三寶記》蕪雜凌亂,謂朱士行曾作録,實不可信。其言出道安、朱士行云云,乃爲佛徒僞造。”(《漢魏兩晉南北朝》第一分第一章《佛教入華諸傳説》)

(五)漢武帝時始聞浮屠之教:北齊魏收《魏書·釋老志》:“漢武帝元狩中,遣霍去病討匈奴,至皐蘭,過居延,斬首大獲。昆邪王殺休屠王,將其衆五萬來降。獲其金人,帝以爲大神,列於甘泉宮。金人率長丈餘,不祭祀,但燒香禮拜而已。此則佛道流通之漸也。及開西域,遣張騫使大夏還,傳其旁有身毒國,一名天竺,始聞有浮屠之教。”(《魏書》卷一一四《釋老志》)

按,湯用彤先生説:“查《史記·大宛傳》張博望雖言及身毒,然於浮圖,則《史》《漢》均未記其所稱述。且《後漢書·西域傳》曰:‘至於佛道神化,興自身毒,而二漢方志,莫有稱焉。張騫但著地多暑濕,乘象而戰。’據此始聞浮屠之教云云,係魏收依通西域事而臆測之辭,並非述騫所言也。……而其所流傳之故事虛妄不實,蓋可知矣。”

(六)漢哀帝時已受浮屠經:曹魏魚豢《魏略·西戎傳》:“昔漢哀帝元壽元年,博士弟子景盧受大月氏王使伊存口授浮屠經,中土聞之,未之信也。”(見《三國志·魏志》卷三十裴松之注)

按,梁啓超先生説:“此事在歷史上雖爲孤證,然其時大月氏主丘就卻,正征服罽賓,而罽賓實當時佛教極盛之地,則月氏使臣對於佛教有信仰,而我青年學子之懷抱新思想者,從而問

業,亦意中事。但既無著述,亦無傳授,固不及於思想界耳。”(梁啓超《佛教研究十八篇·佛教之初輸入》)

(七)漢明帝時佛教傳入中土:南朝宋范曄《後漢書·西域傳》:“世傳明帝夢見金人,長大,頂有光明,以問羣臣。或曰:‘西方有神,名曰佛,其形長丈六尺而黄金色。’帝於是遣使天竺問佛道法,遂於中國圖畫形像焉。”(《後漢書》卷八十八)北齊魏收《魏書·釋老志》:“後孝明帝夜夢金人,頂有日光,飛行殿庭,乃訪羣臣,傅毅始以佛對。帝遣郎中蔡愔、博士弟子秦景等使於天竺,寫浮屠遺範。愔仍與攝摩騰、竺法蘭東還洛陽。中國有沙門及跪拜之法,自此始也。”

按:漢明求法之事,乃托諸夢幻,漢孝明帝紀亦未見記載,且爾後説法種種,矛盾甚多(見《中國佛教》第一卷《後漢佛教》第五頁),故現代佛教史家頗懷疑是否有“漢明求法”之事,攝摩騰、竺法蘭是否實有其人?雖然如此,但漢明帝之世已有佛教傳入中土,已逐漸成爲公認史實。究其原因,實則《後漢書·楚王英傳》已記載漢明帝時佛教已在貴族階層傳播的史實(下詳)。

(八)漢明帝時已尚浮屠之仁祠:《後漢書·楚王英傳》:“(永平)八年,詔令天下死罪皆入縑贖。英遣郎中令奉黄縑、白紈三十匹詣國相曰:‘托在蕃輔,過惡纍積,歡喜大恩,奉送縑帛,以贖愆罪。’國相以聞。詔報曰:‘楚王誦黄老之微言,尚浮屠之仁祠,潔齋三月,與神爲誓,何嫌何疑,當有悔吝?其還贖,以助伊蒲塞、桑門之盛饌’。因以班示諸國中傅。”據此,則確證漢明帝時佛教已在貴族階層中傳播,而且已有一些信士(伊蒲塞)和來華的出家客僧(來自印度、西域之僧人)。

(九)漢末佛教始還及中土:南齊僧祐《出三藏集記》(省稱《祐録》)卷五載晉釋道安《注經録序》:“佛之著教,真人發起,大行於外國,有自來矣。延及此土,當漢之末世,晉之盛德也。”

按,湯用彤先生認爲:“考伊存授經,明帝求法以後,佛教寂然無所聞見。然實則其時,僅爲方術之一,流行民間,獨與異族有接觸,及好奇之士,乃有稱述。其本來面目,原未顯著。當世人士不過知其爲夷狄之法,且視爲道術之支流,其細已甚。後世佛徒,尤耻其教之因人成立。雖知之,而不願詳記。豈真佛教在桓、靈以前未行中國耶? 蓋亦因其傍依道術而其術不顯耳。"(《漢魏兩晉南北朝佛教史》第一部分第四章《漢代佛法之流布》) 我認爲湯公所説是十分中肯的。

關於近代佛教史家對此問題看法,簡略例舉如下:

中國佛教協會編《中國佛教》第一卷《後漢佛教》(作者黄懺華) 認爲:關於漢明以前佛教傳入中土的種種傳説,"但除伊存授經一説外,大多數由於和道教對抗,互競教興的先後,遂乃將佛教東傳的年代愈推愈遠,所有引據大都是虛構和臆測的"。

梁啓超認爲:"'漢明帝時,始有佛法'此二語殆成爲二千年來公認之史實。吾人心目中,總以爲後漢一代,佛教已粲然可觀。乃參稽考證,而殊覺其不然。《後漢書・西域傳》論云:'至於佛道神化,興自身毒,而二漢方志,莫有稱焉。—— 騫、超無聞者,豈其道閉往運,數開叔葉乎?'據此足證兩漢時人,鮮知有佛,官書地志一無所載,學者立言,絶未稱引。王充者,後漢學者中學識最賅博而最富於批評精神之人也。其所著《論衡》對於當時社會流行之思想,無一不加以批判矯正。獨於佛教,未嘗一字論列,此即當時此教未行一有力之反證。故語佛教之初紀元,自當以漢末桓、靈以後爲斷。"(梁啓超《佛學研究十八篇・佛教之初輸入》)

湯用彤先生認爲:"漢明帝永平年中,遣使往西域求法,是爲我國所公認佛教入中國之始。""求法故事,雖有疑問,但歷史上事實常附有可疑傳説,傳説固妄,然事實不必即須根本推翻。""漢明求法,吾人現雖不能明當時事實之真相。但其傳説,應有相當根據,非向壁虛造。至若佛教之流傳,自不始於東漢初葉。明帝雖曾獎勵此新來之教,然其重要,亦自不如後日所推尊

之甚。至若後世必定以作始之功歸之明帝,則亦有說。”(《漢魏兩晉南北朝佛教史》第一分第二章《永平求法傳説之考證》)

蔣維喬先生認爲:“要之,我國知有佛教,應在武帝通西域後。至明帝時,天竺人來華,朝廷尊重之,遂視爲異聞,而傳播於後世。實則中國佛教史,當以安世高、支婁迦讖來時爲始也。”(蔣維喬《中國佛教史》)

郭朋先生認爲:“可以大致推定:佛教的正式傳入中國,當在西漢末年、東漢初年的兩漢之際。至於佛教傳入的具體的確鑿年月,則因文獻不足,難下定論。”(郭朋《漢魏兩晉南北朝佛教》第二章第一節《佛教的傳入》)

任繼愈先生認爲:“大月氏在公元前二世紀移居大夏後很快就接受當地的風俗文化,因此在公元前一世紀末盛行佛教並由其來華使者口授佛經,是完全可能的。”(任繼愈主編《中國佛教史》第一卷第二章第三節《兩漢之際佛教的輸入》)按公元前一世紀末則正當西漢哀帝在位之時,這就是説“伊存授經”是可能的。

吕澂先生認爲:關於西漢哀帝時大月氏使者伊存口授佛經之説,乃出自《三國志》裴注引前人魚豢《魏略・西戎傳》,而《魏略》一書已佚。“據現代研究西域歷史的學者,如日人白鳥庫吉認爲貴霜王朝前二代是不信佛教的,而大月氏又在貴霜朝之前,當時是否已有佛教流傳,還值得研究;尤其是授經者是國家的大使身份,説明佛教已成爲當時統治階級所崇信纔有可能,這就更需要研究了”。(吕澂《中國佛學源流略講》第一講《佛學的初傳》)考“貴霜王朝”正當漢明帝永平年間,西戎貴霜王朝時猶且不信佛教,而在貴霜王朝前的大月氏又怎麼會有佛教呢?漢明帝永平前的大月氏國既無佛教,又怎麼會有大月氏使者口授佛經呢?這便否定了漢哀帝時佛教傳入中土的可能。

本文前面所摘述的材料,其中或有托諸三皇五帝之逸史,或者虛構周秦之寓言,或有假托夢幻之所見,或有臆想之推斷;近代佛教史家亦言論紛歧,見解不一。筆者讀諸名家之書,亦隨之而思考之。依據時代歷史條件的可能,筆者的淺見是:漢武帝時已通西域,極可能統治者已知西域有佛教一事;漢哀帝時曾有西域佛教徒來華,曾向漢朝廷談及佛經,這也是有可能的。不過,這最多衹能説是中土統治者知道了一點信息而已,還談不上佛教已傳入中土,更談不上對中土社會有任何思想影響。漢明帝時佛教已傳入中土,這是史實(至於夢幻所見等乃是後世好事者所作宗教渲飾。楚王英已尚浮屠之仁祠,乃屬史實);衹不過那時佛教之名不顯,而是依附於當時中土的黄老道,衹在極少數貴族階層中有影響,浮屠被敬爲西方一大神人,受到祭祀而已,對中土社會也還是談不上有什麼影響的。佛教教義、經典真正傳入中土,應當説始於漢桓帝時安息僧人安世高之來華傳教及首創譯經事業。佛教在中土傳播的總情況,我以爲還是中國佛教史上著名學者、東晉的釋道安説得對:"佛之著教,真人發起,大行於外國,有自來矣。延及此土,當漢之末世,晉之盛德也。"(見《祐録》卷五)

二、道教興起的過程

我國現有五大宗教,即道教、佛教、天主教、基督教、伊斯蘭教,其中唯道教是我國土生土長的宗教,它是我國歷史發展中出現的一種文化現象。既不是從天上突然降授的也不是從哪個外國傳來的。它是在我國敬天祀祖的傳統宗教的基礎上,融合先秦兩漢傳統諸學派,特别是黄老道、神仙家、墨家、陰陽五行家、儒家等諸學説的神秘主義思想與方仙之術而形成的本土宗教。

遠在公元前一千幾百年前的殷商時代,史前時期的自然崇拜已發展到信仰上帝和天命,初步建立了以上帝爲中心的天神系統;原始的鬼魂崇拜已發展到以血緣爲基礎,與宗法關係相結合的祖先崇拜;夢兆信仰也已發展到求神意以定吉凶的占卜巫術。這時也就有了管理宗教儀式、卜筮吉凶和祈福禳災的巫祝,被認爲能溝通神天。巫的專職就是托言能把神的意旨通過龜殼或蓍草卜筮傳達給人;祝的專職就是奉行祈禱儀式,托言能把人的願望申訴於鬼神。因此巫祝都是祭祀時不可缺少的人物。周繼殷商而統治天下,鬼神崇拜更爲系統,已形成天神、人鬼、地祇三個系統。屬於天神的有上帝及日、月、星、斗、宿、風、雲、雷、雨諸神;屬於地祇的有社稷、山川、五嶽、四瀆之神;屬於人鬼主要是各姓的祖先及崇拜的聖賢。這些也便是後來道教所以成爲多神教的來源。戰國時期,神仙傳説流行,不僅漱正陽、含朝霞、保神明、入精氣等吐納之術爲世人所習慕,彭祖之長壽、三神山之仙闕爲世人所向往,且載營魄而登霞,掩浮雲而上昇的幻想登仙之説,也已爲世人所樂道和探求。先秦古籍不少載有關於仙人、仙境、仙藥等傳説的文字。如《莊子》中説:

藐姑射之山,有神人居焉,肌膚若冰雪,淖約若處子,不食五穀,吸風飲露,乘雲氣,御飛龍,而游乎四海之外。(《莊子·逍遥游》)

夫聖人,鶉居而鷇食,鳥行而不彰,天下有道,則與物皆昌;天下無道,則修德就閒;千歲厭世,去而上仙;乘彼白雲,至於帝鄉;三患莫至,身常無殃。(《莊子·天地》)

《列子》、《莊子》中有很多對仙人、仙境的描述。"仙境"爲無限美妙、神秘的境地,"仙人"都是外生死、極虚静、不爲物累、超脱自在的能飛行的超人。《史記·封禪書》中有一段膾炙人口的仙話:

自威、宣、燕昭,使人入海,求蓬萊、方丈、瀛洲。此三神山者,其傳在渤海中,去人不遠,患且至,則船風引而去。蓋嘗有至者,諸仙人及不死之藥皆在焉。其物禽獸盡白,而黄金銀爲宫闕。未至,望之如云,及到,三神山反居水下。臨之,風輒引去,終莫能至云。世主莫不甘心焉。及至秦始皇並天下，至海上，則方士言之不可勝數。始皇自以爲至海上而恐不及矣，使人乃賫童男女入海求之。

伴隨神仙之説的流行，巫覡遺緒便利用之，更爲渲染神異，有的並利用當時萌芽之科技，加以宗教渲染，以爲求仙之方術，游售於世，時人稱之爲方士。戰國時期的巫覡及方士，主事祭祀與求仙術，但他們還衹有神異的神話、仙話及不明其"妙"的方術和咒語，卻没有稱得上是"理論"的理論，與諸子百家相比較，顯然有些黯然失色。戰國末期出了個方士叫騶衍，他將陰陽五行説相勝相克的原理與社會朝代之興衰更替相結合，更推而論社會事物之一切變化，皆因緣於陰陽消長及五行之相勝相克。騶衍以此而顯於諸侯，從而也啓發了其他方士，將其方術、神靈信仰皆文飾以陰陽五行之説，這便使方仙之道具備了神秘的理論色彩。《史記・封禪書》中説：

自齊威、宣之時，騶子之徒論著終始五德之運，及秦帝而齊人奏之，故始皇采用之。而宋毋忌、正伯僑、充尚、羡門子高、最後皆燕人，爲方仙道，形解銷化，依於鬼神之事。騶衍以陰陽主運顯於諸侯，而燕齊海上之方士傳其術不能通，然則怪迂阿諛苟合之此興，不可勝數也。

秦始皇之後，最信方仙道的便是漢武帝劉徹，他寵信方士李少君、薄誘忌、少翁、奕大，從事祠竈、化煉丹砂、候神、服食、卻老方等方術。《史記・孝武本紀》：

(武帝)親祠竈，而遣方士入海求蓬萊安期生之屬，而事化丹砂諸藥齊爲黄金矣。

這裏所説的方仙道，便是後世道教的最原始形態。爾後由於方仙道方術少驗，受到社會輿論的一些攻擊，僅靠陰陽五行説也顯得理論色彩單薄，不能不更爲增益理論。在西漢，黄老之學蔚然而興，而黄老學説中也確有可供方仙道依附和發揮的神秘主義內容,於是仿儒家之尊崇堯舜、宗師孔丘,乃宣揚黄帝學仙問道及老子的長生久視之道,尊崇黄帝、老子,爲傳播神仙信仰服務,這便出現了有濃厚宗教色彩的"黄老道"。在兩漢之際,社會上已有兩種方仙流派,其一爲漢成帝時方仙士甘忠可,以陰陽五行説爲主,兼采黄老及儒家讖緯説,造作《包元太平經》,尊崇天帝、赤精子真人的原始太平道。《漢書・李尋傳》記載:

> 初成帝時,齊人甘忠可詐造《天官曆》、《包元太平經》十二卷,以言漢家逢天地之大終,當更受命於天,天帝使真人赤精子下教我此道。

其二爲標榜宗仰黄帝、老子,主事祭祀及修道養壽的黄老道(黄老學派中與方仙道相結合的一支)。前派於漢衰帝後潛隱民間流傳;後派到東漢而漸盛。東漢順帝時,琅玡宫崇詣闕,上其師于吉神書百七十卷(即《太平青領書》,亦即《太平經》),"專以奉天地、順五行爲本,亦有興國廣嗣之術","其言以陰陽爲家,而多巫覡雜語"《後漢書・襄楷傳》。這顯示甘忠可的原始太平道並未湮滅,于吉便是甘忠可的後繼者與發揚者,他將《包元太平經》擴展而爲《太平經》百七十卷。這也顯示太平道的完成與行世,實際也標志道教的形成。漢靈帝時,太平道已發展到徒衆數十萬,奉持《太平經》,太平道領袖張角率衆掀起了轟轟烈烈的黄巾起義。與于吉傳播太平道的同時,在巴蜀一帶有張道陵開創的五斗米道興起,這一史實,古籍頗多記載:

> 張魯,字公旗。初,祖父陵,順帝時客蜀,學道鶴鳴山中,造作符書,以惑百姓。受其道者,輒出五斗米,故謂之米賊。陵傳衡,衡傳於魯。(見《後漢書・劉焉傳》)
>
> 漢末,沛國張陵學道於蜀鶴鳴山,造作道書,自稱"太清玄元",以惑百姓,陵死,子衡傳其業。衡死,子魯傳其業。魯字公祺,以鬼道見信於益州牧劉焉。(見東晉常璩撰《華陽國志》卷二)

> 張陵受道於鵠鳴,因傳《天官章本》千有二百,弟子相授,其事大行。……其書多有禁秘,非其徒也,不得輒觀。至於化金銷玉,行符敕水,奇方妙術,萬等千條。上雲羽化飛天,次稱消災滅禍。(見《魏書·釋老志》)

張陵初創的五斗米道,已具有奉持的經典、醮儀、科戒和以"治"爲中心的龐大教團組織系統,信徒不僅遍布巴蜀,而且影響遠及於漢中。于吉、張角傳播的太平道,因黄巾起義被朝廷所殘酷鎮壓,以悲劇而告終,太平道遂亦漸由衰微而銷聲絶迹。漢末以張魯爲"系師"的五斗米道,在雄據漢中三十多年後,歸順曹操,頗受優待,故五斗米得以繼續流傳,以後遂被目爲道教的正統,綿綿承傳於後世。

按,道教創教人前後有三,即漢成帝時的甘忠可,漢安、順帝時的于吉,漢順帝時的張道陵。因甘忠可、于吉皆爲統治者誅滅,三張(張陵、張衡、張魯)都得到統治者的承認,而且其道派能夠綿綿承傳,故而歷史上以及道教教團内部,也都公認,道教形成於漢順帝時,以張陵爲創教者了;其實,在張陵之前,尚有甘忠可、于吉、宫崇等前驅者。

三、道教的創立曾受佛教傳入的何種刺激與啓發?

從時間上看,道教的興起,與佛教初入中土基本上是同時,約在公元一世紀前後。兩者有所不同的是:(一)道教是本土宗教,淵源甚爲遠古,其根植於我國傳統文化的土壤,吸吮我國傳統文化的乳汁,而逐漸形成的,是在中華民族遠古自發宗教的基礎上發展形成爲人爲宗教的。其源也長,其根也深,其形成教團組織的時間亦頗先於佛教客僧之東來,當在漢成帝與漢順帝之間,即公元前32年至公元144年之間。佛教傳入中土稍晚於道教教團組織之形成,當在漢明帝與漢桓帝之間,即公元58年至公元167年之間，至於佛法之在中土初具系統的傳播，則較道教義理之系統傳播，更晚近百年。(二) 佛教是外來宗教，如浮萍似的飄來中土，初來中土的客僧零零散散，爲數甚少，衹是在貴族與士大夫階層中很少人中間有所傳播，而且在名義上衹是依附於當時較爲盛行的黄老道，佛教的名聲還十分細微，不爲社會大衆所知，信奉者衹不過當作祭祀西方一神人而已。(三) 初入中土的佛教，直到漢桓帝時客僧安世高來華開創翻譯佛經的事業，纔有第一部譯經《安般守意經》。至於傳説所謂漢哀帝時的"浮屠經"，純粹衹是子虛烏有之説，所謂漢明帝時傳説的《四十二章經》，實際乃是漢末支謙的譯撰本。而這時的道教已經具有了相當可觀的經典，最著者則爲《太平經》。綜論之，佛教初入中土，人地生疏，自身尚無獨立播教之能力，猶且依附於黄老道，既無譯經傳播教義，在社會影響又極微，又無佛教教團組織，在時間及其他條件上都不可能給予方仙士創立道教以刺激與啓發。這個問題，不能靠主觀臆想，而是要以具體史實來論證。

按，一種宗教的構成，它必須具有内在和外在的基本要素。趙樸初先生所著《佛教常識答問》中説："佛教，廣義地説，它是一種宗教，包括它的經典、儀式、習慣、教團的組織等等；狹義地説，它就是佛所説言教。"呂大吉先生主編的《宗教學通論》中説："宗教的内在因素基本上有兩種内容：1. 宗教的觀念或思想；2. 宗教的感情或體驗。宗教的外在要素，主要内容也可分爲兩種：1. 宗教的行爲和活動；2. 宗教的組織和制度。一個比較完整的成型的宗教，便是上述内外四種因素的綜合。"(《宗教學通論》第一章第二節《宗教的基本要素》) 所謂宗教觀念或思想，即神靈、神性觀念及其基本教理教義，以及闡發和論證其信仰的真理性、靈驗性、權威性的經典。所謂宗教的感情或體驗，即因虔誠信持而産生的依賴感、敬畏感、安寧感和與神合一的神秘體驗。所謂宗教行爲和活動，即宗教方術、戒律禁忌、祈禱儀式、宗教禮儀等。所謂組織和制度，即教團組織形式、管理體制、規範和指導宗教活動的規章等等。根據這些構成宗教的要素，讓我對道教的創立是否受了佛教傳入的刺激和啓發，作具體的剖析。

(一) 漢順帝時張道陵創立道教 (此爲學術界與道教界所公認)，當時已具有《老子五千文》(宗仰老子，故奉爲聖典)、《太平洞極經》(即《太平經》)、《老子想爾注》(張陵立言，張魯成書)、《三天正法》、《正一盟威妙經》、《正一科術要道法文》、《天官章本》、章醮道書多卷，化金銷玉、行符敕水，萬有千條。這時佛教尚無一本譯經在中土社會流傳；道教本源於方仙道、黃老道，宗仰道家與神仙家，一直以神仙信仰爲教義核心，未見有絲毫偏移，更未見有任何佛法之痕迹，它在初創時，佛教根本不可能對其義理産生任何刺激和啓發，當時初來中土的佛教遠未具備發生影響的條件。

(二) 道教感情與道教體驗，有它自己的特點，道教所崇拜的是我國古代傳統宗教的天帝、聖賢以及神仙家、方仙道所敬慕和追求的仙人、仙境、仙方、仙藥，信仰者所依賴、敬畏、驚異、嚮往的是本國的神仙、本國流傳的方術和就在本國土地上的洞天福地。佛教初來中土，客僧極少，漢制又不準漢人出家，社會廣大羣衆知此教者甚微，中土漢人特别是方仙之士何曾有佛教感情與道教體驗産生之可能？根本談不上有什麽刺激與啓發。

(三) 道教是由方仙道、黃老道演進而來，它的宗教行爲和活動，一貫以巫覡、方仙之術及我國傳統祭祀禮儀爲主，所謂符章醮儀、三官手書，道功道術都是本土之宗教行爲與活動，並無外來的宗教因素滲入其間。在這方面，道教初創時根本不曾有感受佛教東來的刺激，更其談不上什麽啓發。

(四) 道教創立之初，五斗米道有五斗米道的組織與制度，太平道有太平道的組織與制度。如五斗米道 (即天師道)，其龐大的教團組織分爲二十四治 (或謂二十八治)，“治”即頭目“祭酒”之住處，也就是各教區的中心。《三國志・張魯傳》謂：“各領部衆,爲治頭大祭酒。”陸修静《道門科略》:“天師治治置職,猶陽官郡縣城府,治理民物。奉道皆編户著籍,各有所屬。”其職稱有:正治、内治稱治頭祭酒,别治稱主,還有將軍、校尉、主簿、領神、監神、督察、功曹、書吏、從事、仙官等。各治的制度與教務,主要是“付天倉”(信道者要向天師祭酒交納信米)、一年“三會”(一年正月七日、七月七日、十月五日,一年三會,民各投集本治)。正月爲舉遷賞會,七月爲慶生會,十月爲建功大會。落死上生以隱實户口;對道職進行勸賞遷職;受度法籙。祭酒爲信衆宣行道法、爲病者請禱、爲道民設廚會求願收福等等;再如禁酒、先加三原然後行刑等。太平道的組織單位爲“方”,大方萬人,小方六七千人,其爲首者稱大方、小方,太平道領袖稱“大賢良師”。師持九節杖,以符水療病並教人叩頭悔過,設神壇,祀中黄太乙等等。在組織與制度方面,佛教曾給予方仙士創教以何種刺激和啓發?又模仿了什麽?一言以蔽之,没有!

(五)從地理條件看,佛教初入中土,客僧多來自西域(也有説從東南海上來者),亦多衹活動於洛陽與建業(南京)一帶,即使在這些地方,社會影響也很細微;道教主流一派,乃創立於西南巴蜀之峻山僻壤鵠鳴山,當時此地多夷人,盛行巫風,初入中土的佛教細微影響,那能達到這裏呢?在東漢史料中,未見有佛教深入蜀地之迹象,張道陵亦未必知有所謂佛教之事,哪裏談得上受刺激和啓發呢?

(六)也有説,佛教是異國的宗教,傳入中土後,中土方仙之士及儒生方士,出於民族意識,欲興本土宗教以抵制外來的佛教。我以爲這乃是後人的主觀推想。當佛教初入中土,依附於本土黄老道,衹是作爲祭祠齋戒之一種而立足,漢朝廷對客僧是十分優待的,並無排斥之事,衹是最初不準漢人出家,因爲這與漢人倫理道德觀念不合,此外不加禁阻。後世的佛道鬥争乃是在佛教勢力在華熾盛之後纔發生的,時在魏晉之後。

從以上六個方面具體考察,我以爲道教的創立,並無佛教來華所造成對中土方仙士的刺激與啓發的因素,當然更談不上什麼模仿了。我以爲,佛道關係史上,有不少問題是有必要重新探討的,有些揚佛抑道的觀點,有失史實,其中之一就是認爲道教的創立是在佛教來華後的刺激與啓發下促成的,甚至有謂是模仿、抄襲的產物。第一,社會事物的產生,時間有前後,倒置是違背情理的;第二,道教構成的要素,不存在所謂佛教東來的刺激和影響;第三,道教的產生,決定因素是中土苦難的社會和中土宗教意識的發展。我的淺見是,道教之產生,從內在因素到外在形式,與佛教之傳入並無關係。此淺見,恭請方家指正。

作者簡介 李養正,1925 年生,現爲中國道教學院副院長,研究員。

六朝道教的終末論

——末世、陽九百六與劫運説

李豐楙

内容提要　本文從漢代的宇宙周期説、天師道派的末世論、上清派的陽九百六説及靈寶派的劫運説四個方面，考論六朝道教終末論的源流、思想内容，認爲魏晉南北朝是道教充滿創發力的時期，基於外在環境的困厄，促使各道派中人都試圖提出一套宇宙解脱模式，並强調末世的來臨。作爲一種終末論架構，流傳千百年而變易不大，成爲道教的共同教義。

在西洋神學上的終極問題之一"終末論"(eschatology)，是神學家、宗教家所關心的核心問題。道教作爲中國的民族宗教，也在魏晉南北朝的創教階段，適逢漢末的衰世及連續三百年的亂世，促使一些憂心的道教睿智之士深思世界變亂的因果問題。當時不同道派都處於世變日亟之際，共同思考人與宇宙的關係，因而嘗試綜合古來的舊説與外爍的佛教新説，融鑄爲一種新的宇宙週期説：其中凡有漢朝人的曆學、佛教的劫論之類，以此試著面對天地的崩壞提出宗教性的解釋。所以道教的解救觀是一種"宇宙論"模式，是在所謂的"天地崩壞"感中，對於天人感應關係提出末世論式的思考，再由此解説如何解救世人的問題？當時不同的道派都曾提出富於創意的教義，經由道經出世神話的造構方式,表現出時代心靈的集體焦慮。所以六朝末唐初的道教類書中都要特別列出專品予以收録:諸如北周時編《無上秘要》卷六列有“劫運品”、初唐王懸河編《三洞珠囊》卷九也列有“劫數品”。類此開創期間的關鍵性理念,在唐代以後卻反而較少突破性的新説,而多是在同一劫數思想的基本信念上加以增飾、附益。這種“開劫度人”的宇宙生滅週期説,在這段時間的不同派别中反覆出現,並成爲熱烈的課題,它自有其淵源期,並遍見於天師道、上清經派及靈寶經派之中,由此可見其相互激盪的時代趣味。

(一) 漢代曆學及神書中的宇宙週期説

六朝道教形成其宇宙生滅的週期觀,其初期階段是集前道教時期之大成:其中凡有天人感應學説、曆學中的陽九百六災歲説及神書中的三統滅亡説等,也就是對於自然界所發生的天地災變作出宗教性的解説,乃是針對漢代諸子中相關學説的神學化:凡包括有宇宙的構成與氣的關係;宇宙的崩壞與人的關係;及在宇宙中那不可見卻又可感應的“存在”(神)對於人與宇宙“示現”的何種態度:人在宇宙秩序中具有怎樣的角色與地位?在宇宙秩序從“常”淪於“非常”的狀態中,人(個體乃至集體的人)應承擔什麼樣的責任?凡此宇宙論模式中所要解釋的,道教都曾一再地使用宗教語言、神話語言加以解説。它較諸先秦時期哲人所提出的憂世哲學:諸如世衰道微、五百年必有王者出的素樸拯救説,確實多具有一種深沈的宗教意識。尤其在漢晉之際,知識分子在儒學中衰的學術風尚中,多以談玄析理顯現其殊勝義理,道教中人與之相較,其所倡言及實際行動的自是多有一種憂世、救世的宗教情懷。

在宇宙的有機體理論架構下,使用感應論來解説天地的災變,是出於一種泛道德論的思考模式:即所有的災變均爲氣的

“非常”變化,其原因即在於人,尤其是帝王貴族所犯的及該承擔的罪的後果,也就是“非常”的行爲將帶來“非常”的懲罰。類此由常到非常的變化,也即是由人性失序而人倫失序、社會失序,最後終將導致宇宙的失序。一些憂心之士試圖在傳統儒家的恥感、過感文化中,針對個人及集體人的道德行爲作出宗教性的解釋,因而提出“罪”、“過”的觀念及罪、過所應承擔的後果,他們強烈而嚴厲地指摘人所犯的罪惡(因),及所應承擔的懲罰(果)。在天人感應的關係中,人與天與宇宙是互爲因果相互感應的,因而得出一個結論:就是凡人處於災難即是承受一種集體性的懲罰。在鬼神論的文化中,天意的懲罰具有宿命式的機械決定論意義。兩漢的知識分子對於週期性的災變,基於長期的觀察、思考後形成其經驗法則,乃試圖經由曆算之學作出在當時較爲科學性的解説,期望以此合理化災歲出現的問題。諸如落下閎、鄧平等造太初曆,劉歆乃據此衍爲三統曆,都試著牽合樂律易數五行諸事以求曆法中常數的來歷。這套曆法的特點如歲辰超辰、五星見復、交食週期及世經紀年等,都自有其科學性的成就,它也對於災變問題嘗試提出“災歲”説,在班固《漢書·律曆志》引述劉歆“三統曆譜”的舊文,推算出一元有三統凡四千六百一十七歲,按易數來解説歲災:“元歲之閏陰陽災,三統閏法,易九戹曰:初入元,百六陽九。”也就是在一元三統的歲次中,凡遇五十七災歲,百六年即一遇。類此週期性的災歲具有機械的定數,它成爲一種解釋模式後,一旦遭遇天災人禍,尤其朝代末的世亂,就會被賦予一種鬼神論的懲罰意義。

在道教萌芽之際,《太平經》即是轉換前此漢人的宇宙論與拯救論而過渡爲道教的終末觀,這部號稱由神人傳授的神書,不管是較早的瑯琊人宮崇所上的、抑是較晚復出的于吉所出的?都有意採用降誥的宗教形式強調神的誥語所具有的權威性、預示性,在這部“農民革命的第一部經典”中相當程度地反映亂世中廣土衆民的集體意識，因而宗教人借此勸誘道民學真道、闢邪氣，以迎"太平氣且至"。它所提出的宇宙混沌論模式：就是原初之人是善的，宇宙也是和諧的；而隨着時間的推移，人性乃逐漸惡化而有罪，罪的後果乃導致天地的崩壞，這就是"承負"說的提出。類此說法一再反覆出現於神的誥誡中：

> 夫上古之人，人人各自知真道，又其時少邪氣。太上中古以來，人多愚，好爲浮華，不爲真道，又多邪氣狂情殃鰫咎。故人多卒窮天年而死亡也。(《太平經合校》295頁)

即將宇宙的時間區分作上古、中古及下古，上中下除是縱貫的時間順序，也意味著不同時間內人性的品質與評價：因爲人的罪是層層積累的，而天原是神聖而純潔的，類此觀念乃取自道家的混沌說。因此從混沌初始時："天下人本生受命之時，與天地分身，抱元氣於自然，不飲不食，嘘吸陰陽氣而活，不知飢渴。"(同上43頁)由於本性清淨也會學清淨，因此"悉學真道，乃後得天心地意"(同上159頁)。在傳道者的宗教認知中，他們轉化道家哲學的理想世界及理想人物，並賦予一種神秘性與神聖性，這些集體的"上古之人，皆心開目明耳洞，預知未然之事。深念未然，感動無情，卓然自異，未有不成之施。所言所道，莫不篤達，不失皇虛之心，思慕無極之智、無極之言"。這些被理想化的道家式完人，在天人合一的感應論中，一切的心思行事，"所奉所得，當合天意"(同上212頁)。

經文中對於中古、下古的墜落，都歸源於罪的"承負"，也就是需要承擔罪的後果，諸如說，"中古以來，多失治之綱紀，遂相承負，後生者遂得其流災尤劇"(151頁)；"下古，復承負中古小失，增劇大失之"(52頁)。這一類集體承負的可怕懲罰，宗教人士習於借諸天神之口發出一種末日式的警告，經文中即有一些終末論式的文字：

> 所以道戰水旱癘病死盡者，人主由先王先人獨積，稍失道

> 心意,積久至是際會,即自不而算度,因而滅盡矣,既滅盡餘種類。夫天地人三統,相須而立,相形而成。比若人有頭足腹身,一統凶滅,三統反俱毀敗。……故人大道大毀敗天地,三統滅亡,更冥冥憒憒,萬物因而亡矣。(373 頁)

人一旦失其統即人性、人倫失序,也將導致天地、宇宙失序,其原因就是觸犯了真神:“故使天地大怒,災變連起,不可禁絶,大咎在此。”(435 頁) 在面臨絶滅的災變危機感中,宗教家即期待救世主的出現,將真誥、真經神聖化而成爲“神書”,並一再試圖通過獻書,希望讓漢代帝王能理解農民的心聲及宗教家的心願。

在《太平經》中首度使用的“天師”既具有“天地神師”的媒介、中介者性格,也有代天宣化而成爲代表、使者性格:其中較典型的一句話就是一再出現的句型:“是以天使吾 (天師) 出書,爲帝王解承負之過。”(165 頁) 這部早期神書開啓了後來道教道經“出世”的造構神話,也就是道經的權威性及神聖性乃是來自天神、天宫,所有的被降者衹是神媒、靈媒,是神選擇他 (天師或者任一被降的能書者) 傳達天的旨意。因此道教所有的道經都具有神聖神秘性,在世變時也將預示“太平”的來到,成爲一種預言式的啓示録。

(二) 天師道派的末世論

張陵以至張魯既曾從《太平經》等一類古道書中獲得啓示,也傳承其宇宙論及拯救論模式。早期天師道在蜀漢建立宗教王國垂四十年,在政教合一的體制中是否曾出現末世論以解説漢帝王國的覆滅,目前不易確知。不過從張魯降曹而入居關中,天師道治也隨之傳布於中國北方,由於世局的變亂,加以傳教組織漸有解體之虞,當此一人性失序而道民流失之際,原本既已存在於《太平經》等書的末世論就會被賦予一種新意。當時道治中人曾以充滿憂患意識的情緒,經由神啓神誥的傳統形式,重新造構出新道書,表現出道教中人的共同焦慮。因此從天師道派道經的文本形式可以解讀出當時的宗教信仰情境,也可以將文本置於歷史文化脈絡中,解讀出集體心靈希求拯救的宗教願望。在此將以三部分別在三個關鍵期出世的新舊天師道經,説明道書的造構神話正是折射地反映世變的憂世之書,在中國文化史上,道經所代表的宗教意識中的終末論,其實是深刻反映一代集體心靈的宗教文化。

在魏晉時期,“末世”新辭彙的提出並賦予道教化的新意,確是完全表現出天師道傳道者的宗教智慧,漢晉之際儒家漸趨僵化而中衰的局面。魏晉玄學家乃以繁瑣的名理思辨,表達這一時代的文士趣味。但相對於此,憂心的天師道師都能放眼時代的苦難,並出之以宗教家的慈悲心,試圖解説天地崩壞及宇宙失統的憂患,這是緣於他們與民間、與奉道百姓較長期的直接接觸,因而親切證驗一種天崩地裂的終末滅。他們都是堅持以道治爲核心,試圖奉勸道民重新回到原先的靖治,或者爭取民衆投入本治,其中固然具有複雜的政治、經濟因素,但對於以“救濟”爲其神聖任務的祭酒,勸人奉道,奉道得救,其實應是一種出於慈悲心的宗教行爲。他們熱切地傳布末世論的訊息,是基於拯救世人及世界的宗教狂熱,因此激發其高度的創發力,而這是與當時諸子的玄學熱表現具有本質上的差異,它是一種在實踐中付諸實際行動的信仰理念,表現出強烈的“由我承擔解救任務”的入世性格。

在道經傳授史上,被學者疑係魏末晉初出世的《大道家令戒》就已一再使用“末世”與“末嗣”兩個辭彙,用以表達朝代末的意義:其中一次用以描述春秋戰國之時,稱爲“周之末世”(13a);其他多是指陳漢末的諸般亂象:

> 漢世既定,末嗣縱横,民人趣利,強弱忿爭,道傷民命,一去難還,故使天授氣治民,曰“新出老君”。(14a)
>
> 使張角黄巾作亂,汝曹知角何人?自是以來死者爲幾千萬

人,邪道使末嗣,分氣治民,漢中四十餘年。(14b)

昔漢嗣末世,豪傑縱横,強弱相陵,人民詭黠,男女輕淫,政不能濟,家不相禁,抄盜城市,怨枉小人,更相僕役,蠶食萬民,民怨思亂,逆氣干天。故令五星失度,彗孛上掃,火星失輔,強臣分争,羣姦相將,百有餘年。(15b)

“末嗣”一詞是指朝廷嗣命的微末與末代感,表示漢朝的天命已經斷絶,不再受到天的護佑;而“末世”則較廣泛地涉及整個世界的終末,也就是人倫的失序、社會的失序與宇宙的失序,以此讓修道者對於人性的罪惡充滿著危機感與焦慮感,因而痛感“天地崩壞”,類此末日、末世的來臨,促使宗教家嚴肅地思索宇宙的循環生滅是否具有一定的週期性及必然性。

類此末世感也出現在西晉末或東晉初出世的《女青鬼律》中,這部鬼律以宗教語言、神話語言象徵地刻劃世亂與羣鬼關係,將西晉末葉的諸般災殃,諸如水旱或瘟疫等都解説爲上天的嚴厲懲罰,從因果關係言,這是惡之果,而其因則在於人性的敗壞,不能奉行正道。這位不知名的天師道派神師對於西晉的諸種亂局有極爲深刻的批判,所以卷六的開篇即以末世指摘其俗世的墜落諸象:

天師曰:自頃年以來陰陽不調,水旱不適,災變屢見者,皆由人事失理,使其然也。人爲中才,法地則天,動静以時,通而不争,利而無害,故能神仙。末世癈道,急競爲身,不順天地,伐逆師尊,尊卑不别,上下乖離,善惡不分,賢者隱匿,國無忠臣,亡義違仁,法令不行,更相欺詐。致使寇賊充斥,洿辱中華,萬民流散,荼毒飢寒,被死者半,十有九傷,豈不痛哉!豈不痛哉!

從“頃年”及整段充斥著激憤而悲慨的行文語氣,可以深切地感受到一位憂心的宗教家俯仰於當時的時代困境中,認真而嚴肅地思索“末世廢道”的懲罰問題:舉凡魏末或西晉末的朝政不修、上下不和等失序狀態,一再感應於上天之後,纔導致天地陰陽的嚴重失序，萬民因而必然地要招致諸般痛苦，究其根源則全在生民不能奉道行道。所以“末世”感就天師道派神師的感受言，也意味著末法、末道的時代來臨。在宗教學上，凡具有創意的宗教家常是激於現實世界的痛苦，因而激發他們尋思一種解決社會無力感的方法。類似天師道的道治組織即隨著蜀漢政教合一體制的解體，教團內部的組織也必遭遇破壞與重構的困局，促使他們必需採用宗教性的解釋方式，面對教團內的新舊信徒解說“末世即將來臨”的預言。

曹魏末、西晉末在北方天師道治的區域內自是會感受到較強的末世感，因而鬼律所象徵的羣鬼亂舞的世界雖是古來精邪說的傳承，不過卻已在天師道師的語言策略中成爲當時世變的隱喩物，這就是卷首文字所要宣示的開劫度人說：

> 律曰：天地初生，元氣施行，萬神布氣，無有醜逆袄邪不正之鬼，男孝女貞，君禮臣忠，六合如一，無有患害。自後天皇元年以來，轉生百巧，不信大道，五方逆殺，疫氣漸興，虎狼萬獸受氣長大，百蟲蛇魅與日滋甚。天有六十日，日有一神，神直一日，日有千鬼飛行，不可禁止。大道大禁，天師不勑，放縱天下，凶凶相逐，唯任殺中民，死者千億。太上大道不忍見之，二年七月七日日中時下此鬼律八卷，紀天下鬼神姓名吉凶之術，以勑天師張道陵使勑鬼神。(1a-b)

類似的道書出世是遵循一定的造構神話的模式：太上大道是神格至高的道君，張道陵天師也即是救世主，所要承擔的神聖使命，就是解救此界所受他界鬼神困擾的生存危機，因此需要溝通人神、人鬼而後解除人間的苦，這正是“天地神師”的傳統職司。在泛鬼、泛煞文化中，末世多疾，其實正是宗教語言所反映的現實世界，這一情況到了東晉末葉更具體表現在神咒類道書《太上洞淵神咒經》中。

《神咒經》前十卷一般多承認是在不同時間內編成的，不過卷一卷五兩卷應出現得較早。這部道經提出一種神魔觀,由敗軍死將所變成的諸般疫鬼,隱喻地表達出當時流行性疾病肆虐的恐怖情緒,此乃緣於江南的兵災、水災,加以北人移民南下的水土不服,使人活在不安全、不安寧的恐懼中。天師道師乃以神話的形式,經由道君的誥語大力強調"末世"的來臨,期望因此引領民衆奉道後轉經行道。在咒語中曾反覆使用"劫"的觀念,這一與佛教"劫"有關的新字原指一種較長的時間單位,卻被賦予時間終末較多災難、折磨的新意,正是東晉期盛行的新說,在咒文中曾被複合成諸多新語意。在卷一誓魔品雖曾用過:"人民垢濁,三洞壅塞,百六之災,刀兵疫疾。"(1.1b) 即採自陽九百六的災歲說,不過僅祇一見而已;其他大多使用"大劫",凡有十見,而典型的句型都見於卷一之中:如"大劫欲至"(4a);有時也有作"大劫之運"的(3.1a),都使用時間迫及的未來式,通過"道言"預示災難的劫數即將到來,反映出深沈的焦慮情緒。其他各卷也都採取此類急迫的語氣,或簡稱"劫運"(1.5a)、"劫數"(5.3b);及單稱"三千九百億劫"的(9.6b)。從卷一所繁富使用的大劫、劫運、劫盡之運,就可知道造構者對於漢譯的劫、三災等辭彙具有深刻的印象。

天師道對於早期常用的"末世",雖不直接使用卻仍保有且有意轉用於宇宙衰變論中,在卷一的第三條道言中即有顯豁的解說:

> 道言:自伏羲以來,至於漢末,人民大樂,多不信道,悉受天炁自然。邪魔不知有道、不知有法、不知有經,直奉自然也,後時有信經者少耳。大晉之世,世欲末時,人民無淳,苗胤生起,統領天下人民。先有多苦,上僥下急,然後轉盛。盛在江左,天人合集,道炁生焉,天運劫近。(3a)

所謂"世欲末時"即指東晉末爲末世,主因在於人性的墜落,自也需多受苦楚,此爲一種典型的末世因果論。其他各卷也將

“末”與運或劫結合:諸如卷二有“是以有人能分末劫,受此神咒經家中供養者”(4A);卷五有“末運之世,世促人急,多不信道”(7a),都是強調末年及劫運爲一種劫難,使得世界失序、人性失序,乃因不能信道修道之故。由此可知天師道治在江南地區的發展,當時必曾面臨道民流失的嚴重危機,因而一再借由道君的訓誥以宣揚道理:在末劫中衹有信道轉經纔能得救,期望因此能勸人歸依道法,拯救出一次次的劫難。

(三)上清經派的陽九百六説

東晉中葉句容地區的楊(羲)許(謐、翽)集團,經由真誥的降真形式也表現出上清經派的終末論。由於他們先曾搜羅的出世道書中也有《五符序》,應即是西晉末成書的《太上靈寶五符序》,也是藉由古靈寶經出世表明“開劫度人”的思想:稱説“靈寶五符”爲天文,秘藏於玄台石磧中,“乃待大劫一至而宣之”。叙述中雖透過禹神話來表明需待“萬劫驗其書”,不過主要的仍是使用漢人的舊説:“陽九見上天之書,百六告傅氏之功。”(卷上 6b-7a)也就是呼應序段中所述的包山隱居造洞庭竊禹書的神話,並云:“天帝大文不可舒,此傅伯長百六初。”(同上 9b-10a)上清經派一再使用陽九、百六的災歲説,用以表現江南舊族面對典午南遷後的焦慮感。這是緣於東晉前葉朝綱不振、外患頻仍,加上諸多洪水、瘟疫的災禍,讓楊、許等一類舊士族中的中級官吏在無法掌控的政治、社會無力感中,對於從北方傳入的魏華存夫人的天師道法産生宗教的期望,因而相繼投入降真問事的宗教行爲中,基本上降真誥示的人神交接行爲,除表現士人對於靈界、仙界的熱切願望外,也是對於現實界焦慮、不安的折射地反映,它是一種集體的、潛藏的宗教意識。因此《真誥》所録存的仙真誥語中,有關終末論的警示也深刻地反映出:當時的士人關心家國的命運是否有解救的機運?

對於早期道書所習用的“末世”、“陽九百六”諸語,《真誥》也都曾採用,卷六甄命授即有一段許掾(翽)接遇紫微夫人的誥語“服朮敘”,採用典雅的文字誇説世亂中如何服朮養生之道,其中有云:“且朮氣之用,是今時所要,末世多疾,宜當服御耳。”(4b)在此所用的“末世”置於服食的文脈中,較不易感受出強烈的終末感,反而是在援引陽九百六以説明天地災變時較能強調出來:

> 於是紫霞靄秀,波激岳穨,浮煙籠象,清景遁飛,五行殺害,四節交擲,金土相親,水火結隙,林卉停偃,百川開塞,洪電縱横而响沸,雷震東西而折裂。天屯見矣,化爲陽九之災;地否闋矣,乃爲百六之會。亢悔載窮於乾極,覩羣龍攫示流血乎坤野。爾乃吉凶互衝、衆示災咎。(卷 6.1b–2a)

誥語中即以連串的天地崩壞意象誇述之後,再點明陽九、百六爲天地的災變:諸如陰陽失調、五行相剋,致使山川泛濫、崩裂。對於陽九、百六之災的來臨,卷十四稽神樞在宣敘洞穴、名山的地理時,也有一條許長史(謐)所書的紫微夫人誥語,敘述兩座仙界名山可用爲災劫的標誌:

> 方丈之西北有陰成大山,滄浪西南有陽長大山,山周迴各一千四百里,高七百里,其山多真仙之人所居處焉。此二山是陽九、百六曆數之標揭也。百六之運將至,則陽長水竭,陰成水架矣;陽九之運將至,則陰成水竭,陽長水架矣。頃者,是陰成山水際已高九千丈矣,百六之來,無復久時。(卷 14.20a–b)

從紫微夫人的靈觀中,兩座名山與水的滄桑之變,經由這些名山地理神話來預示百六之運將至。配合《神咒經》所説的百六之災,可知當時人從曆算的週期中推算出,江南地區正遭遇到連續的洪災,也就易於被解釋爲洪劫的週期。

道教的時間觀確是有所據於曆算之學的,傳統曆法本是掌於官方的天文家,民間是較不得直接參與的,但是方士道士則將仰觀俯察以預測天下大事,視爲一種洞燭天下奥秘的本領。由於曆法傳承的保守性因而並非常人及一般奉道者所能悟其妙的,上清經派常透過仙真降誥或對話的方式來表現,並以此表達其通觀宇宙奥秘的時間意識。也在東晉中葉出世的"除六天之文三天正法",應是較集中討論劫運問題的,今本《太上三天正法經》(道藏1194)僅保存了一小段文字説:"夫二炁離合,理物有期,陽九布炁,百六決災,三道虧盈,迴運而生,期訖壬辰、癸巳之年。"(2b)其下即有一段值得注意的小註:

> 青童君曰:大陽九、大百六皆九千九百年;小陽九、小百六皆三千三百年,六天受號至周已三經大陽九之數,善惡猶未都平。後聖九玄道君請問太上:"不應之期?"太上云:"六天事設資於太真,求九經陽九百六之數,還治三天,計期盡,承唐之年,金氏御世:丁亥之末,壬辰之歲,善惡當明,吉凶都同也。"

從本文與註文中即可推知:今本已多脱文,不過其中仍蘊含有諸多東晉期上清經的終末説之遺跡:諸如大小陽九、百六;太真夫人與陽九百六説的關係;以及承唐、丁亥年諸問題;並提出六天、三天的運轉問題等,此外在仙宴的歌章中也提及"大劫有終數,百六翻然起"的劫運問題,可説涵括了上清經派的全部終末思想。

關於大小陽九百六及與太真夫人的關係,後來杜光庭輯録的《墉城集仙録》卷四即收録安期與太真夫人的對話:安期先生降真時,設酒果廚膳飲宴,然後自説:"昔與女郎遊於安息國西海際,食棗異美,此間棗永不及也。憶此未久,已三千年矣。"夫人云:"吾昔與君共食一枚,乃不盡,此間小棗那可相比耶?"然後安期又提起與西漢夫人相遇,"見問以陽九百六之期、聖主受命之劫",請太真夫人加以解説,故夫人即説出一段陽九百六的劫期説:"天地有大陽九、大百六;有小陽九、小百六。天厄謂之陽九,地虧謂之百六,此二災是天地之否泰、陰陽之孛蝕也。大期九千九百年,小期三千三百年,而此運鍾聖王不能禳,至於滅亡遺吉,自復快耳。”“夫陽九者大旱燋海滴而陸燃,百六者海竭而陵潤自填,四海水滅,溟洲成山。”這段頗長的論説災劫之言頗能表達道教的劫運觀。它長久流傳於上清經派內,後來纔由杜光庭採録入傳的。太真夫人被認爲是位解決難題的仙真,後來也爲靈寶經派所襲用。(詳下) 承唐之年則劉宋時陸修静“靈寶經目序”既已引述“按經言”一段文字,屬於檃括其文;而《三洞珠囊》卷九則是較全的引述一段長文:

自承唐之後,數四十六丁亥,前後中間,甲申之年乃小劫之會。人名應定,在此之際,陽九百六,二氣離合,吉凶交會,得過者將爲免哉。然甲申之後,其中壬辰之初,數有九周。至庚子之年,吉凶候見,其道審明,當有赤星見於東方,白彗干於月門,妖子續黨於蟲口,亂羣填尸於越川,人啖其種,萬里絶煙,強臣稱霸,弱主蒙塵。(3b–4a)

《雲笈七籤》卷二劫運項也引用同一段文字,應是近於原文。其中所説的甲申、壬辰及庚子正是上清經派常用的神秘年,對於當時人具有實際的影射意義。至於小劫、大劫則北周編《無上秘要》卷六劫運品中所引述的“三洞三天正法經”,也是今道藏本所未見的。在詳述劫運的文字中,對有關天運地轉的周度及其改易現象有清楚的闡述,是一段理解上清經派終末觀的重要文獻資料。它採用宗教語言解説宇宙必然性的壞滅,應是融合了中國曆法與佛經的劫觀,對於當時不信道不修道者預示一種劫災來臨時的恐怖景象,《雲笈七籤》本曾引述較完整的兩段文字:

小劫交,則萬帝易位,九氣改度,日月縮運,陸地通於九泉,水母決於五河,大鳥屯於龍門,五帝受會於玄都。當此之時,凶穢滅種,善民存焉。(卷 2.4b)

大劫交,則天地翻覆,河海湧決,人淪山没,金玉化消,六合冥一;白尸飄於無涯,孤爽悲於洪波,大鳥掃穢於靈嶽,水母受事於九河,五龍吐氣於北元,天馬玄轡於徒魔,赤鎖伏精於辰門,歲星滅王於金羅,日月昏翳於三豪之館,五氣停暉於九嶺之巔,龍王鼓華於東井之上,河侯受封於九海之下,聖君顯駕於明霞之館,五帝科簡於善惡。當此之時,萬惡絶種,鬼魔滅跡,八荒四極,萬不遺一;至於天地之會,自非高上三天所不能禳,自無青籙白簡所不能脱也。(卷 2.5a-b)

由於劫有大小則所形成的天災地變、人事更遞也有差異,不過都與洪水的災禍有關。由此可知江南地區在長江流域及其他水域,由於多次的水災必曾帶給百姓深刻的痛苦經驗,宗教家乃希冀從曆學上尋找答案,並且對於奉道者提出嚴厲的警示,期許他們成爲“善民”、“種民”,從災劫中獲得拯救。

(四) 靈寶經派的劫運説

古靈寶經《五符序》所提出的“劫”觀與陽九、百六説,對於東晉以來的靈寶經派有深遠的影響,日本學界即以爲“葛氏道”的終末觀與之有關。也就是葛玄、葛洪二葛所傳承的經法,到東晉隆安 (396—401) 年間葛巢甫開始造構靈寶,風行一時,因而劉宋初陸修静整理“靈寶經目”時已録存了相當的數量,而這些道經後來也爲道教類書所引述、並録存於現在《道藏》中。關於靈寶經的終末之説在《無上秘要》劫運品、《三洞珠囊》卷九劫數品及《雲笈七籤》卷二劫運目下也多少加以引録。這些度劫的靈寶法約有護符類、諷經類等,都具有度劫的功能,也因此顯現其劫運思想。

在護符的法術性真文、玉訣中,主要的是承續古靈寶經中真文的法術功能。葛巢甫《靈寶赤書五篇真文》之中即有東方九炁青天真文特别叙及“大劫洪災”時,得有“蛟龍負身,水府開道”,表明真文具有不可思議的作用。所以劉宋初的靈寶經系《太上洞玄靈寶赤書玉訣妙經》(道藏 352 册),卷上有一種訣即是從真文衍化的，就是“元始五老禳大劫洪水召蛟龍水官度災真文玉訣”，訣文託言“道言”以誇説大劫來臨時的災禍及真訣的靈驗：

道言：天地大劫之交，洪水四出，蕩穢除惡，萬無遺一。當此之時，天地冥合，人民漂流，無復善惡。唯有志學之士得靈寶真文大劫、小劫之符，乃可乘飛羽而高觀，登靈嶽而浮翔。當此之時，神人自當，使蛟龍爲通路，開水徑以渡身，河伯伺迎，不罣津梁也。乃明靈文之妙豈拘大劫之交，遇此之際，當依其文。(卷上、19b)

洪災的出現是爲了要蕩惡存善的，奉守道法即可度劫得救，因而真文的供養也就象徵神人的護佑，這是奉道的種民依據神佑而獲得的他力，目的在於接引入道以激發其學道、修道之心，終乃能在自力與他力的共同護持下得到度脱，此即其拯救觀。而這類強調法術的功能其實可説是真文的特色，諸如南北朝前半期出世的《元始五老赤書玉至篇真文天書經》(道藏 22 册)，卷中即有諸種符書，其行文模式都一再強調佩帶在身，即可履大小陽九百六，及大小劫之交、洪災或萬災，佩之平安，“得見太平，爲聖君種民”。從中可見終末與解救密切相聯的度脱思想。

誦經類的經書則強調持誦的功德足以度脱災劫，這類靈寶經可以《太上靈寶天地運度自然妙經》(道藏 166 册) 爲代表，即題名“運度”就是有意建立一套天地運會始終的宇宙論模式，故依託仙公 (葛玄) 以叙述天地日月星斗的分布運行之數，與大小劫期出現之機，是故道言：修長生術者“當先知天地運度大期之數，陽九百六之災”(3b)。仙公亦勉學道精研者，“能明運度陽九百六之會，亦必得度世”(3b–4a)，在太極真人所誦的法言中，即隱含有救世主李弘的思想。而經中的一段文字即是襲用太真夫人的誥語，應是取自上清經或古道書的文字：

靈寶自然運度有大陽九、大伯六也，小陽九、小伯六也。三千三佰年爲小陽九、小伯六，九千九百年爲大陽九、大伯六。天

> 虧謂之陽九,地虧謂之百六。至金氏之後,甲申之歲,是其天地運度否泰所終。陽九將會,至時道德方明,兇醜頓除,聖君受任於壬辰之年也。(6a–7b)

其中的金氏是與法言中的“近在金氏世,念此當可言”相應,也與《三天正法經》註語所說的“金氏御世”有關,應是影射當時的某位人物;且其中的丁亥、壬辰也是當時習見的神秘年。經文中一再勸使奉道者:“若能諷誦冥韻,則得度洪災于陽九,受位任于丁亥。”(7a) 此即強調誦經得度的拯救論模式。

靈寶經派對於終末論較具特色的,其實不在劫運及陽九百六的災歲説,而是它所建立的道教週期說。在陸修靜的“靈寶經目序”就說:“夫靈寶之文,始於龍漢,龍漢之前,莫之追記,延康長劫,混沌無期,道之隱淪,寶經不彰;赤明革運,靈文興焉,諸天宗奉,各有科典。一劫之周,又復改運,遂積五劫,迨于開皇已後,上皇元年,元始下教,大法流行。衆聖演暢,修集雜要,以備十部三十六帙,引導後學,救度天人。”(《雲笈七籤》卷四) 這是綜合劉宋初已出世的靈寶經派的時間順序,它可能涵括了《洞玄靈寶自然九天生神章經》(317 册)、《太上諸天靈書度命妙經》(23 册) 等多種道書,前者明白説明龍漢之前的祖炁,之後化生三寶 (天寶君、靈寶君、神寶君);然後“自赤明以來至上皇元年,依元陽玉匱,受度者應二十萬人;開皇以後數至甲申……依元陽玉曆,當於三代更料有心積善建功,爲三界所舉、五帝所保、名在上天者,取十萬人以充其任;又當別舉一十二萬人以充儲官”。然後按照教中人士的預示之言說:

> 今大運啓期,三五告辰,百六應機,陽九激揚,洪泉鼓波,萬災厲天,四官選舉,以充種民。

也就是應劫所需,乃有拯救“種民”的救濟行動。

《度命妙經》則是以“天尊告太上道君”的誥語,清楚描述龍漢 → 延康 → 赤明 → 開皇的不同景象,剛好呈現邈遠世代中的不同秩序,循著混沌初生、漸漸開悟的龍漢期,而天地破壞、混沌無期的延康期,而天地復位、始有陰陽的赤明期,以至天地又壞、三氣混沌,然後開皇期至。在赤明之世"我又出世……以靈寶教化,度諸天人",此爲男女承奉經戒,後皆得仙的光明世界;至此開皇之世,天地復位,諸星朗曜,由於"靈寶真文,開通三象"、"開張法教,成就諸天",而人民也多以道開化,道德殊勝,實是"宣化、流演浩音,廣施經典,勸戒愚蒙,歸心信向,漸入法門。"(11b–13a)這段開劫度人的教義表現出:在宇宙失序後,靈寶經派即以拯救道民作爲宣化的宗教訊息。

(五)小 結

從西晉末以來,道教早期諸大經派的教派精英在面臨大移民後的偏安世局中,嚴肅而憂心地思索集體的命運,以宗教語言來思維宇宙的構成,因此有關終末論式的思考,表現出創教期的豐富創發力,其中傳承多方,又能含融爲一,成爲一種解説宇宙週期的新説。所以後來魏收編撰《魏書·釋老志》的道家部即綜述其説:"又稱劫數,頗類佛經。其延康、龍漢、赤明、開皇之屬,皆其名也。及其劫終,稱天地俱壞。"而《隋書·經籍志》道經項也論其:"説天地淪壞,劫數終盡,略與佛經同。以爲天尊之體,常存不滅。每至天地初開,或在玉京之上,或在窮桑之野,授以秘道,謂之'開劫度人'。然其開劫,非一度矣,故有延康、赤明、龍漢、開皇,是其年號。其間相去經四十一億萬載,所度皆諸天仙上品。"都可代表史家對於道教新説所作的綜合評述,認爲它代表了一種前所未見的道教式宇宙終末説。由此可見道教在教義上的創發力,使得史官也不得不視爲當時新起的新宇宙論模式。

在道教內部則道教類書對於諸經所述的劫論通常會列有專品,加以收録:如《無上秘要》劫運品凡收有六種、《三洞珠囊》劫數品也收録五種,都是魏晉及南北朝前半期的道經,其中所佔的分量以《洞真三天正法經》(珠囊“洞真”作“上清”)爲重,次爲《洞玄靈書經》(即《度命妙經》的節引,珠囊未引)、次爲《靈寶天地運度經》(無上秘要未引),次爲《洞玄玉訣經》(即《赤書玉訣妙經》、珠囊未引);至於其他諸部如《洞玄諸天內音經》、《洞玄空洞靈章經》(秘要引)及《上清八景飛經》(與“三天正清經”的文字相近)、《老君戒文》、《靈寶齋戒威儀經訣》(珠囊引),都是較爲簡短的引文。《雲笈七籤》有關“劫運”所引録的,其實即全部襲用自《三洞珠囊》,這是因爲張君房編纂時,即有方便取用前此道教類書的體例,不過其中也反映出一件事實:就是魏晉南北朝的創教期確是一個充滿創發力的時期,基於外在環境的困厄,乃能促使當時不同道派中人都試著提出一套宇宙論解説模式,並強調終末的來臨,這也是個拯救論模式的發揮時期,彼此競説,相互揮映。而這些“開劫度人”的教義其後也成爲道教共同的文化資産,在新出道書中反而成爲故實,而不再提出新創的解釋系統,縱使金元王朝中道教的革新期也衹發展新的修煉度脱説而已。由此可證中國道教在此期間所提出的末世論,即是深化了陽九百六、劫期説,並確定了龍漢至開皇的宇宙週期説。因爲在創始期既已建立一種道教式的終末論架構,所以後來流傳千百年而變易不大,它早已成爲道教共同的教義。

作者簡介　李豐楙,1947年生,臺灣雲林縣人,臺灣政大中文所文學博士,曾任政大中文系所教授,現任中華道教學院副院長等職。著有《魏晉南北朝文士與道教之關係》等。

隋唐孝道宗源

王　卡

内容提要　本文根據《烏石觀碑記》、《慈善孝子報恩成道經》等前人未用的史料，論證了隋唐時期道教孝道派的興盛，爲宋元時期南昌西山淨明道的創立奠定了基礎。

宋元時期，江西南昌及附近西山地區，曾出現一支新興道教宗派——忠孝淨明道。該派奉晉代術士許遜爲祖師，倡言履踐忠孝，持心淨明，内修丹道，外用符法，欲圖拯救世道人心，有助於倫常教化，在當時儒道學者中頗有影響。關於這一道派之源起及其教義特點，在近代已引起中外道教史專家們的普遍關注。日本秋月觀暎、澳洲學者柳存仁等，均發表論文或專著詳加研討；國内近年出版的道教史著作亦多有論述。綜觀諸家所述，大都注意到宋元淨明派與六朝隋唐間江西民間流行的許遜信仰有密切關係，以及淨明派教義始終奉持"孝道"爲其特色。淨明道的經書，現存於《道藏》中的約有二十餘種，大多以"淨明"開題，或假托許遜真君降授。《道藏》中還有十餘種有關許遜、吳猛等淨明先師的傳記。這些資料都已被近代諸家研究者採用，以之揭示淨明道派傳承及其教義淵源。但在諸家研究中，尚有一些未曾注意的文獻資料，與早期許遜信仰及"孝道"的源起有關。本文試圖依據這些資料，對六朝隋唐間許遜信仰及孝道的源起，略作探索。

一、有關許遜信仰的最早史料

近代道教史家在探討江西南昌地區民間許遜信仰的源起時，大多依據唐代出現的兩種傳記爲最早資料。其一爲唐高宗時洪州西山道士胡慧超所編《十二真君傳》，其二是唐憲宗時許遜後裔所編《孝道吳許二真君傳》。這兩部傳記對許遜、吳猛等十餘位早期孝道派人物的神話傳説故事記述較詳，本文後面還將有所評述。這裏先要指出：關於許遜、吳猛等人的故事，還有一些未被注意的更早資料。

首先應當注意的是《全唐文》卷 162 收入的唐人陳宗裕所撰《敕建烏石觀碑記》。這篇碑文撰於唐太宗貞觀初年 (627—629)，其時代更早於胡慧超所撰《十二真君傳》。兹抄録碑記前半篇如下：

> 烏石峯丹泉觀，乃何太守諱志遠祖宅故基。距宅後數百步，來脈山腰右峽處，古仙客結有廬庵一所。方士之耽幽覽勝者，往往棲迹其間，名曰“黄峯山居”。晉永嘉中 (307—312 年)，旌陽令許遜字敬之者，去職歸真，亦自廬庵居止。日遊於何遠公故宅處，攬其勝境，左有藥水靈泉，右有丹崖翠壁，前有幽竹森羅，後有蒼松挺秀。且輕烟散彩，薄霧呈祥，山鳥朝歌，漁燈夜爍。詩曰：“偶來奇絶處，倏忽悟玄關。藥水龍沙近，丹崖咫尺間。圖分八卦定，爐成九轉還。遠翁相慨賜，逍遥非等閑。”
>
> 不數日，許君拜候遠翁，欲募其故居山圃。遠翁慨然允曰：“僕亦乏嗣，日後可付棲神。”許君遂改遷茇廬，於其處燒丹煉汞。至寧康二年 (374) 八月十五日午時，許公舉家拔宅仙去。

以上碑記中有幾點值得注意。首先，記中所説烏石峯丹泉觀所在地點，正是後世淨明道派的發源地洪州西山一帶。諸如丹崖、藥水、龍沙等地名皆爲西山名勝，在淨明派道書中常見。其次，碑文稱旌陽令許遜於西晉末永嘉年間辭職歸真，至烏石峯隱居煉丹，募求太守何志遠故宅爲煉丹廬舍，至寧康二年舉家昇仙。這些記述皆早於唐人所撰《十二真君傳》及《孝道吳許二真君傳》。從碑文看，許遜只是晉代一位普通煉丹術士，並没有關於他斬蛟除妖等神異事迹，亦未有奉持孝道之迹象。

《烏石觀碑記》後半篇又談及許遜昇仙後，南北朝至唐初其徒裔傳承及修造祠觀之事，更應引起注意。其文云：

> 南宋永初中 (420—422)，徒裔萬太元號石泉者，分寧人也，復尋故居，結廬居之。遂開緣募化十方，始構巍殿三重，塑繪許公聖像，尸位其中。首枕岐峯之巔，簾卷西山之雨，獅沙左抱，象曜右纏。元徽中 (473—476)，石泉年九十零，日治其殿廡遺址，合其生旺歸元，語人曰："吾法嗣後代，必有大興於此者。"翁年百有三歲，復隱匡廬，傳弟子許上期，號中山。
>
> 中山弟子張開先，奇才茂著，穎悟不凡，文生五臟，錦鋪六腑。纘述許祖遺傳，操煉金丹符秘，上能轟雷致雨，下能治病驅邪。於我朝貞觀中，盛夏之時，洪州數月不雨。高阜者有力無施，魃鬼肆殃；低窪者掘井莫救，蝗蟲損耗。當事彷徨，人民憔悴。各憲臺焦勞無計，出示曉喻，遍請玄流法士，期求未效。一日，張開先啐誦《皇經》，頓然神倦，隱几而卧。見一道者玄冠羽服，揮塵而言曰："開先開先，豫章人民難星將滿，爾道當興，速宜出救，謹聽吾言。"醒覺是夢，曰："此許祖指示吾當出救。"次早負劍往省，潔齋登壇，書符咒水。不三日轟雷掣電，驟雨傾盆，蝗蝻盡殞，苗乃勃興，屬官申帝，召入對，從容便殿，許及前事。聖皇大喜，敕賜紫垣洞天仙侶，掌陰陽法教都紀之職。敕建許祖旌陽寶殿，崇高三丈六尺，廣六丈，深四丈。其後三清殿高四丈，廣深俱同前殿。規模於貞觀己丑 (629) 四月己巳，落成是歲八月庚午。塑像閱三載，黝堊繪飾咸備。題其額曰"旌陽寶殿洞清天宮"。余奉旨督造，工成，開先請余文以記之。……

按以上碑文記述許真君門徒萬太元、許上期、張開先等人在其故居創建宮觀殿堂始末。自南朝宋初 (420—422) 至唐太宗貞觀初 (627—629),前後二百餘年,僅傳三代,頗爲可疑。碑文假託許遜於唐初降靈托夢,指示道士張開先施符降雨,救助洪州旱蝗之災,此乃張開先所編造之神話,不足爲信。但這篇碑記至少可以證明:隋唐之際在洪州西山一帶已有奉許遜爲祖師的道團及宮觀殿堂存在,並且民間也有許遜能降靈救災的神話開始流傳。

隋唐之際洪州出現許遜信仰和神話,還有其它史料可爲佐證。例如《太平廣記》卷 230 引唐人陳翰《異聞集》,記載隋大業十三年 (617) 術士王�遊歷豫章,"見道士許藏秘,云是旌陽七代孫,有咒登刀履火之術"。同書卷 231 引唐張鷟《朝野僉載》云:"西晉末有旌陽縣令許遜者,得道於豫章西山。江中有蛟蜃爲患,旌陽没水拔劍斬之。頃漁人網得一石甚鳴,擊之聲聞數十里。唐朝趙王爲洪州刺史,破之,得劍一雙。視其劍銘,一有許旌陽字,一有萬仞字。後有萬仞師出焉。"

這兩條材料也證明隋唐之際有道士編造許遜神話故事。許藏秘、萬仞師二人,大概與萬太元、許上期相似,亦爲隋唐初洪州地區敬奉許旌陽的民間方士。關於許遜的早期記載,還可以舉出兩條。《藝文類聚》卷 21 及《太平御覽》卷 424 均引述《許遜别傳》云:

> 遜年七歲無父,躬耕負薪以養母,盡孝敬之道。與寡嫂共耕桑,推讓好者,自取其荒,不營榮利。母常遣之:"如此當乞食,無處居。"遜笑應曰:"但願母老壽耳。"

又《雲笈七籤》卷 106 引《許遜真人傳》云:

> 許遜字敬之,南昌人也。少以射獵爲業。一旦入山射鹿,鹿胎從弩箭瘡中出墜地,鹿母舐其子,未竟而死。遜愴然感悟,折弩而歸。聞豫章有孝道之士吳猛,學道能通靈達聖,嘆我緣薄未能識之。於是旦夕遥禮拜猛,久而彌勤,已鑒其心。猛昇仙去時,語其子云:"吾去後東南方有人姓許名遜,應來弔汝,汝當重看之,可以真符授也。"至時遜果來弔,其子以父命將真符傳。遜

奉修真感。有愈於猛。

這兩條材料從文字內容看,亦當出自隋唐之際①。文中記述許遜少年時事迹,宣稱許遜事母能盡孝敬之道,並從吳猛之子受孝道之符,值得注意。總之,從以上所引史料推測,關於許遜的神異事迹及其與孝道的關係,最遲在隋唐之際已屢見於記載。實際上,還有些記載可能早至南北朝時代。例如有些研究者已注意到以下兩條材料:

其一,《太平寰宇記》卷 107 引南齊劉澄之《鄱陽記》,謂信州貴溪縣有馨香巖,"昔術士許旌陽斬蛟於此巖下,緣此名焉。"

其二,《雲笈七籤》卷 110 引南朝見素子《洞仙傳》云:"馮伯達者,豫章建昌人也,世奉孝道,精進濟物。道民陳辭得旨,與戴矜生相似,又是同時人也。(宋文帝) 元嘉中 (424—453),伯達下都後,寄戴鄉人還南,行至梅根,阻風連日。伯達謂船言曰:'欲得速至家,但安眠,勿睁眼。'其夜聞舫下刺樹梢而不危抗,竊有窺者,見兩龍挾梁翼船,迅若電逝,未曉到舍。伯達尋入廬山不返。"

以上第一條可證許遜斬蛟故事在南齊時已有傳聞。第二條則證明南朝晉宋之際已有孝道信仰流傳於金陵及豫章。柳存仁先生在其《許遜與蘭公》一文中推測:"東晉迄劉宋間,所謂孝道一派宗教之信仰,似先已開始流行。"柳先生並且認爲孝道信仰最初與許遜無關,馮伯達乘龍船速歸的故事後來被人改編爲吳猛或許遜之事。筆者認爲:孝道信仰起於晉宋之際,可能確有根據,但認爲許遜、吳猛故事最初與孝道無關,尚可商榷。關於許遜事母盡孝,已如前引《許遜别傳》證明。關於其師吳猛能孝事父母的故事,亦見於《晉書·吳猛傳》及《雲笈七籤》卷 85《吳猛傳》。吳猛的神話傳説自南北朝以來見於記載甚多,這裏不能詳引。僅録《晉書》有

①引用《許遜别傳》的《藝文類聚》乃唐初歐陽詢所編,書成於武德五年至八年(622—625),所記事多出於唐以前。《雲笈七籤》雖爲北宋張君房編集,但其中所引道書,亦多出自南北朝或隋唐。

關記述如下：

吳猛，豫章人也。少有孝行，夏日常手不驅蚊，懼其去己而噬親也。年四十，邑人丁義始授其神方。因還豫章，江波甚急，猛不假舟楫，以白羽扇畫水而渡，觀者異之。

《晉書》的這段記載，大約取材於南朝人所撰《搜神記》[①]，《太平御覽》卷 702 引《搜神記》曾節録其文。總而言之，關於許遜、吳猛行孝的故事，在南北朝已有傳説。早期道教中孝道一派的起源，恐與此種傳説有關。

二、早期孝道派的經典

柳存仁在其《許遜與蘭公》一文中説："早期流行孝道之一派道教，愚疑爲一種自西域東傳之外道，既受佛經影響，又與儒教之傳統意識相摶合，終成道教之一派。"柳先生之説確爲至論。南北朝隋唐之際在江西流傳的孝道一派，其教義吸收儒家孝道思想及佛教奉事日月，忠孝父母，報恩成道之説，皆如柳先生文中所考證。現收入《道藏》中的淨明道經典，尚殘存早期孝道吸取儒釋二教之痕迹。例如約出於晚唐的《孝道吳許二真君傳》，約出於宋代的《太上靈寶淨明洞神上品經》、《孝道仙王靈寶淨明黄素書》等十餘種經典，皆可爲證。

但是早期孝道的源起，如本文上節所説，大約自東晉南朝已見端倪，至遲在隋唐之際已與許遜、吳猛之傳説有關。早期孝道派是否有其專門經典傳世？這一問題尚未見有學者加以考證。筆者近日偶於《道藏》及敦煌道經抄本中發現《慈善孝子報恩成道經》一書，可能爲現存最早的孝道派經典。

①按《搜神記》有兩種。其一爲晉人干寶所撰。另一種爲假托陶淵明所撰《續搜神記》，約出於南朝宋元嘉年間。記述吳猛故事的當係後一種。

《正統道藏》洞真部本文類收入《元始洞真慈善孝子報恩成道經》一卷，太平部收入《洞玄靈寶八仙王教誡經》一卷。兩部經書相較，其內容文字幾乎完全相同，首尾一致。因此原當爲同一種經書，《道藏》誤分爲二種，並冠以不同名稱。下文簡稱爲《報恩成道經》，或稱《八仙王教誡經》。

敦煌道經抄本 P2582 號，首尾完整。卷首題稱："慈善孝子報恩成道經道要品第四"，卷尾題"報恩成道經卷第四"。日本學者大淵忍爾所撰《敦煌道經目録編》著録此抄本，並以之與《道藏》洞真部所收《報恩成道經》對照，發現兩本內容相近，但文字不同，因此斷定該抄本"道藏未收"。但是筆者近日於《道藏》洞玄部本文類發現有《洞玄靈寶道要經》一卷，其內容文字與敦煌抄本幾乎相同，僅有極少異文。毫無疑問，敦煌抄本與《靈寶道要經》原本爲同書同卷。下文簡稱爲《報恩成道經》第四，或稱《道要經》。

據以上所舉四種經文推測，《慈善孝子報恩成道經》原本至少應有四卷，每卷一品，現僅殘存其中兩卷，即《八仙王教誡品》和第四卷《道要品》。六朝隋唐的道書及有關類書中，均未引用此經①，但該經流傳既遠至敦煌，可知亦當爲重要道經之一。從經文的文字風格及體例看，較爲接近南北朝末至隋唐之際的道經。據大淵忍爾研究，敦煌道經的抄寫年代，大多在南北朝後期至唐開元、天寶年間，即六世紀中期至八世紀中期約二百餘年間，截止於 755 年安史之亂前後。因此《報恩成道經》的成書年代亦當在南北朝末至隋唐之際，遠遠早於現《道藏》所收淨明道的任何經文。

《報恩成道經》的作者應爲早期孝道派的道士，因爲經文的主要內容就是反覆宣揚奉行孝道，報答父母恩德，誦經成道。尤其引人注意的是經文中屢次出現後世淨明道崇奉的神仙"三真孝王"。例如《八仙王經》開篇即講述三真孝王降世化生的神

①參見大淵忍爾、石井昌子合編《道教典籍目録索引》。

話。其文云:

> 道言:左右中真結形之始,分於元始無上大道應化之氣,孕靈瓊胎九萬大劫,幽閑寂寥。九萬劫後法當應世,結形理氣,出於瓊胎。出胎之時,九天雷震,九地開裂;舉步之初,登天寶花,身出金光,猶如初日,二晨挾照。晶彩耀眸,背有斗星,心前日像,綠髮駢齒,紫氣連霄。……爾時三真化作嬰童,託附真母,已漸長大,隨世成立。無上大道元始天尊,授此三真號曰至孝真王,治化中國,傍攝四夷。有生之類咸來受事。教其慈孝,敬天順地,守一寶形,憐愍萬物。……是時三真孝王一治日中,二治月中,三治斗中。上持三辰,晶耀幽夜,玄治三氣,冥適空有。應變倏忽,不待呼召,如影隨形,不由憶想。

上引《八仙王經》在講述左右中三真化形降世,受元始天尊之命教化世人奉行孝道之後,又於該經卷末宣稱:

> 無上大道說此教誡,爲下世明王孝治天下,爲諸孝子報父母恩。軌則家國,使天下太平,八表歸一,咸尊至孝。有得之者晨夕誦持,不揀男女,無論貴賤,皆令習誦,以答二親元元大恩。……人人供養是經,思其義趣,奉行其事,傍勸未聞。有用之者,應精紙筆,疏潔澡沐,焚香抄寫百卷千卷,流通供養,香燈不絕,心無懈倦,必得成道不可思議。

由此可見,《報恩成道經》假托爲無上大道所說,主要勸人誦經守誡,行孝報恩。經文中出現的"至孝真王"、"下世明王",即是孝道所奉神靈。乃上天三氣(玄、元、始氣)所化,分治於日中、月中、斗中。在該經第四卷《道要品》中,也屢次出現"真王"、"高明真王"、"仙王"、"孝仙"等神仙名號。經文開篇即宣稱:

> 道言:大道幽虛,寂寥無名,孝出於無,乘元受生,生形法孝,無名曰道。……有形之類非道不生,非孝不成。故大道生元氣,元氣生太極,太極生天地,天地生萬物。萬物之類人居其長,萬靈之中大道最尊,仁孝尊道,故名孝道。道爲萬物父,亦名萬

> 物母。又曰道生一、一生二、二生三、三生萬物。萬物得道則昌，失道則亡，精微柔弱，忍辱雌孝，進修中道，心無懈倦，以孝自牧，上報元恩，玄父玄母二親大恩，二親大恩，故名行孝，行孝道也。

這段經文把孝道提高到宇宙論的高度，認爲孝生於道，一切有生之物皆須行孝尊道，上報父母之恩。經中所謂的父母，既指生化萬物的玄父玄母，即大道或天地，亦指生身之父母二親。認爲孝順父母即是敬天奉道，報父母之恩即報大道之恩。這種思想顯然融合了儒道二家的宇宙論和倫理學説。經文中還吸收佛教報應觀念，宣稱奉行孝道可以昇仙成道，違逆孝道則淪爲罪鬼，難脱生死煩惱。例如經文中稱：往昔有一人先行道而後行孝，年至六十，伏屍冢間，太一天尊俯而愍之，派一仙使下而救之，"西宫八王給其飈輪，上昇天府，號曰孝仙。至今壽九萬大劫，形如金玉，氣色如雲，出死入生，長存無窮"。又有一人先行至孝，父母俱壽一百三十七歲，"天地父母感其精志，賜其交梨，昇入西宫，賜號金光孝子明真玉童，於今返嬰"。經文還反覆宣稱：修道即是修行孝道，"三萬六千道，要要以孝道爲宗。未有不慈不孝，反逆父母，殺害君主，而得成道。不忠不孝，名十惡人，生犯王法，死入地獄，生死受考，無有出期，得惡鬼道"。又説："至孝修道，修孝道也。道在至孝，不孝非道也。何以故？孝能慈悲，孝能忍辱，孝能精進，孝能勤苦，孝能堅正。孝能降伏一切魔事，財色酒肉、名聞榮位、傾奪争競、交兵殺害。至孝之士泯然無心，守一不動，一切魔事自然消伏。"《道要經》最後對男女信徒修行孝道的目的和方法作如下解説：

> 道言：來生男女欲求孝道，莫爲利求，莫爲色求。利生癡貪，癡貪非道；色生嫉妒，一切苦緣因色滋長。嫉妒非德，苦緣非道，色心求道，道不可得。道非祭祀，不可以酒肉求；道本清潔，不可以穢慢求；孝道無心，不可以智慧求；大道無形，不可以色相求。夫求道者，應以無得心求。亦不以前心求，亦不以後心求，應以

不起不滅心求,應以秘密心求,應以廣大心求,就以質直心求,應以忍辱精進心求,應以寂静柔弱心求,應以慈悲至孝心求。略舉道要,以類推之,久自明矣。

從以上所引經文思想內容看,大抵與南北朝至隋唐之際的天師道經典相近。例如《道藏》所收《正一法文天師教戒科經》、《太上妙法本相經》,其教義及文字風格皆近似《報恩成道經》。大約隋唐時出現的《赤松子章歷》,其第四卷所收《三五雜録言功章》,爲早期天師道士在三會日所上章表,其中提到"臣所佩受三五上靈官一將軍籙、三五靈官十將軍籙……二十四治職將軍籙、孝道仙王一十八階征山神將籙"云云。從前後文看,"孝道仙王神將籙"似爲天師道符籙之一。因此筆者猜測:《報恩成道經》的作者,很可能屬於南北朝末至隋唐之際天師道中的一個支派,即孝道派。該派道士不僅尊奉"至孝真王"(或稱明王、仙王),持守忠孝慈善教義,而且有其專門的經典、符籙,以及教團組織。《八仙王教誡品》有如下文字:

道言:孝治堂宇莊嚴精舍,無令穿敗。流俗士女,卑賤薰臭、瘖疣垢穢、酒色喪産、食啖魚肉、食葷腥者,永絶攸往,勿相親近,勿理齋廚。

道言:後有十惡五逆不孝陰賊,誹謗毁訾,破敗善道,嫉妒驕慢,貪淫嗜酒,好啖魚肉,田獵捕殺,偷盗劫賊,遵奉邪道,心無慈孝,志不平等,捨貧親富,喜好嘲調,情愛戰鬥,習畜器仗,無忍辱心,利己傷物,孝道所忌,人畜所畏,不合聞道。應須遠避,勿相親近。

這是孝道派的兩條教誡,從中可以看出該派有類似早期天師道二十四治的教團組織及其活動場所,即所謂"孝治堂宇"。而且該派也舉辦廚會,其教徒不得殺生血食、貪淫偷盗、好勇鬥狠、信奉邪道,而須奉守慈孝、平等、潔淨、忍辱精進、勤苦利物等善行。此種教誡與早期民間傳播的五斗米道或天師道極爲相似。自魏晉南北朝以來,早期五斗米道內部發生分化,在民間出現許多新興的天師道支派。編造《報恩成道經》的孝道派,亦當屬于當時新興天師道支派之一。該道派的教義及戒律在傳統天師道的基礎上,又吸取儒家及佛教思想,以提倡"忠孝仁慈"爲其宗旨,形成了獨具特色的宗教信仰。

三、許遜信仰與孝道的關係

據本文前兩節所述,可知南北朝至隋唐之際,在道教中出現了與後世淨明道有關的兩支道派。其一是江西洪州宗奉許遜爲祖師的某些民間道派,他們的活動以煉丹、符咒法術爲主,常宣揚許遜、吳猛等先師斬蛟除妖,禳災救民等神話故事。另一支是宗奉"至孝真王"的民間天師道支派,即孝道派。該派假託元始天尊派遣三真孝王降世,教化衆生忠孝仁慈,敬天順地,守一寶形,其宗教活動以奉守教誡,誦經持齋爲主。孝道派最初與江西民間信仰是否有關? 從現存資料分析,二者之間應該有些關係,否則不會出現南朝馮伯達"世奉孝道",以及吳猛之子授許遜孝道符法的傳説。筆者認爲:最遲在隋唐之際,孝道派已傳至江西洪州,並與許遜、吳猛的神話傳説漸趨融合。其始作俑者,疑即唐初西山道士胡惠超。

據《三洞群仙録》卷一及《歷世真仙體道通鑒》卷 27 引唐末杜光庭《仙傳拾遺》記載:天師胡惠超,字拔俗,不知何許人也。唐高宗上元間 (674—676),自廬山來棲於豫章西山之洪井。幅巾布褐,徒行負杖,至遊帷觀見同輩。其人體貌瓌偉,類四十許歲人,談論晉宋以來治亂興廢,纖毫不差。自稱吳、許二君嘗授其延生煉化三超三元九紀之道,能檄召神靈,驅奮雷雨。又曾參與陶弘景校茅山華陽洞《太清經》(按當作《上清經》),其書背縫中盡書其名。胡每逢路旁暴屍遺骸,悉爲瘞之。地中有古物寶器,掘之如其言而獲。聞邪怪之物，疾如寇仇，即務剪除之。唐初西山遊帷觀荒廢，天師以符咒運木筏至觀，又出錢三百千爲工役之需，修復殿宇。久之異迹顯著。唐高宗、武后曾召之入京，問道除妖，賜號洞真先生，委以煉丹之事①。後辭請還山，居洪崖先生古壇之際煉丹三年，後又居西山盱母靖觀，督造殿堂門牌，據稱"其居西山，人皆師事之，千里之內無疾癘水旱之災，無猛鷙夭枉之苦，遠近賴焉。"至長安三年 (703) 二月解化於觀中，弟子葬之於遊帷觀西北之伏龍崗。

從以上記述看，胡惠超乃唐高宗、武后時道士，居洪州西山修道約三十年 (674—703)。其自稱許、吳二君弟子，施符降雨，除妖救災，修造宮觀殿宇等事迹，大抵與貞觀初年洪州烏石峯道士張開先近似。但二者年代前後相距約四十餘年。彼此間亦無直接傳承關係。胡惠超有著作傳世。《新唐書・藝文志》著録道士胡慧超《神仙內傳》一卷、《晉洪州西山十二真君傳》一卷。又有沖虛子撰《胡慧超傳》一卷，注稱："慧超，高宗時道士。"此所謂胡慧超當即胡惠超。其著作《十二真君傳》現已不存，但尚有部分佚文見於後人引述。唐末五代道士王松年所編《仙苑編珠》卷下，節録《十二真君傳》，其文如下：

> 許君名遜，字敬之，爲蜀旌陽縣令。師諶母受孝道明王法，與吳君於鍾陵洞斬蛟蜃。以晉永康二年 (301) 八月十五日，[合家] 四十二人拔宅昇天。
>
> 時君名荷，字道揚，四明山道士也。許君昇天時，持龍節前驅於雲路。
>
> 吳君名猛，字世雲。晉永嘉三年 (309) 九月十五日，乘白鹿與弟子四人一時昇天。

①按《全唐文》卷 97 有武則天《賜胡洞真天師書》，內稱："先生道位高尚，早出塵俗，如軒歷之廣成，漢朝之河上，……倘蒙九轉之餘，希遺一丸之藥"云云。其說與仙傳所載相符。又《太平廣記》卷 288 引《朝野僉載》，謂大周聖曆年中，洪州有胡超僧，隱白鶴山學道，微有法術，武后使合長生藥，所費巨萬，三年乃成，武后服之以爲神妙，望與彭祖同壽，改元久視元年 (700)。胡超僧當即胡惠超，范文瀾《中國通史》認爲胡超"可能是胡僧冒用漢姓名"誤也。

甘君名戰，字伯武。許君弟子，長持齋戒，尤尚符術，徧得許君之道。以陳天建元年正月七日①，乘彩麟之車白日昇天。

周君名廣，字惠常。事許君執童僕之禮。元康中 (291—299) 執麾幢，前引許君歸舊宅，即遊帷觀也。

陳君名勳，字孝舉。慕許君之道，託爲旌陽縣吏，因得師於許君，爲入室弟子。許君拔宅日，執羽旌導於前。

曾君名亨，字國興。孫登常指云："此人骨秀，可學昇天。" 遂事許君。至許君昇天日，從車駕與昇。舊宅爲真陽觀也。

盱君名烈，字道微。早孤，從母依於許君。許君上昇時，盱君母子悲泣，乞得隨駕。許君乃與神藥，因得隨駕，部署合宅四十二人焉。

施君名峯，字大玉，小字道乙。常從許君除滅妖魅。許君凡有經典，悉皆委付。許君昇天後，忽一日見東方日中童子執素書飛下，云："真人召汝。" 乃隨童子聳身入空。

彭君名抗，永康中 (300—301) 棄官事許君，君以長女妻之。永和二年 (346) 八月十五日，全家二十六人白日上昇，舊宅爲宗華觀。

黄君名輔，字邕，晉陵人。許君知輔之異，遂以次女妻之，傳付妙道。後爲青州從事，每夜常乘龍歸，眷屬伺之，乃一竹杖耳。後乃衝天，宅爲祈仙觀。

鍾君名嘉，字超本，許君仲妹之子。少孤，得仙舅之要。許君上昇後，以十月十五日日中，乘碧霞之輦飛昇，宅爲丹陵觀。

十二真君事盡於此。

以上是《仙苑編珠》所録《十二真君傳》。傳文對許遜、吴猛等十二

---

①按陳朝無"天建"年號，疑當作"天嘉"或"太建"元年，即公元 560 或 569 年。

真君事迹,記述皆甚爲簡略。《太平廣記》卷十四“許真君”、“吳真君”二條,亦引自《十二真君傳》,文字較詳。其文中稱許真君“本汝南人,祖琰,父肅,世慕至道”。又稱許遜弱冠師事吳猛,傳三清法要,鄉舉孝廉,拜蜀旌陽縣令。尋以晉室棼亂,棄官東歸,與吳君同遊江左,斬蛟除妖。至東晉孝武帝太康(按當作寧康)二年八月一日,於洪州西山舉家上昇,鄉人於其故宅置遊帷觀。

從上引《十二真君傳》的記述可以看出:十二真君是以許遜、吳猛爲首,包括其弟子及親屬組成的一個道團。該道團活動的年代上起西晉,下迄東晉南朝,活動範圍則以江西洪州爲中心。這一道派傳承應是唐初道士胡慧超編造的,其中除吳、許二人外,時荷、甘戰等人的事迹均未見於唐以前的史料記載。胡慧超爲何要編造這一新傳承? 筆者猜測,大概在胡慧超至洪州西山傳道之前,當地已有一些信奉許遜、吳猛的教團存在。胡爲使當地道士信奉其教,遂利用先前的傳説編造許遜教團歷史,自詡爲許、吳二君傳人。胡所編造的《十二真君傳》,不僅宗奉許遜,而且旁攝江東上清派。胡自稱曾參與陶弘景校理茅山《上清經》,又稱吳猛師事鮑靚,許遜爲東晉上清道士許邁、許穆之族叔,出自汝南許氏家族。如此則晉宋以來江東、江西所傳道派,皆下傳至胡慧超,融合爲一新道派。

不僅如引,胡慧超還欲圖融攝南北朝隋唐之際的孝道派信仰,因而編造了吳、許二君從蘭公、諶母傳襲孝悌王道法的神話故事。《太平廣記》卷十五引《十二真君傳》,記述蘭公事迹,其文如下:

> 兗州曲阜縣高平鄉九原里,有至人蘭公,家族百餘口,精專孝行,感動乾坤。忽有斗中真人下降蘭公之舍,自稱孝弟王,云:“居日中爲仙王,月中爲明王,斗中爲孝弟王。夫孝至於天,日月爲之明;孝至於地,萬物爲之生;孝至於民,王道爲之成。具其三才肇分,始於三氣。三氣者,玉清三天也。玉清境是元始大聖

真王治化也;太清者,玄道流行,虛無自然,玉皇所治也;吾於上清,已下託人間,示陳孝道之教。後晉代嘗有真仙許遜,傳吾孝道之宗,是爲衆仙之長。”因付蘭公至道秘旨。

這段神話使人聯想到本文上節所引《報恩成道經》。該經中已經提到元始天尊無上大道派遣三真孝王降世傳播孝道,授三真之號爲至孝真王,三真“一治日中、二治月中、三治斗中,上持三辰,晶耀幽夜;玄治三氣,冥適空有”。該經中又有高明真王、下世明王、仙王、孝仙等名號,皆爲孝道所奉之神。至胡慧超所編《十二真君傳》,即假託有斗中真人孝弟王下降蘭公之舍,傳授孝道秘旨,並稱“居日中爲仙王,月中爲明王,斗中爲孝悌王”。顯然其説是改編《報恩成道經》而成。文中又暗示晉代有真仙許遜“傳吾孝道之宗,是爲衆仙之長”。可知蘭公應是作者編造的中間人物,他的職責是將斗中孝弟王的孝道秘旨傳給許遜。

據《十二真君傳》稱:蘭公受孝弟王至道妙訣之後,穎悟真機,能顧知前事。因與里人共出郊野,見古冢三所,乃云:“此是吾三仙解化之墳。”請民報官,勿令人物踐踏。後來官吏據蘭公所言開塚驗視,果然有真人遺骨及仙衣、道經及金丹等物。蘭公乃詣塚間,取仙衣掛體,又取金丹服之,招邀卧塚二真人,同共聳身輕舉。官吏懺悔拜謝,啓問蘭公何時下降。公曰:“我自此每十日一至於斯,更逾數年百日一降,施行孝道。”該傳文最後説:

自爾吳都十五童子,丹陽三歲靈孩,洎於蘭公,並是仙之化現也。所傳孝道之秘法,别有寶經一帙、金丹一盒、銅符鐵券,得之者唯高明大使許真君焉。

這段話頗令人費解,大意是説吳都十五童子、丹陽三歲靈童,以及蘭公,皆爲孝道仙王之化身顯現,使孝道經典(疑即《報恩成道經》)、金丹及銅符鐵券能傳至許真君。爲此又引出孝道派另一重要人物諶母。

據前文所録《仙苑編珠》引《十二真君傳》稱:許真君“師諶母

受孝道明王法”。可知該傳除記述十二真君及蘭公之外，還有關於諶母的傳記，可惜現已佚失。所幸唐末杜光庭所編《墉城集仙録》卷五，尚有關於“嬰母”(即諶母)的傳記。這篇傳文疑即杜光庭據胡慧超《十二真君傳》改編。其中稱：

> 嬰母者，姓諶氏，字曰嬰，不知何許人也。西晉之時，丹陽郡黄堂觀居焉。潛修至道，久歷年歲。時人自童幼逮於衰老，見之鬢髮齠容，顏狀無改，衆號爲嬰母。因入吳市，見一童子年可十四五，近前拜於母云：“合爲母兒。”母曰：“年少自何而來？拜吾爲母，既非其類，不合大道。”童子乃去[1]。月餘，又於吳市逢一孩子三歲以來，若無所歸，悲號浹夕。母因視之。執母衣裾不肯捨去。人或見者，勸母收而育之，逾於所生矣。既長，明穎孝敬，異於常人。冠歲以來，風神挺邁，所居常有異雲氣，光景仿佛而見。侍母左右，常説蓬萊閬苑之事[2]。母異之，謂曰：“吾與汝暫此相因，汝以何爲號也？”子曰：“昔蒙天真明(盟)授靈章，錫以名品，約爲孝道明王，今宜稱而呼之矣。”遂告母修真之訣……

按上述孝道明王在吳市中化作十五童子、三歲嬰兒，託靠諶母養育成人。並以孝道真訣傳授諶母。這段故事在後來淨明派道書及《仙鑒後集》等書中亦有記載，但故事情節及文字略有改動。例如“孝道明王”或改作“孝悌王”、“孝悌明王”。大概應以“孝悌王”爲是，孝悌王即三真孝王中的“斗中真人”。這段故事在唐初孝道派中可能早已流傳，因爲在《報恩成道經》中已提到：“爾時三真化作嬰童，託附真母，已漸長大，隨世成立。無上大道元始天尊，授此三真號曰至孝真王。”此處所謂“真母”當即諶母，三真孝王則被改作三歲嬰童，故事情節亦更爲生動具體。

---

①按《道藏》本所收《墉城集仙録》，此段文字原作：“母曰：年少自何而來？拜吾爲子，未測其旨，亦莫敢許之，豈可相依耶。乃慘嘆而去”。其文意不明。今據《太平廣記》卷62引《集仙録》之文改動。

②《道藏》本“蓬萊閬苑”四字，原作“蓬壺閬風”。此據《太平廣記》引《集仙録》改。

據《墉城集仙録》稱：孝道明王傳授諶母的修真秘訣，乃是“無英公子黄老玉書、大洞真經、豁落七元太上隱玄之道”。這些都是東晉南朝丹陽茅山上清派道士所傳經書符籙。據説孝道明王授書後漠然隱去，諶母密修大法，積數十年人莫知也。“其後吴猛、許遜自嵩陽南遊，諶母請傳所得之道。母因盟而授之，孝道之法遂行江表”。諶母又告訴二人：吴猛雖曾爲許遜之師，但按《玉皇玄譜》①，吴猛在仙界爲御史，許遜則爲高明大使，總領仙籍，其仙階當在吴之上。據説後來諶母白日昇天成仙，許遜在洪州高安縣東四十里建立黄堂靖壇，爲朝拜聖母之所。“其孝道之法與靈寶小異，豫章人世世行之”。

從上述蘭公、諶母的有關記載，可知南北朝隋唐之際孝道派的傳承路綫，是從山東兗州傳至江東丹陽，又從丹陽傳至江西洪州。此三處中，江西洪州爲許遜、吴猛信仰的發源地，江東丹陽爲茅山上清派和葛氏靈寶派發源地，而山東兗州疑即孝道派最初的傳播地區。將此三處地方教派的教義信仰和神話傳説融合爲一，形成新的“吴許孝道”信仰，很可能即唐初西山道士胡慧超所爲。胡所撰《十二真君傳》，實際有十四位人物，即以吴、許二君爲核心，加上其師蘭公、諶母，以及其弟子、親屬十人，構成了孝道吴許派的傳法譜系。在此法譜中，蘭公、諶母二人是溝通孝道真王與吴許真君信仰的關鍵人物，胡慧超在隋唐孝道發展史上也有重要地位。因此在宋元淨明派傳法譜系中，尊奉胡慧超爲“淨明法師”，以其傳記附於十二真君之後。但是胡所傳道法以外丹服藥及符咒法術爲主，與淨明道之内煉心性有所不同。其教義之相通者，唯在二者皆奉持孝道以爲根本。

四、隋唐孝道之發展與影響

①按《玉皇玄譜》疑爲南北朝末或隋唐之際所出道教神仙譜録。今《道藏》中有《元始高上玉皇譜録》、《上清三尊譜録》，或與之有關。

吳許孝道大約在唐高宗、武后時已於江西洪州成立，有經典教義，符籙外丹法術、神話傳承譜系及宮觀殿堂。其後孝道之法“豫章人世世傳之”，西山道教日漸興盛。據顔真卿《華姑仙壇碑銘》及杜光庭《墉城集仙録》記載①，唐代江西撫州臨川縣女道士華姑，曾於武后長壽二年 (693) 至洪州西山訪天師胡超問道。胡超“字拔俗”，即胡慧超。唐玄宗天寶年間，又有晉州著名道士張蘊棲息豫章西山洪崖先生古壇，隱修十八年②。後世淨明道亦奉張爲淨明祖師之一。有關中晚唐孝道傳承的情況，主要見載於《道藏》所收《孝道吳許二真君傳》(以下簡稱《孝道傳》)。據日本秋月觀暎及柳存仁等學者研究，認爲該傳約出於唐憲宗元和十四年 (819) 前後，亦即公元九世紀前半期。《孝道傳》作者爲許遜後裔，其內容則依據胡慧超《十二真君傳》或其《許遜修行傳》改編增删而成。首先概述許遜、吳猛家世生平、殺蛇斬蛟故事；其次講述蘭公、諶母從孝悌王得受孝道符券秘法，並以之傳授吳、許二君的神話；最後補述吳、許二君修道昇仙事迹及所留遺迹，以及許君昇仙後其家族世代傳承孝道之譜系。大體上南北朝隋唐以來有關吳許真君及孝道信仰的傳説，都經改造後合爲一編，構成較爲完整的吳許孝道派史傳。其書性質類似道教上清派之《真誥叙録》，或如樓觀派之《樓觀先師傳》，皆爲記載某一教派神話歷史的傳記。

《孝道傳》對吳許孝道派源起及傳承始末的記述，大致與《十二真君傳》相同，但更加突出吳許二君，特别是許遜的神迹。其開篇即宣稱許遜“洞曉秘妙神仙之術，孝道之微，通感神靈，出入無間，變現奇異，當代賢達莫得測其由焉”。書中對吳許二君殺蛇斬蛟、受傳孝道符法、勸諫王敦、乘龍船歸豫章、舉家昇仙等神話故事的描述，情節更爲詳細生動，極力宣揚許真君名在仙籍，道應玄

①載《全唐文》卷 340 及《雲笈七籤》卷 115。
②參見《三洞群仙録》卷七、《歷世真體道通鑒》卷 41。

元,法力神妙,“震鴻聞於萬古,傳法教於後來”,堪爲孝道一派之祖師。關於孝道源起的記述如下:

孝道本起兖州剛輔縣高平鄉九原里,有一至人姓蘭,不示其名,號曰蘭公。義居百人,同心合德,志行孝行。時感得斗中真人號孝悌王,即先王之次弟,明王之兄也。……以蘭公孝道之志通於神明,遂降示蘭公孝道根本。言先王爲日中王,明王爲月中王;又云先王玄氣爲大道,明王始氣爲至道,孝悌王元氣散爲孝道,此三者起由玄元始氣也。孝悌王與先王明分①,作銅符鐵券,券中徵許氏陽……爲孝道之師。傳襲孝道,誘進後代,除邪去逆,修心煉行,則去仙道不遠於旨。

此段記述與《十二真君傳》大同小異,仍然是根據《報恩成道經》有關日月斗三真王降世傳播孝道的神話,演述孝道派源起。《真君傳》稱三真爲三氣三清所化,“居日中爲仙王、月中爲明王、斗中爲孝悌王”;《孝道傳》則稱三真爲玄元始三氣化生,先王爲日中王、明王爲月中王、斗中真人號孝悌王,乃先王次弟,明王之兄。降授蘭公孝道秘法及銅符鐵券者,是斗中孝悌王。這一説法與宋代淨明道假託太陽真君孝道明王降授《淨明秘法真經》、太陽真君孝道仙王傳授《淨明黄素書》②,有所不同。大概隋唐孝道派傳習的經典只有《報恩成道經》一部,託爲斗中孝悌王所授。又有所謂“銅符鐵券”,乃孝悌王與先王(仙王)所作,疑即《赤松子章曆》所稱“孝道仙王一十八階仙山神將籙”,是孝道派法師召請仙真神將的符籙。其符中或許有“徵許氏陽”之語,暗示孝道仙王召請許遜爲孝道之師。

《孝道傳》稱:蘭公受孝悌之旨令,將銅符鐵券送達黄堂觀,即吳中諶姆所居之宅。孝悌王又化作十五童子及三歲嬰兒,託靠諶

①按“明分”二字意難明,疑當作“明王”。
②參見《道藏》所收《太上靈寶淨明秘法序》、《淨明黄素書序例》。

姆養育成人。諶姆爲之求妻室，其兒謂姆曰："兒是先王次弟、明王之兄也。我身爲孝悌王，託寄阿母養育，綿歷歲序，欲興孝道，遷延至今。天是我父，地是我母，日是我兄，月是我弟，天上地下，唯我獨尊，五色慶雲，覆我一身，何用婦乎？乃拜謝阿母，請將所居之宅開爲孝門。"諶母慈悲，不違兒意，遂立其住宅名黄堂觀焉。兒遂捧授姆銅符鐵券，拜辭姆而去。時吴猛與許遜二君聞之，遂往黄堂拜謁諶姆，請其孝道。諶姆乃授之銅符鐵券，券中徵許氏陽一門，無猛名字，猛乃卻拜許君爲師。許君因傳其妙法，授與周彭陳時盱甘曾鍾施黄吴劉沈等十二真君，並以崇於孝道，常以惠澤流布於人。

這一段故事與杜光庭《墉城集仙録》所載亦大同小異，二者所據史料大概皆爲胡慧超《十二真君傳》。但是《集仙録》稱孝道明王傳授諶姆之法爲上清派經書符籙，《孝道傳》則稱孝悌王所授僅爲孝道銅符鐵券。或許胡慧超與上清派關係較密切。杜光庭亦爲上清派道士，因此其傳記暗示孝道秘法出自上清。而《孝道傳》的作者自稱是許遜後裔，因此強調孝道傳承衹與許氏有關。銅符鐵券中有"徵許氏陽一門"之讖語，可以證明"唯許君一人德合九真，名在仙籙"，故而《孝道傳》作者更重視銅符鐵券爲傳承信物。

《孝道傳》宣稱：許真君於晉元康二年 (292) 舉家飛升，至唐元和十四年 (819)，"約五百六十二年"(按實爲五百二十八年)。其家族於故宅遊帷觀遞代相承，傳襲孝道。"承二代侄男簡，承宗繼世爲道士，修持供養，博受孝道。晉永和三年 (347) 敕再爲置觀。至貞觀元年 (627) 國之不崇，人之疏索，觀宇寥落，有似寂寞焉。至永淳三年 (684)，奉敕再興孝道。承代傳香侄男簡，簡男卿長，長男法強，強男靈曜，曜侄孝通，通男叔嗣、息嗣、息法胤[1]，胤侄法恭，

---

①按"息法胤"三字疑當作"息男胤"或"息男法胤"。

恭侄景陽，陽男顒龍，龍男承觀，觀男道超，超男元樞，樞男玄基，基男紹珪，珪男文楚，楚男王仙、侄法真，真侄顒然矣。”

《孝道傳》列舉的許氏家族傳承譜，引起許多研究者注意。但是其真實性仍令人懷疑。自許遜以下五百多年，凡傳十八代，二十人，平均每代約三十年，表面看來尚屬合理。但問題的關鍵在於南北朝至唐初的孝道派是師徒異姓間相傳，而非如天師道那樣在家族內世代相傳。本文第一節曾考證，許遜去世後至隋唐之際，在洪州豫章曾有萬太元——許上期——張開先，以及萬仞師、許藏秘等人自稱許遜門徒或後裔，傳承其法術。《孝道傳》對此諸人名字均未提及。衹在傳文中提到許遜昇仙後留有玉函、犢車、石臼及銅劍二口。“至今年代雖遥，其物並在。唯二劍萬天師人內，云進上內中供食，其車及諸物並在其觀中”。此所謂萬天師是否萬太元或萬仞師，已難詳考。至於胡慧超，《孝道傳》雖用其《十二真君傳》之史料，卻只字未提其隱居西山，修造遊帷觀等事。看來《孝道傳》的作者不承認胡與吳許孝道派傳承有關。但《孝道傳》的作者亦無法證明其爲許遜家族嫡傳。

總上所述，隋唐孝道派大約源起於南北朝至隋唐初，至遲在唐高宗、武后時已形成教團，有經典符籙及本派傳承譜系，並在洪州西山等地建有宮觀殿堂。該派教義融合儒釋道三教，倡言修道行教，信奉日月斗三真王及許遜、吳猛、蘭公、諶母等傳派祖師。其修持則以誦經持誡，外丹燒煉及符咒驅邪法術爲主，常以法術斬妖除怪，救災濟世。中晚唐時代，該派在江西繼續傳播，民間奉其香火者頗多。據《孝道傳》稱：“從晉元康二年真君舉家飛昇之後，至唐元和十四年約五百六十二年，遞代相承，四鄉百姓聚會於觀(遊帷觀)，設黄籙大齋，邀請道流三日三夜昇壇進表，上達玄元，作禮焚香，克意誠請存亡禍福。”又據《仙鑒後集》卷五吳采鸞條稱：唐文宗太和末 (835)，有書生文蕭飄遊至鍾陵郡，“鍾陵西山有遊帷觀，即許真君遜上昇之第也。每歲至中秋上昇日，吳蜀楚越之人不遠千里而至,多攜挈名香珍果,繒綉金錢,設齋醮以祈福。時鍾陵人萬數,車馬喧闐,士女櫛比,連臂踏歌。蕭因往觀之。”

由此可見,中晚唐西山道教香火極盛,影響及於“吳蜀楚越”。當時觀中爲民衆主持齋醮廟會的“道流”,當即孝道派道士。孝道派的興盛,爲宋元時期西山淨明道的創立,奠定了深厚的基礎。

作者簡介　王卡,1956 年生,哲學博士,中國社會科學院世界宗教研究所副研究員,道教研究室副主任。

朱熹與先天學

劉仲宇

内容提要 先天學爲北宋始流行的《易》學派别。它源出道教。朱熹中年後頗熱心於對先天學的捍衛和探究,並曾因之引發宦海風波。朱熹闡釋了先天學的義藴,同時深入探究了與之有關的《周易参同契》,並且對先天圖作了改進。數百年來,先天學就是以他論斷過、改進過的面目在流傳。朱熹也努力吸取先天學的若干成分,充實了自己的思想體系,特别是發揮了先天學中藴涵的辯證法因素,對發展中國古代辯證法作出了貢獻。

朱熹學問淹博,吸收前人的學術成就相當廣泛,故能成爲理學的集大成者。這裏説的學術成就,包括傳統的和宋代創新了的儒學,也包括源自道教和佛教的若干因素,就源自道教的學術而言,其中最突出的是太極圖和先天學。朱熹對此兩門學術,曾長期苦苦求索,吸取其精粹融入自己的思想體系。同時,南宋以後,無論是理學家還是道教學者,凡論及太極、先天一類理論,常常引朱熹之説爲定論,或徑襲用朱熹的有關論斷。至於對這兩門學説持批評態度的,也常兼而掊擊朱熹。研究朱熹思想,不能不重視朱熹與太極圖及先天學的關係。本文擬對其中之一:朱熹對先天學的捍衛和闡釋,作一初步探討。

一、對先天學的熱情捍衛

先天學,是北宋才產生社會影響的《易》學理論。它淵源於道教,北宋時開始在社會上傳播。據南宋初《易》學家朱震進《易集傳》上表稱,宋初道士陳摶以先天圖傳种放,放傳穆修,修傳李之才,之才傳邵雍。邵雍以《易》名家,時人稱他能得《易》之原。其《易》學的主要內容,便是先天學。因先天學淵源於道教,當時和後來的《易》學界,都有過不同看法,贊成甚而激賞者有之;不屑顧乃至批評反對者亦有之。它的在儒門《易》學中占定高位,與朱熹的維護、捍衛和闡發有直接的關係。對先天學的捍衛和闡發,是朱熹學術活動的重要側面。

朱熹何時開始鑽研先天學,没有確切材料可考。而在其著作中采納先天學的若干內容,從《周易本義》始。

朱熹四十八歲《周易本義》成,其中言及畫卦次序時稱:"伏羲仰觀俯察,見陰陽奇耦之數,故書一奇以象陽,書一耦以象陰。見一陰一陽有各生一陰一陽之象,故自下而上,再倍而三,以成八卦,三畫已具。八卦已成,則又三倍其畫以成六畫,而於八卦之上,各加八卦,以成六十四卦也。"據《易繫辭傳》的説法,伏羲先畫八卦,八卦相重即成六十四卦。朱熹此處以先書陰陽奇耦、再見一陰一陽各生一陰一陽,三倍成八卦,再三倍而成六十四卦,正是先天學的主張。所謂"倍",即程顥對邵氏易法所概括的"加一倍法",亦即邵氏自稱的"一分爲二"法。今傳《周易本義》前又載有九張《易》圖,其中包括先天圖四幅,並注明"皆出邵氏,蓋邵氏得之李之才挺之,挺之得自穆修伯長,伯長得之華山希夷先生陳摶圖南者,所謂先天之學也。"《本義》問世之後,朱熹又囑蔡元定起草《易學啟蒙》,當其五十七歲時《啟蒙》編成,其中對於卦畫形成原理的闡釋,即采自先天學,同時據説同樣出於陳摶的河、洛圖書,也得到肯定和闡揚。可以説《易學啟蒙》書成，先天學在朱門中的學術地位才正式確定下來。然而，它的問世，也醞釀着一場學術論爭。

朱熹在《啟蒙》中，曾多處批評不贊成先天學的“世儒”。不久，便遭到“世儒”的攻擊。圍繞先天《易》學，先後發生了與林栗以及袁機仲的争論。

淳熙十五年(1188)朱熹五十九歲，除兵部郎官。以足疾丐祠，未供職。其下兵部侍郎林栗上疏論朱“欺慢”。結果朱熹依舊職江西提刑，不久復除直寶文閣，主管西京嵩山崇福宫，是一個不理實務的虛銜。林栗則因此事出知泉州。而這場宦海風波的直接導火綫，是林與朱論《易》及《西銘》不合。《西銘》且不論，所謂論《易》不合，即關乎先天學。

林栗在淳熙十三年(1185)構成《周易經傳集解》三十六卷，力求將“伏犧畫卦肇陰陽奇耦之形”及文王重爻，周公繫辭、孔子作傳貫通解釋。與朱熹争論，是在其書成後三年，争些什麽，四庫提要的作者認爲“今不可考”①，實是偶爾未作深考。二人争論的問題朱熹有《記林黄中辯〈易〉〈西銘〉》(載於《朱子大全》文卷七十)及《答林黄中》(載《朱子大全》文三十七)。叙述很清楚，其關鍵即在畫卦的原理上。依照林栗的説法，以六畫之卦爲太極，中含二體爲兩儀，又取二互體通爲四象；又顛倒看二體及互體通爲八卦。他的方法，實以乾、坤二卦爲本，以錯綜和互卦解釋兩儀、四象、八卦。他的理由是朱熹以太極爲陰陽、四象、八卦之理，“一畫也無”，則“《易》無太極”，不符合“易有太極”的古説，他自己的説法，才是太極在《易》之中；太極包含兩儀，兩儀包四象，包即是生的意思。對此朱熹當面予以批駁，又寫信加以闡釋，措辭更加嚴厲②。

按林栗和朱熹的争論本來是一場學術争論。兩人的依據，朱

①《四庫全書總目》卷三：《周易經傳集解》提要。
②詳見《答林黄中》，《朱子大全》文三十七。

熹(實承邵雍之說)抓住了《易傳》中"易有太極,是生兩儀"云云的一段話,林栗則揉合其中乾坤生六子和錯綜其數等說法。從今天的觀點來看,伏羲畫卦說本身就靠不住,遑論畫卦過程?二人對畫卦過程的探究,都有如郢書燕說,但說出的道理,也各有自己的領悟心得,對《易》學各有貢獻,可以並存於學林。然而由於林栗一時意氣[1],由此而上奏朱熹"欺慢",結果鬧得不歡而散,林栗且卒於外任。對朱熹來說,在宦途中是一次挫折,自然頗爲怏怏。他在給蔡季通的信中說:"此行見上褒予甚至,言辭雖狂妄,亦無忤色。意謂可以少效尺寸而事之。不可料者乃發於先天、《訂頑》(按:即《西銘》)之間,是可笑也。"(《朱子大全》文四十四)朱熹當時學問頗負盛名,在外任時也爲皇朝立了些汗馬功勞,某些舉措並得朝廷嘉許。但綜其一生,做朝官的日子加起來祇有九十三天,可謂終生未得到展盡其才的機會。此次除爲郎官,多少懷着點"少效力尺寸"的期望,卻由先天學和《西銘》的學術論争弄僵,則"可笑"也是苦笑。

在和林栗發生争論的同時,"袁機仲亦來攻邵氏甚急",朱熹極爲生氣,甚至引當時有大夫乞毁《通鑒》板被責的例子,引當時詞臣草制中"出幽谷而遷喬木,朕姑示於寬恩;以鳲(鴟)鴞(鴞)而笑鳳凰,爾無沉於迷識"之句,說"此輩亦可並按也"(《朱子大全》文四十四)。憤怒之情,溢於言表,這在注重涵養的朱熹文章中是很少見的,看來他實在是按捺不住了。

袁機仲對先天學的批評,比林栗更爲深入。他直接是針對《易學啟蒙》發出質疑。涉及到對先後天之說的懷疑,對七、八、九、六爲四象的批評,重卦說與先天學的矛盾等等,兼及與先天學密切相關的河圖、洛書以及《周易參同契》,而最關鍵的一點,乃在先天

---

①四庫館臣認爲朱熹中進士晚於林,而官位在林之上,故林栗之攻朱熹,不僅在學術分歧上。

衍易是不是伏羲的古法。朱熹與之辨難的書信達十一封之多,其中有幾封洋洋二、三千言,在其信函中殊不多見。

朱熹對袁機仲的質難,一一作答,特别是針對他根本上懷疑先天學出於伏羲的觀點强調説:"至於邵氏先天之説,則有推本伏羲畫卦次第,生生之妙,乃是《易》之宗祖,尤不當率爾妄議。"(《答袁機仲》,《朱子大全》文三十八。)並且説:"此非熹之説乃康節之説。非康節之説,乃希夷之説。非希夷之説,乃孔子之説。但當日諸儒既失其傳,而方外之流,陰相付受,以爲丹竈之術。至於希夷康節乃反之於易,而後其説始得復明於世。然與見今周易次第行列多不同者,故聞者創見多不能曉而不之信,祇據目今見行易緣文生義穿鑿破碎有不勝其杜撰者。此《啟蒙》之書所爲作也。"(同上)朱熹的肯定先天學出自伏羲且爲孔子之説,實在没有文獻依據,故而弄出個"諸儒既失其傳,而方外之流陰相付受以爲丹竈之術"説話來,無疑是一句遁詞。不過,其説在當時卻頗能使人相信。原來其説仿自在士大夫中盛行的禪宗話頭。禪宗一向自稱不立文字,爲教外别傳,雖是鑿空横説,但卻猶如獅子吼震響十方,在佛門中引導出一個大宗派,在士大夫中也得到普遍回響。朱熹仿其意解釋先天學,目的也是幫它爭一個正統的地位,在當時可謂大膽而機巧。這一做法,後來成爲服膺先天學者的重要口實。宋末元初的道士俞琰,就做了部《易外别傳》,"爲之圖,爲之説,極闡先天圖環中之極玄,證以《參同契》《陰符》諸書,參以伊川、横渠諸儒之至論,所以發朱子之所未發,以推廣邵子言外之意"①。别傳云者,看似謙辭,實際是以正統自居。出於道教的先天學於是被奉爲儒門正宗。

---

①《周易别傳》卷末,載《道藏》,上海書店等版,第20册,321頁。

二、對先天圖義蘊的闡釋

朱熹對先天學既如此推崇，其潛心玩索，力求窮其底蘊，是很自然的事。

對先天學的闡釋，集中的著作在《易學啟蒙》，另在《周易本義》前列的《伏羲八卦次序圖》、《伏羲八卦方位圖》、《伏羲六十四卦方位圖》後有簡短説明，綜合這些著作和朱熹的一些言論，可以看到他最欣賞的是六十四卦生成的學説。如前所説，這是他和林栗論争的主要內容，實也是先天學的關鍵所在。

他認爲，"易之精微，在那兩儀生四象，四象生八卦，八卦生六十四卦，萬物萬化皆從這裏流出。緊要處在那《復》、《姤》邊"。《復》是陽氣發動之初。所以在《啓蒙》中對六十四卦的生成解釋最詳。至於"緊要處在那《復》、《姤》邊"，則是六十四卦方位圖中的圓圖而言。《復》是一陽初動，陰極陽生，坤復之間即一静一動之間，邵雍認爲"至妙至妙者"，稱爲天根；同理《乾》後爲《姤》，乃陽極生陰，其間亦有"至妙至妙者"，邵雍叫做"月窟"，説"天根、月窟閑來往，三十六宫都是春"。意謂從此二處往來不停，六十四卦流轉不已①。朱熹則將之看成天理流行之象。《語類》卷一百："問：'康節云：天根月窟閑來往，三十六宫都是春。蓋云天理流行，而己常周旋乎期間。天根月窟是個總會處，如大明終始，時乘六龍之意否？'曰：'是'。"②

因此，朱熹在先天諸圖中，最重視横圖即次序圖，他在《答袁機仲》中説："若要見得聖人作易根原直截分明，不如且看卷首横圖。"至於圓圖，他以爲就有些不怎麼自然，所以曾予以改進。

---

①朱彝尊：《經義考》卷二十七。

②三十六宫，諸説不同。朱熹認爲指乾、坤、坎、離、大過、頤、小過、中孚八卦，它們覆過來仍爲己卦，另五十六卦，則可看成二十八卦的翻覆成象，二十八加八是爲三十六卦即三十六宫。

先天學以圖示太極生兩儀之象,那麼太極怎麼表示? 邵雍曾說先天圖,心法也。又説“心爲太極”。這心在卦圖上指圓圖空處,又稱爲“環中”。其圓圖中心空白,即象徵太極。這一點,朱熹很清楚,故曰,若論先天學的太極,“中間虛者便是。他亦自説‘圖從中起’,今不合被横圖塞卻”。原來方位圖有方圓兩幅,方圖置於圓圖之中,大約是表示“天(圓)包地(方)”之意,但卻妨礙人們對太極的把握。所以朱熹將方圖移出在下①。從此例可以看出,朱熹爲便於理解,曾對先天圖作過改進。這一改進,不過將原圖析而爲二。更大的改進,乃是用黑白格子代表爻象。

按先天圖中的次序圖,原用爻象表示,與方位圖一致。但不易看清,故朱熹改用黑白格子。此事,袁機仲曾以“黑白之位尤不可曉”提出質疑。朱熹回答説:

“然其圖亦非古法,但今欲易曉,且爲此以寓之耳。”

朱熹的做法,後人亦有批評,且不來管他。這兒衹要指出:現在我們看到的先天圖,其中一半是經過朱熹改定的。朱熹不僅闡釋了先天學,也參與改進了先天圖。或者反過來説,先天圖經過朱熹之手始定型的。

朱熹稱先天圖乃伏羲之《易》,但在儒門中久失其傳,衹在方外爐火之術中傳授運用,到陳摶、邵雍才返之於《易》。那麼很自然的是,要想究其底藴,須得到爐火之術中漫歷一番,以取其真諦。其具體的對象,是《周易參同契》。就先天學與《參同契》的關係而言,朱熹主要指出了兩點。

一點是他發現先天圖的八卦方位與《參同契》首卦位鋪排一致。稱:“邵子云:‘乾坤定上下之位,坎離列左右之門’,《參同契》首卦位鋪排都衹一般。”(《朱子語類》卷一百《邵子之書》)

---

①《朱子語類》卷六十五。“先天圖如何移出方圖在下?”曰“是某挑出”。

按《參同契》首言“乾坤者,易之門户,衆卦之父母,坎離匡郭,運轂正軸,牝牡四卦,以爲橐籥”。是用卦象列出了一個煉丹家所用的宇宙模型,本着“修丹與造化同途”的原理,這一模型又可用以解釋丹爐中的化學反應(古人没有化學概念,僅用宏觀的宇宙模型擬想其看不見的變化),及人體中的內丹修持。朱熹解釋這一模型時説:“乾坤位乎上下,而坎離升降於其間,所謂易也。先天之位,乾南、坤北、離東、坎西是也。”(同上,卷六十五)這是就卦象説,而其象徵的內容則是:“乾坤,以宇內言之,則乾天在上,坤地在下,而陰陽變化,萬物終始,皆在其間;以人身言之,則乾陽在上,坤陰在下,而一身之陰陽萬物,變化終始,皆在其間。此乾坤所以爲易之門户,衆卦之父母也。凡言易者,皆指陰陽變化而言,在人則所謂金丹大藥者也,然則乾坤其爐鼎歟。”

由此可知,根據朱熹的探究先天學與《參同契》的一致,在於其宇宙論。

另一點是他看到先天圖和《參同契》中的納甲法相應。《語類》卷六十五:“先天圖與納音(甲)相應,故季通言與《參同契》合。以圖觀之,坤復之間爲晦,震爲初三,一陽生;初八日爲兑,月上弦;十五日爲乾,十八日爲巽,一陰生;二十三日爲艮,月下弦。坎離爲日月,故不用。《參同契》以坎離爲藥,餘者以爲火候。此圖自陳希夷傳來,如穆李,想衹收得,未必能曉。康節自思量出來。”

按納甲法據説起於漢京房。丹家用以描述火候進退。其事朱熹在《周易參同契考異》中曾作注釋,此不引。

又火候的描述,《參同契》是用卦象來標幟時間的推移,陰陽的消長,以之表示煉丹中隨時進火退符。故其象也可形容天地間的大化流行。所以朱熹説:“一日有一日之運,一月有一月之運,一歲有一歲之運。大而天地之終始,小而人物之生死,遠而古今之世變,皆不外乎此,衹是一氣盈虚消息之理。本地是小底,變成大底;到那大處,又變成小底。如納甲法,乾納甲壬,坤納乙癸,艮納丙,兑納丁,震納庚,巽納辛,離納己,坎納戊;亦是此。”(《周易參同契考異》上篇)這樣,《參同契》中的納甲法,就有可能從具體的煉丹過程的描述中抽象出來,成爲一個能綜合地描述古人設想的宇宙、人身、爐鼎統一的運動變化的模型,那就是先天圓圖。從圓圖看,以坤、復之間爲天根,乾姤之間爲月窟,實從《參同契》火候“終坤始復,如循連環”引伸而來。這點,朱熹尚未作透徹闡述,宋末元初俞琰《易外別傳》才講得更加準確精闢。

朱熹對先天圖本身以及其源頭作過不少探測,是有成績的。但是有一個現象值得注意:先天學直接傳自陳摶,朱熹在探究先天學時,卻幾乎不引陳摶的言論和著作。這是很奇怪的。陳摶雖傳先天學、太極圖,但他自己的《易》學著作以《易龍圖》爲代表。朱熹的朋友吕伯恭編《皇朝文鑒》時即收入《龍圖序》,宋、元之際的道士雷思齊著《易象圖説内篇》①。徵引《易龍圖》相當詳細,對其書出於陳摶無疑問。但朱熹卻斷言:“《龍圖》是假書,無所用。”(《語類》卷六十七)其根據是什麼,没有説。“假書”的説法未必事實;“無所用”倒是表現了朱熹的學術傾向。原來《易龍圖》的基本内容是談《易》之數,而且以數爲根本,是朱熹不能接受的。

按陳摶的觀點,“龍馬始負圖,出於羲皇之代,在太古之先也。今有已合之位,況更陳未合之數耶?”(陳摶《易龍圖序》)意思是所謂“龍馬負圖”(按:後來宋儒中稱爲《河圖》)顯示出來的是“天地已合之位”,他要説的是“天地未合之數”,已合之位,源自“未合之數”,衹是别人不易理解。他自稱是從孔子三陳九卦中領悟出來,所謂“龍圖”,原本是“天散而示之”,即先有“未合之數”,然後“伏羲合而用之”,成圖的是“天地已合之位”。那麼“未合之數”與伏羲畫卦的所謂先天之學是何等關係

①此書輯入《道藏》問津者極少,實對研究陳摶是重要資料。

呢？他没有詳説。《龍圖》中所載的是各種以數（用黑白點子代表，似即朱熹用黑白格子表示先天横圖的先河）構成的圖象，没有解釋。從邏輯上説先天學應與數有關，至少在陳摶的學術中，不會毫無牽扯。即使到了邵雍，《皇極經世》中談數之處仍然不少。朱熹不信《龍圖》是陳作，也對邵雍論數不以爲然，《朱子語類》卷六十五有一段話：

"某嘗問季通：'康節之數，伏羲也曾理會否？'曰：'伏羲須理會過。'某以爲不然。伏羲衹是據他見得一個道理，恁地便畫出幾畫。他也那裏知得疊出來恁地巧？此伏羲所以爲聖。若他也恁地逐一推排，便不是伏羲天然意思。"

因此，經過朱熹研究、闡發和定型的先天學，衹有象没有數，拿陳摶的話説，就是衹論到"天地已合之位"，而未達於"未合之數"。他取了先天學中圖象，卻捨棄了其中數的成分。數百年來，先天學就是以這一面目在流傳。

三、對先天學哲理的吸取和發揮

朱熹在闡釋探究先天學的過程中，不斷地吸取着先天學的哲理，充實着自己的思想體系。

朱熹將先天學看做是人格培育、德性修養的重要環節。其《齋居感興》中有云："吾聞包犧氏，爰初闢乾坤。乾行配天德，坤布協地文。仰觀玄渾周，一息萬里奔。俯察方儀静，隤然千古存。悟彼立象意，契此入德門。勤行常不息，敬守思彌敦。"

爲什麼"立象意"和"入德門"相契呢？原來道學家提倡的學問是所謂聖賢之學。人要學聖賢，成就"聖賢氣象"，有一個重要的前提條件：於所謂的實理須見得透。而對這一實理的闡發，理學家又多援《易》以爲説。站在《易》學與理學相統一的立場看問題，朱熹認爲對這一太極或天理的奥秘的揭示，首先是由伏羲開

始的。《齋居感興》的第一首即云:

> 昆侖大無外,旁薄下深廣。陰陽無停機,寒暑互來往。皇犧古神聖,妙契一俯仰。不待窺馬圖,人文已宣朗。渾然一理貫,昭晰非象罔。珍重無極翁,爲我重指掌。

天理大而無外,滲透一切。這昆侖無外渾然一體的天理,通過伏羲仰觀俯察,畫出卦象,方才顯示其奧,人文始得宣朗。詩的首二聯隱括太極生陰陽、陰陽鼓舞萬物生化的意思,正是先天學中反覆強調的內容。末聯"無極翁"義指"太極"。由"無極翁"爲"指掌",即從"太極"這個根本出發,才可能高屋建瓴,勢如破竹,執定萬理樞機,對天理或太極的究竟有個深刻見解,整個學做聖人的尊德性、道問學才有個真實把柄。這就是"悟彼立象意"方能"契此入德門"的原由。

這個意思,朱熹在討論先天學時反覆指出過。《答袁機仲》信中云:倘對先天圖"玩之久熟,浹洽於心,則天地變化之神,陰陽消長之妙,自將於心目之間,而其可驚可喜可笑可樂必有不自知其所以然而然者矣。言之不盡,偶得小詩以寄鄙意,曰:忽然半夜一聲雷,萬户千門次第開。若識無心涵有象,許君親見伏羲來。"朱熹覺得熟讀先天圖後的受用,簡直難於言説,衹有用詩歌咏出個意境來,讓人去領悟。"忽然半夜一聲雷"指先天圓圖中復卦時當子時,其下一陽生,內卦爲震,邵雍認爲坤復之間即一静一動之間,是"至妙至妙"之處難以思議,朱熹故用"忽然"狀寫。由此着手,先天學萬户千門豁然開啓。"無心涵有象",指太極無形,在畫卦之先兩儀四象八卦之理已具,他稱爲自然之《易》,衹是假伏羲的聖明畫出卦圖。"親見伏羲",當然是比擬,無非是對學《易》而躋於聖人之域的形容,也是讀《易》者能達到或期望達到的最高境界了。

所以,他認爲論《易》論到先天圖,方是窮盡底藴:"潛心雖出重爻後,著眼何妨未畫前,識得兩儀根太極,此時方好絶韋編。"

(《易二首》,《朱子大全》文十) 未書前,即朱熹所説的"自然之易",雖是未書,天理已具;伏羲的功勞在畫出個先天《易》圖來,將自然之《易》即天理之秘揭示無遺。將兩儀根太極的道理參透了,讀《易》才算到家,庶幾企及孔子韋編三絶的境界。

朱熹對先天學的吸收,又是他的辯證法思想的來源之一。

他將領悟先天學的重點放在"識得兩儀根太極"上,對太極或天理與陰陽的關係傾注了很大的精神。

按照二程的理解,陰陽是形而下者,"所以陰陽"的道是形而上者。因此理與陰陽是形而上與形而下、道與器、理與氣之間的關係。這些在朱熹哲學中都是至關重要的內容。強調"陰陽根太極",也就是肯定陰陽二氣皆是從天理流出。如變一個視角看,由天理到形而下的世界,是一個太極生陰陽的過程,用先天學的術語説,就是一分爲二。朱熹的一個重要貢獻,就是將一分爲二的思想從一般的《易》學推廣到整個世界觀。

所謂"一分爲二,二分爲四,……三十六分爲六十四",原指從太極至六十四卦的生成次第,正是先天學以"加一倍法"解釋畫卦的原理。朱熹篤信先天學,但在一分爲二的問題上,卻不是分到六十四爲止,而認爲:"此衹是一分爲二,節節如此,以至於無窮,皆是一生兩爾。"(《語類》卷六十七《易》綱領下) 這樣,"一分爲二"便跳出了先天象數的小圈子,在一定程度上表述了客觀事物普遍包含着矛盾的規律。在當時,這些都不失爲深刻的矛盾思想。

邵雍在講"一分爲二"的同時,就強調了陰陽之交。所謂"太極既分,兩儀立焉。陽上交於陰,陰下交於陽,四象生矣,陽交於陰,陰交於陽而生天之四象;剛交於柔,柔交於剛而生地之四象,於是八卦成矣",不過是"一分爲二"的另一種説法。朱熹則於此又有發揮,他認爲:"伊川言'易,變易也',衹説得相對的陰陽流轉而已,不説錯綜的陰陽交互之理,言《易》須兼此二意。"所謂交易，即如“先天圖一邊本是陽，一邊本是陰。陽中有陰，陰中有陽，便是陽往交易陰，陰來交易陽，兩邊各各相對。其實非此往彼來，祇是其象如此”(《語類》卷六十五)。朱熹講得很喫力。其實他所表述的內容無非是説對立面有相互轉化的一面，即所謂“陰陽流轉”，又有相互一致，相互包含的一面，即所謂“錯綜的陰陽交互”。交，也就是統一、會一。朱熹是綜合分、合二者看陰陽之間的關係，而反對偏於一面。他説：“陰陽之理，有會處，有分處，事皆如此。今浙中學者祇説會處，混一處，卻不理會分處。”“分處”，是指矛盾雙方的相互區別，相互對立，與邵雍一分爲二的意思約略相當，都指統一的分裂。“會”則表述矛盾雙方的互相一致，後世所謂“合二而一”，主要強調的即是這一點。

説分、説交、説會，都與朱熹深契於先天圖不可分割的。《先天圖》的啓迪，使他對矛盾既對立又統一的關係，有一個總體的認識，對於中國辯證法思想，是有功勞的。

朱熹對先天學哲理的吸收，尚不止這些，限於篇幅，我們暫且打住。

應當指出，朱熹吸收先天學，是在中晚年，其哲學體系的框架基本定型之後。所以，一方面先天學對他晚年思想有較深的影響，另一方面，他對於先天學的融會貫通，尚不像對太極圖、太極圖説那麼運用自如，不少問題，他也還在探究之中。在研究其思想，尤其是晚年思想時，是須加以注意的。

作者簡介　劉仲宇，1946年生。上海教育學院副研究員，從事道教文化研究。著有《道・仙・人》(與人合作)、《儒釋道與中國民俗》等。

對全真教心性學説的幾點思考

鄺國強

全真教之立教立宗，高倡三教合一，在行爲上絶非出世，道衆多以儒行救世，積功善行，用無爲而行有爲，在入世事功上，以道家爲體，儒學爲用。但在內丹煉養上，仍保持清静其心，歸真反樸的道家心性。下面試對儒家性命學作簡略性查考。

一、儒家的"道"與道家的"道"

(一) 儒家的"道"基本在下面幾項基礎上:

(1)"大道之行也，天下爲公，選賢與能、講信修睦。"(《禮運》)

(2)"大學之道，在明明德，在親民，在止于至善。"(《大學》)

上面兩條，大體上從治國修身上説，是道德實踐之哲學，也是儒家立國立身之基礎。

(3)"天命之謂性，率性之爲道，修道之謂教。"(《中庸》)

(4)"道也者，不可須臾離也，可離非道也。"(《中庸》)

第三條是中庸三大綱領，是儒家道德形而上學的總綱目，不但勾勒出道德至善乃來自上天所命之性，而這一先天而來的至善之德可帶領吾人進入至道之境，教化之極。第四條則强調這個道是吾人行爲上不可須臾離的實踐歷程。

(5)"吾道一以貫之，忠恕而已矣！"(《論語》)

第五條更是儒家行道歷程中所體悟出來的重心思想，充分勾劃出孔子對“道”理解的具體意義。

(二) 道家的“道”,吾人可從陳鼓應與湯一介二先生對老子義理疏解所得出如下意義[①]。

陳先生在《老子哲學系統之形成》一文中説明老子的道有多層意義:

(1) 實存的“道”: 根據《老子》第 14 章、第 21 章及第 25 章之義蘊可見道之實存性。

《老子》第 14 章有言: “視之不見,名曰‘夷’;聽之不聞,名曰‘希’……無狀之狀、無物之象,是謂恍惚。”按: 夷,河上公解;無色而看不見;希解: 無聲而聽不見,故名之無狀之狀,無物之物,此無物,非普通之物,恍惚言若有若無。

第 21 章又言: “‘道’之爲物,惟恍惟惚,恍兮惚兮,其中有象,恍兮惚兮,其中有物,窈兮冥兮,其中有精,其精甚真,其中有信。”按: 精是最微小之原質,因而言:若有若無恍惚之物,確可信其真有,惟衹是最微之原質,但老子雖言無物,惟無物仍有象則道雖是非物,雖在恍惚之中生生物,故非物也是有,象老子言: 有之以爲利,無之以爲用。這個無實非等於零的無,實萬物能從無這種狀態生生不息。

第 25 章則言:“有物混成,先天地生,寂兮寥兮,獨立而不改,周行而不殆,可以爲天下母,吾不知其名,故强字之曰‘道’。”按: 獨立句言道之絶對性和永存性。殆: 怠也,以上三章若從哲學角度看,已包含: 宇宙生成論與本體論的説明。據湯一介先生在《論道德經建立哲學體系的方法》一文已確認此乃老子哲學三大命題之首[②]。

(2) 規律性的“道”。

①見《老子注譯及評介》1—51 頁。
②見《中國傳統文化中的儒道釋》。

老子認爲自然中事物的運動和變化莫不依循著某些規律，其中一個是反，40 章言“反者道之動”其中包含了兩大概念：一、相反對立。二、返本復初。

有無相生，難易相成，長短相較，高下相傾，音聲相和，前後相隨，恆也。(《老子》第 2 章)

天下皆知美之爲美，斯惡已，天下皆知善之爲善，斯不善矣！(同上)

禍兮，福之所倚；福兮，禍之所伏。(《老子》第 58 章)

這便是一對立轉化之規律，老子認爲一切事物都在對立之情狀中反覆轉化而無盡止，原因由於天地間一切事物都是在對立關係中造成。

循環運動的規律：老子認爲事物存在一反覆循環之變化當中。上面已提及第 25 章之上句，現再看其下句：“強爲之名曰大，大曰逝，逝曰遠，遠曰反。”按：大，無邊際；逝，道進行不息；反，返也。又言：“致静虛，守静篤，萬物併作，吾以觀復，夫物芸芸，各復歸其根，歸根曰静，是謂復命。”按：歸其根即返本之義；復命即歸復本性。

(3) 生活準則的“道”。

老子認爲凡合乎道之生活準則，必是自然無爲 (即謂自然永恆地生生不息，人應不加干涉，而讓萬物順任自然而生活衍化)。致虛守静，生而不有，爲而不恃，長而不宰，柔弱不争，居下取後，慈儉樸實。其實這是老子將形上道之道，落實到生活層面上去作爲生活行爲的指標，所行的便是“德”，“德”即是合乎道德標準之行爲。故言：“順自然，而行無爲。”(第 37 章)“無爲無不爲”。又云“道”之尊崇，“德”之珍貴，夫莫之命而常自然 (第 51 章)。這就是道家所言之“尊道貴德”。

根據以上“儒”、“道”論“道”之比較，從哲學角度上看，道家之“道”基本上已關攝了儒家的“道”的最高層次。道家的

“道”這個形上實體已蘊含著儒家“道”的“道德形上學”的實踐性概念。

二、王重陽對禪佛的體悟

道之義由先秦溯至元明清,其概念上的轉化和加添已包容遍及爲道路、爲規律,爲萬物本原,爲太一、爲無、爲理、爲太極、爲心、爲氣、爲人道等等。而作爲道教的重點理念基礎,也隨著概念的轉化而有不同方向的改變。就縱的方面來説,道教中的“道”亦已跟隨時代進程不斷的轉化。到宋以後的全真,“道”的概念發展,已進入明儒心學範疇裏。下面試作查考:

全真論道資料,早見於《鍾呂傳道集》。論大道篇云:“大道無形無名,無問無應,其大無外,其小無內,莫可得而知之;莫可得可行也。”又説:及乎真原一判,大樸已散,道生一、一生二、二生三。一爲體、二爲用、三爲造化。體用不出於陰陽,造化皆因於交媾。上中下列爲三才,天地人共得一道。道生二氣,二氣生三才,三才生五行,五行生萬物。萬物之中,最靈者人也。惟人也,窮萬物之理,盡一己之性,窮理盡性以至於命①。

根據上述説法,鍾呂對道的闡釋,不離於先秦道家易老之觀念,並無獨特創見。下面試就重陽真人對禪佛的體悟看其對道的理解。

二十四訣有云:“諸賢先求明心,心本是道,道即是心,心外無道,道外無心也。”王重陽對“心本是道”的提出,已完全脱離傳統道教的説法。然而這種“心即道”的思想意識,極有可能來自禪宗,而對“心”的理解,般若波羅蜜多心經給他很大的啓發。

---

①見《鍾呂傳道集》卷 29 第 2 至 3 頁。

(按:般若波羅蜜多[Prajnapanamita]心經中般若波羅蜜多是梵文,般若言至高無上智慧;波羅蜜多即到彼岸。心是核心或心要之義,全名語意是"使人到達可解脱或拯救之彼岸的智慧之核心經典"。)

《全真集》卷五《自詠》言:"七年風害,悟徹心經無罣礙。"卷九《自在亭頌》又言:"自在自在真自在,不論高低及內外,照見五蘊即皆空,咄咄八方無罣礙。"

心經中所强調的"心"就是"真如心",真就是無妄,如是不變之意。是故真如心,實真實常住不變的心,即吾人當前一念靈知之性體,圓明寂照,不生不滅,究竟清淨,平等周遍,俱足一切功德智慧,没有什麼生死煩惱,離諸迷情妄相,無諸塵勞垢染①。若就"真"即無妄,在儒家的理解中便是"誠""真如心"亦可云乎"誠心"之義。

全真教一向主張禁慾清修,頗合心經修真如心的觀念,其實重陽真人的詩頌便是心經主要內容的縮影,如心經云:"觀自在菩薩,行深般若波羅蜜多時,照見五蘊皆空。"又說:"以無所得故;菩提薩埵(Bodhi Settga)依波羅蜜多故;心無掛礙,無掛礙故,無有恐怖,遠離顛倒夢想,究竟涅盤。"(觀自在菩薩:觀自在即觀世音[觀世間呼聲而去拯救]。唐人避諱太宗名字改爲觀自在。而"觀自在"在梵文則有"至高無上的觀察者"之意。)

行深波羅蜜多時——使人因至高無上智慧而得拯救。照見五蘊皆空;照見即謂當心靈清澈時當見宇宙間一切事物的現象之空性,佛釋謂宇宙一切現象之所成,皆緣起五蘊。五蘊指色、受、想、行、識。色是指物質的一切現象;受是塵世間之接觸所生苦樂之感;想是外在接觸而產生知覺;行有造作思慮作用;識是統一前四

①見《般若波羅蜜多心經要釋》第22至23頁。

蘊之心力。綜合而言：五蘊是自身生理狀態因外物影響而產生心理波動而形成之情意及認知能力。以無所得故：即是無任何自性見的執著，菩提薩埵：菩：解覺；薩埵言有情，有情本之衆生（連生植物）今言人類，語譯爲"覺有情"即覺性之類，簡稱之菩薩。菩薩就是佛道與衆生之中介，人類每因菩薩悟佛道，依波羅蜜多故：菩薩能指導人悟本性皆空，得自解脱，故心無掛礙；由於心無掛礙之緣故，所以"無有恐怖"，便可"遠離顛倒夢想"（因有情心念，産生種種蒙昧，執著或無明夢想。必須般若之智慧才能照澈諸法皆空之理）。最終能達致"究竟涅般"（寂滅解脱之境）。

三、《重陽全真集》與《五篇靈文注》對心性修行義理的查考（王重陽以心言道之開展與衍化）

《重陽全真集》中不少詩詞，皆言心性煉養之法，下面試引述數闋分析説明。（按下面引述詩詞之分析，部份參考《中國氣功經典・金元朝部份上》。）

説煉心

磨鏡：

磨鏡真如磨我心，我心自照遠還深；鑑回名利真清淨，顯出虛無不委沉。（内丹鍊鍛如同磨鏡，煉功煉到心如明鏡，一塵不染，就可達到一定境界。）

甘草子：

塵所不肯修行，個個貪歡聚，轉轉戀榮華，怎肯將心悟，直待陰公來取，便急與相隨去。早被兒孫送望，金玉誰爲主。（超脱凡塵，修心養性，可使人健康長壽，勸人早悟榮華之苦。）

問龍虎交媾：

莫問龍兒與虎兒，心頭一點是明師，氣調神定呼交媾，心正精虔做煦熙。平等常施爲大道,清淨不退得真慈。般般顯現圓光就,引領金丹彩玉芝。(闡述龍虎交媾之意,在於精誠清淨,通過內煉使機體形神調和,陰陽協調,最終達長壽不衰之目的。)

修行十二首第一言:

這個修行總不知,原來祇是認真慈。(以"認真慈"解釋修心煉性的大旨,並認爲修煉主要是要使人重新認識自己本來純善之性,希望世人能離俗脱塵。)

拋名利(和落花韻):

不謀輕舉望升飛,碧洞無勞閉玉扉,久壓世情名與利,素嫌人世是和非。須知謹謹修心地,何必區區炫道衣。門外落花任風雨,不知誰肯悟希夷。

金丹:

本來真性唤金丹,四假爲爐煉作團,不染不思除妄想,自然衮出入仙壇。(內丹修爲主要在不染不思,消除妄想,功到自然成。)

唐公求修行:

修行切忌順人情,順著人情道不成,奉報同流如省悟,心間悟得是前程。學道修真非草草,時時祇把心田掃。吾超全在絶塵情,天若有情天亦老。(修行得道心須斷絶塵情。)

贈王哥:

修行學道並無師,祇要心中自己知,淨處常常生智慧,閑居每每起慈悲,搬柴運水唯聞做,觀相存思各自爲,減食忘情爲慷慨,任歡取樂是修持,救人設藥功尤大,戒酒除葷行最宜,直待開門觀宿性,宿緣堪可便相隨。(無師自通,要處境清淨,忘情欲,保持身心愉快,當戒酒葷。)

蘇幕遮(勸修行):

莫行功,休打坐,如要修持,先把心猿鎖,黑氣收歸無漏破,慢慢升騰保養靈真麽。

不少學者認爲上述詩詞以全真家丹鼎之要旨，惟若深究其意，不難發現其中不外儒釋道三家心性學之濫觴。

重陽真人在丹道養生上的理論基礎，重點也以修心煉性爲主，在《重陽真人金關玉鎖訣》中解盡問道者的回答中可見：

或問曰：如何是修真妙理？答曰：第一，去除無名煩惱；第二，休貪戀酒、色、財、氣，此者便是修行之法。夫人之一身，皆高明廣大，未嘗爲萬物所蔽。修行之人，凡應萬事，亦當體之。

重陽真人在授馬丹陽之二十四訣中論祖宗亦云：

(馬丹陽問重陽祖師曰：) 甚是論祖宗，性命、根蒂、龍虎、鉛汞……三界七返，行住坐卧。祖師答曰：宗者，是性也。祖者，是命也。名曰祖宗。丹陽又問：何爲修行？祖師答曰：修者，真身之道；行者，是性命也。名爲修行也。

重陽亦言清静爲修行之基：

(丹陽又問：) 何者名爲清静？祖師答曰：有內外清静：內清静者，心不起親念；外清静者，諸塵不染著，爲清静也。

全真修煉之法，實在是性命之學，重陽真人在回答丹陽真人有關太上七返之義云：

師曰：一者，少言語，養內氣；二者，戒心性，養積氣；三者，薄滋味，養血氣。四者，戒嗔怒，養肺氣；五者，美飲食，養胃氣；六者，少思慮，養肝氣；七者，寡嗜欲，養心氣，是也。

全真教這種修行方法，其中雖以內氣調養爲主，但首要的方法也是心性上之問題。説到心，全真教亦言心道本一，重陽真人答丹陽問道云：

性命本宗，元無得失，巍不可測，妙不可言，乃爲之道。

在金關玉鎖訣的總論中亦言：

諸賢先求明心，心本是道，道即是心；心外無道，道外無心也。

王重陽五篇靈文註中更充分選擇了全真教以天心爲體之性

命學說。

王重陽所言的心是禪佛的真如心,所言的道仍是太上無言的道。然其如何構成其丹道的思想? 據其在五篇靈文注中,可見其言:天心、元神、性命、有無在修行思想與方法之溶匯貫通。原文云:“以天心爲主,以元神爲用。”重陽注曰:“天心者,妙圓之真心也,釋氏所謂,妙明真心,心本妙明,無染無著,淨清之體,稍有染著,即名之妄也,此心是爲太極之根,虛無之體,陰陽之祖,天地之心,故曰:天心也。元神者,乃不生不滅,無朽無壞之真靈,非思慮妄想之心,天心乃元神之主宰,元神乃天心之妙用。故以如如不動,妙圓天心爲主,以不壞不滅,靈妙元神爲用也。”靈文立天心、元神爲體用說,然其天心類於真如心,且爲太極之根源,虛無之本體,陰陽之祖宗,而元神則是天心之妙用。下面試用圖解表示:(附圖一) 王重陽在這裏所說之天心,便是宇宙的本體,宇宙能通過本體運行使萬物生生不息。天心這個本體所統屬之太極,虛無與陰陽等衍生出無限之能力,均要由元神的力量而作出。

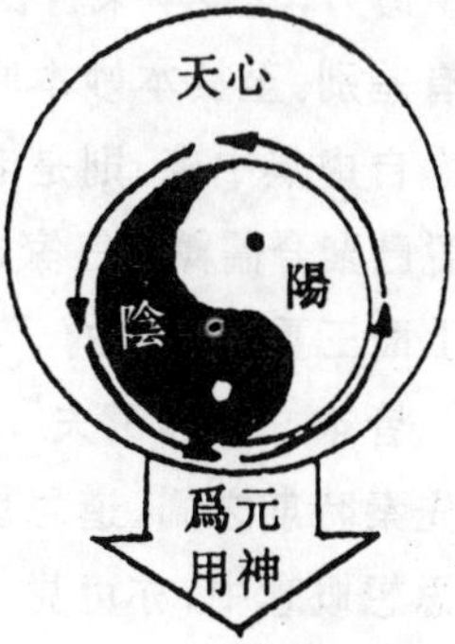

天心所推動元神所産生之作用,也可在人身上感發,惟接受者必須收攝靈妙不昧之元神,憑其先天一氣,自然感通,故曰:

> 天者,先天炁也,人者,後天形也。修僊之士,若常涵養如如不動之天心,靈妙不昧之元神。行住坐卧,攝於玄關一竅之中,自然目不妄視,耳不妄聽,口不妄言,內真外應,先天之炁,自然感通,歸於吾身矣!

但是吾人如何才能使此一先天一炁,發生最有效之作用呢? 他說:“欲先天至陽之炁發現,別無他術,衹是一静之工夫。静工之道，衹在去妄念上做工夫，觀一身皆空，寂然不動之中，忽然一點真陽，發現於恍惚之中，若有若無，杳冥之內，難測難窺，非內非外，不知所以然而然者也。”

於此，王重陽之解釋，一静的工夫便是誘發先天一陽真炁之有效方法。人身裏這一點真陽非由外來，實由內孕，但究竟卻來自內在的一些什麼能量？王重陽認爲這“本自良知良能，本妙本明”。又説“先天一炁，自虛無中來”。上面雖然輕描淡寫地説出，卻已包容了儒釋道三家的精髓。“良知良能”始見於孟子，用來解釋人在性本善的條件下開出“不學而能”，“不慮而知”的仁義心性。據牟宗三先生在圓善論疏解孟子“初原之良能是一，即所云心之所同然”。人本天賦之良能並無差别，後因環境之影響而有不同之表現，這“乃是由於陷溺其心而然”①。

而王重陽則認爲人身內天賦之元陽真炁，即人所以能生存於世的生命力，其根本來自良知良能，其採摘了孟子的術語，但意義上實有差别。至於本妙本明即是釋家所説如如不動之真如心。先天一炁自虛無中來，則是老子無中生有義理上引伸。據此王重陽之解説已聚合儒釋道三家之美了。

上面王重陽提出的“心即道”、“圓妙天心”及“先天至陽之炁”皆本“一静工夫”、“良知良能”等語。其思想觀念除摻雜了先秦時期之儒、道思想及漢唐以來的佛説外，在宋代心學初期的思想概念中，亦可見“心即道”模糊的輪廓，其中邵雍先天學之論説中已隱約可見。邵雍在《皇極經世》所説的“心法”言“先天學，心法也。圖皆從中起，萬化萬事皆生心也”。又説：“心爲太極，道爲太極。”這裏既言“心爲太極”、“道亦爲太極”。則根據上述推論：若甲等於乙；乙等於丙；則甲亦等於丙。這樣我們便可説成“心即道”。

①見《圓善論》第1章。

綜以言之:靈文提出之萬物氣化生成說,是以太極既判而天地日月感二氣而化成,然此二氣互運於天地之間,周流不已而生化萬類。而人之一身造化,乃與天地同一氣,人是宇宙之至靈之物,其修行之心性可與天心合而爲一,此天心是清淨本體有如釋氏所言之妙圓眞心,人身若有感於天心之妙明,則其外三寶口耳目若能無染無雜,專心清淨,便可涵養精氣神之內三寶,自然可完成不漏自合之狀態。

因此,人體若能外三寶不漏,內三寶自合,始得天人通感,得先天之氣,作爲涵養如如不動之天心,人欲天人通感,別無他術,祇有一静工夫,一静工夫則在於去妄,這一静工夫,實是內在煉養之道,人本身已內含一點先天元陽,當人能從静定無染之修行,使心內之良知良能呈現出來,一切便能神妙靈明,完成修鍊過程。

在靈文的一些注解的思想基礎中實含有道家一實存之道體論,釋家之眞如禪定心境,儒家的良知良能,統而合之完成先天與後天之結合,這就是王重陽道釋儒三家結合的丹道心法,其重點不外於一個心學。

四、重陽心學儒釋道三家之通貫

至於重陽心學是否與釋氏禪宗之學或陽明心學有關,若憑學術觀點解說,則必須經過嚴格之考證與淵源追索之工夫,由於本文基礎著重全眞教理“道”與“心”概念上之考察,故對重陽儒釋道三家關係暫不詳論,祇將有關資料條列比較,使於給予吾人之提醒與思索。

(一) 王重陽幾點重要的心學線索。

“以天心爲主,以元神爲用”中之“天心者妙圓之眞心也,釋氏所謂妙明眞心,心本妙明,無染無著之體”。

“始得天人通感”言“修仙之士,若常涵養,如如不動之天心"。

"雖然外來,實由內孕"中言"內含一點先天元陽,本自良知良能,本妙本明"。

"心本是道,道即是心,心外無道,道外無心。"

(二)禪宗心學語要:

唐大照和尚:"大乘開心顯性頓悟真宗論":

問曰:云何是道?云何是理?云何是心?答曰:心是道,心是理,則是心外無理,理外無心,心能平等,名之爲理,理照能明,名之爲心。①

神秀"觀心論":

心者萬法之根本也,一切諸法唯生所生,若能了心,萬行俱備。

雪嚴"祖欽禪師語録":

事不自立,因理而顯,理即心也……事本無名,因理而得,心即理也。

壇經:

心是地,性是王,王君心地上,性在王在,性去王去;性在身心存,性去身心壞。

傳心法要:

心性不異,即性即心,心不異性。

宗鏡録:

心即性,故是自性清淨心也。

壇經:

世人性本清淨,萬法從自性生。

內外明徹,於自性中,萬法皆現。

---

①見《宋明理學史》中卷第246頁。

(三) 王陽明心學語要摘録①:

心即是性,心、性同一宇宙,心之體便是性,心性本合,祇要明心,即可見性,因此,心內求理。(求理於吾心)

心即理。(《傳習録上》)

無心則無身,無身則無心。(《傳習録下》)

天下無性外之理,無性外之物。(《傳習録中》)

心即道,道即天,知心則知道知天。(《傳習録上》)

虛靈不昧,衆理具而萬事出。(《傳習録下》)

在物爲理,外物爲義,在性爲善,因所指而異其名,實皆吾之心也。(《王陽明全集》)

上述引録三者其中是否有相近之處? 全真之心學是否影響了陽明之學? 實在是值得吾人思考探索的。

重陽真人在靈文註曾提及“良知良能”一句詞,然此一詞語始見於孟子:

孟子認爲人生來就有“良知”,“良能”(這也是其性善論的發揮)。他說:“人之所不學而能者,其良能也,所不慮而知者,其良知也。”(《盡心上》)

“盡其收心者,知其善也,知其性,則知天命矣!”(《盡心上》)

孟子之言固然影響了王重陽之心性學說。惟重陽之學“良知,良能,本妙本明”,又是否影響了陽明之心學歷程呢?

王陽明與道教之關係當代學者研究如柳存仁《和風堂讀書記》中《王陽明與道教》一文中可見,但其思想或心學觀念是否受全真家之影響則未有所提,吾人祇能憑上述文字探索可略見其形跡,綜合而言。王陽明之“心與天道”、“本妙本明之良知”以人身一點真陽之來原則很有可能受全真心學之影響。

①見《王陽明全集》。

五、全真心學與宋明儒相互關攝之檢討

全真的道學,大體上是從心學發揮出來,宋以後全真"道"的概念發展,已進入宋明儒心學的範疇裏,根據宋明理學發展史的查考,宋代諸子在人性論與心學上的研究甚多,大體皆從先秦儒家的思想爲基礎,究人性論或心性説的有二程子、張栻、朱熹、黄震等人。有心學發揮較多者有陸九淵、魏了翁,元代理學中也有劉固和吳澄的心性説,而陸九淵更是"心即理"説之開端。

明初理學除以朱學爲統治的主導,已蕴釀中期以後王陽明心學之端緒,明以來心學之傳統,表面看來以繼宋儒之餘緒,但實際上受禪道影響之"心"路歷程,自北宋已顯,不過這些歷史的證據,我們已很難在正史中看到。筆記野史尚可見一、二。全真教自北宋時期張伯端"悟真"之學,已不斷影響宋明諸子,而道教修真之術已爲諸子潛修採用。如王陽明《傳習録》亦有證其行道家導引修真之法。

有關明代諸子與道教之關係。吾人可參考柳存仁之《和風堂讀書記》中《明儒與道教》及《王陽明與道教》二文。明代心學理論紛紜,陳白沙之"天地我立,萬化我出"、"以自然爲宗"的心學宗旨,及"静坐中養出端倪"的心學方法;湛甘泉的"萬事萬物莫非心"之觀,及至王守仁之"心即理"、"致良知"之論證,不少受到禪、道的影響。

六、王陽明心學與道家道教思想修行上之契接

根據王陽明全書内容之查考,有關道家道教思想與修行心法約有 29 條,計:别録中有三條;年譜中有四條;書録中有三條;詩録中有二條及語録中有十六條。

下面試從這 29 條内容查考所得,略析陽明心學如何從道家

道教之思想中進路。全書世德紀卷一載湛甘泉撰之《陽明先生墓誌銘》，其中有言：

> 曰：初溺於任俠之習，再溺於騎射之習，三溺於辭章之習，四溺於神仙之習，五溺於佛氏之習。正德丙寅，始歸於聖賢之學。

在此湛氏將王陽明一生求學與做人分爲六個階段。正德丙寅年間，王陽明年 35 歲，是王氏思想進入儒家聖賢之學之過渡期，前此任俠、騎射與辭章，培養出他治國之技能，仙佛之學使他進入治身修養之路，從自家心性錄養以體悟治國的偉大理想，除此更使他從貶謫之後順利地進入燦爛的仕途。據年譜記：

> 孝宗弘治 12 年，先生 28 歲，在京師舉進士出身，是年春，會試舉南宮第二人，賜二甲進士出身第七人，觀政工部。17 年 9 月改兵部武選清吏司主事。武帝正德元年爲宦奄劉瑾所陷，謫龍場驛驛丞。

由被貶官任龍場驛驛丞開始。直至正德五年恢復受皇帝信任，遷陞廬陵縣知縣爲止，在這四年貶謫生涯當中，在地處山川險惡之貴州山區。使王氏從仙佛之路回歸聖賢之道。在主領貴陽龍岡書院漫長的日子裏，王陽明把他建立的心學理想，作多方面的發揮與嘗試。嘗與其弟子討論知行合一，辨朱陸之異同，更完成其良知之學說。由此，王陽明從向往英雄任俠之胸懷，仙佛對性命之朗豁，使其思想上對儒道之學有更幽深的體悟，最後遂開宋明心學之祖宗。

據年譜史傳的記載，王氏在仕途上，能文能武，自廬陵知縣以後十多年之政治與軍旅生涯中，王陽明歷任兵、刑、工諸部管領，曾任都察院左僉都御史、副都御史等職，奉命巡撫南贛汀漳等地。十三年征三浰，襲平大帽浰頭諸寇；十四年起義剿宸濠之亂；十六年遷陞南京兵部尚書參贊機務，旋被賜封爲新建伯，王陽明先後兩辭不受。嘉靖七年十一月卒於南安。

王陽明一生與仙道結緣多次，可考諸年譜中記録。孝宗弘治十四年，陽明時年30歲，“奉命審録江北，先生録囚，多所平反，事竣，遂遊九華，遇道者蔡蓬頭善談仙，……聞地藏洞有異人，坐卧松毛，不火食，歷巖險訪之，正熟睡，先生坐傍撫其足。有頃，醒驚曰：路險何得至此。因論最上乘，曰：周濂溪、程明道是儒家兩個好秀才。後再至，其人已他移。”

十五年八月“先生漸悟仙釋二氏之非”遂至正德丙寅以後，被貶於龍場驛，時日以儒學爲伍，體心學之要領，集以仙釋二氏之長處，創知行合一，致良知之説。然觀陽明之學，良知之説實是仙釋二學之歸趨，若以王氏之言，仙道以虚，釋佛以無，兩者皆難達於宇宙，生命之究竟，然必須從儒學體悟之心性之學爲鵠的，無論是虚或是無，均必須達於良知之境才得完滿。

下面試對陽明論道之學作幾點分析説明：

(一) 精、氣、神乃良知之凝聚與妙用流行。

《傳習録》中，陽明明白指出良知其實衹有一個，道家中所確認的精、氣、神三寶或道教所云元精、元氣、元神之生命所在，最終也衹歸於良知一件。《傳習》中記：

> 夫良知一也，以其妙用而言，謂之神，以其流行而言，謂之氣，以其凝聚而言，謂之精，安可以形象方所求哉！真陰之精，即真陽之氣之母，真陽之氣，即真陰之精之父。陰根陽，陽根陰，亦非二也。苟吾良知之説明，則凡若此類，皆可以不言而喻。

王陽明認爲道教所謂精氣神三寶，非若所云“三關七返九還”之屬，完全不能以有形之物質或身體内血氣言之。它應該是一種無形無狀之精神狀態，這種精神狀態最後歸於一點良知。

王陽明對精氣神進一步引伸爲儒家理學之義藴，他説：

> 精一之精，以理言。精神之精，以氣言。氣之條理，氣者，理之運用；無條理，則不能運用。無運用，則亦無以見其所謂條理矣！精則精，精則明，精則一，精則神，精則誠，一則精，一則明，

一則神,一則誠,原非二事也,但後世儒者之説,與養生之説,各滯於一偏,是以不相爲用,前日精一之論,雖爲原静愛養精神而發,然而作聖之功,實亦不外是也。

這裏以理言精言一,推而論諸神、理、氣、明、誠之關係,也是由良知蜕變而來的。因此,"良知是造化之精靈,生天生地,成鬼成帝,皆從此出,真是與物無對。"王陽明在此疏解良知之義,隱約可見全真教重陽真人在注五篇靈文中引述良知良能之理。

再者若王陽明所言之精氣神祇是一個良知,而良知又是無形無狀之精神狀態,則這個良知很可能就是道教所言道,更進而直透老莊道的形上境界了。

老子最初提出了常道是永恆不變的真實存在,無形無象。吾人若要體悟常道之永存性與真實性,則可從可道中找尋。然而可道是無處不在的,凡有事物的地方就有可道的存在,在世界上,在自然界裏,在社會人事當中,往往便透出對道的啓示。因此莊子在《知北遊篇》便引證了可道的實存意義:

東郭子問于應子曰:所謂道,惡乎在?莊子曰:無所不在。東郭子曰:期而後可。莊子曰:在螻蟻。曰:何其下邪?曰:在稊稗。曰:何其愈下邪?在瓦甓。曰:何其愈甚邪?曰:在屎溺。

老莊對道的闡釋,王陽明是深有體悟的,文字雖甚不同,然意義則相近。下面試援引數則以證:

問道之精粗。先生曰:道無精粗,人之所見有精粗,如這一間房,人初進來,祇見一箇大規模。如此處久,便柱壁之類,一一看得明白,再久,如柱下有些文藻,細細都看出來,然祇是一間房。①

問道一而已,古人論道,往往不同,求之亦有要乎!先生

①見《王陽明全書》語録卷一。

曰:道無方體，不可執著，卻拘滯于文義上求道，遠矣！如今人祇說天，其實何嘗見天，謂日月風雷即天，不可。謂人物草木不是天，亦不可。道即是天，若識得時，何莫而非道。人但各以其一隅之見，認定以爲道止如此，所以不同。若解向裏尋求，見得自己心體，即無時無處，不是此道。亙古亙今，無終無始，更有甚同異。心即道，道即天，知心則知道知天。

王陽明將老莊所體認的自然之道,也可以說老子的天道觀念,從自然引入於吾人精神之狀態中,成爲儒家所謂先天固有之本性,再進入自家心學的範疇裏,他這種“心即道、道即天”與“知心知道知天”之心學旅程,其輪廓初見于孟子所云“盡心知性知天”,其後也見諸禪學心語及援禪于道之全真教理中。據重陽真人援丹陽二十四訣之結有言:“諸賢先求明心,心本是道,道即是心,心外無道,道外無心。”

(二)王陽明以道養静、以德養心之修行功夫

王陽明的養生功夫是强調清心寡慾之道家精神,但無需吾人盡離世俗的事功,這種做法和全真教所强調的入世以救世濟人爲務;出世以自我修煉爲本,見素抱樸,苦己利人是體道之唯一法門的旨趣相近。因此他說:

養生以清心寡慾爲要。夫清心寡慾,作聖之功畢矣！然寡慾則心自清,清心非捨離人事,而獨居求静之謂也。①

陽明言求静是修行功夫之一,然而既要求静,但卻不能離人事。這種精神也是全真教的基本精神。所以他說:

一友静坐有見先生曰:……一時窺見光景,頗收近效,久之漸有喜静厭動,流入枯槁之病,或務爲玄解妙覺,動人聽聞,

①見《王陽明全書》語録卷一。

故邇來衹説致良知，良知明白，隨你去静處體悟也好；隨你去事上磨練也好，良知本體，原是無動静的。①

又説：

如何欲不聞見，除是槁木死灰，耳聾目盲則可。衹是雖聞見而不流去便是。昔有人静坐，其子隔壁讀書，不知其勤惰。静坐時心，功夫一貫，何須更起念頭。人須在事上磨鍊做功夫乃有益。

又答劉君亮要在山中静坐言：

汝若以厭外物之心去求之静，是反養成一箇驕惰之氣；汝若不厭外物，復於静處涵養卻好！

從以上幾段文字可見，王陽明之養静修行心法，實在於静時當求真静，耳不聞而目不見，心境衹在一個静處，全不受外境擾亂。動時應一心全在一事上，在事上磨鍊也是修行的方法。至於養静也是做學問功夫之重要環節。在示徐曰仁應試中有言：

須練習調養，蓋尋常不曾起早得慣，忽然當之，其日必精神恍惚……須每日雞初鳴，即起盥櫛，整衣端坐，抖擻精神，勿使昏惰，日日習之，臨期不自覺辛苦矣！今之調養者多是厚食濃味，劇酣謔浪。或竟日偃卧，如此是橈氣昏神，長傲而召疾也，豈攝養精神之謂哉！務須絶飲食，薄滋味，則氣自清，寡思慮，屏嗜欲，則精自明；定心氣，少睡眠，則神自澄，君子未有不如此而能致力於學問者。

又年譜記：武帝正德十六年五月王陽明集門人於白鹿洞講論有關學静功夫：

學無静根，感物易動，處事多悔，如何？先生曰：三言者病亦相因，惟學而别求静根，故感物而懼其易動，是故處事而多悔也。心無動静者也。故君子之學，其静也，常覺而未嘗無也。故常

---

①見《王陽明全書》語録卷三。

應常寂,動静皆有事焉,是之謂集義。集義故能無祇悔,所謂動亦定,静亦定者也。心一而已,静其體也,而復求静根焉。足撓其體也,動其用也,而懼其易動焉。是廢其用也。故求静之心,即動也。惡動之心,非静也。是之謂動亦動,静亦動,將迎起伏相迎於無窮矣! 故循理之謂静,從欲之謂動。

六月又與陸澄論養生之道:

京中人回,聞以多病之故,將從事于養生,區區往年蓋嘗斃力於此矣! 復乃知養德養身祇是一事。元静所云真我者,果能戒謹恐懼而專心於是,則神住氣住,而仙家所謂長生之視之説亦在其中矣,老子,彭籛之徒,乃其稟賦有若此者,非可以學而至,後世如白玉蟾,丘長春之屬,皆是彼所稱述以爲祖師者,其得壽皆不過五六十 (按丘長春年逾八十),則所謂長生之説,當必有所指也。

文中所指白、丘二祖乃全真南北二宗之得道真人,如其云“得壽皆不過五六十”其中雖與事實稍有不符,但考其大體之言,亦不爲過,因此王陽明的理念中,所謂長生之説,當必有他意。在答人問神仙一條又言:

蓋吾儒亦有神仙之道,顔子三十二而卒,而至今未亡也。

吾人若深入分析此二條之義,當可契會其真實的含義,全書中有答人問神仙之語:

古有至人,淳德凝道,和於陰陽,調於四時,去世離俗,積精全神,遊行天地之間,視聽八遠之外,若廣成子之千五百歲而不衰;李伯陽歷商周二代,西度函谷,亦嘗有之。若是而謂之曰無,疑於欺子矣! 然則呼吸動静,與道同體,精骨完久,稟於受氣之始,此殆天之所成,非人力可強也。若後世拔宅飛昇,點化投奪之類,譎怪奇駭,是乃祕術曲技。尹文子所謂幻,釋氏謂之外道者也。若是而謂之曰有,亦疑於欺子矣! 夫有無之間,非言語可況。

答人問道詩亦云:

> 飢來喫飯倦來眠,祇此修行玄更玄,説與世人渾不信,卻從身外覓神仙。

從以上詩文可見,王陽明所相信的神仙,非在世人身外天地,而實處於吾人身體之內,或者就存在於世人心中。

陽明論道,有言:"因論最上乘,曰:周濂溪、程明道是儒家兩個好秀才。"這顯然對周子太極圖説與程頤"存天理,滅人欲"之理學要義有很大的啓發。周程二子是北宋道學與理學之始創者之一,周子之太極圖説源於道教煉養家陳摶之無極圖。陳摶的無極圖主要理念基於內丹學上之還丹之學,或者是基於道家修煉之從有還無之心法。內丹學有所謂煉精化氣,煉氣化神,煉神還虛之三層境界。還是道教養生家所云:修行的人必須將吾人身體內孕之精氣神三寶養煉,使其既存的有,經過致虛極、守静篤的過程,復歸其極無之境。周敦頤借無極圖之意念,利用反有到無的觀念,創立了無極而爲太極的宇宙生化流程圖,將陳摶有到無的觀念改變衍伸爲從無到有的天道創生論。另一方面,周子更加添了儒家道德實踐論的基礎,以儒家倫理思想之仁義中正而樹立人極,致令道家之天道創生論與儒家之道德形而上的理念二合爲一而形成了一套完整的道學系統。

根據以上分析與評述,陽明心學與道家道教之學在思想契接上有如下幾點可能:

一、王陽明心學之形成是以仙佛之道與"心"學爲始,最後歸結於儒家聖賢心性之學。

二、王陽明之心學是帶有道家有無思想和道教內丹性命學之成分,最後統攝禪佛之無與道教之虛成宋明理學之宗祖。

三、王陽明是相信神仙之學的存在,惟其理想中的神仙絶非長生不死之千歲神仙,他們不是以肉體生命的永久存在爲神仙的最高境界。

四、在修行方法上，王陽明和先秦之儒道二家、宋初的道學與理學，均強調靜對修行的最大的作用；靜也是達致修行成果最有效的法門。

最後還有一點說明：這一次對陽明論道的查考衹是初步的試探，雖未能找出確實的證據，證明全真教理與陽明心學有較直接之承傳系統，但是，已能夠隱約顯示出陽明學中摻雜了不少全真教理之心學成分。姑勿論其中是一脈相承的抑或是殊途共歸的。

參考書目：

一、《吕祖全書》，青松觀(1965)。

二、《五篇靈文》，王重陽注，《正統道藏》第9册，臺灣：新文豐。

三、《重陽全真集》，王重陽、馬丹陽撰，青松觀。

四、《長春道教源流》，陳銘珪撰，廣文書局(1975)。

五、《四書集註》，朱熹註，臺灣：世界書局(1958)。

六、《王陽明全書》，王陽明撰，正中書局(1979)。

七、《論語註》，康有爲撰，中華書局(1984)。

八、《老子註譯及評介》，陳鼓應著，中華書局(1984)。

九、《般若波羅蜜多心經要釋》，斌宗法師著，興亞書局(1982)。

十、《壇經導讀》，郭朋著，巴蜀書社(1987)。

十一、《中國氣功經典》金元朝部分，人民體育出版社(1990)。

十二、《宋明理學史》，侯外廬編，人民出版社(1984)。

十三、《圓善論》，牟宗三著，正中書局(1983)。

十四、《佛教哲學》，方立天著，人民大學出版社(1987)。

十五、《佛教唯心論概論》，村上專精著，釋印海譯，慧日講堂(1977)。

十六、《中國傳統文化中的儒道釋》，湯一介著，中國和平出版社(1988)。

十七、《中國哲學範疇發展史》(天道篇)，張立文著，人民大學出版社(1988)。

作者簡介 鄭國强，1944年生，廣東南海人，香港能仁書院哲學研究所副所長，香港道教學院教務主任。著有《全真北宗思想史》、《西漢儒家天人災異思想之研究》等。

從《磻溪集》看丘處機的苦修

朱越利

内容提要　丘處機在磻溪、龍門隱居，被稱爲鬥閑，也稱爲苦修時期。《磻溪集》有許多吟誦於苦修時期的作品，使我們得以窺測他當時的内心世界，瞭解當時的一些歷史情況。丘處機鬥閑的主要方式是苦修、修性、内丹修煉、佯狂玩世、讀書、吟詩填詞、放情山水、深入農民和傳教。苦修生活對形成和堅定丘處機的人道主義思想起了重大作用。

丘處機自大定十四年(1174)九月西入陝西寶鷄縣東南的磻溪"鬥閑"，住到大定二十年(1180)。這一段在丘處機生平中被稱爲磻溪時期。大定二十年丘處機遷往隴州(今陝西隴縣)西北的龍門山繼續"鬥閑"，住到大定二十六年(1186)，這一段被稱爲龍門時期。

《磻溪集》中有許多吟誦於這兩個時期的作品，使我們得以窺測他當時的内心世界，瞭解當時的一些歷史情況。

一

丘、劉、譚、馬四哲於鄠縣秦渡鎮真武廟舉行神秘而著名的月夜會議，各言己志。《玄風慶會圖》卷一曰："馬曰志貧，譚曰志是，劉曰志志，惟宗師志閑。"①"志閑"即主動賦閑，不争名争利，義無

①《玄風慶會圖》卷 1，第 10 頁 a，上海涵芬樓影印，1935 年。

反顧地走清静無爲之道。“志閑”決非易事,必須克服清閑時更容易冒頭的世俗的各種欲望和有爲思想,所以《七真年譜》將“志閑”記載爲“鬥閑”。“鬥閑”和“志閑”説法不同,内涵則一。鬥閑或志閑是磻溪和龍門兩個相連結的時期丘處機生活的主題。

鬥閑時期,丘處機“澗飲穀食,耐辛苦寒暑,堅忍人之所不能堪,力行人之所不能守”①。苦修是丘處機鬥閑的手段之一,故磻溪、龍門時期也可以稱爲苦修時期。學者們對苦修時期的艱難困苦,多有論述,兹不重複。

丘處機堅持苦修生活,目的極爲明確。《玉爐三澗雪・暮景第二首》下半闋曰:

> 認得心田要妙,咄迴世俗貪婪。自欣山谷卧松巖。情願披粗食淡。②

“認得心田要妙”即全真教主張的“明心見性”。丘處機在《無俗念・歲寒守志》一詞中描述自己在寒埪中獨自忍受冬夜穿門而入的凛冽寒風,清晨披着敗衲瑟瑟抖抖地踏着積雪冰花去討飯的情景,然後莊重地自我激勵説:

> 晝夜參差,飢寒逼迫,早晚超生滅。須憑一志,撞開千古心月。③

“撞開千古心月”也就是“明心見性”,即“忍辱調猿馬,安閑度歲時”(《五絶・示衆第二十首》)。

艱苦的生活,可以鍛煉身體,增强體魄。《無俗念・居磻溪》曰:

> 選甚冷熱殘餘,填腸塞肚,不假珍饈力。好弱將來餬口過,免得庖廚勞役。壯貫皮囊,薰蒸關竅,圖使添津液。色

①虞集《道園學古録》卷50《非非子幽室志》。臺灣商務印書館影印《文淵閣四庫全書》,第1207册,第704頁下。

②《珍本》91/55上。此爲“《北京圖書館古籍珍本叢刊》第91册,第55頁上”之略寫,以下引用此書皆同。

③《珍本》91/37上。

身輕健,法身容易將息。①

但丘處機苦修的主要目的并不是鍛煉身體,增強體質是爲了更好地修性。"色身"即身體,"法身"即性。所以詞中曰:"色身輕健,法身容易將息。"

乞食受苦并不是修性的唯一手段。丘處機還通過學習道教教義以除去心中污垢,以及修"坐忘"等法,去修性。《無俗念·性通》上半闋曰:

法輪初轉,慧風生,陡覺清涼無極。皓色凝空嘉氣會,豁落塵煩胸臆。五賊奔亡,三尸逃遁,表裏無踪迹。神思安泰,湛然不動戈戟。②

"法輪"指道教教義,"慧風生"即宗教智慧,運用宗教智慧認識世界和人生,則"陡覺清涼無極","豁落塵煩胸臆"。"五賊"指五行。《陰符經》曰:"天有五賊,見之者昌。"諸家注大都將五賊釋爲五行。"三尸"即人體内的三尸神,也叫三蟲。"湛然不動戈戟"是形容思惟活動達到静止不動的入定狀態。也就是連世界的存在(五賊奔亡)和自己的存在(三尸逃遁)都忘記了,都感覺不到了。這一段所述修法,很像佛教的"止觀"、"禪法",又有道教的"坐忘法"的成分。丘處機也將之形容爲"忘機息慮,返樸歸原"、"清齋兀兀坐忘機"。

王重陽要求信徒們築庵或築"環堵"進行修煉,相當於"封關"、"閉關"。住庵或住環堵當然也是修性的一種方法。《無俗念·性通》下半闋曰:

信步紫陌紅塵,飢餐渴飲,度日隨緣覓。物外閑中天地寶,時復玎璫敲擊。後約參師,前程歸路,自有真消息。鶴書來召,坐升雲漢游歷。③

---

①《珍本》91/37 上。

②《珍本》91/39 上。

③《珍本》91/39 上下。

丘處機把"閑"看成天地寶,就在於"閑"爲修性提供了充足的時間,磻溪和龍門山如同大環堵。

修性是丘處機鬥閑的手段之二。

住庵或住環堵,不僅修性,而且修命。全真教道士除了用養生法修命之外,還修煉內丹。內丹修煉是丘處機鬥閑的手段之三。

《水龍吟·道運》上半闋曰:

> 混元南岳初開,瑞雲透出昆侖表。星移電轉,陰升陽降,紅光縹緲。鶴舞鸞翔,看烏龜共赤蛇蟠遶。盡鴻濛一氣,烹成造化,神仙道,片時了。①

詞中出現了星、電、鶴、鸞、龜、蛇等衆多的自然景物和動物名詞,但如果把這半闋詞解釋爲寫景,則不通,令人莫名其妙。因爲詞中使用的并非這些名詞的本義,而是喻義。這些名詞均用作內丹術語。"星"與"電","陰"與"陽","鶴"與"鸞","烏龜"與"赤蛇"等比喻神與氣、性與命。此外,"南岳"、"昆侖"比喻頭部泥丸宮。"紅光"則是煉內丹時眼前出現的景象。將這半闋解釋爲內丹修煉,則詞意非常通暢。

《沁園春·心通》全篇描寫煉內丹之情景:

> 大智閑閒,放蕩無拘,任其自然。寄雅懷幽興,松間石上,高歌沉醉,月下風前。玉女吹笙,金童舞袖,送我醺醺入太玄。玄中理,盡浮沉浩浩,來自綿綿。奇哉妙景難言,算别是,人間一洞天。傲立身敦厚,山磨歲月,從他輕薄,海變桑田。神氣沖和,陰陽升降,已占逍遥陸地仙。無煩惱,任開懷縱筆,狂寫詩篇。②

"神氣沖和,陰陽升降",形容以神馭氣。"任其自然"、"浮沉浩浩",指示修煉內丹時應掌握的原則。"醺醺"如醉是修煉內丹時一種感覺,一種狀態。至於"玉女吹笙,金童舞袖",則比喻煉內丹時調息呼吸。丘處機詩詞中還有一些"吹笛"、"吹簫"的描寫,均比喻內丹修煉。

---

①《珍本》91/42 上。

②《珍本》91/40 上。

丘處機在苦修時期既修性，亦修命，性命雙修。《沁園春·示衆》有一句話可以概括丘處機的這種生活，叫作"向碧巖古洞，完全性命"①。性命雙修，自然是以早證道果、飛騰太清爲目標。丘處機唱道：

他年功滿，化雲天上無迹。(《無俗念·簑衣》)②

修煉事，地軸鎖天關。出有入無三尺劍，長生不死一丸丹，名列上仙班。(《望蓬萊·游興》)③

除此之外，丘處機苦修於磻溪、龍門石洞土穴之中，遠離政治中心和城鎮，還有逃避現實之意。

丘處機一再表白心迹：

自解偷生巖嶂崖，誰能闡化法輪橋。(《七律·幽居》)④

陝右不干浮世事，天涯曾遇大羅仙。(《七律·答甘北鎮孟秀才》)⑤

遠害誠能依道力，施恩未解接神功。(《七律·次韵銀張八秀才》)⑥

世俗歡娯無所益，冥冥物外且韜光。(《七律·中秋不見月》)⑦

和光同塵隨是非，化聲相待無相詰。(《古調·速修》)⑧

城中豪富各仁慈，應在磻溪長守拙。(《古調·覓破布衲衣》)⑨

道友相看唯莫怪，貧閑守拙無相待。(《鳳棲梧·道友見訪

①《珍本》91/39 下。
②《珍本》91/38 上。
③《珍本》91/51 上下。
④《珍本》91/4 下。
⑤《珍本》91/5 上。
⑥《道藏》25/812 上。此爲"《道藏》第 25 册，第 812 頁上，文物出版社、上海書店、天津古籍出版社，1988 年第 1 版"之略寫，以下引此書皆用此略寫法。
⑦《道藏》25/812 中。
⑧《珍本》91/25 上。
⑨《珍本》91/25 上。

於磻溪》)①

清贫柔弱祸难侵。(《玩丹砂·游歷》)②

丘處機隱於山野,過着平静、安定的生活。

虞集《道園學古録》50《非非子幽室志》曰:

昔者汴宋之將亡,而道士家之說,詭幻益甚,乃有豪傑之士,佯狂玩世,志之所存,則求返其真而已,謂之全真。③

穿百衲衣,乞千家食,也是一種狂態。《萬年春·衲衣》曰:"百片千條,上下穿聯定。寬還正。外踈狂性,内放明珠瑩。"④此外,丘處機在深山之中還有不少非常表現:

揚眉瞬目開懷抱,散發披襟遠市朝。(《七律·幽居》)⑤

醉來石上披襟卧,覺後林間掉臂行。(《七律·自詠》)⑥

飢時只解巡門乞,飽後兼能鼓腹歌。(《七律·衆道友問修行》)⑦

乘嘉趣,對芳叢爛飲,一醉三年。(《沁園春·九月虢縣傅宅作朝真醮》)⑧

幸得清涼無垢地,棲真且放日高眠。(《七律·磻溪》)⑨

寒來暑往,星移物换,得高眠晝。(《水龍吟·春興》)⑩

丘處機無拘無束,率性而行,充分享受了個性自由。放浪形骸,佯狂玩世的行爲也是對現實的不滿和嘲弄,是精神上自我隔絶的一道屏障,自我保護的一種偽裝。

陳垣先生極爲欣賞王惲、徐琰、虞集、金源璹等人的評述,認

---

①《珍本》91/48 下。
②《珍本》91/56 上。
③虞集《道園學古録》卷 /50《非非子幽室志》,《文淵閣四庫全書》1207/704 下。
④《珍本》91/49 上。
⑤《珍本》91/4 下。
⑥《珍本》91/4 下。
⑦《道藏》25/812 上。
⑧《珍本》91/40 下。
⑨《珍本》91/4 上。
⑩《珍本》91/41 下。

爲全真教"立教之初,本爲不仕新朝,抱東海西山之意","持遺民態度","以逸民名初期之全真,誠得全真之真相"[①]。丘處機逃避現實,嘲弄現實,行東海西山之舉,客觀上與金政權保持了相當的距離。丘的信徒中也難免有忠於故宋、義不仕金的知識分子,無怪乎陳垣先生下此結論。

但丘處機苦修乃以度世成仙爲終極目標,又無一言一詞懷宋貶金,把他的玩世避世理解爲純宗教意義上的出世之舉,看成對廣義的世俗社會的批判,看成與遺民態度無關,亦未嘗不可。王重陽和其他六位北宗真人的表現,與丘處機亦相似。全真教早期領袖們創教時的政治態度,至今仍是一個謎。

佯狂玩世是丘處機鬥閑的手段之四。

丘處機鬥閑的手段之五是讀書。

丘處機自幼嗜好讀書。入道以來,更以讀書指導修行。自咏道:

吾之向道極心堅,佩服丹經自早年。(《七律·堅志》)[②]

西入磻溪、龍門後,仍讀書不輟。《青蓮池上客·入關》自咏曰:

重陽羽化登仙路,兄弟如何措?各各勸修生覺悟。通無人有,静思忘念,密考丹經祖。[③]

這首詞告訴我們,丘處機在師父重陽真人羽化之後,繼續孜孜不倦地秘密地研讀丹經。所謂"丹經祖",大概包括《周易參同契》、《鍾吕傳道集》、《黄庭經》、《人藥鏡》、《悟真篇》等奠基性質的丹經。

在磻溪時,丘處機還寫下一首《七律·虢縣銀張五秀才處借書》。本是爲贊頌銀張五秀才慷慨樂助的美德,卻"無心插柳柳成蔭",同時記録了自己刻苦好學的事迹。詩曰:

---

①參閲陳垣《南宋初河北新道教考》卷1《全真教之起源第一》,中華書局,1962年7月新1版。

②《珍本》91/4下。

③《珍本》91/51下。

盛族文章舊得名，芝蘭玉樹滿階庭。光輝代代生豪傑，講論時時聚德星。顧我微才弘道晚，知君博學貫心靈。嘲吟不用多披覽，續借閑書混杳冥。①

銀張五秀才出身於世代書香門第，一方望族，本人亦博學多才，其宅爲文人聚會、切磋學問的中心，相當於現代的學術沙龍。其藏書甚富，可想而知。而丘處機不只一次前去借書，所以稱"續借"，而且專借"閑書"。所謂"閑書"，包括的範圍就没有邊際了。可見丘處機抱着開卷有益的宗旨，博覽羣書，不受世俗或傳統條條框框的限制。

還有一首五律，題爲《嶺北西京留守夾谷清神索》。詩中曰：

去年奉勑三冬往，今夏賫書九月來②。

姚從吾先生以爲這裏的"書"亦指詩書而言③。姚先生的分析很值得參考。當然，這個"書"字也可以釋爲書信。

今天已無法知道丘處機在苦修時期讀過哪些書，讀過多少書。在苦修時期以後，他也會手不釋卷地讀書。但可以肯定地説，苦修時期是丘處機一生中讀書最多，也是從書本中汲取營養最多的時期。因爲這十三年，不僅是他最爲空閑的時期，簡直就像脱産自修一樣，而他正值從 28 歲至 40 歲的讀書黄金時期。他就如同自修了幾個現代碩士、博士學位一樣，用淵博的知識和分析問題的能力充實、武裝了自己。

丘處機鬥閑的手段之六是吟詩填詞。

《望海潮・脱俗》下半闋曰：

吾常志僻心顛，愛簞瓢淡薄，詞翰嘲掀。幽洞小溪，開懷取興，時成短句長篇。駞馬勝花箋。任奮筆狂吟，走霧飛烟。放蕩如如性，混終日，恣乾乾。④

---

①《道藏》25/812 上。

②《珍本》91/7 上。

③姚從吾：《元丘處機年譜》，第 16 頁。收於錢穆等著《中國學術史論集》四，中華文化出版事業社，1963 年 2 月第 3 版。

④《珍本》91/46 上。

丘處機在苦修生活中,興之所至,筆走龍蛇,"吟詩閑度日"(《五律·答虢縣猛安鎮國》)①而已。所謂"駞馬",即祭神用的"紙馬"、"甲馬"。丘處機題詩無紙,便到廟中收集駞馬當詩箋。《七律·磻溪廟覓駞馬》專述此事,曰:

聞説磻溪隱太公,巖高樹密壯祠雄。花朝石窟龍吟霧,月夜山門虎嘯風。萬載熊羆名不朽,三春駞馬獻無窮。將詩爲覓千餘疋,染翰聊爲度日功。②

古有紅葉題詩、羅帕題詩等佳話,丘處機紙馬題詩、何等豁達,又何等浪漫。

丘處機喜愛"獨立紅塵外,孤吟碧嶂前"(《五律·答虢縣李四秀才》)③,"獨坐長松下,孤吟亂石邊"(《五絶·復歸隴山第二首》)④。他用吟詩排遣閑愁。《金蓮出玉花·青峰》曰:

雲收雨霽,露出青峯寒骨勢。野静天空,岌岌高横碧落中。南溪無景,與爾炎天銷日永。永日題詩,不賦閑愁只賦伊。⑤

這首詞使我們想起李白、辛棄疾。李白曰:"相看兩不厭,只有敬亭山"(《獨坐敬亭山》)。辛棄疾曰:"而今識盡愁滋味,欲説還休。欲説還休,卻道天涼好個秋"(《醜奴兒·書博山道中壁》)。丘處機的《金蓮出玉花·青峯》化用了李白、辛棄疾上述兩首詩詞的意境。

丘處機有時在土穴中吟詠。《萬年春·土埪》曰:

土穴秋來,温温漸覺陽和勝。幽棲興,道家編稱,竦懶多貧病。 凛冽天寒,葉落山川淨。窗前競雪,飄風勁,熱焙閑吟詠。⑥

獨坐在窮鄉僻壤土窨洞中,很可能是坐在土炕上,望着漫天風雪

①《道藏》25/827 中。
②《珍本》91/5 上下。
③《道藏》25/827 中下。
④《珍本》91/32 下。
⑤《珍本》91/53 上。
⑥《珍本》91/49 上。

和白茫茫的荒涼山野，所有的人似乎都不復存在了。寂寞是消閑的孿生兄弟。丘處機通過吟詩與寂寞相抗爭。他躺在石洞中吟詩自娯："不妨居石室，高枕咏烟蘿。"(《五律・秋雨》)①

丘處機無心以詩詞在文學史上争得一席之地，他説：

> 著假空貪齊李杜，明真何必等松齊。研窮壽算文章力，豈奪虛無造化標。(《七律・山居第三首》)②

他認爲，即使能夠與詩仙李白、詩聖杜甫齊名，也不過争得虛幻不實的假名。所以他并不刻意追求藝術技巧。作詩往往是隨興而發，所謂"勝境無窮言不盡，臨風時顧一揮毫"(《七律・山居第一首》)③。由於感情真摯，反寫出了一些雋永清麗的詩詞，形成不飾雕琢、瀟灑淡雅、清新流暢的獨特藝術風格。拙著《道經總論》第八章第五節《道經對文學藝術的影響》中，分析了丘處機的詩詞藝術，此處不再重複④。當然，《磻溪集》中也有不少藝術水平不高的作品。總的説來，丘處機的詞勝於詩，苦修時期的作品勝於棲霞時期的作品。

苦修時期的淺吟低唱，日積月纍地陶冶、造就了丘處機的詩人氣質。

丘處機鬥閑的手段之七，是放情山水。

詩人在山水的庇護下，躲開了塵世的煩擾，找到了屬於自己的清静聖潔的天地。詩人吟道：

> 如何脱免紅塵境，似我登臨碧嶂臺。步步嬉游天漢出，時時騰踏野雲開。(《七律・答清河氏》)⑤

> 峨峨峻嶺接雲衢，古柏參差一萬株。瑞草不容凡客見，靈禽

---

①《珍本》91/29 下。

②《珍本》91/6 下。

③《珍本》91/6 上。

④參閲拙著《道經總論》，第 387—389 頁，遼寧教育出版社，1991 年 12 月第 1 版。

⑤《珍本》91/5 下。

唯只道人呼。(《七律·磻溪鑿長春洞》)①

不怨深山自采樵,山中別有好清標。幽居石室仙鄉近,不假環牆世事遥。(《七律·山居第二首》)②

獨自深山搤寂寥,閑雲作伴屏喧囂。軌慵不念生涯拙,好静唯便熟境銷。(《七律·山居第三首》)③

洞口時聞三島鶴,天隅來訪一簑衣。(《七律·春晚雨》)④

長歌愛屧臨春水,獨坐看雲對曉風。(《七律·次韵銀張八秀才》)⑤

丘處機對大自然情有獨鍾,深得其趣。清閑,使丘處機有充裕的時間思索博大深奥的哲學問題,大自然給他以寶貴的啓迪。他凝望山谷,體會大道貴虚之理。詩中曰:

鬱鬱烟霞滿谷中,冥冥心迹體虚空。(《七律·次韵銀張八秀才》)⑥

他杖策游山,觀察自然萬物之化。詩之曰:

吟詩閑度日,觀化静臨風。(《五律·答虢縣猛安鎮國》)⑦

丘處機師從造化,師從山水,不斷淨化和充實自己。望月則贊其圓潔:

灑脱圓明孤且潔,飄飄塵外不淹留。(《七律·見月》)⑧

賞蕉則贊其堅:

造化乾坤難比大,尋常風雨莫敢摧。(《七律·芭蕉》)⑨

觀竹則贊其直:

---

①《珍本》91/4上。
②《珍本》91/6上。
③《珍本》91/6下。
④《珍本》91/4下。
⑤《道藏》25/812上。
⑥《道藏》25/812上。
⑦《道藏》25/827中。
⑧《道藏》25/812中。
⑨《珍本》91/6下。

虛心翠竹，禀天然一氣，生來清獨。(《無俗念·竹》)[①]

南溪竹，騰秀入青冥。直節虛心功未裏，深根固蒂道先明，霜雪豈凋零。(《望蓬萊·南溪竹》)[②]

對菊則贊其勇。《沁園春·九日虢縣傅宅作朝真醮》後半闋曰：

黄花嫩蕊堪憐，散裊裊，清香滿坐傳。使衆人得味，皆明至道，羣鶯無語，獨王秋天。艷杏妖桃，繁華春景，莫與凝霜敢鬥堅。乘嘉趣，對芳叢爛飲，一醉三年。[③]

詩人以風花雪月傳統的擬人化的優良品質自勵、自喻。

丘處機敬重菊花還含有懷念師父的深意在內。《悟南柯·下元醮喬生簪菊》曰：

爛熳黄金蕊，輕盈白玉枝。重陽留得下元時。醮謝星官，特地獻真師。[④]

王嚞號重陽。重陽日正是秋菊爛熳之時。

大自然陪伴丘處機度過漫長的苦修生活，忠實地安慰他，鼓勵他，保護他，似有靈思與他交流。大自然已成爲丘處機的摯友、生命和精神支柱。所以，與詩人朝夕相伴的山水花草一旦受到傷害，詩人就難以忍受。比如，與他隱居處隔澗相望的一棵隴山孤松，被人斧砍時，丘處機的心在一滴一滴地淌血，痛苦萬狀。失去了這位朋友，丘處機再也無法在隴山生活下去。丘處機用詩把這件事沉痛地記述下來，曰《古調·隴山松》，全文如下：

我居西山時六年，山西上有松孤然。朝雲霏微接關塞，暮雨淅瀝交洞天。天生此境爲吾伴，隔澗相陪遠相看。鬱鬱蒼蒼氣已佳，蕭蕭瑟瑟風聲貫。連枝合抱垂重陰，受命已經千載深。如何

①《珍本》91/38 上。
②《珍本》91/51 上。
③《珍本》91/40 下。
④《珍本》91/53 下。

今歲上春月，平地忽遭樵斧侵。斧聲丁丁響溪谷，松烟慘慘愁山麓。也知天意我將歸，故遺靈巖爾先復。景亡人散復何陳，空山黯淡悲游人。白鶴高飛失行止，蒼龍偃卧無精神。亦知物象終難固，凡百有形皆有數。高歌物外歸去來，大隱鄽中益開悟。①

丘處機與大自然的深情，由此可窺一斑。

丘處機鬥閑的手段之八是深入農民。

丘處機在磻溪時，一年三百六十五天，天天身著襤褸衣衫，到附近村莊去乞食。"飢餐渴飲，逐時村巷求覓"(《無俗念・居磻溪》)②。"求飯朝入西村"(《無俗念・歲寒守志》)③。除了乞食之外，他還經常到附近村莊去散步。《黄鶴洞中仙・虢里渭南灤里》曰:

此地風光勝，人物俱相應。水竹深藏數十家，户户知天命。我愛清虚里，策杖尋幽徑，每日巡村轉一遭，信步閑吟咏。④

他有時深入農民家中去訪問，留宿那裏。《五律・訪終南懷道村寧之道留宿竹園》就記録了這種情況。丘處機經常與樵夫、牧童爲伍。《無俗念・簑衣》曰:"時伴樵牧嬉游，春山緑水，帶雨和烟適"。⑤

丘處機在農民中結交了許多不拘形迹，可以推心置腹的忘形友。有時農民朋友攜帶食物、餐具來訪，向他求教，丘處機與他們盡日暢談，毫無倦意。《七律・贈王周二生見訪》記載曰:

二公何事挈盤餐，出郭嬉游草莽間。宛轉尋村來訪道，因循樂道暫偷閑。深知舊有逍遥志，遠看虚無萃葎山。盡日開懷恣談笑，夜深同步月明還。⑥

①《珍本》91/25 上下。
②《珍本》91/37 上。
③《珍本》91/37 上。
④《珍本》91/50 下。
⑤《珍本》91/38 上。
⑥《道藏》25/811 下。

他與農民朋友經常在一起高歌豪飲。《瑤臺月・勸酒》曰:

時時訪,山谷道人游戲。效猖狂,物外高吟。慶滑辣,盃中美味。①

《梅花引・磻溪舊隱》回憶當年共飲消夜酒的情景曰:

溪東幸獲忘形友,月下時斟消夜酒。酒盃停,月華清。披襟散髮,欣欣唱道情。②

所謂"酒逢知己千盃少",大概就是這個樣子了。

丘處機同農民建立了深厚的友誼,農民們愛戴他,關心他。《無漏子・樂道》曰:"昏告宿,餒求食,坊村没阻顔。"③《滿庭芳・述懷》曰:"逐疃巡村過處,兒童盡,呼飯相留。"④農民已經把他視爲親人。農民瞭解到他愛竹,主動在他窗前栽上幾叢。《無俗念・竹》吟道:"好事東里田侯,南溪新種,使我開青目。"⑤天熱時,農民紛紛贈扇子。他十分感動,留下了七絶《還楊五所惠紙扇》、《題楊五紙扇》、《題王生紙扇》、《題王二紙扇》、《題周道全紙扇》、《題龐氏藤扇》等作品。當農民遇到婚喪、蓋房、節日等重大日子,他也題詩表示哀悼或祝賀,《磻溪集》中也留下了此類詩詞。

丘處機與農民的感情愈來愈深。他一再歌頌他們"知命固窮皆淡薄,樂天清儉不奢華,隨分保生涯"(《望蓬萊・贈王齊二生》)⑥,"地靈人傑不生邪,時復伴烟霞"(《望蓬萊・秦川》)⑦,願與他們"結良因妙趣"(《水雲游・自詠》)⑧。他與農民難捨難分。《水龍吟・西虢》下半闋曰:

山秀水甜人義。遍坊村,各生和氣。我來不忍,輕歸劉蔣,天心地肺。須待他時,暗淘真秀,育成丹桂去。長安路上,眠冰卧

---

①《珍本》91/45 上。
②《珍本》91/47 下。
③《珍本》91/56 下。
④《珍本》91/42 上。
⑤《珍本》91/38 上。
⑥《珍本》91/51 上。
⑦《珍本》91/51 上。
⑧《珍本》91/59 上。

日,作終身異①。

丘處機是一位情深義重的人。

《磻溪集》告訴我們,丘處機遁入磻溪、龍門閂閑,雖然遠離喧囂的城鎮,但由於他實地觀察和親身體驗農民羣衆的生活,他的心離農民群衆更近了。他并没有完全脱離社會,反而對社會底層的理解更深刻了。

古代,我國西北地區山區農民種地,世世代代靠天喫飯,故陰晴雨雪牽動着農民的每一根神經。丘處機對待氣象,亦喜農民之所喜,憂農民之所憂,與他們心心相印,休戚與共。

丘處機在《忍辱仙人·春澤第十二首》中歡呼春雨曰:

一澤天恩齊慶賀,羣生地著無飢餓,愁態眉間都蹴破。②

在《忍辱仙人·春澤第一首》中,丘處機提前感受到農民慶祝春澤和夏收的喜悦:

數載田苗長亢旱,今春雨雪何滋漫。嘉兆分明知過半,將來看,掀天大熱歌謳滿。二月花開成片段,千株柳發排堤岸。又待教人裝好漢。相呼喚,提壺挈榼争跳竄。③

這樣的詩詞還有《忍辱仙人·春興》、《無漏子·樂道》等。

當天旱之時,丘處機的心跌人深淵,爲農民之苦大聲疾呼。《古調·因旱作》寫到:

青霄碧落常無雨,紫陌紅塵唯播土。鑠石流金萬物焦,鎔腸裂背羣生苦。④

他根據天人感應的觀點,在《望遠行·因旱贈渭南王坦公醮上諸道友》、《烏夜啼·戒洗面》、《無夢令二首》等詞中,一再告誡人們不要奢侈驕矜,以避免上天給予旱災的懲罰。

他爲自己無力拯救飢疫中的衆生而痛心疾首,以至義憤填膺

①《珍本》91/41 上。
②《珍本》91/49 下。
③《珍本》91/49 下。
④《珍本》91/26 上。

地抗議皇天后土。《古調・愍物二首》曰：

天蒼蒼兮臨下土，胡爲不救萬靈苦。萬靈日夜相凌遲，飲氣吞生死無語。仰天大叫天不應，一物細瑣徒勞形。安得大千復混沌，免教造物生精靈。

嗚呼天地廣開闢，化出衆生千百億。暴惡相侵不暫停，循環受苦如何極。皇天后土皆有神，見死不救知何因！下土悲心卻無福，徒勞日夜含酸辛。[1]

丘處機竟然不怕得罪皇天后土，足見農民在他心中沉甸甸的份量。

道教主張"度人"。"度人"思想的現世部分，與孔子以"仁"爲核心的古代人道主義思想是相通的，都認爲人人均享有幸福生活的權利，人應當愛人，傷害別人乃是不善，應遭譴責。丘處機《五絕・愍物二首》曰：

皇天生萬類，萬類屬皇天。何事縱陵虐，不教性命全！

陰陽成造化，生滅遞浮沉。最苦有情物，難當無善心。[2]

故而他在《清心鏡・警殺生》一詞中，強調人屬三才，"萬靈中，人最貴"的傳統觀點，警告愚夫不要以殺害生靈爲游戲，小心下地獄！

丘處機的古代人道主義思想，當然來自道教信仰，來自他對儒家思想的吸收，同樣也來自他對農民貧困生活的深入瞭解和與農民結下的深情厚誼。《磻溪集》告訴我們，苦修生活對於形成和堅定丘處機的古代人道主義思想也起了重大作用。

丘處機鬥閑的手段之九是傳教。

丘處機留下不少純説教的詩詞。這類詩詞既是用來自勉，又是用來宣傳的。有些則是專門寫給別人看的，如《頌・示衆戒色》、《五言長篇・示衆》、《五絕・示衆二十七首》、《姿逍遥・贈道友》

①《珍本》91/26 上。
②《道藏》25/829 中。

等。《五絶·示衆二十七首》系統地闡述了有關人生虚幻、貪欲害生的道教教義，勸人性命雙修。除了純説教的詩詞外，丘處機的其他詩詞中，也大多包含道教思想。其中那些贈答之作，也是專門寫給别人看的。這類作品中包含的道教思想，也帶有宣傳色彩。

有人登門求道，丘處機熱情接待，但拒不受禮。他對送禮者説：

凡爲道友欲相尋，不用浮財禮數欽。俗物光輝難買道，人情拘束易勞心。(《七律·贈涇州趹趹郎中暨劉解元》)①

一位農民因喪妻，向丘處機請求入道(《七絶·答喬生彼新喪偶欲休心入道》)。這首詩證明丘處機在磻溪、龍門進行收徒和主持入道儀式的活動。

他耐心地指導信徒的修煉，啓發他們克服修煉過程中的急躁情緒。《黄鶴洞中仙·贈同道》曰：

踏破鐵鞋迷，不出庵門透。水到渠成本自然，行滿功還就。②

同樣的内容，又見於《玉爐三澗雪·勸同道楊公不游海》一詞。

丘處機勸人參加齋醮活動。《解冤結·贈醮衆》曰：

山河已定，干戈不起，太平時，八方和義。齋醮頻修，盛答報，虚空天地。謝洪恩，暗中慈惠。　千年一遇，神仙出世。幸遭逢，莫生輕易。供養精嚴，但一歲，勝如一歲。遇良辰，大家沉醉。③

《恣逍遥·贈衆道友》曰：

昔種良因，今生福地。虚空感，上真加衛。開壇闡化，垂恩普濟。凡一月，於中建成三會。　至日相呼，臨時莫避。乘齋且，散心游戲。家中不足，眉頭長繫。也則是，浮生過了一世。④

①《珍本》91/5 下。
②《珍本》91/50 下。
③《珍本》91/55 下。
④《珍本》91/56 下。

丘處機應是主持齋醮活動之人。

在磻溪、龍門苦修時期，丘處機并没有把自己的活動範圍限制在狹小的區域之內。他有時外出雲游。《七律・答李四秀才邀住渭北》曰："本來今歲合雲游，性劣那堪道未周。"①他進過隴州城，有《七絶・隴州堂下清夢軒》爲證。另一首《七絶・答隴州蕭防判書召》小序曰：

> 因事别隴山，過亭川，屆石灰寺，盤桓數日，趑趄未決。公書忽至，欣然乃還。②

在返隴山的路上，他心情愉快地寫了一首《七絶・自亭川回路次望龍門山》。丘處機有可能走到哪裏，傳教到哪裏。

傳教活動擴大了全真教的影響和勢力，提高了丘處機的威望，也鍛煉了他領導教團的才能。

丘處機在磻溪，開始時，只有知識分子同他交往，《磻溪集》留下一批這類詩作，如《七律・答甘北鎮孟秀才》、《七律・答李四秀才邀住渭北》、《七律・答宰公子許秀才》、《七律・次韵銀張八秀才》、《七律・虢縣銀張五秀才處借書》。隨着名望的增長，丘處機在磻溪、龍門時，各級官員也逐漸慕名向他索詩，同他唱和或召見他。至終南時期，他已經化民成俗，名動公卿，束帛蒲車，相將巖壑。從《磻溪集》的詩詞中可以看出他與官員交往的一些情況。如：《上丹霄・答隴州防禦裴滿鎮國》、《古調・贈濰陽唐括姑》（括姑乃故丞相之女弟）、《七律・嶺北西京留守夾谷清神索》、《五律・答虢縣猛安鎮國》、《七絶・答京兆統軍夾谷龍虎書召》、《七絶・答曹王妃休休道者書召》、《七絶・答隴州蕭防判書召》、《忍辱仙人・虢縣元押司求》。

終於，他名動京闕。《世宗皇帝輓詞》小引曰：

> 臣處機以大定戊申春二月，自終南召赴闕下，蒙賜以巾冠

①《道藏》25/811 中。
②《珍本》91/14 下。

衫繫，待詔於天長觀……後五月十八日召見於長松島。秋十月十日，再召見。剖析天人之理，頗愜宸衷。薄暮言歸。翌日，上遣中使賜桃一盤。處機不食茶果十有餘年。過荷聖恩，即啖一枚。中秋，以他事得旨，許放還山。仍賜錢十萬，表而辭之。①

丘處機受到金朝最高統治者的禮遇，這是對他全真教領袖地位的承認。他的聲名更加顯赫。因此，丘處機對金世宗懷有刻骨銘心的感恩戴德之情。故而，當他返回終南山途中，驚聞世宗哀詔時，無限悲悼，寫下充滿感情的《世宗皇帝輓詞》和小引。這次經歷，使他加深了對局勢和金政府的瞭解，也積纍了同皇帝打交道的經驗。

在磻溪、龍門時期，比起苦修和佯狂玩世來，傳教活動尚是次要的，屬於大無爲中的小有爲。

作者簡介　朱越利，1944年生，中國道教文化研究所研究員，中國道教學院教授。主要專著有《道經總論》、《道教要籍概論》、《道教答問》、《道藏提要》(合著)等。

---

①《珍本》91/23下—24上。

道士傅金銓思想述略

曾召南

傅金銓，清嘉、道間淨明派道士。生卒年不詳，活動事迹僅見零星記載。《巴縣志》卷五曰："清嘉慶二十二年(1817年)，有傅金銓者，字鼎雲，別號濟一子。江西金溪人。入蜀寄居巴縣，大開壇坫。自謂得純陽符火不傳之秘，所著有《道書十七種》。從游者衆，其門下最知名者，有臨川紀大奎，時官合州知州，有《易問》、《老子注》行世。"①《盃溪録》阿應麟序曰："《盃溪録》者，濟一道人傅金銓證道之書也。道人淹通經史，工詞翰，解聲律，善畫能琴，俊絶一時。以孝行聞於鄉里，居善親，與善鄰，知夫宇宙事皆分內事，蓋有由也。……道人自言受訓於純陽呂祖，應八百之讖，首先忠孝，若堯舜禹文周孔，道統相承。爲君止仁，爲臣止敬，爲父止慈，爲子止孝，各止至善，即各證厥修矣。"②自云："僕久居赤水(四川合州，即今合川)，接引來賢，首先忠孝，而大力精進之儕，卒不可得。"③表明他在四川合川亦住過較長時間，合川知州紀大奎蓋即於此時拜他爲師。《醉花道人傳》又説：傅金銓"性耽幽寂，喜花酒，遇花輒飲，每飲必醉。……皆呼之曰醉花道人。殆借花酒以全其真者耶！囊琴之外無長物。喜文章詩畫，間亦操觚，往來沅湘江漢，無不知有道人者。晚得容成秘旨，結茅妙高峰下。環廬種竹，門對清

①民國二十八年修《巴縣志》。

②《盃溪録》序，載《藏外道書》第11册。下引各篇皆載此册，不再注。

③《赤水吟》自序。

溪,植桃數十株。初春明媚,笑顏迎人。入其境,恍如天台劉阮。"①其《覆紀司馬書》稱:"不佞於斯道究心且三十餘年,丹經子書,搜羅殆盡。……邇來奔走二十年矣,江之東西,湖之南北,廣閩淮海,足迹所經,聲氣所接,高人傑士,黄冠緇流,蓋亦不少。"②可見其活動地不限於四川,江西、湖南、湖北、廣東、福建等地皆有他的足迹。其《心學》自序寫於道光二十四年(1844 年),是現存材料中紀年最遲者,證明他在此年之後方逝世。

傅金銓在道教理論上頗有成就。曾撰著道書多種,被先後集結爲《濟一子道書》、《濟一子證道秘書》、《濟一子道書十七種》等刊行於世。此外,又有幾種濟一子內丹書批注也被刊行。《濟一子道書十七種》是收書最多者。現存有民國十年上海石印本等,被近年出版的《藏外道書》第十一册所收載。該叢書所收之著作,大致可分爲三類: (1)傅金銓自撰或自編之著作,有《孟溪録》、《赤水吟》、《天仙正理讀法點睛》、《道海津梁》、《性天正鵠》、《自題所畫》、《道書一貫真機易簡録》、《心學》等;(2)傅金銓對他人著作之注釋,有《度人梯徑》釋文、《吕祖五篇注》等;(3)編輯他人之著作,有《外金丹》、《內金丹》、《邱祖全書》、《玄微心印》、《三豐丹訣》、《樵陽經》、《樵陽子語録》等。

現將該叢書所收傅金銓著作的思想內容簡介如下:

一、性命雙修、陰陽雙修的內丹説

傅金銓在教派上屬淨明派,而在內丹修煉上則主陰陽雙修。他提出的"性命雙修"説,主要論點是: 性無命不立,命無性不全,性命必須雙修。他認爲,性繫於心,本體爲神;命成於氣,禀氣成形,人之生命就是神氣相依的體現。因此修煉內丹必須效此逆而

①《自題所畫》之《醉花道人傳》。
②《赤水吟·覆紀司馬書》。

行之。他說："大道不用色身，祇用神氣，神出於心，氣出於色。有先天之梵氣，有後天之血氣，後天之氣，生自先天，先天之氣，藏於後天。歸根有竅，貯納有所，出入有門，進退有度。二氣合一，歸於黄道，所謂氣歸元海壽無窮。"①又說："性無命不立，命無性不全，性命雙修，合一不離，則神戀氣，氣留神，神凝氣住，歸根復命，丹結下田。"②"性爲無中之真有，命爲有中之真無，有無互入，神氣相交，神凝氣結，斯爲聖胎。"③

他又把性命解釋爲陰陽，說："聖人體常知變，體化知終，知未生以前，此理充滿太虚，一經命下，氣以成形，理即赴之，自然而全，無少虧欠。性命者，陰陽也，陰陽合一，至道乃成。"④又說："性命雙修，便是陰陽合德。未生之前，命是性之先天，既生之後，性是命之先天，性命合一，金丹乃成。……苟不達雙修之理，陰陽離，天地隔，惡乎成之！"⑤因此，他所說的性命雙修，實即陰陽雙修，男女雙修。

他對此進行闡發說："性命雙修，祇神氣二字，神屬我，氣屬彼。"⑥又說："欲曉神仙之學，當達身心二字。心爲體，身爲用。體是我，用是彼，神氣之所從出也。以我之神，宰彼之氣，離坎列位，神芝萬株。"⑦此處所謂的"彼"即指女性，要用女性與己進行雙修。他認爲，男人已漏之後，一身皆陰，必須從同類的彼方(即女方)採得真陽、真氣，方能成丹。此即所謂"取坎填離"。這與內丹清修派觀點完全不同。清修派認爲，坎離均在自己一身之內，只要取己身之坎，填己身之離，一己獨修，便能成其大丹。傅金銓反對此種看

①《度人梯徑》濟一子釋文。
②《度人梯徑》濟一子釋文。
③《崔公入藥鏡注》。
④《性天正鵠》卷一。
⑤《度人梯徑》濟一子釋文。
⑥《度人梯徑》濟一子釋文。
⑦《度人梯徑》濟一子釋文。

法，他引《一筆勾》曰："衹説是命在身裏頭，誰曉一己無有此個妙術，此個機關。原有彼我之分，不是一己之事。"①即坎并非一己之物，須從彼方纔能求得。他又引《悟真篇》以證之，曰："《悟真》謂：'陽裏陰精質不剛，獨修一物轉尫羸'。必須得彼殺中生氣以點之，故曰：'但得坎精點離穴，純乾便可攝飛瓊。'盗彼點我，如此明白，人何不細思乎！"②又稱《金丹節要》曰："金丹大道，全在神交，玉液玄機，别無妙術。……蓋離虚坎實，離爲陽中陰，坎爲陰中陽，故曰取將坎位中心實，點化離宫腹内陰。"③以此證明要填我離中之陰，非取自女方不可，即非男女雙修不能成丹。

爲此他十分反對入山修行和孤修静坐。説："有等愚頑執著不化，死守清静，信殺不疑，苦修苦練，晝夜打坐，使氣血凝滯，鵠形鶴體，骨瘦如柴，到髮黄齒落，猶不自悟，可勝嘆息！……豈知坐到老死，都屬空亡，究竟還是不細心讀丹經之故。"④他進一步加以闡述説："《易》曰：'一陰一陽之謂道。'《無根樹》曰：離了陰陽道不全，斯道必匹配，交接水火。世人見入山住静，不婚不宦，便謂此是修道。豈知道在人間，不在山内。……出世之法，即在此世法中求之。所謂世法者，君臣父子夫婦兄弟朋友，日用平常之事也。人道生男育女，修丹者效之。三豐祖曰，順生人，逆生丹，衹一句兒超了千千萬，再休題清静無爲枯坐間。"⑤故性命"必要雙修，不可單行。……世人衹解孤修静坐，不悟雙修妙理，離了陰陽，背卻造化，斷無成就。"⑥

傅金銓没有專文系統闡述其雙修煉法，但在其《吕祖五篇注》中，已經談到了安爐立鼎、築基鑄劍、待時採藥等等，足可窺其雙

①《吕祖五篇注·黄鶴賦》。
②《吕祖五篇注·黄鶴賦》。
③《吕祖五篇注·黄鶴賦》。
④《吕祖五篇注·百句章》。
⑤《吕祖五篇注·黄鶴賦》。
⑥《吕祖五篇注·黄鶴賦》。

修法之一斑，其《鼎器歌注》曰："修丹必用鼎器，鼎器爲何？乾坤之體是也。夫乾坤而曰體，必非覆載之乾坤矣。……夫安爐立鼎，會合陰陽，攢簇火候，非是一人可以獨行，須同心密契、輔弼三人，乃可施工。"[1]此輔弼三人，蓋即《玄微心印》所謂的選三"美鼎"（按指選二七、二八、二九之少女作鼎），就是以少女爲煉丹之鼎，以之作築基、採取、抽添的對象，完成煉丹工夫。此外，該《注》又對築基鑄劍、待時採藥等，作了某些闡述。其所輯《道書十七種》中收録了《玄微心印》一書，所談雙修丹法比較系統，較詳地論述了胎息、鑄劍、築基、玉液、金液、温養、面壁等內容，大概可以視爲當時雙修丹法的代表。

既主男女雙修，就很難與三峰採戰等淫穢之術劃清界綫，也難免遭到世人之指責。傅金銓對此作了再三辯白。聲稱三峰採戰等術是旁門邪術，是地獄種子所爲，雙修丹法與之有根本區别。他説，雙修丹法"雖分彼我，實屬正大光明，并非卑污曖昧"。"雖有彼我之分，實非此等之事"[2]。其主要區别蓋即雙修派所謂的隔體神交，即修煉時男女對坐，男不解衣，女不解帶，通過陰陽相感，而達到神通、氣通。這與世俗的男女性交是不同的。故他説："語曰：邪人行正正亦邪，正人行邪邪亦正。至心清淨，毫無苟且。"[3]與之相應，傅金銓十分強調去慾淨心在煉丹中的作用，企圖通過修心煉性真正達到"神交"的目的。他説："清静絶慾是修丹第一要緊工夫。祖有云：真金本是無情物，採取須憑真性全。"[4]衹有清除了私心慾念，心完全清淨了，纔可能使我之神合彼之氣，最後導致神氣凝結而成丹。他要求將此淨心絶慾工夫貫徹始終，滲透到煉丹的各個階段中去，他説："修丹之士，必先煉劍，始能採藥，煉己功成，乃可還丹，所謂煉己者，正念當前，邪意不起，忘情空色相，摒

①《吕祖五篇注・鼎器歌》。
②《吕祖五篇注・黄鶴賦》。
③《吕祖五篇注・黄鶴賦》。
④《度人梯徑》卷四。

死下工夫。臨爐下手,元神不動,一心歸命,即是煉己之功,即是鑄劍之法。"①"下手行功緊要關頭,在於對境忘情,對境而不染於境,斯真能淡於人情,忘乎物我,當其下手之際,萬念皆空,一心歸命。"②"一塵不染,始可安爐立鼎。"③"但得藥之時,切要正心誠意,戒慎恐懼,不可稍起貪愛之心,致亂邦國。"④如此等等。總之,要將去慾淨心貫徹始終,一刻都不放鬆,這是雙修能否取得成功的重要關鍵,由此確可看出男女雙修丹法是與一般淫濫術是不同的。

二、去慾存真的心學

爲了修道煉丹的需要,傅金銓又建立起一套去慾存真的心學。他聲稱,天賦給人的本心、本性,原是善的,"造化非元善不生人,人無有不善。"⑤"賦禀自天,人人不殊,心心具足。"⑥不管是聖賢或者是愚人,都同樣具有一份良心善性。傅金銓稱此良心善性爲"真心"、"真性",認爲它是人心之本體,"其體至虛,其量無垠,統百神,周庶務,萬善之源,萬理之都,歷劫清静,本無污染。"⑦又説:"真心如太虛中存天理,至無而至有,夙世成形,皆具此心,皆具此理。"⑧但此"真心"僅存於先天或人生之初,凡人"一入塵界,慾海波深,沉迷難醒"⑨。其原具的真心真性漸漸喪失,"幾希之良,有梏亡之"⑩。遂使人生出種種罪惡來。他説,三教聖人有鑒於此,遂倡言心學以拯救世人,"儒曰存心養性,道曰修心煉性,釋曰明心見性。教雖分三,理無二致"⑪。目的都是爲了教人"明善復初",

①《吕祖五篇注·百句章》。
②《吕祖五篇注·黄鶴賦》。
③《吕祖五篇注·鼎器歌》。
④《吕祖五篇注·採金歌》。
⑤《性天正鵠》卷一。
⑥《心學》卷一《心學論説》。
⑦《心學》卷一《心學論説》。
⑧《性天正鵠》卷一。
⑨《心學》卷一《心學論説》。
⑩《心學序》。
⑪《心學》卷一《心學論説》。

即去掉後天的習染,恢復本來之真心真性。

那麼應該如何"明善復初"呢,其途徑就是煉心。他指出,煉心是修道者的首要任務,"欲對神明,先求無過;欲求學道,先講煉心"[①]。衹有通過煉心,煉去塵習,保持心地的純正,纔具備成聖成真最起碼的條件,"正心誠意是作聖之基,即修真之路,未有心地未清而可以超凡入聖者"[②]。

如何煉心呢?其方法,一在存養,即存養真心;一在去慾,即去除一切私慾妄念。這是一個問題的兩個方面,去除慾念是爲了復現真心,要存養真心,必須去除慾念,他以鏡與塵作比喻,説:"心猶鏡也,鏡本自明,因塵而蒙,然則慾鏡之明,祇要去塵。"[③]真心和慾念的關係也是這樣,"真心無慾,有慾是塵"[④]。他又以水與風浪、泥沙作喻,説:"真心本自安和静好,所不静好者,物慾動之耳。譬水之本源,至清至潔,不動不蕩,風激之而成浪,泥滓之而始渾。"又説"水本至静,風浪動之;水本至清,泥滓濁之。去浪而水自静,去滓而水自清。清是其本體,静是其本性。真心亦猶是也。"[⑤]這就是説,人的本心,即真心本來是明的,清的,但因入塵世染上了灰塵,混進了泥沙,就使它不明不清了。要使真心復明復清,祇有像拭鏡和掃地一樣,擦掉或掃掉在上面的灰塵和泥沙,捨此無别的辦法。此真心上的灰塵和泥沙是什麼呢?就是人的私慾,它是蒙蔽和污濁真心的罪魁禍首,必須加以清除。據説,在這點上,三教聖人也是完全一致的,"佛曰寂滅,滅此慾也;老曰清静,静此慾也;儒曰克己,克此慾也"[⑥]。所謂煉心者,就是"煉去慾心,現出真心"[⑦]。煉去了慾心,也就"明善復初"了。

---

①《性天正鵠》卷一。
②《性天正鵠》卷一。
③《性天正鵠》卷一。
④《性天正鵠》卷一。
⑤《性天正鵠》卷一。
⑥《性天正鵠》卷一。
⑦《性天正鵠》卷一。

但人的慾念是很多的，有情慾、貪慾、妄念等等，它們引導世人追求美色、名利……而且貪求不已，永遠不能滿足。他說"人心貪慾，如蛾赴火，如蟻附膻，曉夜無停，一刻不肯放下。權利牽於外，憂慮煎於內，神爲心役，心爲物縛，得失之念交攻，貪妄之求無已，安樂國成不靖之天矣！"①有了私慾的存在，心不得清，神不得寧，"名利紛紛，俗塵擾擾，障卻本心，迷失真性"②。"妄念起則馳其神，神馳則真主離位，不安其宅"③。因此各種私慾妄念的危害也是很大的，必須想法克服它。

爲了克服私慾妄念，傅金銓提出了一個遇事不動念，睹物不着迹的方法，他說："但凡百事件不起心動念，日唯減事收心。比如宫商妙響，偶然到耳，不必其聞也。美麗華顔，偶然觸目，不必其見也。但心不著迹，便毫無沾滯，我與聲色無干，聲色自與我無涉矣。"④又説："修行人異於人處，在屋漏不愧，遇境不遷，衆人愛我不愛，衆人貪我不貪。心似翔鴻，意如秋水。無心於境，無境於心。無事而修心煉性，臨事則對境煉心。"所謂對境忘境，不沉於六賊之魔，居塵出塵，不落於萬緣之化⑤。

他指出，人的私慾妄念是很頑固的，它時起時滅，很不容易克服。他說："功夫在克去己私，時時息念。然而己私難去，不易克也。"⑥特别是有些慾念，"時出時入，忽出忽入。古人意謂之馬，心謂之猿，謂其矯捷不測也。制之如制猛獸，如縛龍蛇"⑦。因此要克服它們，非下決心費長工夫不可。爲此他強調指出，在克慾過程中一定要有長期用工的堅韌性，絶不可半途而廢。他說："理慾交

①《性天正鵠》卷一。
②《性天正鵠》卷一。
③《性天正鵠》卷一。
④《性天正鵠》卷一。
⑤《度人梯徑》濟一子釋文。
⑥《性天正鵠》卷一。
⑦《性天正鵠》卷一。

戰，理不勝慾，此際大要把握，蓋慾順而遂心，理逆而違意故也。遏之須强忍之力。否則，未有不敗。"[1]即是説，在理慾交戰中，當"理"不勝"慾"時，恰是到了成功或失敗的重要關頭，如果繼續堅持以理伐慾，發揮人的堅韌性，長期堅持不懈地戰鬥下去，一次不勝來二次，二次不勝來三次，總有一天會戰勝私慾，重現天理；反之，如果知難而退，以理順慾，終將失敗。

克去私慾的過程，就是恢復真心真性的過程，在恢復真心的基礎上，還要施行存養工夫。他説："煉心之學，存養爲先。"[2]存養真心就是存養天理，"養我真心，空洞無物，所有者理而已。此理即是天理，即是道理。空寂之體既立，則諸識無依，復我元初真常本體，虚靈洞徹，一片空明，得大自在矣"[3]。即是説，當心中的私慾清除以後，心中所存者已是純然天理，這時我已回歸到真常本體狀態，自然與道合真，出入無間了。

三、人道爲仙道之階的淨明論

淨明道核心教義是修習忠孝，以涵養忠孝爲修道根本，以修習人道爲仙道的基礎和階梯。認爲不修忠孝，無由入仙道之門，不經人道不能達成仙道。這是以往許多淨明道士特别是元道士劉玉反覆闡釋過的内容。傅金銓對此根本内容也作了相當的發揮。他説："欺詐者，殺佛之戈矛，忠孝者，成仙之階級。不盡三綱五常，必入四生六道，求道之士，惡可以不忠孝耶？"[4]又説："君本我所當忠，父母我所當孝，兄弟我所當友愛。仁孝惻隱，義盡綱常。不欺是我本心，不詐是我天良。《書》曰：彰厥有常，吉哉！"[5]

①《性天正鵠》卷一。
②《度人梯徑》濟一子釋文。
③《性天正鵠》卷一。
④《盃溪録》卷上。
⑤《盃溪録》卷上。

在《道海津梁》中又説:“諸君子之從吾游者,將何以教之? 登高自卑,行道自邇。莫問沖霄,先憑根地。欲學神仙,先爲君子。人道不修,仙道遠矣! 人道是仙道之階,仙道是人道之極。不有人道,安求仙道? 正心修身,徙義崇德,此庸行也;孝弟忠信,忍讓慈惠,此庸德也。庸德之行,庸言之謹,真學志士,必自此始。……余垂家訓,新書二聯: 忠信立身之極,昭兹令範;孝弟爲人之本,敬爾天常。”①他認爲,“三教鼎立,如一屋三門,中無少異。儒立人極孝弟之道,報本反始,正心誠意,道德之源,此範圍形體之道,人世之法也。仙佛在聲臭之表,形氣之先,出世之法也。出世必基於入世,欲求出世之功,先講入出(疑“出”爲“世”之誤)之道,儒其大宗矣。”②即是説,出世基於入世,且必先入世,方能出世。此與仙道基於人道之説同義。

由上可見,傅金銓和其先輩們一樣倡言三教合一之説,特别是在教義和宗教實踐上主要堅持融合儒家理學,表現出一個淨明道士所具有的基本特色。

附: 傅金銓生平事跡留下記載太少,在現存的有限記載中,無一字談及他屬何道派,但據一些資料分析,他當是淨明派道士,理由有三:

第一,阿應麟爲他的《孟溪集》所作的序中説:“《孟溪集》者,濟一道人傅子金銓證道之書也。……道人自言受訓於純陽吕祖(即吕洞賓),應八百之讖,首先忠孝,若堯舜禹文周孔道統相承,……”③所謂“八百之讖”,又叫“龍沙之讖”,是淨明道士中流傳的據稱是該派祖師許遜留下的一則預言。最早見於南宋道士白玉蟾所寫的《旌陽許真君傳》和《玉隆宫會仙閣記》,《旌陽許真君傳》説,許遜斬蛟(蛇)之後,曾留下預讖云:“吾仙去後一千二百四十

①《道海津梁》卷一。
②《道海津梁》卷一。
③《藏外道書》第 11 册。

年間,豫章(今南昌市)之境,五陵之內,當出地仙八百人,其師出於豫章,大揚吾教。郡江心忽生沙洲,掩過井口者,是其時也。"①此後元明清各代所出的一些淨明道資料,如元代所出《淨明忠孝全書》卷一之《淨明道師旌陽許真君傳》和《西山隱士玉真劉先生傳》,清代所出《逍遥山萬壽宫志》卷四《許遜傳》,卷十《龍沙讖記》,卷十五《定宇天光記》等,皆記有此讖語,文字基本相同。祇清代書中將一千二百四十年,改爲一千四百四十年。其基本意思是説,祖師許遜死後一千多年間,將會有很多弟子出來振興淨明道。無疑這是後世淨明道士編造的神話,目的是在淨明道衰落以後,借助許遜在民間的影響,用此預言聳動聽聞,招攬信徒,以圖再興。元初劉玉就曾借助這個預言,宣稱淨明法師胡惠超(唐代道士)和祖師許遜先後下降,告訴他"龍沙已生,淨明大教將興",叫他作八百弟子之首,振興淨明道②。後來果然經過多年闡教,將淨明道重建起來。此"八百之讖"是淨明道所特有的,不見於他派,傅金銓既然自稱"應八百之讖",無異是向人宣稱自己是淨明道士。應該指出,這個讖言,最初祇與許遜相聯繫,被稱爲許遜所留,但至明清時,吕洞賓(號純陽)十分走紅,道士們把很多事都和他攀上關係,這個讖言也是這樣。如記述淨明道祖庭的《逍遥山萬壽宫志》卷五就爲吕洞賓立傳,名曰《龍沙應讖吕真人傳》,其中説,鍾離權(號雲房)收吕洞賓爲弟子之後,曾告訴他説:"吾赴帝召,汝好住人間,修功立德,應龍沙之聖讖,符兩口之宗師。"③傅金銓《道書十七種》中收有《樵陽經》一書,更謂此經是上帝命吕純陽和許真君共同授與樵陽子(傅金銓説,樵陽子就是元初重建淨明道的劉玉),并叫樵陽子轉授給八百弟子云云④。這樣,既將吕洞賓和八百之讖拉上了關係,又將吕洞賓塑造成了淨明道的另一位祖

①《修真十書·玉隆集》卷三十三,《正統道藏》第 8 册。
②《净明忠孝全書》卷一《西山隐士玉真刘先生傳》,載《正統道藏》第 41 册。
③《藏外道書》第 20 册。
④吕純陽《樵陽經序》,《藏外道書》第 11 册。

師。由此也可以知道,原來傅金銓所言受純陽吕祖之訓非他,乃受純陽吕祖淨明宗教之訓也。

第二,傅金銓《道書十七種》中又收有《度人梯徑》一書,全名是《孚佑帝君純陽吕祖師度人梯徑寶章》,共八卷,前四卷書題下署傅金銓敬釋,後四卷書題下署傅金銓敬録。全書内容是託名吕洞賓向弟子講道,更具體地説,則是將吕洞賓打扮成淨明道的祖師,在向八百弟子(主要是向傅金銓)講道。如該書用吕洞賓的口氣説:“昔者鍾離師十試,吾且堅貞,然後授以開淨明宗旨,無非因時度濟世人。”①又説:“上帝敕命,總化八百之徒,……異日讖興,洪洚疫癘,民災百出,是其時也。有道者聞之,莫不皆至,施功積行,顯道匡時,則八百會矣。”“吾苦心化度,應都仙之讖,……許都仙拔宅於豫章西山,先發道脈,留讖龍沙,以爲千二百年之兆,今其時也。”②又説:“吾奉(按此處當脱“帝命”二字),闡教五陵,時刻不暇,以成全諸生大道,勉之。”“吾游豫章至此,觀各壇弟子,口是心違,實力用功者鮮矣。汝等宜盡心斯道,青出於藍,吾有厚望焉。”③此書卷六主要篇幅記述吕洞賓訓誡傅金銓之語,如云:“濟一質性聰敏,心性純和,還要加志苦煉,日新不已,吾今傳汝金丹。”④“汝問樵子(按樵子當爲樵陽子之誤),樵子與汝有甚葛藤?衹要汝道心如天,不用汝問他,他到要來尋你。……況樵子爲八百開闡首領,焉有不來相會?姓名出處,何必造問,自後便知。”⑤當傅金銓向吕洞賓陳述:意欲西游川蜀,但又擔心老母在堂無人奉養,不知如何是好時,吕純陽答道:“知汝困守逆境,進退惟艱,遠涉窮途,亦非善策。汝讀聖賢之書,父母在,不遠游,汝母年邁,豈可遠離?”⑥另一處又説:“濟一知道玄微否也?……子之薄勢利,等富貴如浮雲,由來舊矣,且所望不奢,求碗粥以饍家口,而求

①《度人梯徑》卷四,《藏外道書》第11册。
②《度人梯徑》卷一。
③④皆見《度人梯徑》卷六。
⑤⑥皆見《度人梯徑》卷六。

道之志，則泰岱焉，天之施恩於汝母者此也。"[①]"汝濟一之境，可謂苦之極者，而貪心妄想，尚不繫其懷抱，……實道中第一流人物。然非歷斯境況，何以勵汝操持！天之玉汝成也，可謂厚矣。度弟子得如汝者，亦可以副吾之望矣！"[②]類似這種話頭還有很多，兹不備舉。我很懷疑此書、至少是此書的後四卷的作者就是傅金銓，是他用扶箕降筆的手法將此書寫成的。通過此書如此叙寫，很清楚地向人們展示出一幅淨明祖師吕純陽向八百淨明弟子（主要向傅金銓）講道的畫面，這就更進一步以形象的方式向人們證明傅金銓確是淨明派道士；而此書恰好就是對他"受訓於純陽吕祖"的注脚。

第三，淨明道教義的核心是忠孝，它視忠孝爲修道的根本，視人道爲仙道的基礎和階梯，修人道（主要爲忠孝）即修仙道之基礎，衹有這一步修好了，纔有可能進而修持仙道，得道成仙。傅金銓的思想如何呢？前引《孟溪集》阿應麟序，説傅金銓"自言應八百之讖，首先忠孝"，傅金銓《赤水吟自序》再一次説"僕久居赤水，接引來賢，首先忠孝"，都表明他把忠孝看作是高於一切的東西，是修道的命根子。在他的著作中，更有很多談忠孝的文字（下面談其思想時將具體介紹）。此外，他又"以孝行聞鄉里"。凡此，皆可證明他的言行與淨明道教義是十分吻合的。道士融合儒家倫理綱常是十分普遍的現象，至明清時尤爲突出，但將儒家倫常忠孝擺在修道的首位，并作爲教義的根本和核心，則衹見於淨明道，其他道派衹把它作爲教義理論的次要內容。傅金銓的思想特徵完全與淨明教義相符，難道是偶然的嗎？

綜合以上三點，我斷定傅金銓是淨明派道士，大概是不錯的。

---

①皆見《度人梯徑》卷六。

②同上書卷七。

內丹之丹及其文化特徵

王家祐　郝　勤

什麽是內丹？扼要地説，就是道教徒借用燒製外丹的經驗、理論、術語等來煉養自我生命。他們以人體爲丹房，以心腎爲爐鼎，以人體精、氣、神爲藥物，意念呼吸爲火候，"假名借象"，在人體內部"煉丹"，以求長生不死，變形而仙。因而，內丹術實際上是一種"人體生命煉丹學"。

關於外丹與內丹的聯繫與區别，明人伍沖虚在《天仙正理直論增注》中寫道：

> 煉外丹者，以黑鉛中所取真鉛白金煉成金丹。故內以腎水中所取真氣同於金，煉成內丹，亦名曰金丹。外以白金爲藥，以丹砂爲主；內以真氣同於金者爲藥，以元神本性爲主；故同名金丹，同喻藥物。

在外丹學中，古代煉士認爲鉛生銀，類似於丹砂生汞，因而銀是鉛的精華，是爲"真鉛"、"白金"，爲煉丹的"大藥"。故他們説："黑鉛，北方水，內含銀也。銀是鉛中之精。"又説："汞從砂中出，離南方母胎，歸東方甲乙木，震卦，爲龍也。銀從鉛中出，離北方母胎，歸東方庚辛金，兑卦，謂之白虎也。"（《大丹記》）內丹家借用外丹這一概念，將人體腎臟中所貯藏的精氣（性能量）比喻爲"黑鉛"，將含於精氣中的先天精氣（真氣）比喻爲"真鉛"或"白金"。同時，又以人的"元神"來喻外丹中的丹砂；以鉛汞在丹鼎內發生化學反應生成新的化合物來比喻人體內部腎中精氣在"元神"（即經過修煉的意識或意念）作用下神氣結合，產生新的生命元素和能量，這就是所謂"內丹"。明代另一位道士趙宜真在《原陽子法語》卷上中的《還丹金液歌并序》中也比較了內、外丹的特點：

> 唯道集虛，本無二致。而修煉有內丹外丹之分者，緣遇不同，功用少異，而造道則一也。所謂內者，自性法身本來具足，不假於外，自然之真。其進修之功，則攝情歸性，攝性還元，有爲之爲，出於無爲；無證之證，所以實證，胎圓神化，脱體登真。訣曰：一靈真性號金丹，四假爲爐煉作丸。是爲真一，爲玄一，又名內丹也。所謂外者，幻假色身，未免敗壞，必資外藥點成真。其服煉之功，則取日月之精華，奪乾坤之造化，刀圭入口，情慾頓消。骨肉都融，形神俱妙，白日沖舉，上賓玉清。訣曰：木液本身丹砂出，金煉木液還丹體，丹復化金，金而液之，是爲還丹爲金液，又名外丹也。

趙宜真是從功用的角度來比較內外丹的。照他的看法，那種"自性法身本來具足"，也就是先天精氣神足完的人可以以己身爲爐鼎，煉性成丹，這就是內丹。而那種後天業已虛耗敗損的人，不能夠利用己身精氣神煉丹，故必須"資外藥點化成真"，服食丹砂一類藥物煉成的"金液還丹"，這就是外丹。

照以上說法，所謂內丹，實際上就是一種內煉精、氣、神的生命煉養之道。宋代丹家吳誤在《指歸集序》中指出："內丹之說，不過心腎交會，精氣搬運，存神閉息，吐故納新。"唐代丹經《通幽訣》說："氣能存生，內丹也。"元代著名丹家陳致虛在《紫陽真人悟真篇注》中也說："其用精氣神，其名則云金丹。"

那麼，內丹的"丹"究竟是什麼呢？在丹家那裏有不同的説法。

第一，黍米說。

丹道聖典《周易參同契》論"還丹"說，"金來歸性初，乃得稱還丹"。照內丹家言，這是指煉後天識神和精氣歸先天本性，故稱還丹，也就是內丹。其形象是：

先白而後黄兮，赤色通表裏。名曰第一鼎兮，食如大黍米。

這裏的意思是，內丹煉成後，會結成物質性的"丹"在腹中，類似於高深的佛教禪師色身焚化後的"舍利子"。很多內丹家都相信此說。宋代著名丹家翁葆光在其《悟真篇注釋》中説：

惟先天之前，混沌真一之氣，用法追攝於一時辰之中，結成一粒大如黍米，號曰金丹，又曰真鉛、曰陽丹、曰真汞、曰真一精、曰真一水、曰水火、曰太乙含真氣，人得服餌，立躋聖地。

除了黍米金丹外，尚有所謂"金液還丹"：

夫煉金丹大藥，先明天地未判之前，混沌無名之始氣，立爲丹基。次辨真陰真陽，同類無情之物，名重八兩，立爲爐鼎。假此爐鼎之真氣，施設法象，運動周星，誘此先天之始氣，不越半個時辰，結成一粒，附在鼎中，大如黍米，此名金丹也。取金丹一粒，吞歸五內，擒伏一身之精氣，猶貓捕鼠，如鶻搦鳥，不能飛走矣。然後運以陰陽之真氣，謂之陰符陽火。養育精氣，化成金液之質。忽尾閭有物，直沖夾脊雙關，歷歷有聲，逆之泥丸，觸上顎，顆顆降入口中，形如雀卵，馨香甘味美，此名金液還丹也。徐徐咽下丹田，結爲聖胎，十月胎圓火足，即脱胎沐浴，化爲純陽之軀，無飢渴寒暑之患，刀兵虎兕之不能傷，而爲陸地神仙。

翁葆光在這裏進一步説明，所謂內丹大如黍米，是人體先天精氣煉聚而成。元代丹家陳沖素《規中指南》論及大周天景象時有同樣的感受。

夫乾坤交姤，亦謂之大周天。……其驗證如此：夾脊如車輪，四肢如山石，兩腎如湯煎，膀胱如火熱。一息之間，天機自動，輕輕然運，默默然舉，微以意而定，息如造化之樞要，則金木自然混融，水火自然升降，忽然一點，大如黍珠，落於黄庭之中，乃用採鉛投汞之機，百日之內，結一日之丹也。

這時所論的"黍米"是氣團還是物質性的"丹"？這是衆説不一的問題。高功夫的內丹家是否真的在體內煉成有這類有形的物質性的丹？由於歷史上的道教徒均是肉身土葬，故不得而知。但歷史上很多佛法高深的禪師肉身火化後，據報骨骸內確有五顏六色的晶體狀燒結顆粒，人稱“舍利子”，視爲禪法高深的標志。這種現象用現代科學目前尚無法做出圓滿的解釋。一些丹師認爲，煉內丹實際也是煉成“舍利子”一類的物質性的“丹”。因此，晚期很多禪道合一的內丹家乾脆不說金丹，而直稱內丹爲“舍利子”。如近代內丹先天派創始人千峯老人趙避塵便在《性命法訣明指》中說：

> 了然、了空禪師傳我時曰：將十步閉精氣，煉得精囊內元精，團成舍利子。

第二，氣團說。

這種看法認爲，所謂內丹，是經過長期的精、氣、神的煉養，使神氣相合，氣結精凝，促進人體先天精氣團聚成丸，“其紅如橘光似雪，融若湯煎味如蜜。”道教全真教創始人，內丹北宗之祖王重陽在其《五篇靈文注》中詳備地論述了內丹的這一特徵。

> 金丹在內，藥從外來，實由內孕，何也？蓋神依形生，即有此物，一點先天在人身，個個不無，人人本有。世人迷真順情，情境既熟，愛河流浪，慾海波深。實觀覺悟之者，得遇真師指示。這先天一氣，藥從外來，依形而生。採取之法，祇是忘情忘形，委志虛無，一念不生，静中至寂，忽然天光自發，不內不外之間，若有一物，或明或隱，乃玄珠成象。玄珠因何成象？皆因静寂之時，神抱於氣，氣結精凝，結成一精金丹，永在丹田之內，外現玄境之象，猶如室內之燈光，照透窗外之明朗。天根月窟閑來往，三十六宮都是春。待他一點自歸復，身中化作四時春。

細體王重陽之論，內丹乃是在元神或真意凝照作用下，使先天精氣凝結成象，藏於丹田之中。同時，伴有發熱、發光的景象。《丹陽真人語録》録王重陽弟子馬珏的話說：

> 學道者無他務，養氣而已。心液下降，腎氣上升，至於脾，元氣氤氲不散，則丹聚也。

這意思與王重陽之論一樣，即丹爲精氣所聚。

第三,光團說。

據很多丹經記載,修煉內丹至高成就者返觀內視,能洞見體內丹田中或氣脈上有明亮的光團或光點。這些光點小如黍米,大如雀卵,在丹田及氣脈上游離循行。丹家認爲,這些光點或光團就是內丹。如丹經《大成捷要》提出煉精化氣得"大藥"時,"印堂自有月光常明,似電光灼灼",又說:"當服食之際,金丹從上田降落口中,自然覺得圓陀陀、光灼灼,渾然一團聚在舌上。"又論大周天火候足而結丹景象說:

> 金液玉露還丹以後,自然出現一粒黍米玄珠。存養久之,漸漸長大,宛如丹橘。……厥後此珠漸生漸大,其色漸明漸赫。惟定之一機,機由我立,化則機生,一機萬化。玄珠,變象之祖也,似乎在外,閉目卻分明:似乎在內,開目極清白,真有不內不外者存。

此處的所謂黍米玄珠即金丹。丹家認爲,這是先天真氣經過長期煉製,凝聚成團,陰質全消,遂成象於眼前,漸生漸大,漸明漸赫,隨意而行,上下游離,是內丹之外象。丹家還指出獲此丹後,閉目內觀,臟腑歷歷如燭洞照,且漸漸有金光罩體之驗。

丹爲光團一說頗類印度瑜伽的"明點"和"甘露滴"的體驗。古今內丹家大多都有這一體驗。至於如何用現代科學理論去解釋這一現象,則有待於更高的科學假說和理論出現。

第四,性圓說。

這種觀點認爲,金丹並非指人的精氣,而是心性修煉境界。這一觀點特別受到部分主張佛道合一、禪丹合一的丹家贊同。元代著名內丹家李道純在其《中和集》中闡述金丹時指出:

> 金者,堅也。丹者,圓也。釋氏喻之爲"圓覺",儒家喻之爲"太極",初非別物,只是本來一靈而已。本來真性,永劫不壞,如金之堅,如丹之圓,愈煉愈明。釋者曰○,此者真如也;儒者曰○,此者太極也。吾道曰○,此乃金丹也。名同體異。……身不動,精氣凝結,喻之曰丹。,所謂丹者,身也。○者,真性也。丹中

取出○者,謂之丹成。所謂丹者,非假外來造作,由所生之本而成正真也。

所謂"本來真性",本是禪家語言和概念,被道教內丹家所吸收和融攝,引爲內丹的最高境界。宋代道教內丹南宗祖師之一的白玉蟾曾作《金丹之圖》來表達這一概念,認爲金丹意味着修煉成"真如本性",此物"形如彈丸,色同朱橘"。

道教內丹北宗及金全真教創始人王重陽所著《金丹》詩也說:

本來真性喚金丹,四假爲爐煉作團。

清代丹家袁仁林《古文參同契注》更說:

金丹者,丹指心。金,言其堅久光明。身內陰翳全消,純陽出現,便使元神堅亮,丹府如金,故名金丹。

第五,精氣神合一說。

此說又稱神氣合一或性命合一。其本旨是認爲內丹即是將人體內精、氣、神三大生命要素煉而爲一。清代內丹伍柳派宗師柳華陽在《金仙正論》中指出:

仙道煉元精爲丹。凡煉丹下手之仙機,即煉腎中之元精,精滿則氣自發生。復煉此發生之氣,收回補其真氣。補到氣足,生機不動,是謂丹也。

柳華陽強調內丹是由"腎中之元精"煉養盛滿化氣,再煉氣而成。清代另一丹家陶素耜在《道音五種》中也說:

丹乃和氣所成,呼吸於內,神依息而凝,息戀神而往。臨爐之際,呼吸調和,收取外來真一之氣,入吾戊己之宮,與我久積陰精相含育,則其息自定,脈停丹結矣。

內丹即修煉精、氣、神的養生術,這種闡釋宗教色彩不濃,故而得到醫家的首肯。清代名醫汪昂在其《勿藥元詮》一書中即指出:

道家謂修煉金丹者,即調養精氣功夫也。故曰:金丹之道,不外吾身。若修養之功夫純熟,則精神充足而內守,心性圓明以自照，恬淡虛無，若存若亡，即是金丹成熟。非真以藥物、火候修金丹也。

第六，大還丹、小還丹、玉液還丹、金液還丹諸説。

內丹有各種煉養層次和境界，被丹家們分别命以不同的丹名。所謂大、小、玉液、金液等丹名(另外還有七返還丹、九轉還丹、龍虎大丹等丹名)均借用自外丹術語。在《周易參同契》中，本來衹有"還丹"的説法。至唐宋五代鍾呂丹法興起，將內丹分爲"十二科"。《鍾呂傳道集》説:

> 匹配陰陽第一，聚散水火第二，交媾龍虎第三，燒煉丹藥第四，肘後飛金晶第五，玉液還丹第六，玉液煉形第七，金液還丹第八，金液煉形第九，朝元煉氣第十，內觀交换第十一，超脱分形第十二。

這是將內丹的各個煉養階段、層次、境界、方法、技術分别參照外丹説法加以命名。題名鍾離權著、呂洞賓傳的《靈寶畢法》説:

> 所謂玉液者，本自腎氣上升而到於心，以合心氣，二氣相交而過重樓，閉口不出而津滿玉池。咽之，而曰玉液還丹。升之，而曰玉液煉形。是液體自腎中來而生於心，亦比土中生石，石中生玉之説也。
>
> 所謂金液者，腎氣合心氣而不上升，薰蒸於肺，肺爲華蓋，下罩二氣，即日而取肺液。在下田自尾閭穴升上，乃曰飛金晶入腦中，以補泥丸之宫。自上復下降，而入下田，乃曰金液還丹。即還下田復升，遍滿四體前復上升，乃曰金液煉形，是亦金生於土之説也。

明清之際，丹家一般稱築基階段煉己的成就功夫爲玉液還丹，將煉精化氣階段所得"大藥"爲金液還丹。故丹經《玄膚論》説:"金液煉形者，了命之謂也；玉液煉己者，了性之謂也。"

鍾呂之後，雖然各派丹法大多沿用其法脈，但也對鍾呂的"十二科"予以了簡化，故多有用大、小還丹來命名築基煉己和煉化精

氣等不同功法階段成就的。如丘處機《大丹直指》指出煉養內丹的不同功夫次第和成就說:

腎氣傳肝氣,肝氣傳脾氣,脾氣傳肺氣,肺氣傳心氣,心氣傳脾氣,脾氣傳腎氣,是爲五行循還,而曰小還丹也。上田入中田,中田入下田,三田返復,而曰大還丹也。

第七,上、中、下三品丹說。

此一說實則將古代流行的除外丹以外的各種養生術和道教煉養術都視爲內丹法門,而又據鍾呂丹道爲標準分爲上品丹法、中品丹法、下品丹法。此説創自於宋代道教內丹南宗祖師之一的陳楠。他總結當時流行的各類煉養術,將其分爲三品,依次爲地仙、水仙、天仙之道。後來元代著名丹家李道純發揚其説,在此基礎上又分爲漸法三乘與最上一乘。他在《中和集·試金石》一章的劃分是傍門九品(上三品爲傍門、中三品爲外道、下三品爲邪道)、漸法三乘(上乘延生法、中乘養命法、下乘安樂法)、最上一乘(舞上至真之妙)。其中傍門九品中的下三品之邪道爲房中採煉術,評爲"此大亂之道也"。傍門九品中的中三品之外道爲休糧辟穀、吞霞服氣、三歸五戒等,"行之不怠,漸入佳境,勝别留心"。傍門九品中的上三品爲存神吐納、八段錦、六字氣、閉息行氣、屈伸導引等養生術,"中士行之,亦可卻病"。李道純贊賞的是所謂"漸法三乘"。其中的下、中兩乘丹法,即爲陳楠所說的下、中二品丹法:

下乘者以身心爲鼎爐,精氣爲藥物,心腎爲水火,五臟爲五和,肝臟爲龍虎,精爲真種子,以年、月、日、時行火候,咽津灌溉爲沐浴,口、耳、目爲三要,腎前、臍後爲玄關,五行混合爲丹成。此乃安藥之法,其中作用百餘條,若能忘情,亦可養命。

中乘者,乾坤爲鼎器,坎離爲水火,烏兔爲藥物,精、神、魂、魄、意爲五行,身、心爲龍虎,氣爲真種子,一年寒暑爲火候,法水灌溉爲沐浴,內境不出、外境不入爲固濟,太淵、絳宮、精房爲三要,泥丸爲玄關,精神混合爲丹成。此中乘養命之法,其中作用數十條,與下乘大同小異。若行不怠,亦可長生久視。

李道純的內丹下乘漸法類於丹法中的煉己築基階段,中乘類於煉精化氣階段。而其內丹漸法上乘即類於煉氣化神階段:

上乘者以天地爲鼎,日月爲水火,陰陽爲化機,鉛、汞、銀、砂、土爲五行,性情爲龍虎,念爲真種子,以心煉念爲火候,息念爲養火,含光爲固濟,降伏內魔爲野戰,身、心、意爲三要,天心爲玄關,情來歸性爲丹成,和氣薰爲沐浴。乃上乘延生之道,其中與中乘相似,作用處不同,亦有十餘條。上士行之,始終如一,可證仙道。

在李道純等內丹家看來,漸法三乘,均是丹家之正道。因而是上三品修仙之途。至於他最推崇的"最上一乘"丹法,是爲頓法,相當於內丹的煉神還虛之法,純爲性功:

夫最上乘,無上至真之妙道也。以太虛爲鼎,太極爲爐,清靜爲丹基,無爲爲丹母,性命爲鉛汞,定、慧爲水火,窒慾懲忿爲水火交,性命合一爲金木併,洗心滌慮爲沐浴,存誠定意爲固濟,戒、定、慧爲三要,中爲玄關,明心爲應驗,見性爲凝結,三元混一爲聖胎,性命打成一片爲丹成,身外有身爲脱胎,打破虛空爲了當。此爲最上一乘之道,至士可以行之。功滿德隆,直超圓頓,形神俱妙,與道合真。

陳楠的三品丹法之説和李道純的頓漸四乘丹法之説,實際仍不出大、小還丹的內丹煉養次第境界分法。唯其將所有內煉之法按內丹標準爲品評分級,可以看出內丹家的特定煉養觀。

在幾千年歷史發展過程中,內丹源遠流長,門派繁多,見解各異,操作不同,形成了一個包括清修、雙修、男丹、女丹以及南宗、北宗、東派、西派等各種煉養系統在內的龐雜體系。但是,作爲道教特有的一類修煉系統,內丹又必須有其相對穩定和獨立的界定和特徵。

首先,內丹是一種以靜功爲特徵的人體生命內煉實踐體系。在歷史上,它是以道教特有的仙道煉養法門面目出現並流傳的。在現代社會中,它以一類理論和功法完備而嚴密的傳統氣功體系而表現出其獨特價值。

其二,在煉養思想方面,內丹是一種以道教神仙信仰爲核心,兼融儒家倫理學説、尤其是佛教禪宗心性學説、禪定理論及方法的完整信仰體系和思想體系。內丹的這一性質決定它在歷史文化結構方面有别於那些較爲單純的養生術及導引吐納方法。

其三,內丹無論清修、雙修、男丹、女丹均以人體內部性能量作爲基本修煉物質和生理基礎。這決定了人體生殖系統和性生理潛能是內丹的開發區域和對象。這不僅反映出內丹的源頭不是一般吐納導引術而衹能是古代特有的性修煉術,也就是人們所説的房中術;而且決定了內丹的整個理論、技術操作發展過程中,始終與房中術有密切關係。

其四,除了性能量外,內丹另一開發領域是人的無意識系統的潛能。這是其它中國固有的養生術和修煉法所不具備的。關於"性命雙修"、"真性"、"元神"等理論,與佛洛依德、榮格等西方心理分析學家的理論不謀而合,且已受到榮格等著名學者的肯定和重視。"性命雙修"的實質就是開發人體性潛能與心理潛能。

其五,在基本煉養理論方面,一方面,內丹全面地吸收運用了古代陰陽、五行、八卦等符號系統,並借用外丹煉製術語來形成一個完整而精密的理論架構體系;另方面,內丹全面繼承並發展了中國傳統醫學及生命科學理論,形成了以精氣神論、臟腑理論、經絡學説學爲基礎的生命煉養學説體系和實踐方式。

其六,在煉養實踐和手段技術方面,內丹以大、小周天行氣法爲其基本實踐方式,講究爐鼎、藥物、火候等三大煉養要素,並以煉己築基、煉精化氣、煉氣化神、煉神還虛等四個階段和成就作爲基本煉養程序次第。

其七,在經典方面,雖然道教內丹在歷史上丹經備出,何止千百,但歷來內丹家一般公認東漢魏伯陽所撰《周易參同契》爲"萬古丹經王",並尊《周易參同契》和北宋時張伯端所著《悟真篇》爲內丹兩大聖典。

其八，在價值目標方面，內丹追求性命雙修、神形合一，亦即身、心兩大系統的完備和統一。而其終極價值和最高目的，歷史上的內丹家們則是要追求所謂"形解"、"還虛"、"陽神出頂"、"身外有身"、"長生不死"等宗教境界和目標。由此而構成道教、尤其是中、晚期道教最主要的信仰系統和宗教實踐方式。

以上各點，可以說是道教內丹的基本特徵。歷史上的內丹家不論何宗何派，名號如何，均大致不出此範圍。而那些不反映上述特徵的煉養體系和方法，則一般不應視爲內丹系統。

作者簡介　王家祐，字宗吉，1926年生，四川成都市人。現任四川省博物館研究員。

郝勤，成都體育學院氣功武術研究室主任、副教授。

論精氣神

鍾肇鵬

内容提要　精氣神是内丹修煉的核心。本文從思想史上較系統地探索了精氣神說的源流，認爲道教的精氣神學說是綜合吸取了中國古代道家思想并加以發展，形成内丹家煉養的重要理論。宋以來内丹家講性命雙修而不侈談神仙長生，是從哲學的高度來解決人生性命的根本問題。

精氣神是道家內丹理論的核心。這一理論體系的構建，在思想史和哲學史上經過長時期的醞釀纔形成的，有其深厚的積累和思想淵源。

(一)古代的形神觀和對精氣神的理解

"形神"就是研討人的身體(形體)與精神的關係問題。形神之論最早源于道家。道家講養生之道，貴在安神而保形，形全而神旺。《莊子·在宥》說："神將守形，形乃長生。""神將守形"就是指形、神緊密的結合，神、形相即而不分離，這樣可以保形長生。《莊子·天地》說："執道者德全，德全者形全，形全者神全。神全者，聖人之道。"這是以道德爲本，掌握了道德，就是得道之人，即可以形全神全。這裏值得注意的有兩點：(1)說明形與神是互爲依存的關係。(2)從"形全者神全"表明形全是神全的前提條件，放曰：

“形體保神,各有儀則。”(《莊子·天地》)由于形神互相依存,關係密切,因之要養生就應該避免過度的損耗形神。《莊子·刻意》說:“形勞而不休則弊,精用而不已則勞。”形體太勞累,精神太耗損,使人精疲力盡,顯然是不利于養生的。

精神是怎樣產生的,精神的實質是什麼呢?這是一個極爲深邃而複雜的哲學問題。先秦的哲學著作,對這一問題雖有所接觸,但其認識是比較簡單而粗淺的。

先秦諸子中往往把精神視爲一種細微精粹的物質實體,而與構成形體的重濁、粗糙的物質相區別。什麼是“精”呢?《管子·內業》說:“精也者,氣之精者也。”《心下術》說:“一氣能變曰精。”這裏對“精”有兩個規定性。①認爲精即是精氣是極其精微的氣體。②精氣是一種能夠變化的氣體。所以它能化生萬物之靈的“人”。對“形”“神”同樣用“氣”來解釋。認爲形和神都由氣構成,其區別是“氣”構成形,“精氣”構成神。形神之别祇是氣的精粗而已。精神由精氣構成,也是物質性的實體,這樣就混淆了“形”與“神”質的區别。《內業篇》認爲精神是物質性的藏于人體之中,人心是接受、儲存精氣的地方,稱爲“精舍”。故曰“定心在中,耳目聰明,四肢堅固,可以爲精舍。”(《內業》)能虛心寡慾,則精神安于精舍,故曰:“虛其慾,神將入舍。”(《管子·心術上》)“神至貴也,故館不辟除,則貴人不舍焉。故曰:不潔則神不處。”(同上)後世把精神恍惚,“神”離開了形體,則稱爲“神不守舍”。精氣居于精舍,心中有了精氣就會產生聰明智慧,所以說:“思之思之,又重思之,思之而不通,鬼神將通之,非鬼神之力也,精氣之極也。”(《內業》)表明聰明智慧是精氣極微妙的作用。

《莊子·在宥》:“取天地之精,以佐五穀。”這裏的精亦指精氣。下文說:“抱神以静,形將自正。必静必清,無勞汝形,無搖汝精,乃可以長生。”精氣在于人身,要鞏固而不動搖它,損傷它,則人可以長生。如不加鞏固,損耗過分,精氣離開形體而去則人死亡,故曰:“勿搖汝精,乃可以長生。”《莊子·刻意》說:“精用而不已則勞,勞則竭。"《淮南子·精神》作"精用而不已則竭。"都是指精氣消耗至于枯竭。在《莊子》中始見精神一詞,如《天道》"水静猶明,而況精神"。《知北游》"精神生于道,形本生于精。"精指精氣,精神就是由精氣産生的神奇靈妙的作用,或力量,氣能産生力量,有氣則有力故曰"氣力"。精氣的力量比氣力更大更靈妙神奇故稱"精神"。《莊子》的邏輯是精産生形,而道又是精神的本原。精神既是精氣的神奇靈妙的作用,當然不祇存在于人身上,所以《莊子·天下》纔有"與天地精神往來"的説法,天地精神就指存在于天地間的精氣靈妙而巨大的力量和作用。

荀子是個唯物主義哲學家。他明確地説:"形具而神生。"(《荀子·天論》)認爲形體是根本,精神是依賴于形體,由形體派生的。這與《莊子》説:"精神生于道,形本生于精。"(《知北游》)正相對立。

《吕氏春秋·盡數》説:"精神安乎形,而年壽得長焉,長也者,非短而續之也,畢其數也。"也認爲精神居于形體之中,似乎也以精神是一種細微的物質,與《管子·內業》相同。但是它認爲"年壽得長",并非長生不死,也不是數百千歲,祇不過是"畢其數",盡其天年。又謂:"形不動則精不流,精不流則氣郁。"認爲精氣是流動不息的,如果精氣不流動,則氣停滯阻塞,氣阻塞不通就會生病,這些都是頗有價值,值得注意的見解。

先秦諸子關于精氣的思想和論述,爲兩漢的學者所繼承和發展。司馬遷的父親司馬談和楊王孫都是黄老學派的學者。楊王孫説:"吾聞之:精神者,天之有也;形骸者,地之有也。精神離形,各歸其真,故謂之鬼,鬼之爲言歸也。"(《漢書·楊王孫傳》)據《管子·內業》説:"凡人之生也,天出其精,地出其形,合此以爲人。"楊王孫以精神爲"天之有",形骸爲"地之有"顯然本於《管子·內業》,所以稱:"吾聞之。"《淮南子》説:"精氣爲人,是故精神,天之有也;而骨骸者,地之有也。"(《精神篇》)當亦本于《管子》。司馬談"習道論于黄子"。黄子就是與轅固生辯論的黄生,是漢初一位

黄老學者,所以司馬談接受了黄老道家學派的思想。他説:

> 凡人所生者神也,所托者形也。神太用則竭,形太勞則敝,形神離則死。死者不可復生。離者不可復反,故聖人重之。由是觀之:神者,生之本也;形者,生之具也。(《史記·自序》)

這説明人的生命是形與神的結合,形、神一旦分離,則生命終結,人就死亡。要使形神相即而不分離,就得逸形養神。因爲精神耗損太多就會枯竭,形體太勞累則會損傷。勞形傷神都會加速形神的分離。司馬談認爲"神"是生之本,"形"是受神趨使的工具,這就與《荀子》説的"形具而神生"異趣。

《淮南子》裏講到形、神、氣、志四者的關係。形、氣是屬于物質性的,神和志是屬于精神性的。它説:"夫形者,生之舍也;氣者,生之充也,神者,生之制也;一失位則三者傷矣。"(《淮南子·原道》)《淮南子》認爲"神"是生命的機制,"氣"充于形體,而"形"爲生命寄托之所,故曰"生之舍"。形、神、氣、志各居于適當的位置則協調互濟,生命的機制則運轉正常,所以它强調"形、神、氣、志,各居其宜。"(《淮南子·原道》)如果失其位,神失、氣絶則生命終結而形體腐朽,所以説:"一失位則三者傷矣。"(同上)在形、神、氣、志四者之中,又以神爲主宰,它説:"心者形之主也,而神者心之寶也。形勞而不休,則蹶;精用而不已,則竭,是故聖人貴而尊之,不敢越也。"(《淮南子·精神》)心爲形之主,神又爲心之寶,可見最後的主宰是神,神與精是聖人"貴而尊之"的,因之"以神爲主者,形從而利;以形爲制者,神從而害"(《淮南子·原道》)。"故神制則形從,形勝則神窮"(《淮南子·詮言》)。明確地説:"神貴于形。"(同上)既然神貴于形,所以修道的人,貴在全神保精,使"神與形化"(《淮南子·俶真》)則可以長生。即使形體不能長存,而"神"也會長存不滅,"不得形神俱没"(《淮南子·俶真》)。説明"形"可能不會長存,但"神卻是不滅的。與《淮南子》相先後,董仲舒在《春秋繁露·通國身》説:"氣之清者爲精。"認爲精是清氣,顯然是繼承了《内業》"精也者,氣之精者也。"而略加改易。《春秋繁露・循天之道》是講氣功養生之道的。它說“精神者生之內充也”。他認爲精神是清氣，故能充于體內，以精神是物質性的與《管子・內業》相同。他講養生之道在于静神養氣，所以說：“意勞則神擾，神擾者氣少，氣少則難久矣。故君子閉慾止惡以平意，平意以静神，静神以養氣。”他認爲清心寡慾，意氣和平則精神安静，精神安静則氣息和暢，氣充則精神旺盛，生命力強。所以說：“凡養生者，莫精于氣。”“故養生之大者，乃在愛氣。”(《春秋繁露・循天之道》)

西漢末嚴遵著《老子指歸》說：“夫生之于形也，神爲之蒂，精爲之根。……血氣爲之卒徒。”(卷九)這是以精神爲根本，爲主宰，形體爲卒徒，是以血氣從屬于形體。《淮南子》和《老子指歸》都以神爲本，主張神不没滅，這就爲後來道教的長生成仙和神不滅論，打下了理論基礎。

在中國古代哲學中早已提出形、精、氣、神的理論，衹是還不夠系統，在用詞上也有分歧。如《莊子・人間世》說：

> 一若志，無聽之以耳，而聽之以心，無聽之以心，而聽之以氣。耳止于聽①，心止于符。氣也者，虛而待物者也，唯道集虛。

耳屬于形體，心能知物，但有知則爲知所纍，氣虛而待物，衹流行運動，但動亦有所局限，衹有道是虛無、永恆的、不動不静。所以莊子以心齋體道爲最高境界。

魏晉時出現的《列子》在《仲尼篇》托爲亢倉子之言，闡述此旨云：

> 我體合于心，心合于氣，氣合于神，神合于無。

體爲形體，心爲心知，氣爲流動，神爲了識，無爲太虛，與萬象冥合。體有形質之礙，心有牽繫之纍，氣有動用之阻，神有鑑別之障，無則與萬象冥合，歸于大全真際。這與内丹家的練精化氣，練氣化神，練神還虛其層次相同，衹是用詞稍異。今比較如下：

---

①舊作“聽止于耳”，俞樾據下文校正爲“耳止于聽”。今從之。

莊子	耳	心	氣	道	
列子	體	心	氣	神	無
內丹	形	精	氣	神	虛

在上表中《莊子》的道就等于《列子》的神與無,內丹的神與虛。從上表可見內丹家的精、氣、神、虛與道家思想的關係。簡單地説,內丹家精、氣、神、虛的理論是直接繼承和發展了道家的思想。

(二)太平經等早期道教經典中的精氣神論

《太平經》是後漢時期的著作,爲早期道教的重要經典。《太平經》吸取了中國古代哲學裏關于形、精、氣、神的理論,并加以發展。《太平經》説:

> 古今要道,皆言守一,可長存而不老。人知守一,名爲無極之道。人有一身,與精神常合并也。形者乃主死,精神者乃主生,常合即吉,去則凶。無精神則死,有精神則生。常合即爲一,可以長存也,常患精神離散,不聚于身中,反令使隨人念而遊行也。故聖人教其守一,言當守一身也,念而不休,精神自來,莫不相應,百病自除,此即長生久視之符也。(《太平經合校》716頁)

這裏説明身體與精神結合就有了生命。它所講的"精神"與《管子·內業》講的"精氣"差不多。(1)《管子·內業》認爲人的生命是"天出其精,地出其形,合此以爲人。和乃生,不和不生"。簡單説人的生命就是"精"與"形"的結合。若精氣與形體分離則生命終結,人就死亡。精氣可以充塞全身,人的身體好似留住精氣的宿舍,所以《管子》稱它爲"精舍"。《太平經》也説精神同人的身體"常合并",即是精神居住在體內,與形體常結合。(2)《管子》認爲精氣可以來去。《內業》説:"敬除其舍,精將自來。"就是説要清心寡慾，打掃干淨宿舍，精氣就自然會來住下。精氣可以聚散、增減。人的修養高，不僅能保留原有的精氣，并且還可以吸收體外遊離的精氣。這樣精氣就會越積越多。否則精氣就會損耗，愈來愈少，直至精氣離散，與人體脱離，人就死亡。《太平經》也説："常患精神離散，不聚于身"，認爲精神可以聚散、來去、增減。精神充實豐盈則人體強壯健美，精神減少、損耗則人體衰老，精神失散，離去，則人死亡。所以説："精神減則老，精神亡則死，此自然之分也。"(《太平經合校》699 頁)所不同的衹是把精或精氣這個詞改爲"精神"而已。但《太平經》在吸取《管子》的思想，也有所發展。其一，自戰國以來有了神仙長生不死的思想，認爲形神相及而不離，則人可以長生。秦皇漢武都受這個思想影響，仰慕神仙，求不死之藥，希冀長生，于是方士采藥煉丹之風盛極一時。後漢時的古詩説："服食求神仙，多爲藥所誤。"服食煉丹，不僅未能長生，反而中毒身死。《太平經》明確提出"形者乃主死，精神者乃主生"。認爲形體是會死亡的，只有精神可以長存不滅。這是對道家養生成仙説在理論上的一個重大的改進和發展。從而引導出道教的"屍解"成仙説。既然形體會死亡，精神可以不死，自然就得出神爲主宰、重神輕形的結論。約出于晉代的《西升經》就説："神生形。"表明神是主體，形是由神派生的。《太上元寶金庭無爲妙經》説："形者氣之宅，氣者神之用。"以形爲氣之宅，是氣爲主人；以神爲主體，氣爲神之用。《西升經》直斥"養形"爲"僞道"。它説："僞道養形，真道養神。"又云："神能飛形，并能移山；形爲灰土，其何識焉？"(《西升經・邪正章第七》)其重神輕形的思想非常顯然。後來的《太上混元真録》承襲此文，又直謂"神爲君，精爲臣，氣爲形"。繼承《莊子》之説，以人體爲氣凝聚而成，而"神"與"精"則是主宰者。特別強調神的重要性和主導作用，形體不過是軀殼，神所寄託的旅舍而已。其二，提出"守一"説，強調"意念"的重要性，由于形神統一纔有生命。因之欲求長生者，應經常注意保持形神的統一，使神不離散，常住體中，這是長生的首要條件。所以《黄庭外景經》云：

“子能守一萬事畢。”“守一”和意念後來發展成爲内丹修煉的重要方法。窮流索源實出自《太平經》。

我國氣功養生之術源遠流長。早在戰國時代的《行氣玉佩銘》就記述了氣功鍛煉的要領。董仲舒在《春秋繁露·循天之道》中明確提出“故養身之大者,迺在愛氣”。《太平經》在此基礎上又有所發展。《太平經鈔》癸部説:

> 三氣共一,爲神根也。一爲精,一爲神,一爲氣。此三者,共一位也,本天地人之氣。神者受之于天,精者受之于地,氣者受之中和,相與共爲一道。……故人欲壽者,乃當愛氣,尊神,重精。(《太平經合校》728 頁。)

這裏值得注意的有幾點:(1)認爲精、氣、神三者都是“氣”,故稱“三氣”。在《太平經》之前從《管子》起,衹認爲精是氣之精者,這裏把“神”也認爲是氣,是爲“神氣”。神氣一詞最早見于《莊子》外篇《田子方》云:“揮斥八極,神氣不變。”董仲舒也用這個詞,《春秋繁露·四時之副》云:“心有哀樂喜怒,神氣之類也。”又《天地之行》篇云:“無爲致太平,若神氣自通于淵也。”而《太平經》則明確以“神”爲氣,并且認爲精、神、氣三者都“本于天地人之氣。”受之于天的爲“神氣”,受之于地的爲“精氣”,受之于人的爲“中和之氣。”(2)認爲精、氣、神三者“共一位”。即是今天説的三位一體,三者可以凝聚爲一,這正是後來内丹家追求的“三華聚頂”“五氣朝元”的真諦。(3)既然精、氣、神三者都是“氣”,所以人欲長生,首先應該“愛氣”與《繁露·循天之道》相同。但這裏講到“愛氣、尊神、重精”。精、氣、神三者都提到了,而獨不言“形”,因爲《太平經》認爲“形體主死,精神主生。”同它的貴神賤形的理論相一致。因其并不相信人可以成仙不死,所以只説“欲壽者”,認爲延年益壽是可能的,這比後世一些煉丹家誇誕爲長生不死,比較符合實際一些。

《太平經》關于精、氣、神的理論,對後代道教煉丹理論有深遠的影響。南宋道士王希巢《九天生神章經序》説:“形不能長存,能存者氣爲之運,氣不能常運,常運者精爲之根。三者混而爲一,則神仙之道不難致焉。”又曰:“積陽生神,積陰生形,形之與神,須臾不可離也。……必使形之與神相爲用,貴乎骨肉同飛也。”他説:“形不能長存”及精、氣、神“三者混而爲一,則神仙之道不難。”這顯然是吸取了《太平經》“形者主死”及“三氣共一”之説。但他又説“骨肉同飛”即相信肉體可以白日飛昇成爲神仙,顯然又與“形不能長存”之説前後自相矛盾,不能自圓其説,遊弋于形不能長存與成仙可以長存之間,未有正見。

較《太平經》稍晚的五斗米道以經典《老子想爾注》認爲精是由道派生的一種氣體——精氣,精氣進入人體,就是生命的根源。所以説:“精者道之别氣也,入人身中爲根本。”(21 章注)又云:“結精爲神。”(6 章注)“身爲精本,神成氣來。”(10 章注)“欲令神不死,當結精自守。”(6 章注)認爲精氣是一種極細微的物質,人的身體是精氣的載體。這與《管子·內業》以人體爲“精舍”差不多。但《想爾注》認爲神是由精氣結成的,要想神長存,就得結精自固。所以説:“結精成神,神成仙壽。”(13 章注)認爲成了神仙就可以長生不死。因此提出修道之士貴在“愛精”、“寶精”。故曰:“仙士寶精以生,今人失精以死。”(21 章注)五斗米道以煉精爲主,修煉貴在“愛精”、“寶精”、“結精成神”則能仙壽。總的看來,關于精、氣、神的論述,它不及《太平經》系統,顯得粗糙一些。較《老子想爾注》稍晚的《黄庭內景經》云:“仙人道士非有神,積精纍氣以爲真。”(28 章)又“三田之中精氣微”(4 章)。田指上中下三丹田爲精氣積聚之處。這裏提出“積精纍氣”,意守丹田的修煉要旨。比《黄庭內外境經》更晚出的《太清境黄庭經》説:“人以精爲母,以氣爲主。”又説:“精中生氣”、“氣中生神,神能長壽、長生保命”、“神以氣爲母,氣以形爲舍,煉氣成神,煉形成氣”。它認爲人以精和氣爲主,而氣由精生,是精比氣更根本。形爲氣舍與《管子》《太平經》相同。并提出煉形成氣,煉氣成神,成神則能長壽,長生保命。這進一步發展就成內丹家煉精化氣,煉氣化神。《黄庭經》相信神仙存在,并且神仙可致,這與《太平經》"形體主死"的說法,相形見絀。

畧晚于《太平經》,大概與《老子想爾注》相先後的丹經,有魏伯陽的《周易參同契》。《參同契》融會黃老、爐火、《周易》三者爲一。借爻象以明內外丹之道。關于內丹修煉的"精""氣""神"三者都講到了,但對三者的關係則講得不太明確。如云:"含精養神,通德三元,精液湊理,筋骨致堅,衆邪辟除,正氣常存,纍積長久,變形而仙。"(《參同契·下篇》)"三元"據俞琰注说即是三丹田,這是講內煉時氣運流轉達于三丹田中。又说:"乾動而直,气布精流。""將慾養性,延命却期,審思後末,當慮其先。人所秉軀,體本一元,元精云布,因氣託初。"其要點爲(1)含養"精""神",使精液達于三田,至于肌膚湊理,則筋骨堅強,正氣長存,邪氣消除。按《參同契》所云"正氣"即純陽之氣,而以陰氣爲邪氣。所以說:"辟卻衆陰邪,然後歸正陽。"(2)最早提出"性""命"與修煉養生的關係,內丹家煉精、氣、神,性命雙修實導源于此。(3)主張積久漸修,所以說:"修之不輟休","纍積長久,變形而仙。"《參同契》中對內煉涵養功夫的要領,思想意識上的反應及效果等描繪得真切具體。它說:

> 耳目口三寶,固塞勿發揚。……離氣內(納)營衛,坎乃不用聰,兑合不以談,希言順鴻濛。三者既關鍵,緩體處宮房,委志歸虛無,無念以爲常。證難以推移,心專不縱横,寢寐神相抱,覺悟候存亡。顔容浸以潤,骨節益堅強。辟除衆陰邪,然後立正陽,修之不輟休,庶氣云兩行,淫淫若春澤,液液像解冰,從頭流達足,究竟復上昇。往來潤無極,彿彿被容中。

離爲目,目氣內視,納于血脈。坎爲耳,耳閉塞而不聞。兑爲口,口閉合而不言。這就是《老子》說的"塞其兑,閉其門"。耳目口三寶閉固,不與外物接觸,不受外干擾,使整個身心安静下來,這是內修入静的第一步基本功。三關扃閉,心不外馳,安静自然。"緩體"者,全身舒緩自如,"空房"即静室。周身和氣融融,入于静室之中,一塵不染,雜念不生,淡泊無爲,意志歸于虛無,則寢寐之間凝聚專一，神氣相抱，須臾不離。這是講自覺地掌握火候，進退存亡之度。經過這一階段的修煉，則容顏潤澤，筋骨堅強，排除各種陰邪，使純陽正氣長存。這樣再勤修不輟，則暖氣蒸騰如雲雨之時行，霏霏如春雨之澤萬物，但覺口中津液滋潤，和氣周流全身，如冰之消融，從頭至足，周遍全身，運行不息。這是對周天功的描繪，非深煉內丹者不能道。《參同契》雖講了內丹修煉，但對精、氣、神三者的關係則没有論述。對于修煉的層次畧有涉及也不夠細致明確。這些問題，唐以後的內丹家纔有比較清楚的論述。

(三)唐宋以後内丹家的精氣神學説

唐代高道司馬承禎撰《坐忘論》八篇會通道佛言“修道防次”。其末《坐忘樞機》①，講得道者“心有五時，身有七候”。五時是就心的動静而言，修煉之時由動入静，最後達到“心與道合，觸而不動”，“罪垢滅盡，無復煩惱”，七候是指內丹修煉功夫的深淺在身體上不同的反應。其第五爲“煉形爲氣”，第六爲“煉氣成神”其七爲“煉神合道”。五代時的道士譚峭作《化書》。他說：“道之委也，虛化神，神化氣，氣化形，形生而萬物所以塞也。道之用也，形化氣，氣化神，神化虛。”(《化書・道化》)他們所講的都是形、氣、神、道(即“虛”)的演化過程。不過司馬承禎講的祇是修煉的過程，而譚峭則既講道演化爲人(有形之物)的過程，也講到人修煉還虛的過程。前者就是道家説的“順則生人”。後者修煉過程是反本還原即“逆則成丹”。其式如下：

順行　道(虛)→ 神 → 氣 → 形

逆行　形 → 氣 → 神 → 道(虛)

---

①《坐忘樞異》或以爲非司馬承禎之作，以《雲笈七籤》卷 94 及《全唐文》卷 924 載《坐忘論》均未收此篇，且其內容基本上與《洞玄靈寶定觀經》相同。然《坐忘論》序中明言“《樞異》附焉”。宋葉夢得《玉澗雜書》洪興祖《跋天隱子》曾慥《道樞》卷 2《坐忘篇》均以“五時七候”爲承禎之説。《文獻通考・經籍考》亦以《樞異》爲司馬之作，今從之。即以“七候”爲《定觀經》之文，《定觀經》亦不會晚于唐時，故并不影響本文論點。

這裏除了少一個"精"的因素外,內練丹法的阶段已基本完成。與司馬承禎同時的道教內丹學者張果撰《太上九要心印妙經》。他説,"氣者命也","性迺神也",主張"神氣相包","神氣不相離",即性命雙修。煉丹要憑借"內火"。"內火者,有名無形,藉五穀之氣,即生真火,真火既生,返煉其精,精返为神,煉神合道"。又説:"神氣不相離,精神內守,精散爲氣,氣結成神,煉神合道。"其式如下:

精 → 氣 → 神 → 道(虛)

這與宋以後內丹功法所説的"煉精化氣,煉氣化神,煉神還虛,謂之三花聚頂,又謂之三關"。(李道純《中和集·趙定菴問答語録》)其階段層次完全一致。張果在《七返還丹簡要》裏又謂"分而爲三,混而爲一,一者精也。精迺元氣之母,人之本也。在身爲氣,在骨爲髓,在意爲神,皆精之化也"。精氣神雖分爲三,但統一于一體,而三者之中又以"精"爲本,故曰"一者精也"。精是人之本,元氣之母,強調了"精"的重要性。又云:"內丹者真一之氣,外丹者五穀之氣,以氣接氣,以精補髓。補接之功,不離陰陽二氣。"可見張果內外丹兼修,而以內丹爲主。其所言外丹非服食礦物煉成的丹藥,而釋爲"五穀之氣",正是由外丹轉至內丹的變化特徵。

五代時崔希范撰《入藥鏡》①,明內丹修煉之道。認爲人所資以生者"曰精曰氣曰神"。(《入藥鏡》上篇)以精氣神爲人生的三要素。三者的關係,他説:"神住則氣住,氣住則神住,神住則形在。""氣散則神去,氣止則神定。""精守氣,氣守神,神守精,此長生之道也。"(同上)説明精氣神三者相抱不離,則形可長存,人可長生。南宋時王希巢注《九天生神玉章經》闡發司馬承禎張果之旨。他説:"形得神以住,神得氣而靈,可以還元,可以成丹。""神能住

①《入藥鏡》有三種。一是《道藏》本《崔公入藥鏡》爲三言韻語,衹82句,迺經體。二是曾慥《道樞》卷37載《入藥鏡》上中二篇。三是《修真十書》卷21載崔真人《天元入藥鏡》一篇。二、三兩種皆非韻文,迺傳説體。本文所引據《道樞》本。

氣,氣能留形。”“形不能長存,能存者氣爲之運。氣不能常運,常運者精爲之根。三者混而爲一,則神仙之道不難矣。”他以精爲氣之根本,故云:“氣本生于精。”與司馬謂精爲元氣之母相同。有精故氣能常運而不息,氣能留神,而致神靈,神能住氣,神氣互爲依存,相抱不離,神氣住形,則形可長存,神去氣散,則人死亡,形體敗壞,所以學仙修丹者當固精,養氣,保神,愛形。

大概出于五代末或宋時的《高上玉皇心印經》就說:“大藥三品,神與氣精。”明確以精氣神爲內丹“大藥”。內丹的名詞往往借用外丹。外丹以丹砂、水銀(汞)等藥物在爐鼎中燒煉成丹藥,以爲服之可以長生。內丹則用比擬的方法,以人的身心爲爐鼎,以精氣神爲“大藥”,以思想意念爲火候,這是象徵性的說法。精氣神三者并列,是同等的,抑或還有主從之分,究竟以何爲主?這在道教的典籍裏有不同的看法,分述如下:

(1)以“精”爲本的,如上所述張果的《太上九要心印經》可爲代表。他認爲精氣神三者混而爲一,統一于精。所以說“一者精也,精迺元氣之母,人之本也”。精是元氣之母,而“神”又是精所化。因之“寶精”則可生氣化神,雖分爲三,而以精爲主。

(2)以“氣”爲主體的。《太平經》說:“夫人本生混沌之氣,氣生精,精生神,神生明。本于陰陽之氣,氣轉爲精,精轉爲神,神轉爲明。欲壽者當守氣而合神,精不去其形,念此三合爲一。”(《太平經合校》739頁)它認爲“精”和“神”都是由“氣”產生的。氣生精,精生神,神生明。所謂“明”即聰明智慧。精氣神“三合爲一”即內丹家所謂“三花聚頂”,煉成金丹,可以長生。孫思邈的《存神煉氣銘》亦云:“氣爲神母,神爲氣子,神氣若具,長生不死。”出于唐代的《長生胎元神用經》說:“神以氣爲母。”“形氣既立而後有神。”又說:“氣之所依者,形也;氣全形全,氣竭形斃。”以“形”爲氣所寄託的宿舍,所以氣消耗盡了,則人死亡而形體也就朽壞。這些都是主張以氣爲本的。

(3)以“神”爲主體的。西漢末嚴遵着《老子指歸》說:“夫生之于形也，神爲之蒂，精爲之根，……血氣爲之卒徒。”這是以精、神爲根蒂，血、氣爲卒徒，則精、神爲主帥。《太平經鈔》云：“以氣爲輿馬，精神爲長吏。”(《太平經合校》699 頁) 與嚴遵之説一致。《西昇經》謂“神生形”。《太上混元真録》講得更清楚，它説：“神爲君，精爲臣，氣爲人也”。劉宋陸修静《法燭序》説：“神去則氣亡，氣絶則身喪。”(《洞玄靈寶齋説光燭戒罰燈祝願儀》引)《太上元寶金庭無爲妙經》説：“形者氣之宅，氣者神之用。”(《忘形章》) 張伯端的《青華秘文》則認爲精氣神三者之中“神爲重，金丹之道始終以神而用精氣也”。後世托爲吕純陽的《廬山淬劍》也説：“人以神爲母，以氣爲子，神存則氣聚，神去則氣散。”(《吕祖志》卷 2) 這些都是以神爲主之説。

內丹是以性命雙修爲核心，以胎息、行氣爲主的修煉身心的養生方法，實際上就是今天的氣功內煉功法。但是道教認爲精氣神三者通過修煉，可以結成“聖胎”，則返本還元，“復歸于嬰兒”。可以變化無常，白日飛昇。一些道書上畫一個潛心息慮静坐修煉內丹的人，頭上出現神光。光環中現出一個嬰兒，認爲這就是丹成的象徵。但是這裏有兩大困難：第一，精氣神三者怎麽凝結成“丹”，所謂的“聖胎”究竟是什麽？對這個問題于上文已經講到在古代的文獻中認爲“精”就是細微的精氣。而在後來的五斗米教則認爲“精”就是人體的精液。《老子想爾注》對第一章“兩者同出而異名”，解釋説：“謂人根出溺，溺出精也。”(《廣弘明集》卷 13 釋法琳《辨證論外論》引) 在《黄庭經》中“精”兼指精氣、精液兩者。如“丹田之中精氣微”，“精氣上下關分理”。(《外景經》) 又云：“精液流泉去鼻香。”“長生要慎房中急，棄捐淫慾專子精。”均指精液。又如白玉蟾的《修仙辨惑論》説：下品丹法“以精血髓氣液爲藥材”。(《修真十書》卷 4) 這些都是指精液而言。由于古代醫學的進展，知道“精”是形成生命的本源，所以《易・繫辭下》云：“男女構精，萬物化生。”《素問・金匱真言論》説：“夫精者，身之本也。”所以凡養生求長生者貴在“寶精”。“氣”本指呼吸之氣，即自然的空氣。古代認爲“氣”是構成萬物的物質基礎。故荀子說：“水火有氣而無生。”(《荀子·王制》)《莊子·知北遊》云：“人之生，氣之聚也。”人人都要呼吸，呼氣吸氣稱爲氣息。人停止呼吸就會死亡。故《管子·樞言》說：“有氣則生，無氣則死，生者以其氣。”《禮記·喪大記》說：“屬纊以俟絶氣。”纊是極薄的新絲綿，古人對于病重將死的人把纊放鼻上，以測驗呼吸是否停止。“氣絶”人死則纊静止不動。所以欲養生者在“愛氣”。“神”是指精神作用。但是精(精氣或精液)與空氣、精神怎麼能三合爲一，凝結成丹，很難講明，亦難證實。精氣神三者，真的凝爲一體的具體的體現就是現實的“活人”。但世間上所有的人都會死亡；怎麼能說煉内丹的精氣神結爲丹就可以長存，這在理論上和事實上都難于講通。至于《老子》講的“復歸于嬰兒”，只是説回復到嬰兒純真的狀態，這是比喻，也不是講的返老還童的神仙之道。道教内丹家大概也感覺到這樣講的困難。所以内丹派南宗祖師張伯端就提出“元精”“元氣”“元神”之説以代替精氣神説。元精、元氣也是中國古代的哲學名詞。王充《論衡·超奇》篇說：“天禀元氣，人受元精。”畧晚于《論衡》的《周易參同契》說：“元精渺難睹，推度效符徵。”又云：“元精雲布，因氣托初。”王充所説的“天禀元氣”，這裏的“禀”是賦予之意。此言天賦予元氣，人禀受元精而生。所謂“元精”即元氣中最精微的氣。“元氣”的出現比“元精”更古。董仲舒《春秋繁露·王道》說：“王正則元氣和順。”《天地之行》篇又説國君“布恩施惠若元氣之流皮毛腠理也”。漢代的緯書中更多次出現“元氣”這一範疇。道教吸取了“元氣”説，所以《黄庭經》説：“呼吸元氣以求仙。”只有“元神”一詞出現較晚。《春秋繁露》中有《立元神》篇，但這裏元神并不作爲一個名詞。劉宋時顔延之的《迎送神歌》有“受釐元神”，作爲一詞，蓋出南北朝時。精氣神三合爲一，凝結成丹，在理論上遇到困難，所以北宋内丹家纔提出了元精、元氣、元神之説。張伯端《金丹四百字序》云：“以精化爲氣，以氣化爲神，以神化爲虚，故名曰三花聚頂。”又云：“煉精者煉元精，非淫泆所感之精；煉氣者煉元氣,非口鼻呼吸之氣;煉神者煉元神,非心意念慮之神。”張氏的四傳弟子白玉蟾也説:“其精不是交感精,乃是玉帝口中涎;其氣即非呼吸氣,乃知卻是太素烟;其神即非思慮神,可以元始相比肩。”(《修真十書》卷39《上清集·必竟恁地歌》)元精、元氣、元神,顧名思義“元”者始也。即精氣神之始。交感精,呼吸氣,思慮神,這些都是後天的,派生的,而非原始的,根本的。所以要追溯本原必須由後天返于先天。因此崔希範的《入藥鏡》裏就有“先天氣”“後天氣”之分。先天之氣即元氣,先天之精爲元精,先天之神爲元神。元氣元精元神説的提出,在哲學上有一定的貢獻。這便于説明人與生物與無生物的區别。(1)元氣是構成天地萬物的物質基礎,不論有生物無生物,一切的物,均禀元氣而成。(2)元精是生命的基因,這是生物所特有的。動物植物皆有生機,一切生物均由元氣元精所構成。(3)人不僅具有元氣元精爲有生之物,并有元神主宰,故人爲萬物之靈。動植物雖有生命,但不具元神,無思想意識,不能達于神明。只有人纔是精氣神三者的統一體。内丹家認爲除了精氣神構成人的實體外,通過内丹修煉還可以使精氣神凝爲“聖胎”,聖胎煉成則化爲嬰兒,可以在人體的頭頂上出現。嬰兒再經過修持鍛煉則可以成爲長生不死的“神仙”。這一模式顯然是從母體内的胎兒,生出後爲嬰兒,嬰兒成長爲兒童、少年、成人模擬來的。神仙既不可見,“聖胎”之説也難于從理論上和事實上證明。于是内丹家進一步提出性命之説。

《黄庭外景經》云:“作道優遊深獨居,扶養性命守虚無。”雖言性命,但還未與“神”“氣”聯繫起來。唐代張果説:“氣者命也。”“神乃性也。”(《九要心印妙經》)是最早把“神”“氣”和“性”“命”聯繫起來。由後天到先天,由神氣到性命,就是從形而下追溯到形而上的哲學理論根據。這已經超出了内丹功法鍛煉的領域而進入到形而上的哲學問題的探討了。把精氣神與性命之學及先天、後天聯繫起來是内丹學進入哲學領域的標誌。

(四)精氣神與性命之學

如上所述,張伯端在《金丹四百字序》中把精氣神區別爲“先天”“後天”,其式如下:

精〈先天之精(元精) 後天之精(交感精)
氣〈先天之氣(元氣) 後天之氣(呼吸氣)
神〈先天之神(元神) 後天之神(慾神)

“先天”的元精元氣元神都是從哲學上進行探索。在《青華秘文·神爲主論》云:

> 夫神者,有元神焉,有慾神焉。元神者,乃先天以來一點靈光也。慾神者,氣質之性也。元神者,先天之性也。形而後有氣質之性,善反之,則天地之性存焉。

這段話把“神”分爲元神、慾神,同先天、後天聯繫起來。又以元神爲天地之性,慾神爲氣質之性。特別值得注意的是説:“形而後有氣質之性,善反之,則天地之性存焉。”這幾句話完全鈔自張子《正蒙·誠明篇》,一字不易。《青華秘文》過去就有人懷疑非張伯端之作①,張紫陽與張横渠同時,紫陽長横渠二十餘歲。但《悟真篇》撰于熙寧八年(1075 年),《正蒙》結集于熙寧九年(1076 年),時間上很接近。《青華秘文》乃紫陽門下所輯,比《悟真篇》和《正蒙》的時間都晚,則係《青華秘文》鈔録《正蒙》文字無疑。但由此一端可見內丹學説與理學的密切關係。

內丹家南北宗都講性命雙修。南宗主張先修命,後修性;北宗主張先修性,後修命。但南北兩派宗師都認爲神氣即是性命。北宗祖師王重陽説:“性者神也,命者氣也。”(《重陽立教十五論》)馬丹陽也説:“神氣是性命。”(《丹陽真人直言》)南宗的《青華秘文》

①《青華秘文》係張伯端門人王邦叔輯録,不免有所附益。或疑爲明代李樸野作則時代更晚,然爲南宗丹法著作則無容致疑。

説："元神者先天之性也。"(《神爲主論》)又説："神者元性也。"(《凝神論》)又云："氣乃命之母。"(《交會圖論》)可見南北兩派宗師并以神氣即性命。南宗李道純説："夫性者先天至神一靈之謂也。命者先天至精一氣之謂也。"(《中和集・性命論》)明陸西星《玄膚論》説："性即神也,命則精與氣也。"精氣神三者怎麽祇歸結爲性與命、神與氣二者。李道純和陸西星都認爲精與氣合爲一。曹還陽説："仙道簡易,祇神氣二者而已。"其弟子伍守陽注云："修仙者必用精氣神三寶,此言祇神氣二者,以精在氣中,精氣本一致也。"(《天仙正理直論・本論》注)

可見神即性,氣即命,乃南北宗師内丹家之共識。這樣内丹修煉的内容實質上包含兩個方面：其一是氣功的養生鍛煉,其一是性命的修養。前者是道教繼承了中國古代的醫藥衛生和氣功鍛煉的功法并加以發展,後者則是以道爲主融攝儒釋的心性之學構建成一套身心修持的煉養理論和道行修養。這裏大體上可分爲兩派：

一、言性命修養也兼言神仙長生的。如宋元時的《太上修真玄章》認修性不修命則形難固,修命不修性,則神不明。"煉金丹以形譬鼎器,氣喻藥物,神喻火功"。"忘形以養氣,忘氣以養神,忘神以養虚,形神俱妙,與道合真。"元代牧常晁撰《玄宗直指萬法同歸》説："形神俱妙,可以上升,存神養氣,可以不死。忘形存神,可以尸假。上升不死,不可世有。坐忘尸假,何世無之?"這兩則既講性命雙修,但又未擺脱神仙長生之説。但不死的神仙不可見,于是又抬出"坐忘尸假"。總之,還是相信有神仙的存在。這派的思想是以"形神俱妙",肯定神仙不死爲特徵。但是世上没有不死的人,長生不死的神仙也不可見。因之"形神俱妙"説在事實上和理論上都難于立足,影響不大。

二、北宗全真祖師不侈談神仙長生,主張先性後命,近于頓教。所謂"金丹頃刻刹那成,不在三年九轉行"。(《重陽全真集》卷二《述懷》)南宗則先命後性近于漸修。王重陽説："欲永不死而離凡世者,大愚不達道理也。”(《重陽立教十五論·離凡世》)丘長春云:“神統萬形。生滅者形也,無生滅者神也、性也。有形皆壞,天地亦屬幻軀。”(《丘祖語録》)這就將“形”可長存,長生不死,白日飛昇的幻想,從根本上徹底破除。所以內丹家南北宗師都提出性命雙修,主張煉養并重的性命之學。

內丹家把精氣神的修煉提高到元精元氣元神的修煉。又把精氣神三者歸結爲神與氣,元神與元氣二者,目的就是與性命雙修相配,這樣就把歷來煉丹家諸多神秘玄奥的一些比喻譬況之詞簡化爲神氣、元神之氣,最後歸結爲性和命二者。王重陽說:“性者是元神,命者是元氣。”(《重陽授丹陽二十四訣》)今圖式[1]如下:

道〈	陰	女	水	坎	鉛	龍	神	元神	性
	陽	男	火	離	汞	虎	氣	元氣	命

把內丹學歸結爲性命雙修。性命之學爲究人生真諦,解決人生的根本問題,求得安心立命之地。這是哲學及宗教所要解決的問題,也是宗教及哲學的主要任務。宋明理學認爲性統于心,故曰“心性”。命受于天而存于人,性與命二者關係密切,故曰“性命”。命有長短而“性”則長存。故宋末元初華陽復說:“人有死生,性無死生,出生死之外者,其聞道乎!其見性乎!”(《九天生神經》注)這就説明人不能無死生,衹有見性聞道之人纔可以超脱于死生。所以道、佛、儒三教都講“性命”“心性”之學以求解脱。

道家——修心養性——性體長存是爲“神仙”。

佛家——明心見性——見性成“佛”。

儒家——盡心知性——盡性至命是爲聖賢。

心性、性命之學即是哲學所要解決的人生觀問題。在道教則是宗教哲學。所謂道行修養就是思想的提高升華。不識性命,修煉雖有小成,而不明大道。修煉就是誠心養性知命之學。王重陽說:

---

①參《重陽授丹陽二十四訣》及李道純《中和集·龍虎歌引》

“得道之人身在凡，而心在聖境矣。”(《重陽立教十五論》)這説明“得道”就是覺悟，就是自己思想境界的提高。什麽是“金丹”呢？重陽《金丹詩》云：“本來真性唤金丹，四假爲爐煉作團，不染不思除妄想，自然衮出入仙壇。”這表明“金丹”就是真性不染，排除妄想和一切雜念。什麽是“聖胎”呢？李道純説：“忘情養性，虚心養神，萬緣頓息，百慮俱澄，身心不動，神凝氣結，是謂丹基，喻曰聖胎也。”(《中和集·問答語録》)所講的也是養性虚心，息慮斷緣的思想修養和提高。丘長春説：“吾宗所以不言長生，非不長生，超之也。”(《丘祖語録》)“長生”是爲世俗之人樂生惡死者的方便説教。南宗講先命後性的漸修，内丹家講氣功煉養，氣功的鍛煉的確能强身健體，防病治病，能起到保健延年的作用。但是如果迷信内丹，認爲煉成丹就可以長生不死，正如王重陽説的此“大愚不達道理也”。南宗祖師張伯端在《悟真篇拾遺》前有小序一篇説①：

此恐學道之人，不通性理，獨修金丹，如此，既性命之道未修，則運心不普，物我難齊，又焉能究竟圓通，迴超三界。……故此《悟真篇》者，先以神仙命術誘其修煉，次以諸佛妙用廣其神通，終以真如覺性遣其幻妄，而歸于究竟空寂之本源矣。

這是一節很重要的文字。内丹家煉精氣神有三關：煉精化氣爲初關，煉氣化神爲中關，煉神還虚爲上關。但如果修煉内丹的目的是爲了長生不死，成爲神仙，則是大惑不解，“大愚不達道理。”所以張紫陽説“不通性理，獨修金丹”就不能達到“究竟圓通”。所以紫陽于此又提出“三關”，而以金丹修命之術爲初關，諸佛妙用神通爲中關，真如覺性究竟空寂爲上關。張伯端于《悟真篇後叙》裏又説：

欲體夫至道，莫若明夫本心。故心者道之體也，道者心之用

①《悟真篇拾遺》首題“禪宗歌頌詩曲雜言”。由此可見南宗丹道與禪融合的思想脈絡。前有“小序”一節，以真如覺悟、究竟空寂爲最高境地。後世道徒拘于教派或將此序删除，《道藏》本有之。

也。人能察心觀性，則圓明之體自現，無爲之用自成，不假施功，頓超彼岸。……世人根性迷鈍，執其有身而惡死悦生，故卒難了悟。黃老悲其貪著，乃以修生之術順其所欲，漸次導之，以修生之要在金丹。……其篇末歌頌，談見性之法，即上之所謂無爲妙覺之道也。

很顯然這完全是講的心性、性命之學，并且以此爲頓法，明心見性則可頓超彼岸，此爲利根智者上乘之法。金丹則是鈍根之人漸修之法。世俗之人好生惡死，故迷信神仙長生。其實求長生不死，欲形骸長存，不僅不可能，而且還會因思想上迷戀人生，局困于生死之內而不能自拔。南宗五祖白玉蟾説得好，"我生不信有神仙，亦不知有大羅天。那堪真人説蓬萊，掩面卻笑渠瘋顛。七返還丹多不實，往往將謂人虛傳。世傳神仙能飛昇，又道不死延萬年，肉既無翅必墜地，人無百歲安可延？"(《上清集・必竟恁地歌》)這不僅否定了神仙長生不死，也否定了金丹道。他在《無極圖說》中說："夫道也，性與命而已。"也是把"道"歸結爲性命之學。只有性命之學纔能解決人生的根本問題，纔能使人超脱生死。丘長春講"超之"，所謂"超之"者，即明于自然造化之理而達于道，明于死生之故而泰然安處，這就是對于人生有真正的覺解，超生死而得到解脱。佛家講"無壽者相"。也是講祇有超生死，纔能真解脱，得大自在。道教自唐宋以來也不宣揚白日飛昇，神仙長生之説。至全真道興起，內丹家南北宗公開否定神仙長生之説。進而從道家哲學上探索解脱之道。天師道淨明道也不例外。天師道如三十代天師張繼先説："夫心若萬法之宗，九竅之祖，生死之本，善惡之源，與天地而并生，爲神明之主宰。"(《虛靖真君語録・心說》)所言爲心性。心性乃萬法之宗，死生之本，與天地并生。我之精氣神與天地之道大化流行統合爲一，即是天人相合，體道者則性命長存與天地同壽。《莊子》説："天地與我并生，萬物與我爲一。"(《齊物論》)這是就體道者的思想境界而言。淨明道提出："心性圓融，而自長生。"(《淨明四規明鑒經》)又說："尚士學道，忠孝以立本也。"“忠孝之道,非必長生,而長生之性存,死而不昧,列于仙班,謂之長生。"(同上)也是從思想修養,思想境界上講的。全真道尹志平的高足弟子撰《性命圭旨》其中《生死説》云:“至人所以超生死,有生死者身也,無生死者心也。"心即性也,謂性體可以長存。又説:“死而去者,僅僅形骸耳,而我之真性命則通晝夜,配天地,徹古今者,何嘗少有泯滅?"(《性命圭旨·性命説》)這都説明形骸必死,而真性可以長存。人之所以異于禽獸而爲萬物之靈者,在于有思想理性覺解。要是没有思想理性覺解,如頑石一塊,雖壽同天地,何益?吕祖云:“壽同天地一愚夫。"何用?性命之學就是教人洞徹人生的真諦,有徹底的覺解,大徹大悟而得到解脱。道教的天仙,儒家的聖賢,釋家的佛祖,一切參悟修持都是這種學問。

從思想史上來看,佛教到了禪宗,儒教到了理學,道教到了全真,這一問題算是三教圓融,從哲學上得到解決。因之三教合流的思想從南北朝以來到了宋元也就達到百川匯海,萬殊歸一的階段。所以張伯端説:“教雖分三,道乃歸一。"(《悟真篇序》)王重陽説:“儒門釋户道相通,三教從來一祖風。"(《重陽全真集》卷一《孫公問三教》)“釋道從來是一家,兩般形皃理無差,識心見性全真覺,知汞通鉛結善芽。"(同上《答戰公問先釋後道》)李道純講得更加明確具體,他説:

> 禪宗理學與全真,教立三門接後人,
> 釋氏蘊空須見性,儒流格物必存誠,
> 丹臺留得星星火,靈府銷鎔種種塵,
> 會得萬殊歸一致,熙臺内外總登春。

總結起來,三教歸一,理無二致,就是以性命之學解決人生的根本問題。馮友蘭先生認爲哲學的作用不在增加人們積極的知識而在提高人的心靈境界。用《老子》的話説就是“爲道日損,損之又損,以至于無爲"(48章)。馮先生説:“中國哲學傳統裏有‘爲學’、‘爲道’的區别。爲學的目的就是我説的增加積極的知識,爲道的目的就是我説的提高心靈的境界。哲學屬于爲道的範疇。"(《中國哲學簡史》第8頁)馮先生在《新原人》中把人的思想境界分爲四大類。他認爲一般的宗教徒祈求長生不死或死後昇入天堂是屬于功利境界。按馮先生的分法則道教內丹家的“煉神還虛”是屬于天地境界。內丹修煉“明心爲應驗,見性爲凝結,三元(指精氣神——引者)混一爲聖胎,性命打成一片爲丹成,身外有身爲脫胎,打破虛空爲了當。此最上一乘之道”(《中和集・九品與漸法三乘》)。蓋性命之學洞徹究竟,“有”不可執,“空”亦不可執,故曰:“粉碎虛空成大覺。”(《中和集・煉虛歌》)

時間是無限的,空間是無限的,宇宙是無限的。我們稱其整體爲“大化流行”。在大化之中元氣運行而產生無窮之星系,無窮星系之一爲銀河系,銀河系中有若干之恆星系,其一爲太陽系。太陽系之一行星爲地球。地球在“大化”中是微乎其微的。地球于大化流轉中而有山河大地,產生了諸多的物類。物類中有生命者爲植物動物。動物在大化流行中其一支進化爲人類。人類爲了物種之延續在地球上已綿延百萬年以上。當今地球上的人有數十億,而“我”爲其一。正如《莊子》所說:“察其始而本無生,非徒無生也而本無形,非徒無形也而本無氣。雜乎芒忽之間,變而有氣,氣變而有形,形變而有生,今又變而之死,是相與爲春秋冬夏四時行也。”(《至樂》)從恍惚之間而出現了人類,從億萬人中而產生了“我”。地球甚至太陽系在宇宙大化中是微乎其微的,我在大地上幾十億人中又是滄海之一粟。但人獨有精氣神,而具聰明神識,故爲萬物之靈。可以改造自然,可以創造文明,可以改造自己。所以人生雖不過百年,非常短促,但就在此短暫的時刻中也可以發揮其巨大的能量和作用,人之所以異于萬物,其可貴者正在于此。但時限一到,則復歸于“大化”,參加到大自然的運行中去。衹不過是在有我時是有生命的活動,無我時是無生命的運動而已。這就是人生的覺解,人生的究竟。哲學和宗教所要解決的就是這一根本問題。最後偈曰:

人生難得,大道難明,

能得能明，勤而行之，

堅持不懈，仙佛可期，

三教雖殊，其理則一！

作者簡介 鍾肇鵬，1925年生，四川成都人。四川大學中文系畢業，曾任中國社會科學院中國哲學史研究室副主任、世界宗教研究所道教研究室主任、中國社科院研究生院教授等職。著有《讖緯論略》、《孔子研究》及編《道藏提要》等。

榮格的道教研究

王宗昱

内容提要　榮格對道教的研究和他本人分析心理學的思考有着密切的關係。他的道教研究集中體現于他對《太乙金華宗旨》的評論中。分析心理學的一個重要思想是：無意識是一個發展過程，在個體人格發展中，它表現爲個性化(individuation)，此過程以自性(self)爲目標。曼荼羅爲此過程的外化形式。榮格從古代西方的諾斯教、中西煉金術中作了長達幾十年的探尋。《金華宗旨》對榮格的思考起了催化劑的作用。榮格對道教自然無爲的思想給了高度的評價，自然無爲抑制了意識的過度生長，保持了意識與集體無意識的聯繫，保證了精神的正常發展。榮格着重討論了道教中的曼荼羅象徵，分析了這些象徵的心理學含義，由此發揮出去，討論了道教宗教體驗對於心理治療的意義，討論了中國不朽觀念與西方 pneumaticman 的比較，肯定了中國修道方式優於基督教之處。榮格的討論對於重新理解道教精氣神諸概念及基本教義，有着重要的借鑒意義。

1929 年秋，德國著名漢學家衛禮賢(Rechard wilhelm)發表了他用德文翻譯並注解的中國道書《太乙金華宗旨》，書名爲：Das Geheimnis der goldenen Biüte：Ein chinesisches Lebensbuch，該書還收入了著名心理學家榮格(C.G.Jung)對《金華宗旨》的評論。1938 年，此書德文本再版並加以修訂，榮格寫了再版前言。1931 年,Cary F.Baynes 將此書譯爲英文,自稱翻譯過程中得到榮格本人的"監督",於當年出版。1962 年,Baynes 又出版了修訂本。榮格所寫的評論後來收入英文《榮格全集》第 13 卷(此卷主要爲榮格的煉金術研究),文字基本是 Baynes 的譯筆。1978 年,普林斯頓大學出版社將此文與榮格其他關於東方文化的研究合爲一書出版,書名爲 Psychology and the East。在此文之前,編者詳述了《太乙金華宗旨》德文、英文本的出版及版本異同。北京大學圖書館曾收藏有德文本和 1931 年版的英文本,書中隨附榮格自繪及收集的曼荼羅圖版共有 10 幅。"Psychology and the East"則略去了這些圖版及其説明。

榮格在他的著作中多次提及中國哲學和宗教,而關於中國文化的專門性論述則僅有《評〈金華宗旨〉》和爲衛禮賢所譯德文本《周易》所寫的序言。這兩篇文章不僅對於研究榮格本人的理論建構有重要參考價值,並且對世人探討中國哲學與宗教亦有重要意義。在德文原版中,榮格的評論被放在衛禮賢譯文之前,英文本出版時,應榮格本人的請求,評論被放在譯文之後。但是,這本書一直被視爲對中國宗教的心理學研究。據説,榮格的心理學也影響到一些海外漢學家的研究。李約瑟在《中國科學技術史》的參考文獻中注錄了榮格的大量著作。隨着榮格著作中譯本的出版,中國大陸學人亦漸漸聞知榮格曾對中國宗教有所研究,但畢竟少有人得窺其奥旨,即使是書名亦僅倒譯爲《金花之謎》(英文書名爲 The Secret of the Golden Flower)。北大圖書館亦曾把《太乙金華宗旨》英文本視爲過時舊書剔出大庫,幸爲北大外國哲學研究所選得收藏。至於德文本現在已不知下落。此書問世六十餘年,未得中國人青眼,實屬遺憾。筆者於 1987 年冬聽加拿大麥克瑪斯特大學宗教學系主任冉云華先生來校講學時言及此書,不久即覓得英文本。恨英文及心理學修養不深,讀過許多遍方得大旨,益覺此書或許能爲今人研究道教的教義及修行找到一個視角,遂於 1993 年春夏所設"精神分析與儒道佛"一課上向學生作一介紹與評價。

現將榮格對道教內丹的理解及我的評論匯成一文,希圖國內學人對榮格的研究有所了解,亦求對筆者之評價作一回應。

緣　起

榮格所以著文評論《金華宗旨》乃是此經對他的思想發展有着重要意義。榮格本人在該書再版前言及自傳中均已談到。澳大利亞學者康丹(Daniel Kane)先生亦曾著文介紹①。衛禮賢將《金華宗旨》德文本交給榮格是在1928年。其時,榮格沉浸在對集體無意識的思考中已有十五年了,雖有一些結果卻惴然於心。1912年,榮格發表了《轉變的象徵》(Symbols of Transformation),標志着他和弗洛伊德在理論上的決裂。這一決裂主要是由於榮格將無意識的考察由個體的人推廣到對整個人類精神歷史的記憶,提出了"集體無意識"的觀念。此後,榮格致力於集體無意識的考察。在十五年間,他搜尋的大量歷史材料主要是諾斯替教(Gnosticism)和煉金術的史料。他感到有關諾斯替教的材料多爲零篇斷簡,並且許多是後來基督教中批判諾斯替教的釋經學家們寫的作品。他接觸煉金術史料後,以爲它可以作爲上承諾斯替教並直接通向人類對無意識的最初的探索,向下即可接通當代的無意識心理學。然而,榮格對煉金術的理解可以說是起源於《金華宗旨》一書。此前,他視歷史上的煉金術是"旁門邪道並且是很可笑的"東西。榮格自己說:"祇是讀了《金華宗旨》的文件之後,對煉丹術的本質我纔開始逐漸瞭解……我被一種慾望激勵着,迫切想進一步知道更多的有關煉丹術的文本。"②由此可見,《金華宗旨》一書對於榮格的思想發展有着重要的作用。他雖然在諾斯替教史料中尋

①參見榮格的著作《Psychology and East》《Memories,Dreams,Reflections》(有劉國彬等人中譯本,名《回憶、夢、思考》)以及康丹的論文《The Influence of Chinese philosophy on the Thought of C.G.Jung》(收入北京大學出版社出版的《國故新知》一書)。

②見《回憶、夢、思考》第346頁。

到了一些歷史上無意識的踪迹，但這些材料用以立論尚不妥貼，而《金華宗旨》使他擺脱了這一困境。他認爲，此書中恰恰包含着他在諾斯替教史料中長期探尋的那些東西，鼓舞着他能夠將一些基本的結論發表出來。因此，他在再版前言中強調説，恰恰是《金華宗旨》使他的研究回復正軌。此後，榮格致力於煉金術的研究達十餘年，其結果便是寫了《心理學與煉金術》(Psychology and Alchemy，1944 年出版，後收入《榮格全集》第 12 卷)。煉金術的研究使榮格感到：分析心理學"以一種十分奇怪的方式而與煉丹術不謀而合。""我無意中觸到了我那無意識心理學歷史上的對應物。可以與煉丹術進行比較及存在着一條向後通回到諾斯替教派的不曾中斷的智識鏈條，便爲我的心理學提供了具體的例證。"①

在這個長達一二十年的研究中，榮格得出的主要結論是：無意識是一個發展過程。在個體人格的發展中，這個過程叫"個性化"(individuation)。這個發展過程的終極目標叫"自性"(Self)。個性化指個體的人的精神由一種混沌未分的統一狀態向着充分分化(fully differentiated)的、平衡和統一的人格發展的過程。人格的統一性是一種組織原則，它本身也是一種集體無意識的"原型"(archetype)，卻能把其他原型吸引到自己的周圍，使人格的發展呈和諧狀態。個性化的實現即自性之實現。自性是被用來説明個體人格發展出現偏向時如何自動糾正，是要説明人格發展的多樣性需由統一性作補償。榮格説，這個"補償"的問題把他"直接引導到中國的'道'的觀念上。"在收到衛禮賢譯文之前，榮格畫了許多曼荼羅圖畫。他從這些圖畫中發現了"自性"原型及其中心性質。1928 年，他畫了一幅曼荼羅並自問：何以有如此濃重的中國畫味道？不久即收到了衛禮賢的譯文。他回憶説："我立刻如飢似渴地一口氣把這草稿讀完，因爲文中所述對我關於曼荼羅及這中心的繞圈圈的想法給予了我作夢也不曾想到過的證實。"②這種

①見《回憶、夢、思考》第 348 頁。

②見《回憶、夢、思考》第 354、333、352、334 頁。又見馮川所譯《榮格心理學入門》。自性一辭乃馮川所譯，甚爲貼切，故選用。

證實、這種巧合(榮格稱之爲同步性原則,此原則亦受到易經的啓發)使他就此畫寫道:此畫作於1928年,畫的是一個防衛森嚴的金色城堡。此時,身居法蘭克福的衛禮賢給我寄來論述黃色古堡即長生不老之源的一篇三千年前的中文文章①。可以說,是心靈的激蕩使榮格欣然命筆寫下了這篇評論。在這篇評論中也可以看出,榮格的行文雖然由西方人如何理解道教入手,然而在具體論述中他則偏重於利用道教教義和象徵、概念與自己的研究材料(包括病人的案例)作印證。榮格自己說:他在開始精神病治療生涯時全然不知中國人的哲學,衹是在後來,他的職業經驗纔告訴他,他一直在無意中循守的那個神秘的方法早已在中國人的精神中存活了許多世紀②。從這個角度看,《金華宗旨》對於榮格的理論建構並未增添多少磚瓦,而是使它的輪廓驀然清晰了。在此評論中,榮格使用的西方歷史上神秘主義者的體驗記録和他病人的案例比道教的材料更多。可以看出,榮格乃是要爲古往今來的宗教現象的心理學的層面作一探究,同時,此文亦不能僅僅看作是對《金華宗旨》的評論,因爲文中亦多引録《慧命經》的文字。也許是由於這個緣故,纔在第五版時收録了《慧命經》的文本。

自 然 無 爲

據霍爾(C.S.Hall)等人所著《榮格心理學入門》介紹,榮格把人格的結構劃分爲三個部分:意識、個人無意識、集體無意識。意識即指作爲普通心理學對象的那種意識,名之曰意識是指這些心理經驗是經驗者自己能夠知曉的。意識也有其個性化,在此個性化過程中産生了個體的“自我”(ego)。自我是個意識的主體,心理經驗的過濾者,經驗需經過它的認可纔進入意識領域。那些没有

①此畫見1931年英文本插圖10。
②《Psychology and East》一書第13頁。

被自我承認並選擇的經驗即是個人無意識。這些看法和弗洛伊德基本是一致的。但是,榮格進一步發現,個人無意識中的那些情結並不能僅僅由個人的經驗(如童年經驗)作圓滿解釋,它們和整個人類的精神發展有着聯繫,於是他提出了"集體無意識"的概念。集體無意識中保存的經驗是人類漫長歷史中積澱下來的。這些經驗在個體的人終其一生都不會被意識到,但是它們卻可以決定或規定人的精神發展的方向和過程。"在個體出生的那一天起,集體無意識的內容就給個人的行爲提供了一套預先形成的模式。"①這些模式被榮格叫做"原型"。我們前面提到的自性以及後面要討論到的"阿尼瑪"和"阿尼姆斯"均屬這類原型。

榮格在評論《金華宗旨》一書時即從集體無意識這一論題入手。雖然榮格在文中強調他的學説並非一種形而上學,但我仍認爲他關於集體無意識的假設有着濃重的形上色彩。他也是從這種形上的立場考察中國文化遺產的。在他看來,中西民族思維方式的差異儘管給西方人理解中國人帶來了困難,但在精神發展的道路上,普天下的人是循着一個原則前進的。所以,他在文章第二節開篇即指出,他的集體無意識的學説使西方人可能理解中國人。他指出,這部道經的重要之點是表現出和他的病人的精神發展有惊人的相似性。人的身體除了種族的差異外,還有解剖學上的共同性,人的精神過程也有共同的基礎。集體無意識作爲人類的共同遺産,"超出了文化和意識方面的一切差異";"集體無意識的事實簡直就是大腦結構的同一性在精神方面的表達。"②

然而,榮格從"集體無意識"入手探討道教自有其目的在,他並未借用道教的材料去論證他的集體無意識的概念。在1928年時,榮格已花費了十幾年時間考察人的精神從集體無意識開始如何發展爲一種充分發達的完整的人格。因此,道教材料對於他

①見《psychology and East》一書第13頁。

②同上書第13頁。

的重要意義在於考察人格發展過程,即個性化過程。集體無意識是人類千百萬年積纍下來的行爲模式或心理發展模式,而意識則完全是個人後天的經驗內容。這兩者的關係如何呢? 依榮格的邏輯,在自我形成之前,支配人的精神活動的主要是集體無意識,人主要依靠本能、情感活動。隨着經驗的增多、自我的長成,人的活動漸爲有意識的,漸入自主、自由。意識的形成和發展常常使人的精神逐漸擺脱無意識的束縛,也可以説是脱離了他以往立足的基礎。但是集體無意識的作用就消失了麼? 不。意識"高飛在地上,高飛在人類之上,但於此它也有了頃刻崩潰的危險,雖然並非人人如此。"①意識的"過度生長"招來了集體無意識的報復。榮格認爲,這種報復和意識與無意識兩種力量的消長已爲中國人用《周易》的話作了概括: 陽動極而生陰。這種報復和力量的消長在一個人的人格發展中表現爲性格氣質的急劇變化。如,一個卓有功績的商人在其事業如日中天時卻退步了。很快,他得了精神病,變成了一個絮絮叨叨的"老太婆",乃至臥床不起,終於死亡。這種現象即是由於意識的片面的發展到極度,極大地排斥了無意識內容,反而引起了無意識內容的大爆發,終於摧垮了他。要避免這種結局,就應保證人格的全面、均衡、統一。榮格認爲,中國人即能夠避免這種片面發展或某一方面的過度生長帶來的危害。在榮格眼中,西方人的精神是意識大爲發達的精神,這種發達易導致精神與其原初狀態即集體無意識這個基礎相分離,而中國人從未割裂意識與基礎的聯繫。中國人如何發展自己的精神(即個性化過程)呢? 榮格選擇了"無爲"這個觀念來概括。他説: 這種任物之生的藝術即是"無爲之爲"。這種藝術,也就是中世紀的德國神秘主義者愛克哈特 (Eckhart) 所説的"任物自行"(Letting go of oneself)②。無爲的確是《金華宗旨》屢屢言説的。榮格並不計較它在煉丹過程中有何具體作用,他祇注意這種

①見《Psychalgy and east》一書第 14 頁。

②見《Psychology and Esat》一書第 18 頁。

方法本身。他十分強調"任物之生"。他說：我們一定要讓事物在精神中發生，這是一門藝術，而大部分人卻並不知道這門藝術。意識總是在作干涉、助長、校正或否定，從未讓精神過程平靜地發展。因此，無爲、任物之生成了保證精神正常發展的關鍵。

榮格在道經中發現無爲藝術是有他自己的體驗作背景的。榮格的心理學研究一直是同他對自己精神狀態的觀察緊密相聯的。他從不輕易否定自己精神中出現的任何一個片斷、幻想。他自己曾畫下許許多多的曼荼羅的圖畫即是明證。他自己和病人精神歷程中許多正反面例子印證了道教的無爲原則正是保證一個人精神正常發展的正確方法。

道與曼荼羅

榮格此文的第三節題爲"基本概念"。下面又分爲兩部分：1、道，2、循環與運動中心。依衛禮賢介紹，"道"字爲"首"和"走"兩部分合成。榮格說：首可以理解爲意識，因爲它是"天光"所在之處。由此，道這個概念的涵義即是："有意識地走"或"意識的道路"。榮格認爲，這一涵義可由與"道"同義的"天光"、"天心"（處於雙目之間）得到證實。他把"光"視爲意識的象徵。這是值得進一步商榷的。榮格本人對光的涵義的解釋亦不嚴密。比如他又說，天光中含有性命(human nature and life)。這是他看到《慧命經》開篇有云："道之精微，莫如性命"。榮格對道教的討論中有重要意義的是他看到了道教的修煉是一個結合對立面的過程。他引了《慧命經》的一段話並作解釋。這段話是該書第一幅圖（漏盡圖）的偈語："欲成漏盡金剛體，勤造烹蒸慧命根，定照莫離歡喜地，時將真我隱藏居"。衛禮賢將"慧"譯爲意識，這是不准確的。《慧命經》中亦有"慧命之道"的說法。于是，榮格遂將"慧"與"性"等同起來。他從這段引文推衍下去說道：烹蒸是必須的。爲了使光照亮"真我"的所在之地，意識就必須要加以"強化"。並且，不僅意識要強化，生命本身亦必須強化——兩者的結合就產生出“意識的生命”，在榮格看來，古代的聖賢所致力的就是要彌合意識與生命的縫隙。《慧命經》中所云“舍利由此而煉，大道由此而成”即是在講這個彌合過程。他說，如果“道”被理解爲結合分離物的話，則我們就可能接近了“道”這個概念的“心理學涵義”了。他認爲，所謂意識與生命之分離就是指的他在前文中所說的“精神失常”或“意識的連根拔起”。中國人所說的“道的實現”則指兩者的重新結合①。

《慧命經》中的確有關於分離的論述。該書第一節即討論性命的分離與重新結合。“是竅(玄關)也，大矣哉！父母未生此身，受孕之時，先生此竅，而性命實寓於其中。二物相融合而爲一。融融鬱鬱，似爐中之火種。一團太和天理。故曰父母未生前，氣足胎圓。形動包裂，猶如高山失足，囫地一聲，而性命到此則分爲二矣。自此而往，性不能見命，命不能見性，少而壯，壯而老，老而嗚呼。故如來發大慈悲，泄漏修煉之法，教人再入包胎，重造我之性命。將我之神氣，入於此竅之內，合而爲一，以成胎孕，其理一也。”此節開首亦云：“蓋道之精微，莫如性命。性命之修煉，莫如歸一。”由前面文字可知此“歸一”即是對後天性命分離的修煉使之重新結合。榮格此節屢引“漏盡圖”一節文句，卻偏偏未引録其言“歸一”之文，不知何故。按道教性命雙修的教義，性並不是榮格所理解的意識，而更近於他所說的生命，即作爲意識基礎的集體無意識。即便如此，榮格說內丹之修煉正是要結合分離的對立物，這既合乎《慧命經》大旨，也合乎其他道教丹經的義理。他由此而引發的心理學討論也是合乎內丹基本精神的。

榮格此節的第二部分是討論象徵的。象徵自弗洛伊德開始一直是精神分析學派討論的主要論題。象徵在榮格學說體系中的作用何在呢？人格的發展是要使蘊藏在集體無意識中的原型均衡、

①見《Paychology and East》一書第 22～23 頁。

統一地發展出來。但是,這些内容是無意識的,故不能用有意識的方式表達出來,而是要借助象徵。榮格說:"象徵不是一種用來把人人皆知的東西加以遮蔽的符號。這不是象徵的真正涵義。相反,它借助於與某種東西的相似,力圖闡明和指示某種完全屬於未知領域的東西,或者某種尚在形成過程中的東西。"①在討論對立面的再次結合時,榮格説,這種結合不是一件理智的事或意志的事,乃是一種精神發展過程。此過程即個性化過程。個性化的過程没有象徵就不可能成就,象徵是無意識的天然述説者②。

榮格認爲,諸多象徵中最重要的是曼荼羅(mandala)。曼荼羅爲梵文音譯,意爲壇場,還有"輪圓具足"、"聚集"等義。它本爲印度密教修煉時所建的壇場,目的在於防止"魔衆"侵入。壇中常畫有佛與菩薩之像。壇爲方形或圓形。榮格最欣賞的是西藏佛教中的曼荼羅。他對曼荼羅特徵的概括亦與印度文化中的本義相同,即外形多爲方或圓,義爲聚集。在榮格眼中,曼荼羅是世界很多文化中存在的普遍現象而不爲印度、西藏特有。在本文中榮格指出,埃及神話中關於 Horus 神與其四個兒子的傳説即是一種曼荼羅意象,而基督教關於基督及其四使徒的事迹直接受到這個神話的影響,也是曼荼羅意象。至於中世紀基督教史料中則有更多的曼荼羅象徵。北美印第安人及非洲羅得西亞的文化中均有曼荼羅。甚至畢達哥拉斯學派崇尚的"聖四"也屬於曼荼羅。因此,榮格認爲曼荼羅圖像的外形"趨於四元結構",花、輪,十字均是四元結構的曼荼羅。筆者未及閱讀榮格其他關於曼荼羅的論述。從本文看,榮格把曼荼羅視爲"精神宇宙的系統"。他認爲德國歷史的上基督教神秘主義者畢麥(Jakob Böhme 1575—1624)的曼荼羅圖最典型地表達了這種意藴。此圖見於畢麥的著作《關於靈魂的四十個問題》一書中。畢麥在圖上標明這是"哲學眼"或"智慧之

①轉引自《榮格心理學入門》第 170 頁。

②同上書第 44 頁。

鏡”。榮格認爲,這些詞説明此圖乃是一個關於神秘知識的大全①。榮格對歷史文獻中及他本人游歷各地土著文化時發現的曼荼羅給予了特別的注意。這是因爲他在自己的精神病治療生涯中也經常發現一些病人繪出曼荼羅圖形或是跳曼荼羅舞。由此,他把曼荼羅視爲個性化過程中起着重要作用的象徵。他不但探討曼荼羅與病人精神狀態的關係,也對歷史上各個宗教中的曼荼羅的心理學意義作出了闡釋。

榮格在道教中也發現了曼荼羅象徵。首先,《金華宗旨》所説的“金花”即一曼荼羅。榮格説他常常在病人那里發現這種象徵。此象徵從正面看乃一規則的幾何圖形,自側面看則如一植物上長出的花朵。這個植物的結構常常是這樣的:在黑暗的底座上生出火一樣燦爛的顏色,頂部有發光的花朵。榮格認爲,《慧命經》中説的“海底龍宫”、“雪山界地”、“玄關”、“極樂國”、“修慧命之壇”,《金華宗旨》中説的“黄庭”、“天心”、“絳闕”等均爲曼荼羅象徵。他尋繹了筆者已在前面寫出的那大段引文的含義並把它和自己關於人格發展的思想相比照:在初始之時,一切都衹是一個“一”(這個一也表現爲最高目的),它“躺在大海的底部、無意識的黑暗中”。在這個胚囊中,意識和生命(性命)還是結合着的。它們結合在熔爐中,“似爐中之火種”。榮格特別注意到火的比喻,認爲它甚至與許多歐洲的曼荼羅相似。那些曼荼羅就是描繪植物的種子被粘膜包圍着,好像浮在水面上,從下面的深處有火穿透種子使其生長,長成一個大的金花。這個過程就是煉金術的過程,在黑暗中生出光,在水中生出金。這個過程就成就意識與生命的結合②。

在道教中發現曼荼羅象徵是榮格研究中國文化的又一收獲。在 1921 年寫作的《心理學類型》(Psychological Type)一書中討

①見《Psychology and East》一書,第 24 頁。畢麥此書英文本中,圖上所標文字爲 The Figure of the Philosophic Globe or Eye of the Wonders of Eternity,or Looking-glass of Wisdom. 見 John Sparrow 所譯英文本,第 44 頁後,倫敦 1911 年版。

②同上書第 25 頁。

論到道家思想時，他尚無此論述。那時，他也並未對曼荼羅問題給予重視。那本書把"道"作爲一個象徵，説它表達了對立面的結合。這個認識還是保持下來了。在《評〈金華宗旨〉》一文中，他首先是通過比較確認道教中存在有曼荼羅，然後將此與他十餘年來思考的個性化問題相聯繫。論述中大量引用的仍是西方的曼荼羅和他治療生涯中的病例。前一節曾提到任物之生是不要對精神中出現的幻想片斷有意識地加以干涉。但是，對這些幻想如何加以安置呢？曼荼羅即是起這樣一個作用。無意識的內容必要經由象徵表達。曼荼羅作爲重要象徵其意義即在於它"聚集"了那些幻想片斷。無意識的個性化有一個目標，即自性。自性作爲中心把精神中的各部分均衡、調和達致統一狀態。曼荼羅也是自性表達自己的一種方式或工具。它要通過畫圈、構壇、跳舞等儀式建一個防護性的魔術圈，其心理學意義是防止人格的"外溢"，將人的興趣和注意力引回到內部的神聖境界中。這個神聖的境界就是"精神"(psyche)的源頭，也是精神的目的。它包含着生命與意識的結合。這種結合是人原初具備的，卻一直失落了，現在要通過曼荼羅重新找到①。

榮格還討論了《金華宗旨》中光的象徵及其運動。"生命與意識的結合即道。它的象徵大約就是中心的白光。此光居於方寸之間，即二目之間。這是創造之點的形象化。"②榮格對《金華宗旨》中的光給予注意是有他的研究作背景的。他在史料中和他的病人體驗中多次發現了光。他在本文中特地援引了中世紀德國著名修女Hildagard of Bingen(1098—1179)關於光的自述。他相信西方神秘主義者和病人的光的體驗是確實存在的，因此他也承認道經中關於光的描述是實有的。他認爲這種體驗有無可置疑的偉大意義。它意味着人的"分離的"(deatched)意識進入了一種通常處於

①②見《Psychology and East》一書第27頁。

黑暗之中的精神活動領域。在體驗光時,體驗者弄不清光的廣延,身體感官的能力對它不能奏效。這種現象通常是自發的。這恰恰說明它使內在的人格擺脱了感情和理智的糾纏,使人有"解放"之感①。

光確是《金華宗旨》屢屢論到的。論説角度不一,其涵義亦有分歧。光也可以叫做神火,也可以叫做火候,光也是修道者的體驗,光又有性光、識光之分,性光纔是真正的體驗,識光則是意識心的作用。其論述確有與榮格及 Hildagard 叙述相同之處。如"性光識光章"中説:"若見爲光,而有意著之,即落意識,非性光也。""凡人視物,任眼一照去,不及分别,此爲性光。"②可以明顯看出論者在否定意識心的作用。

《金華宗旨》討論光的運動主要是講"回光"。第三章名"回光守中",衛禮賢譯爲 Circulation of the Light and Protection of the Centre. 榮格據此亦將"回"理解爲"循環"。他解釋説:循環不僅指運動呈圓周形,還意味着一方面此運動出自一聖域,一方面要專注集中。"太陽輪開始運轉了,太陽被激活並開始其歷程——易言之,道開始運作並作爲先導。運動轉入無爲,邊緣的一切都要服從中心的命令。故曰'運動僅爲控制之别名'。從心理學上説,這種循環大約是'環繞自己運動'。由此,人格的一切方面均被包容進來。"③"專注集中"確爲《金華宗旨》討論到的一個思想。其意亦與榮格思想一致。"回光守中章"云:"緣中二字妙極。中無不在。遍大千皆在里許。聊指造化之機,緣此入門耳。""遍大千皆在里許"被衛禮賢譯作 everything is contain in it。這一翻譯更可能使榮格引以爲同道。然而,"回光"之"回"並無循環之義,《金華宗旨》講的回是逆。內丹的這一原理原本《老子》反者道之動之義

①見《Psychology and East》一書第 30 頁。

②本文所引《金華宗旨》文字出自徐兆仁所編《全真秘要》《中國人民大學出版》。版本與衛禮賢所據版本顯然不同。

③見《Psychology and East》一書第 27 頁。

而來,順則成人,逆則成丹。"回光者,非回一身之精華,直回造化之真氣。……凡人自囡地一聲之後,逐境順生,至老未嘗逆視。……惟諦觀息静,便成正覺,用逆法也。""聖聖相傳不離返照……返者,自知覺之心,返乎形神未兆之初,即吾六尺之中,求個天地未生之體。"由這些論述可見,《金華宗旨》雖未云"循環",但它要求排斥意識心,返回意識未曾萌生的精神狀態,這一點和榮格的思想是有一致之處的。故榮格的解釋雖間有訛錯,卻不悖大旨。榮格以"循環運動與中心"爲題討論道教中的曼荼羅象徵本與他當時的思考有關。榮格在自傳中詳述了他在接到衛禮賢譯稿前後的思索及體驗,限於篇幅這裏不能詳述①。從這些論述中並不見榮格討論到循環,並且在評論《金華宗旨》時榮格說:經文中"回"字表達的是 enclose 之義。榮格關於回字要闡發的是"圍繞自己作圓周運動"之義。圓周及圓周運動是榮格從許多巫術和象徵中發現的一個現象,在後來發表的《人格的整合》(The Integration of the Personality, 英文本初版於 1940 年)一書中也屢次討論到。在自傳中闡釋他自己的曼荼羅圖畫及夢時,他也注意到這個圓周現象。這種圓圈表明無意識的內容被吸引在一個中心周圍。由此可見,"循環"一辭不過是對衛禮賢譯名的借用。榮格本人要討論的還是道教如何通過曼荼羅(天光亦屬曼荼羅)象徵這個中心使人格向着最終目標發展。

魂　魄

在《心理學的類型》一書中,榮格也提到了中國人的魂魄觀念。他説,中國人將人的靈魂劃分爲"神"與"鬼"、"魂"與"魄"是一個偉大的心理學的真理。他將此劃分與《浮士德》中關於"兩個靈魂"的詩句加以比較。但是榮格此書中的討論非常簡短,並且也未

---

①參見《回憶、夢、思考》第 330～337 頁。

用 animus 和 anima 譯解魂魄[1]。榮格大約是從衛禮賢的譯文中首次見到這種譯解方式的,這也促使他在評論中探討魂魄與他本人所使用的 animus 和 anima 二辭的關係。衛禮賢這樣譯解或許有其語源學上的來由,筆者未及詳考。有趣的是,李約瑟也這樣譯解。在榮格的著作中,我們可以看到一些關於語源學上的材料[2]。我們可以知道拉丁語中有 anima 和 animus 二辭。前者指精神,後者指靈魂。但此二辭在拉丁語中進一步的涵義及如何使用則仍不甚清楚。

《金華宗旨》"元神識神"一章中對魂魄有頗長一段論述,爲後文討論方便,節録於此:

> 蓋身有魄焉。魄附識而用,識依魄而生。魄陰也,識之體也。識不斷,則生生世世,魄之變形易舍無已也。惟有魂者,神之所藏也。魂晝寓目,夜舍於肝。寓目而視,舍肝而夢。夢者,神游也。九天九地,刹那歷遍,覺則冥冥焉。拘於形也,即拘於魄也。故回光即所以煉魂,即所以保神,即所以制魄,即所以斷識。古人出世法,煉盡陰滓以返純乾,不過消魄全魂耳。回光者,消陰制魄之訣也。……一靈真性,既落乾宮,便分魂魄。魂在天心,陽也,輕清之氣地。此自太虛得來,與無始同形。魄陰也,沉濁之氣也,附於有形之凡體。魂好生,魄望死。一切好色動氣,皆魄之所爲,即識神也。死後享血食,活則大苦,陰返陰也,以類聚也。學人煉盡陰魄,即爲純陽。

從榮格的討論中可以看出,他通過衛禮賢的譯注對中國的魂魄觀念的本義有了進一步的瞭解;同時也能看出他並未完全接受衛禮賢的譯解。animus 和 anima 在榮格的分析心理學中自有其意義,這些涵義與此二辭在西方文化史上的歷史淵源,筆者尚不知曉。但是,從榮格後來發表的《人格的整合》一書可見,他仍未將此二辭與中國的魂魄觀念作對應討論。

---

①見該書英文本第 267 頁。Baynes 等人譯。Edinburgh 出版社 1926 年版。
②見馮川、蘇克所譯《心理學與文學》一書第 38 頁。北京三聯書店出版。

榮格並不認爲衛禮賢對此二辭的譯解是完全合適的。在榮格的心理學體系中，animus 和 anima 是重要的原型，它與“人格面具”(persona)相對。人格面具是一個人公開展示的一面，目的在取得社會的認可。它是精神的外部形象。animus 和 anima 則屬於內部形象。animus 是女性精神中男性的一面，anima 則是男性精神中女性的一面。它們都是千百萬年男性與女性接觸、女性與男性接觸中積澱下來的原型。作爲原型，它們也要顯現出來，目的在於保持或實現一個人心理發展的平衡。榮格此二辭之涵義或許淵源有自，但亦肯定別開生面，故我們在衛禮賢及李約瑟的譯解中均不見榮格之立意。衛禮賢的譯解引發了榮格對魂魄與自己所用二辭的比較。他似乎同意衛禮賢將魄譯爲 anima。他覺得二者大抵類同。他說，中國人魄的觀念和他的 anima 均是出於這樣一個心理事實：男人的情感特徵(affective character)中有着女人的特性[①]。在衛禮賢的譯文中，affective state 是對“好色動氣”一語的翻譯。這是識神(conscious spirit)的活動。榮格也把這些活動看成意識的。但是，何以由這些活動就斷言它是女人特性呢？榮格並未作説明。至於用 animus 譯解魂，榮格以爲雖然言之有理，卻並不接受。他以爲更有理由用“邏各斯”譯解魂。他要用這個辭表達“男人的精神，他的意識及理智的清通”，因爲魂可能是男人的有識別能力的“意識之光或理性之光”。人死後，魂就通過“神”轉變爲“道”。“神”在哲學的涵義上非常接近於“性”，涵蓋了宇宙本體的觀念。因此，邏各斯是魂的恰如其分的表達，而衛禮賢也是用邏各斯譯解“性”一辭的。

雖然榮格並不完全接受衛禮賢的譯解，在以後的著作中亦未將魂魄與 animus 及 anima 對應討論，但是在本文中，他還是想試圖用自己的理論解釋魂。這一討論甚爲費解，並且這不僅對東

---

①見馮川、蘇克所譯《心理學與文學》一書第 42 頁。

方人,對西方人亦如此。美國哥倫比亞大學教授 A.Wayman 在"Male,Female,and Androgyne"一文中試圖由魂魄入手討論道教中的男女兩性問題。文中言及榮格此文,卻仍失于淺嘗輒止①。這説明由心理學角度入手討論魂魄自榮格以後並無進展。從榮格本人的討論看,榮格本人亦未徹底説明魂魄作爲原型是如何顯影的。他似乎認爲二者均有意識性,如此,男人的意識和女人的意識如何在女人和男人的無意識中發生作用則是此文語焉未詳之處。這個問題的深入需要進一步研究榮格關於 animus 和 anima 的論述。筆者不諳此道。故於此暫時付闕。

成　道

榮格論文的第五節題爲 The Detachment of Consciousness from the Object。我擬譯爲"超然物外"。這一節是要對道教徒得道後的境界作一心理學和宗教學的評價。人如果不正視無意識,過分地生長意識,那麼無意識就要報復,這種報復反而會造成無意識内容對一個意識發達的人的支配。要避免或擺脱這種報復,必須要了解無意識,而道經中的訓示正是要達到這個目的。它教導信徒注目于内心深處的光,同時也就擺脱了來自身體内外的各種牽累與干擾。榮格引述了《慧命經》中"粉碎圖"的偈語並作了解釋。偈云: 一片光輝周法界,雙忘寂静最靈虚。虚空朗徹天心耀,海水澄清潭月溶。雲散碧空山色淨,慧歸禪定月輪孤。榮格説,此偈所勾畫的精神狀態最好被理解爲意識"從世界分離"出去。detachment 有分離、超然、脱俗的意思。在這種精神狀態下,意識既空又非空。它不再被事物的意象(images)迷惑而衹是包容它們。此前強加給意識的豐富多彩的世界並未失去其富有與美麗,

①Tantric and Taoist studies I,Edited by Michel Strickman.Institut Belge des Hautes Etude Chinoises,1983。

衹是不再統馭意識了。意識與世界的錯綜交織終於解開了。無意識並未投射更多的東西，因此原來與事物的“互滲”(participation mystique)也就消解了，意識也不再受強迫性行爲的驅使了。由這最後一句話可以看出，榮格的評論仍未脱離其職業背景。他研究歷史上許多神秘主義體驗和修道方式的目的乃是爲了給他的治療提供參考。強迫性行爲正是由於人受到了無意識內容的支配，認識了無意識，也就能從強迫性支配中解脱出來。他也是由其治療實踐去解釋和評價史料的。他明確指出，道教中這種“意識的分離”是一種治療學意義上的效應。它是通過解除“互滲”達到的。

“互滲”是法國人類學家布吕爾(Levy-Bruhl)使用的辭。他在其名著《原始思維》中詳細地作了討論。該書中譯者將此辭譯爲“互滲律”。布吕爾試圖用它概括原始人對客體所具神秘性及其與人類之關係的理解，進而解釋原始人的思維特徵和宗教活動。布吕爾説：“在原始人思維的集體表象中，客體、存在物、現象能夠以我們不可思議的方式同時是它們自身又是其他什麽東西。它們也以差不多同樣不可思議的方式發出和接受那些在它們之外被感覺的、繼續留在它們裏面的神秘的力量、能力、性質、作用”。①對於榮格來説，布吕爾的“互滲律”恰恰説明了在原始人那裏主體與客體是不分的。人的意識的産生與發達正在於主客體之分離、分化，不分化時無意識就占了上風，或者説這些內容就都處於無意識的領域。無意識的內容要通過投射表現出來。它先投入客體，這些客體再投射入人的主體，成爲人的主體心理的一部分。於是動植物的行爲都有人化的性質，而人同時也動植物化了，一切都

①見《原始思維》第69頁。丁由譯，北京商務印書館出版。“集體表象”亦爲該書中之重要概念。它作爲人類長期生活的積澱産物，顯然與榮格的集體無意識有一致之處。需要指出的是，布吕爾認爲互滲律也存在於中國文化中。《原始思維》一書大量援引了德國著名傳教士 J.de Groot 的巨著《The Religious System of China》中的材料。

和精靈、諸神生活在一起①。這是榮格對布呂爾所描述的互滲律支配下的世界的一個心理學再闡釋。與布呂爾不同的是榮格並未把受到中國早期巫術和神秘主義濡染的道教劃歸在這個領域中,反而將它提升到文明人的高度作評價。這樣,道教就成爲一種以主客體分離爲基礎的文明產物。"意識的分離"恰恰是説明道教高於主客體未分化的文明水平。我也是從這個意義上將"意識之分離於客體"譯爲"超然物外"。

文明人與原始人的區別在何處呢? 當然,首先是意識與無意識的分化。榮格關於精神發展或曰個性化的過程不僅是對一個個體人的觀照,亦用以描述人類全部精神之發展。依此理,人類的精神發展也有一個分化的過程。在個體的人,自我的形成標志他個體意識的成長,整個人類亦有意識之出生。然而,正如個人的精神中有着豐富的無意識內容,人類的精神亦永遠有一塊無意識的領地,也永遠有一塊主客體未分化的部分。於是,文明人區别於原始人的更重要之點還在於他不再以"互滲律"表達的那些方式(諸方術)去處理意識與無意識之關係。他不再用魔術袋、護身符及三牲去施展魔法,而是代之以精神病、精神治療、理性、意志的崇拜。如果文明人果真能認識到無意識是與意識相互決定的因素,果真能認識到意識與無意識的要求並依此方式去生活,那麼全部人格的重點將發生轉移。這時,人格的重心不再是自我,自我衹是意識的重心。這個新的重心是榮格發現的,就是他説的 Self(自性)。如果人格的重心真地發生轉移,那麼也就消解了"互滲"而導致一種新人格的誕生。

榮格對道經的討論並未陷入那些技術性的描寫,他自知不諳此道,並且他的注意力集中在道經的心理學意義。然而,我們不能不欽佩他天才地理解了道經的精義所在。他認爲,道經所説的"聖

①見《原始思維》第 47 頁。

果”、“金剛之體”或其他關於不朽之身的象徵均是指的這種新生發出的人格重心。曼荼羅現象已顯示出人格的個性化、無意識的生發有一個中心，即自性，而不朽之實現亦即此人格之實現。榮格在第五節、第六節中對此作了討論。第六節題爲 Fulfillment，意即此人格之實現，中國人叫“成道”。所以，我將拙文此節之討論題爲“成道”。

接續着對互滲問題的討論，榮格首先把這些象徵看作是意識對世界的分離（脱離），並由此轉到對死亡的討論。這一討論或許是因爲《慧命經》所説的虚空粉碎確有死亡的意義，但榮格所以注意到此問題乃有其自己的思考。據《榮格心理學入門》介紹，在榮格看來，“來生的觀念可能代表着精神的個性化進程的另一個階段。可以推測，在人的身體死亡之後，精神生活還會繼續存在，因爲這時候人的精神還没有獲得完整的自性實現。”①個性化乃一個個體的人終其一生都未必克就的任務，依此邏輯纔有理論上認爲人死後仍有精神生活的假設。榮格在本文中也指出，在心理學上講，死亡與出生同等重要。它也是生命的組成部分。而道經中講的金剛之體恰恰是對死亡的準備。人自盛年之後就面向死亡，但死亡並非意味着終結，而是一個目標。於是，就有了不朽的觀念。作爲一個醫生，榮格自稱盡了一切努力使人增強對不朽的信念，尤其對那些年老的患者②。而中國的瑜伽哲學恰恰就是建立在這樣一個基礎之上：把死亡當作目標。死亡不過是生命前一半的結束，經由不朽度過死亡關口的人是一種精神上的存在。他通過 spirit-body 或 breath-body 而再生。這種精神上的存在保證了人的意識的分離過程可以繼續下去。這種不朽之體類似歐洲人熟知的 pneumatic man（氣息人）。然而，中國人這種“死亡”在西方人眼中尚是費解的。中國人求長生不死也是要經過死亡體驗的。

---

①《榮格心理學入門》第 135 頁。

②同上書第 48 頁。

這一點並不爲榮格知曉。他看到的文字中並無對死亡的描述,而是聖胎、嬰兒、果這類有具象的言辭。但是,他仍強調這之中有着值得注意的心理事實。他也的確看到,在道經中,肉體已漸漸不再起重要的作用,而代之以 breath-body 的活動,後者靠的是 berath control(調息)存在的。他認爲這些有具象的象徵的涵義可以用西方人《聖經》中的話作出的解: It is not I who live,it lives me。"我活着"乃是意識至上的一種錯覺,當認識到無意識時,就可以打破這種錯覺。意識是以自我爲基礎的。認識了無意識,無意識也就顯得是客觀真實的東西了。這就是何以中國人對金剛之體作了客觀真實性的描述。顯現出來的無意識自然也就包容了自我(意識)在內了。中國道教徒得道後的生命不是"我活着"而是"它使我活着"。這個它就是無意識。由於豐富的無意識內容不斷地顯現出來,或曰以往那個過分生長的自我又和無意識結合在一起並被包容在其中,於是"死亡"之後乃是生命的再次出生,或者說,以前那個自我此時有了可居的"歡喜地",從而能長生不死。這幾句話是我接着榮格的意思續上的,庶幾乎不悖榮格本義。

也許是爲了使西方人能明了道教的不朽之義,抑或出於一種比較研究的角度,榮格將長生與基督教神學一起作討論。他說,中國人這種新層次上的再生有如保羅那句著名的證言: 雖然我不再活着,但基督在我之中活着。這句話也表達了一種高度的精神存在的心理體驗。這種精神存在以不可見的形式存活的在個體的人之中。"氣息人"乃是我們未來存身之處。氣息之體有如保羅所言乃似一件外套。這話表達的是如下的感受: 我們衹是被"替代"而不是被"廢黜"了。然而,榮格旋即指出了東方人和西方人(尤其是基督徒)之間的區別。中國人和基督徒對於他們各自的中心象徵的態度是截然不同的。西方人強調的是人的典範、基督的真實性,中國人則說: "不生不滅,無往無來"(《慧命經》中粉碎圖偈語)。基督徒要使自己依從至上的聖人,乞求他的恩惠,中國人則知道靠自己去實現拯救,由個體中成就"道"。西方人的"效法基督”有其缺點：包含了生命最深邃的意義的聖範乃是一個人，於是只有靠模仿他纔能臻至此境，卻忘記了將我們自身中最深邃的意義變實在的東西，即忘記了自我實現①。通過這一比較，榮格由道教的啓發對基督教神學作了批評。在此前的討論中，榮格也激烈地批評西方宗教的人格神有消極意義，因爲它們是意識的産物。在長期的歷史發展中，它們已失去了原初所具有的心理學的涵義。在這裏，榮格又提出這個論題：宗教精神的進化。他認爲這是我們這個時代的主要問題，卻少有人注意到。榮格説的自我實現實際就是認識到自身中的無意識。精神的個性化即是將個體人精神中的諸原型外化出來。這個工作不能靠别人代替，也不是靠模仿他人或哪個聖人而能克就的。於是，他循着基督教神學的傳統論題對模仿基督作了進一步的也是全新的解釋。他説：模仿基督也許最好從更深的意義上加以理解。同樣是靠着耶穌的勇氣和自我犧牲，但所承負的任務乃是實現一個内心深處的信念。幸而基督並未責成每個人都去做人類的領袖或偉大的叛逆，於是每個人也就可能以其各自不同的方式去實現自己。由此基督這個人就不再是歷史上存在的那個人，而是每個人自身中的超越的人。外在的律令變成了内在的信念。這一點現代人本是不難做到的，尤其是對新教徒來説。這樣，我們就能以一種歐洲人的方式達致一種心理學的境界，而這境界地就相當於東方人所説的“開悟”。

它山之石

評價榮格的道教研究是一件非常艱難的事。這主要是由於榮格的理論極其龐大複雜甚至包含着許多不能作實證檢驗的成份。同時，榮格的理論是爲精神病治療服務的，並且，他把治療的對象擴大到每個普通人的心理發展。要評價他的研究，則首先應對道

①《榮格心理學入門》第55頁。

教有一個系統的精神治療學的解釋,而目前中國學術界尚無此解釋。由於這些背景上的原因,中國學者尚無能力對榮格的研究作相應水平的回應。筆者不揣孤陋,嘗試爲之。

首先遇到的問題即是對道教能否作心理學的研究。前幾年,中國心理學家王極盛出版了《中國氣功心理學》一書,用科學主義心理學方法對氣功狀態下人的心理現象作了大量的測定和分析。他將氣功定義爲"運用意識對人體進行自我調節的身心鍛煉方法"①。依王沐先生的主張,目前社會上流行的各種氣功相當於內丹的築基階段。對它的研究自然可以算是道教研究的一部分。但是,由王極盛先生的定義可以顯然看出他與榮格研究的方法是截然不同的。此外,科學主義心理學能否對道教功法中一切心理現象均有效尚是一個存疑的問題,而精神分析學派研究的一些對象顯然不在科學主義心理學的範疇中占有地位。當然,王先生的研究亦屬一種心理學研究,應該推動它深入下去。胡孚琛先生在《道教內丹養生學發凡》一文中倡言"推廣弗洛伊德學說建立的這套新的心理學理論可以解釋許多內丹學中的具體的問題。"②他在文中提出將人的意識分爲三個層次: 顯意識、潛意識、元意識。元意識即內丹學中的元神,是"人在漫長的生物進化中遺傳下來的億萬年的記憶"。作爲人類歷史的積澱,他說的元意識從外觀上類似於榮格的"集體無意識"。尤其是他指出元意識是個"信息庫",內丹功法實際是迫使識神退位以發掘元意識的一套心理程序,這更與榮格某些主張相同。但是,胡孚琛還指出,元意識"在神經系統的定位相當於人腦的舊皮質區及其他在動物進化中遺留下來的部位"。這種思考方式與整個精神分析學的精神及方法是大相徑庭的。雖然弗洛伊德的學說有很多科學主義的痕迹,榮格也強調自己的學說是以經驗主義爲基礎的,但他們的學說都不具有實證

①《中國氣功心理學》第 27 頁。北京中國社會科學出版社出版。
②見《道家文化研究》第一輯,第 315 頁。上海古籍出版社出版。

性，也不從解剖學去立論。王、胡兩先生的努力以及榮格的研究都說明中外學者在試圖找到一種解釋古代文化遺産的現代方法，找到一個溝通中西學術的橋梁。

試圖使道教內丹理論體系與榮格的體系完全吻合是不可能的。這大約主要是由於兩個體系完全是彼此相異的文化土壤中生長出的果實。果真要從此處着手，則首先需要由現代的內丹大師對修煉過程作一新角度的探索並用現代語言描述出來。在目前情況下，首先要確認內丹學的心理學性質，其次是判斷榮格學説的基本原則及基本觀念是否與內丹大旨相合，然後纔是破譯、挖掘內丹經典中的心理學含義。現在，許多人都不會否認內丹修煉中確有心理學過程。無論對傳統的心理學還是對精神分析一系的心理學來説，內丹學都可以成爲研究對象。但是，這並不意味着在對象的設定方面已全無事情可做了。道教的宗教目的是追求不朽。如何理解不朽呢？長生久視固然是道教明確倡言的，也自然是指肉體的長生。道教在漫長的歷史中一直以此赢得千百萬人的崇信。即使在今天，內丹學也以“健體強身”這一點在社會上保有地位。王沐先生在《悟真篇淺解》一書中也屢屢談到內丹學這一方面的意義。唯物主義和自然科學促使人們從這方面去探求內丹的奥秘，尋求內丹的物質基礎，從而把內丹修煉中精神的方面放在次要的地位。誠然，從生理過程探究內丹並由此入手將內丹學設定爲心理學的對象也是可行的。但是，榮格卻從精神的方面去設定對象。在《分析心理學的基本假設》①中，他提出了“精神的實在”這個概念。他指出，雖然人的某些心理內容心理現象似乎來源於我們身體隸屬的“物質”環境，但也的確有一些“似乎來源於與物質環境不同的精神領域”。由此，他認爲必須設定一個心理(精神)的實在。人的靈魂必須由它纔能得到解釋。所以，將內丹學設定爲心理學的對象是否還有一條與王極盛先生不同的道路呢？道教的

①此文收入《心理學與文學》一書。

長生目的是要通過精氣神的修煉達到的。精氣神自古以來就是充滿了神秘色彩的東西，雖然漢學、宋學中的氣有明顯的可以指實的涵義。王沐先生在書中指出它們可能是生命機能或激素，但畢竟並無生理學的實證。我傾向於把它們看成精神與靈魂。"精"這個概念自它一開始即是指生命而言。人能存活並不在於其形體而在於其有精。從這個角度上說，精恰恰是與形體相對的。《管子》書中《內業》等篇章已經就此作了許多論述。古人固無"生命機能"的觀念，今人亦無從由此去掘其內涵。它就是人的靈魂。當然，它不僅指人的靈魂，也是古人眼中一切有生命活力的存在物的靈魂。《內業》中說："敬除其舍，精將自來。精想思之，寧念治之。""靜則得之，躁則失之"。《莊子・天道》中云："純素之道，惟神是守。守而勿失，與神爲一。"這一思想發展到後來即產生了道教早期的存思道術。漢代至道教中對諸神的解釋也是由《管子》書逐步發展而來的。至於人身中之神與人身外諸神的相通則可以用布呂爾的"互滲律"作解了。精的確也是氣。氣也是靈魂嗎？或許，比較宗教學及比較語言學的研究能於此有一回答。其他一些民族的古代語言也反映了靈魂與呼吸、氣息、風的關係。據榮格說，拉丁文的 animus、anima 和希臘語中的 anemos(風)是同一個詞。pneuma 指風，也指精神。在阿拉伯語中，風是 rih，ruh 則是靈魂、精神。榮格說："這些詞源學上的聯繫清楚地表明：在拉丁語、希臘語、阿拉伯語中，對於靈魂的稱呼是如何與氣流、'精神的冷氣'的想法有關。這或許正是原始觀念所以把靈魂說成是一種看不見的氣體的緣故。"①在印度，Atman(我)的原意即呼吸。這些材料有助於我們加深對古代精、氣觀念的認識。至於《左傳》中子產論物精、《禮記・祭義》中論氣與神之關係、孔穎達《左傳正義》中論"魂本附氣"則是進一步推衍了《管子》中精氣和靈魂之關係的思想。由這個發展脈絡看，早期道教的食氣、胎息並不能理解爲以某種物質性的氣爲基礎固形。氣就是氣流、呼吸、它可以看作是人的靈

①《心理學與文學》38 頁。

魂、精神。至於食氣可以長生則其關鍵在於通過呼吸使靈魂與肉體結合,永遠凝爲一體。它和存神、養神乃同源而殊途。精氣神在很早就分化爲三個概念,這是歷史事實。但古人一直未忘記它們之間的聯繫。白玉蟾説:"神是主,精氣是客。萬神一神也,萬氣一氣也。以一而生萬,攝萬而歸一,皆生我之神也。"劉一明説:"精氣神而曰元,是本來之物。人未有此身,先有此物。既有此物,而後無形生形,無質生質。雖名爲三,其實是一。一者混元之義,三者分靈之謂。一是體,三是用。……三而一,一而三。所謂上藥三品者,用也;所謂具足圓成者,體也。"①我們必上溯至秦漢思想纔能找到它們的源頭。這個名三實一的先天之物衹能是人的精神而非肉體。這樣説來,是道教本身一直承認一個與肉體分離或並列的精神(靈魂)的實在,而非我穿鑿出來的虛靈妙體。

無意識和集體無意識是弗洛伊德、榮格透過人的意識活動的外殼挖掘出的寶藏,也是他們設定的這個本體的內涵。我們不能想象歷代的道長們也能對這些寶藏有所論列。但是,至少自成玄英開始,他們已注意到人的後天精神發展有可能與本體相違。這個本體是道,相違就是"於道性有虧",修道即是要"與道合一"。筆者在《精神分析與儒道佛》一文中已對成玄英的論述作了疏解並以之與弗洛姆(E.Fromm)的思想相對比。榮格對《慧命經》的評論同樣適用於成玄英。這種思想在王沐先生的書中也多次提到。他説:"因童真生命機能逐漸消失,今用丹法補足,失而又得,去而復來,即長壽的根基,長生的原動力。……後天識神用事,所以汩没先天。"②後天識神的危害在《金華宗旨》中也談到了。該書還説:性命關頭忘意識,意識忘後見本真。這些論述都表明道教承認先天具備的"元"的內涵比識神、意識的內涵要深邃,而後天意識的過分生長使個體的人有可能脱離先天精神這個母體。精神實

①轉引自《悟真篇淺解》第321頁。北京中華書局出版。

②轉引自《悟真篇淺解》第332頁。

在雖曰先天,卻是每個人生來具備的,亦即他的整個精神世界,亦即他的自性。道教在吸收了佛教義理以後,關於自性圓足的思想更明顯了。見自性即是讓精神的全部內容顯現出來。這難道不恰恰是榮格說的個性化過程要達到的境界嗎? 王沐先生於此亦有論述。雖然他對此境界的認識仍有形而上的弊病,但他明確說到:"我們每游頤和園,看到'大圓寶鏡'的匾額時,就想到還虛境地的無遮無礙、萬象通明之景。"[①]無遮無礙、萬象通明是否可以理解爲精神的全部內容都顯現出來了呢? 這個包羅萬象的境界既是人的精神開始時的狀態,也是個體的精神發展到極端的天地。

由以上所述,我們有理由把榮格的學說作爲一個可能的視角去觀照道教,去發掘內丹修煉的涵義。當然,還有許多細節要去梳理。如,道教中的象徵有哪些可以作精神分析的解釋,內丹修煉過程中意識的作用是否與榮格的原則一致。更重要的是內丹學是否有現實的精神治療的功用,這種功用與西方現代精神治療有哪些異同之處。榮格的宗教研究是要把宗教視爲精神治療的遺產看待的。中國目前的許多內丹研究亦旨在使內丹學能脫去宗教的外衣,成爲有普遍意義的世俗社會中的利用厚生之器。在這個方向上,我們與榮格是一致的。但是,目前許多人都傾向於用生理學的角度去立論。所以,榮格的研究對我們是有啟迪的。當然,在榮格的研究中也有誤解道經之處[②],這是研究者應當注意的。

附言: 此文完成於 1994 年 1 月,懼於冗長,故煞筆;且亦確有些問題尚未釐清,不及敷陳。7 月間,施舟人(K.M.Schipper)教授來北大,我曾攜此文請教。施公對我談了一些有關衛禮賢翻譯及榮格讀此經的事情,並提醒我注意中國的金丹與西方煉金術的區別。其意在示我勿輕信西人之界說,應以中國經典之研究爲本。此文發表之際,隨記施公雅意於此。又,成都會議期間,楊茗君語

①轉引自《悟真篇淺解》第 326 頁。

②同上書第 31～40 頁。

我坊間已有榮格此文之中譯本印行,未知果爲佳譯否。

1995年2月

作者簡介 王宗昱,1954年生於北京。1986年獲北京大學哲學碩士學位。現任北京大學哲學系副教授。著有《梁漱溟》等。

東漢墓葬出土的解注器材料和天師道的起源

張勛燎

關于我國古代的道教，學術界也都認爲係東漢順帝時張陵創自蜀中。至所創之教名，或以爲即“天師道”，“五斗米道”乃其異稱。或以爲本名“五斗米道”，“天師道”乃西晉武帝時巴蜀犍爲郡人陳瑞所創之另一道派，東晉孫恩、盧循等以五斗米道發動起義失敗，世人諱言五斗米道，始以張陵號稱“天師”而改稱五斗米道爲“天師道”。實際上無論是兩個教名之間的關係還是整個道教的起源，都是有待進一步研究的問題。蓋我國早期道教歷史，文獻記載語焉不詳，魏晉以來道書追述，所據材料往往各自不同，疑信參半，許多方面需與考古發現之當時有關實物遺存相結合，核其異同，審其是非，方可得其真相。近年以來專治道教考古，對道教起源問題至爲關注，經研究發現，自《千二百官章儀》以來之大量天師道(後稱正一道)文獻，記載了一種我稱之爲“注鬼”與“解注”的尚未作過系統研究的宗教理論和與之相關的法術內容，具有顯著的道派特色，與以洛陽、西安爲中心的一大片地區東漢和帝以來墓葬出土的數百件不同類型的“鎮墓器”有非常密切的關係。這些考古發現的材料，爲當時解注活動遺迹，給我們解決天師道和整個道教的起源問題提供了新的綫索。問題複雜，兩方面的資料都很多，草成十餘萬言之系列論稿，玆僅爲摘要，乞與會同志批評指正。

一、道教的注鬼論與解注術

五十年代發掘洛陽漢代遺址出土了一件帶有“解注”字樣和神符的陶瓶，對此二字中之“解”意爲解除、禳解，大家的看法比較一致。至“注”字之釋則頗有分歧，多數以爲注即疾病；有人認爲最初是指“風寒暑濕之氣引起的周身疼痛”或如傷寒之類的傳染病，後來便“把注病之源放大而及于自然之物，已是無所不包，無所不在了”。這些理解，應該説都是有根據的。但作爲一種宗教意義的概念，這些説法還遠遠不夠準確和完善。根據《赤松子章曆》、《登真隱訣》、《正一法文經章官品》、《金鎖流珠引》等大量的道書文獻記載，解注是道教活動的一項非常重要的內容，其來已久。其“注”字最基本的宗教含義是：一般男女老少之人，或由生前爲惡，與人仇怨，或死于非命，亡日不吉，或屍形未得安葬，墳墓爲人侵敗，或葬埋觸犯三官，冥司争訟，謫罰受罪，或陰邪迫脅，遭受種種折磨，魂魄不安，不堪痛苦，因之返回陽世祟害生人，不分親疏內外，企圖讓生人魂魄代受謫罰，以求自身得到解脱，即今人常言之“替死鬼”一説之所源出也。這種妄求生人魂魄以爲替代之鬼，稱爲“注鬼”、“鬼注”、“死注”或““逆注”、“咎注”。因注鬼多係在冥司官吏將其罪過與有關規定條律對照考察判罰，故又稱“考注”。又其罪謫多係由冥訟所致，故又稱“訟注”或“注訟”。注鬼之氣稱爲“注氣”。注鬼爲害生人，稱爲“注祟”、“殃注”、“衅注”、“注害”或“注逮”。因其祟害生人的方式與自身死亡的方式一樣，甚至地點和年歲（干支）、月、日、時辰亦偶有相同，看起來似乎完全是一種前後相連重複發生的事，所以又稱爲“複注”、“注複”、“複連”(其後又以字音相同而轉出“伏連”)、“連注”、“延注”、“引注”、“連引”等等。

道教注鬼説的起源，最初自應與傳染病有關。傳染病之傳染于人,通過肉眼所不能見的細菌發生作用,生人與傳染病死者生前死後的身體、衣物用具和住所接觸,都可能傳染上同樣的疾病,以至最後在同樣的狀態中死去,輾轉不絕,爲害甚烈。對于這種現象,雖然古代醫學家們對它的真相也有所認識,研究出種種藥方進行治療,有所謂“療注”之説,但在多數普通人看來,則感到神奇莫測,很容易被某種宗教所利用,按照宗教鬼神的觀點去加以解釋,説成是由于死者鬼魂在冥世受苦,求生人魂魄以爲替代所致。後來隨着這種宗教自身的發展,注鬼説的理論由傳染病擴展到一般普通疾病,然後再擴展到疾病以外的其他範圍,認爲人之一切災厄禍殃,都有可能係注鬼作祟所致。道書文獻所見注鬼名稱極多,除了以各種疾病命名而外,尚有按不同的方向、距離、顏色、體積、高度、性别、身份、族别、天象、時辰、物類禍殃爲注名者。應當特别強調指出的是,這些與“自然物”相聯的注名,是由這些自然物造成禍殃致人死地所形成的注鬼和注害,而不限于由這些自然物給人造成的疾病。“注”即注鬼和注鬼爲害,這已經是一種宗教意義上的鬼神觀念,具有宗教理論的特徵。墓爲死者藏形棲魂之所,冢訟是注鬼産生的一個主要來源,所以多有“冢訟墓注”的記載。冢訟“大略雖合八十一訟,其中枝葉分散,變成百千萬種”,其數最多。而“人家有疾病、死喪、衰厄,光怪夢寤,錢財減耗,可以禳厭,唯應分解冢訟墓注爲急,不能解釋,禍方未已”。墓注也是各種注鬼注祟中最受重視的部分。

以宗教法術解除注鬼注害生人的問題謂之曰“解注”。根據道書(包括醫學文獻)記載,解注之法,有用藥物除治之者,有用純粹宗教法術以行禳解者;亦有以藥治與宗教法術相結合解決者。在三種情況中,第一和第三兩種,主要是針對包括傳染病在內或以之爲主的各種疾病而發,第二種則係廣泛針對一切災厄禍殃而言,自然也包括了疾病内容在内。解注活動,有的在注祟發生之後進行,亦有作爲一種預防性措施而爲之者。用藥物和禳解消除疾病一類注殃的情況,學術界雖已有所論述,但大抵均偏重于醫學治療角度的考察，對于其他方面的注殃及注病本身宗教意義則瞭解得不很清楚。然而，後者恰恰是和我們以下將要討論的東漢墓葬出土早期道教解注材料關係最爲密切的內容。文獻記載，根據注鬼形成和注鬼注祟于人的情況，解注術大體上包括以下兩個方面的意義。一是杜絶注鬼產生之源，即避免死者鬼魂因爲種種不同因素遭受苦難，使之不至淪爲注鬼，即所謂的“墳墓安穩，注訟消沉”是也。另一類是斷注于注鬼已經形成之後，使注鬼不能行注，即所謂的“厭絶注鬼爲人精祟者”是也。無論上述何種情況，主要的解決方法都是由道士行符上章（包括書章和口章）爲亡人贖罪解謫，驅邪殺鬼，神藥厭鎮，以隔絶死者與生人之間的接觸，“安死利生”，解除注殃。此外，尚有所謂“假人代形”之術，即用金、銀、錫之類的材料作成人形或用其他某種像人器物代替生人受注或代死者受謫者，或用一枚以代全家，或五方每方一枚總代一切，或“隨家口多少，一人一形”者。

二、考古發掘東漢墓葬出土的解注器文和解注器

二十世紀初以來，在以洛陽、西安爲中心的北方中原地區的一些東漢墓葬中，出土了不少朱、墨書寫和鎸刻“鎮墓文”的陶容器和鉛、磚券版，其中部分帶有“魅鬼尸注”、“死人精注”字樣或自名稱“解注瓶”者。有人將帶有此種“注”字材料的“鎮墓文”器物的文字稱作“解注文”，并認爲“考古發現的解注文”器，屬東漢時期的衹有五十年代“出土在洛陽西郊東漢墓中”的一件。不帶“注”字的“鎮墓文”則不稱“解注文”，有的被稱作“劾鬼文”。其實，根據我們前面對道教注鬼論和解注術的認識，這些器物上的“鎮墓文”，無論帶有“注”字與否，文字較長的都應叫作“解注文”，文字較短的也和解注有關，雖然在嚴格意義上不能叫作“解注文”，廣義而言仍可歸入解注文的範疇。根據我所收集到的解注文器材料共有79件，其中陶容器70件，鉛、磚券版9件。文前帶有神符的陶容器

8件,鉛券1件。此外尚有若干鐵券,出土時雖不見字迹,從其他解注器文提到的"丹書鐵券"文字看,當年入土時原來也是帶有解注文的,只是後來久藏地下銹蝕脱落罷了。

過去曾有人歸納説:整個東漢墓葬出土"鎮墓文一般包括以下幾個內容。一是紀年月日。二是天帝使者告死者之家或丘丞墓伯,爲死者解適,爲生人除殃。三是説死生異路,死人魂歸泰山,接受冥司官吏的管束。四是説利生人或後世子孫之類的吉利話"。這一概括雖有可取之處,但也有不夠全面和準確的地方,忽略了一些非常關鍵的內容,使人難于從中看出各個部分之間的聯繫,不知不覺地掩蓋了整個文字的實質性意義。我認爲除了紀年月日而外,主要有這樣四個方面的內容。

①天帝使者(天帝神師)爲某死者之家或某家死者某人告天官地吏墓神等,爲死者解適,爲生人除殃,安冢墓,利子孫。應當指出的是文中絕無"天帝使者告死者之家"之例,蓋"鎮墓文"本爲葬家請托天帝使者(神師)所爲,自無于文中加諸告葬家文辭之理。

②強調生死異路,各不相干,死者無與生人復會,以相求索。凡字數稍多之文,幾乎都有此項內容,雖詳略有差,然遣詞構句大抵相同,與道書常見解墓注文字完全一樣。總括其義,即道書所謂的"令斷生死"。

③假人代形與"神藥厭鎮",驅邪逐鬼。假人代形,或鉛、或蜜作成人形,或用如羊角之類物以象徵死者生前官職,代死者于地下服謫役,而以鉛人爲最常見。亦有如山西出土熹平二年張叔敬瓶文之"上黨人參九枚,欲持代生人。鉛人,持代死人。"于鉛人代死者謫役的同時,復另置略似人形之生物,"隨家口之數"以代生人受注者。舊説不識解注代人之意,以爲墓中鉛人與其他僕侍陶俑一樣同爲用作墓主地下役使之物,實屬誤解。至厭鎮"復除之藥",包括黃金、丹砂、雄黃、曾青、礜石……等,或稱"神藥厭鎮","神藥絕鉤注重複咎央"是也。驅邪逐鬼,或書"百鬼名字",而尤以洛陽東郊史家灣漢墓出土被稱爲"劾鬼文"的永壽二年陶瓶文最

爲典型。

④“解注”,“絶 □□ 注”,“絶鈎注重復咎殃”,“解 △△ 復重句校”。除五十年代洛陽西郊漢城遺址出土陶瓶硃書“解注瓶”及傳世漢陶瓶有“死人精注”,“絶 □□ 注”而外,其他如洛陽唐寺門漢墓出土永康元年瓶有“絶鈎注重復咎殃”之文。臨潼斜口鄉高溝村漢墓出土初平元年劉氏瓶有“解諸勾校,……歲月日勾校,天地勾校,……時日復重勾校”之文。長安三里村漢墓出土建和元年瓶有“天帝使者謹爲加氏之家别解地下後死婦(另一瓶作‘女’)。加亡方年二十四,等汝名籍,或同歲月,重復鈎校日死,或同日鳴,重復勾校日死”之文。又“鈎校”或寫作“鈎伍”。長安縣韋曲鎮少陵原漢墓出土陶瓶有“别解張氏後死者句伍重復,……别羈以氏生人之名”之文。唐人道書《太上濟度章赦・濟度幽魂章》:“或鬼神拘繫,或冤對句連。”句校、句伍,皆句連、鈎注之意,讓後死入葬者之鬼魂“别羈以氏生人之名”而爲注害之意。

以上四個方面的內容密切相關,構成了由幽讁 → 注殃 → 解注三個相互銜結的環節組成的完整概念,與前述文獻記載所述道教注鬼説和解注術材料完全吻合,使過去對漢墓出土“鎮墓文”的大量誤釋、誤解得以矯正,全文能夠通譯,而“鎮墓文”的模糊概念也從而得到了準確的具體瞭解。

根據帶有解注文的器物文字説明,東漢墓葬出土的解注器除了帶有此種解注文字本身的陶瓶、鉛、鐵、磚券而外,還有鉛人、羊角之類的代人用品,雄黄、丹砂之類的神藥,和盛置這些東西的陶瓶。另傳世和考古發現“天帝使者”、“天帝神師”、“黄神越章”之類的印章和封泥甚多,雖尚未見有出土于東漢墓中者,但在上述解注器文中卻有“天帝神師”、“天帝使者”及“封以黄神越章之印”的文字,當是葬墓時將有關解注器裝入瓶內之後由道士密封瓶口曾使用過這種東西,也應和解注器材料有關。而裝盛其他解注器物的陶瓶,有的外面書寫解注文,有的没有,無論有無文字,這種器物都有不同于其他日常生活用品或一般明器不同的特殊固定器形。這些解注瓶共有近200件之多,按考古學的器物類型學劃分可分爲四型七式,有一定的分布範圍,有的還具有明顯的地方性特徵。

三、漢墓出土解注材料的年代、地域分布和天師道的起源

上述解注器中實爲解注文的"鎮墓文"材料,很早以來就有人覺察到和早期的道教有關,或以爲係太平道遺迹;或以爲是道教形成以前的一種"和巫術有關的民間迷信"用品,衹是其中的某些內容被後來産生的道教所吸收罷了。太平道遺迹説之不可信,將于後文論之。我認爲,這些"鎮墓文"作爲一種注鬼論和解注術相結合的內容,已經超越了單純民間巫術迷信的原始階段,屬于一種正式宗教活動的遺迹,是天師道形成的一個標志。

第一,如上所述,這些墓葬出土的材料和道教的注鬼論和解注術內容完全吻合,既有一套主要以人鬼絶對排斥觀念爲基礎的理論,又有一套根據這種理論思想精心設計的複雜的解注法術,已具有遠較一般簡單巫術更爲高級的宗教特點。從這些被稱爲"鎮墓文"的解注器文看,"天帝使者(天帝神師)謹爲某氏之家安穩冢墓,利子孫……。如律令!"正如有人所指出的,"大體上有一定的格式"。這種相對固定的格式,和取材于《千二百官章儀》、《三百大官章》等書編成的《赤松子章曆》等所載之章文大抵相似,內容亦多相同,説明其已有類似的道教經典爲本,體現了"經爲法之本,法乃經之用"的宗教特點。這裏還應當補充説明的是,這些解注文除了人鬼隔絶的思想之外,也包含了一部份道教神仙思想的成分。器文説明解注的目的是讓家中生人"壽如金石","千秋萬歲,後無死者"。有的器文還出現了"天地久相視"的字樣。這就意味着死者之死是由于不奉道法或功行未成,未能消解鬼神侵擾,"削除地下死籍",以至最後成了死鬼,而未死之人是可以長生不

老的。這就從另外一個不同的方面透露了與生死永隔共存的長生久視神仙思想。河南偃師漢墓出土建寧二年“道人”、“真人”肥致石碑，稱其經過長期修煉，“與道逍遥”，“出窈入冥，變化難識，行數萬里不移時日，浮游八極，休息仙庭”，與赤松子等仙人爲友。徒衆若干，“聲布海内”，曾奉詔給皇帝消災致物。并云時人有往見西王母“受仙道”而成“土仙”者，其子數人，“皆食石脂而仙去”。在墓中同時出土了兩種不同類型的解注瓶。這種解注術和講求服食升仙的材料同時出現在一個墓中的情況，也是其時道教已經形成，解注理論方法和服食煉養成仙同時作爲道教這種宗教内容兩個重要組成部分的最好説明。

第二，漢墓出土解注文材料本身，包含了以天帝（黄帝）爲主宰的天官□光、地柱、南極、北斗、三臺、女星、太白星、辰星、熒惑星、鎮星、上司命、下司禄、風伯、雨師，地吏泰山君、五岳神、五方吏事、嵩高長、地下二千石、倉林君、武夷王、陌上游徼、地下擊犆卿，墓神蒿里君、蒿里伍長、丘丞、墓伯、墓皇、墓主、冢公、冢侯、冢中游擊、伯門卒史、主墓獄吏、魂門（墓門）亭長、水神玄武……，以及“乙巳日死者鬼名爲天光”之類的“百鬼名字”，等等種類複雜、名目繁多的鬼神。《赤松子章曆・又大冢訟章》記載：“分解冢訟墓注，……臣謹爲伏地拜章一通，……輒按《千二百官章儀》并正一真人所授南嶽魏夫人治病制鬼之法，爲某家……加符告下某家及（引者按：此三字當係衍文）丘丞、墓伯、地下二千石、蒼林君、武夷君、左右冢侯、地中司徼、墓卿右秩、蒿里父老，諸是地獄所典主者，并嚴加斷絶某家冢訟之氣，覆注之鬼。”兩相對照，可知“鎮墓文”中講到的鬼神名稱，確與《千二百官章儀》等道書相合。雖然器文涉及的鬼神名目衹是和解墓注有關的部分，遠非當時鬼神名色的全部，卻可説明道教中以天官和地官爲主的三官鬼神系統其時已大體形成，非一般簡單的民間巫術迷信所能有。

第三，從整個東漢墓葬出土的解注器材料看，無論器物種類、形制、文字，都相當規範化，非常統一，雖然分布的時限和地域很廣,卻有一定的範圍,明顯體現出一種組織活動的特點。其地域範圍,以洛陽、西安爲中心,東至河北南部,北至山西南部,西至陝西寶鷄,西南的四川和南方的江蘇(非墓葬遺址出土)也有少量發現。以年代範圍而言,紀年文字最早可以早到和帝永元四年(公元96年),晚可至漢末。在這樣一個時間範圍內,在這樣一大片土地上突然出現這樣大量內涵豐富、內容統一的材料,無論怎樣也是不能用一種簡單的民間巫術迷信來加以解釋的,祗能是一種新興的宗教出現後衆多教徒有組織地進行宗教活動的結果。西安和平門外出土初平四年王黄氏瓶文明確講道:“轉要道中人,和以五石之精,安冢墓,利子孫。”“要”就是約,約定;“道”就是指道教,道教組織。持東漢“鎮墓文”爲道教形成前民間巫術迷信説的同志也説這裏“所謂道中人是指道教中人”,不知何以又不承認它們是道教形成以後道教活動的遺迹。再從出土這些解注器物的漢墓情況看,既有中、小型墓葬,也有不少大型墓葬。中、小型墓的墓主身份,至少也是中、小地主、官僚,絶非一般下層貧苦之人。至如河北無極甄謙家族墓羣,陝西潼關吊橋楊震家族墓羣,陝西華陰漢司徒劉崎家族墓羣,河南靈寶張灣漢弘農楊氏家族墓羣,大量出土不同種類的解注器,其墓主都是世代公卿的最高層統治者著姓人物。凡此皆足以説明此種注鬼説和解注術在包括上層統治者在內的社會各階層中影響之廣泛,除了作爲一種新興的宗教內容奉行而外,決非一種簡單民間巫術迷信所能起到的作用。

第四,東漢墓出土解墓注材料不僅可以説明是道教已經形成後道教活動的遺迹,而且可以肯定是屬于符籙派天師道的遺存。這些考古發現的材料,無論注鬼形成的原因,神藥、章符、代人解注方法,涉及的鬼神名稱系統,也都與《千二百官章儀》、《三百大官章》以來的天師道(後來又稱正一道)文獻相合。如大量記載解注材料的《正一法文經章官品》,有人已考出爲東漢張陵所著《千二百官章儀》之節抄本;而《赤松子章曆》、《真誥》、《登真隱訣》、《上清三真旨要玉訣》等書材料亦係本自該書及《三百大官章》。至東漢太平道經典《太平經》和兩晉間成書專述天下各種鬼名多達數百千種的《太上洞淵神咒經》之類的書中，卻不見與注鬼有關的材料。《太平經·葬宅訣》甚至説："葬者，本先人之丘陵居處也，名爲初置根種。宅地也，魂神覆當得還，養其子孫。善地則魂神還養也，惡地則魂神還爲害也。五祖氣終，覆反爲人。天道法氣，周覆反其始。"是太平道認爲人死還得神魂回家與生人相會，而且如果葬得善地，死者鬼魂返家猶能爲子孫福利，衹是在葬于惡地的情況下鬼魂還家纔對子孫有害。這和"鎮墓文"生死永隔，不得覆會，覆會則必注害生人的思想觀念完全不同。唐宋人雜輯古道書編成的《金瑣流珠引·爲官人百姓斷內外注祟鬼賊妄爲蟲蠱殺人不止法》説："太上老君斷注符，……多在正一三部中，非靈寶三部中。"也可證明上述論斷。在其他道派文獻中有時也涉及部分注鬼材料，當是後來受天師道影響所至。最近有人寫文章主要用《太平經》的記載來解釋漢墓出土解注文，恐怕很難對上口徑。

誠如有人所指出：東漢墓出土我們稱作解注文的"鎮墓文"中的天帝、黄(皇)帝、黄神，其實是一回事，而代表天帝和鬼神打交道傳達符命的人則稱爲"天帝神師"或"天帝使者"，"天師"即是"天帝神師"的簡化稱呼。可惜礙于不認其爲係道教活動遺存而是一種前道教民間巫術迷信材料，未能將此"天帝神師"簡化而來的"天師"與天師道的教派名稱聯繫起來考慮。其道所奉之最高主神爲天帝(黄帝)，道士乃代表天帝行符命之人，于天帝爲臣屬，故曰："天帝使者"、"天帝神師"。河南陝縣劉家渠漢墓出土陽嘉四年解注瓶文稱"天帝神師臣□"，傳世漢代道教印章亦有一面作"黄神之印"，一面作"臣過□"者。漢代道士或道首皆可稱師，如太平道之張角稱"大賢良師"是也。"天師"既爲"天帝神師"之簡稱，故凡屬此道之道士皆可稱之，非若後世所説此道之"創始人"張陵始稱"天師"也。天師道之名，當由其道道士稱"天帝神師"、"天師"所致甚明。東漢墓解注器文既明言有道教之存在，至命其徒曰"道中人"，而行法之道中人又自稱"天帝神師"、"天師"，則其道爲天師道自無疑義。可以説，凡有以"天帝神師(天師)"名義按注鬼論説法行解注術材料發現之地即有天師道存在，而此種解注文器物開始出現的年代，即是"天師道"這個名稱出現和這一宗教正式發展形成最早年代的下限。

從整個漢墓出土解注器的年代和地域分布情況看，天師道最初應是在和帝永元初年或稍前産生于以洛陽和西安爲中心的豫、陝之地，以後逐漸向東、西、南方向發展，及于河北西南部、山東西部和四川地區。此外，江蘇東漢遺址也發現少數有關的材料，由于非墓葬出土，內容也比較特殊，其傳入之路綫尚不清楚。總之，過去認爲作爲道教最早的教派天師道最初是在順帝時由張陵首創于蜀中的説法是靠不住的。

四、天師道的西傳入蜀與五斗米道

從劉宋徐氏《三天內解經》、陸修静《道門科略》到唐人書引《張天師二十四治圖》、南宋謝守灝《混元聖紀》、元趙道一《歷世真仙體道通鑒》、明初宋濂《張天師世家》諸書，雖然也都講到張陵于順帝漢安元年入蜀，至蜀郡渠亭山石室修煉，後太上"拜張爲太玄都正一平氣三天之師，付張正一盟威之道"，"禁戒律科"，"下千二百官章文萬通"。置二十四治，設男女官祭酒，與鬼王鬼兵大戰。"立諸賸儀章符，救療久病困疾，醫所不能治者"。解決了"蜀中人鬼不分，災疾競起"的問題，令"人鬼分治，幽明異境"，"使不得相通"，"人鬼安帖"。最後在桓帝永壽二年，方"于雲臺峰白日升天"。其宗教活動主要思想內容均與上述漢墓出土解注材料相合，而諸書又往往同時講到張陵的道教活動遠非自順帝時入蜀始。文獻載云張陵本沛國豐縣(今江蘇豐縣)人，生于東漢光武之世(有云生于光武十年者)。"自光武之後，漢世漸衰，太上憫之，故取張良玄孫道陵，顯明道氣，以助漢世，使作洛北邙山，立大法。帝王公臣以下，莫不歸宗。"(《三天內解經》)張陵因"學道有方，永平二年(公元 59 年)漢帝詔拜巴郡江州令。以元和元年(公元 84 年)三月十日辛丑,詔書拜爲司空公,封食冀縣侯,以芝草圖經歷神仙,爲國采延年長生藥。以漢安元年(公元 142 年)丁丑,詔書拜應太上,方任。遂解官入益州部界,以其年于蜀郡臨邛縣渠亭山赤石城中,静思樂情"(《三洞珠囊》引《張天師二十四治圖》)。或云其"七歲讀《道》、《德》二篇十許遍而達其旨。于天文、地理、《河》、《洛》圖緯之書,皆極其妙"。"後舉賢良方正","身雖仕而志修煉形輕舉。久之,退隱北邙山(北邙治在洛陽)"。"和帝即位,聞其有道,以三品印綬、駟馬車等徵爲太傅。後封冀縣侯,三詔不就。語使者曰:'……金闕帝君將詔吾以爲臣矣。……'時永元四年壬辰歲(公元 92 年)年也。遂自河洛,樂蜀之溪嶺深秀,遂隱其山。"覆游于嵩山、房陵等地。其後始有漢安元年(公元 142 年)入蜀受法立治之事(《歷世真仙體道通鑒》)。唐前道書《玄都律文·章表律》載:"律曰:于洛陽靖天師隨神仙西遷蜀郡赤城,人濁不清,世深不平,于是攀天柱,據天門,新出正一盟威之道,……立二十四治,署男職女職二十四職,……斷絶覆連,消除災害。"都説張陵入蜀以前即已奉行道教于洛陽,受到帝王公臣等上層統治者的重視,後來纔在順帝時由洛陽西遷入蜀設官立治,傳正一盟威之道。其説雖不盡準確,但從上述漢墓出土解注材料所反映的情況看,基本上是符合事實的。所謂張陵創道教于西蜀,祇不過是把北方中原地區早已形成的道教傳至該地,立諸贍信章儀,修訂經典,完善管理制度,因時因地制宜地加以改造發展罷了。道書所傳張陵入蜀後所建的二十四個教區"二十四治",二十三治皆在西蜀、漢中之地,獨有北邙一治遠在懸隔數千里之外的東漢京都洛陽。這一極爲奇怪的現象,和太上憫漢室漸衰,使張陵"顯明道氣,以助漢世,使作洛北邙山,立大法。帝王公臣以下,莫不歸宗"。然後纔"于洛陽靖天師隨神仙西遷蜀郡"相合,也和上述東漢墓葬解注材料所反映的情況相合。這是蜀中道教最初係由北方中原地區傳入的最好證據。有人根據道書記載北邙治的所在地有所歧異而以爲"北邙治本在越西,又列于長安、洛陽”,“這些地名的變遷説明歷代設治的變遷和道治的遷移”。如果道書所載不誤,在越西、西安和洛陽都曾設立過北邙治,其名乃以洛陽之北邙山所致,而西安、越西皆無與“北邙”地名相關的材料,其地之北邙治祇能是道教自東北傳來後移洛陽原治而設,如東晉之僑置北方郡縣于江東者,斷無先在越西設立北邙治而後于西安、洛陽僑置之理。

從四川地區發現的漢代道教遺迹看,即有《隸續》著録靈帝熹平二年《祭酒張普題字》石刻之“天喪鬼兵”,“仙歷道成”,“楊奉等詣受微經十二卷,祭酒約施天師道法”的材料;又有《隸釋》著録雅安獻帝建安十年《樊敏碑》之“季世不祥,米巫凶虐”石文。此漢末蜀中“天師道”與“五斗米道”二名并用,説明“五斗米道”乃天師道由北方中原地區傳入蜀中後所增的一個新的名稱。

天師道傳入蜀中并稱“五斗米道”以後,一方面保存了原有的一些基本内容,同時也有很大的改變。1960 年隨先師馮漢驥教授至資陽作考古調查,從農民手中收得雙人連體鉛人一件,云出自當地崖墓之中,當係上述北方中原漢墓解注器文所載用以解注代人之物,因係夫婦合葬,故二人連體而鑄。其形制雖與中原漢墓之作鉛片單人分形有所不同,乃屬地方性之差異,性質意義則完全一樣,二者之淵源關係甚明。另如天回山東漢崖墓發掘出土的一種“陶罐”,和中原漢墓所出之一型解注陶瓶器形相同,只是没有書寫文字。此或與蜀中“米民山獠”,奉道者多爲文化水平甚低之少數民族,解墓注用口章而罕用書章有關。又川西、川南東漢墓出土畫像磚、畫像石和陶俑,往往有作男女交媾、嬉戲之“秘戲”者,姿式不一,過去人嘗以爲與女媧生殖崇拜祈求豐産有關。劉宋釋玄光《辯惑論·妄稱真道二逆》記載説：三張五斗米道,“妄造黄書,咒癩無端,以優輕誚,乃開命門,抱真人嬰兒,回戲龍虎,作如此之勢,用消災散禍”。我以爲這些漢墓出土的秘戲材料,或即五斗米道的這種用以消災散禍的房中術遺迹,與“祭酒”之類的制度一樣,均係最初産生于北方地區的天師道所没有的内容。

章帝、和帝以來道教的形成和墓注解除術的流行并非偶然之事，有它多方面的歷史原因。全文中另有專論，在此姑從省略。

作者簡介 張勛燎，四川省江津縣人，1934年生。四川大學歷史系教授。主要從事中國歷史時期考古的教學和研究工作，曾出版《古文獻論叢》。

文物所見中國古代道符述論

王育成

内容提要　符是道經十二分類中的第二大類，其演變歷史迄今尚無探究。本文據大量第一手文物資料，將符史劃分爲前道符和道符兩大時期，指明至遲在戰國符即已産生、後爲統治者所利用。又據形制變化規律，首次提出道符的三個發展階段。第一是東漢中後期，符形複雜多至六類；第二是魏晉南北朝，出現專門的符書，外形逐步程式化；第三是隋唐至明清，除程式化道符還創造出符篆、符印等新品種，並影響到周邊國家。

在中國古代道教文化的研究中，道符是一個極爲引人注目的門類，在道經十二分類法中屬第二大類，古來就有秘傳至寶之稱，其現存單體數量當以千、萬計，但多年來卻缺乏學術上的深入探討。出現這一現象的原因是多方面的，客觀上的因素主要是兩個。第一，因其筆畫繁冗，形制屈奇詭異，觀者多以爲這是道教人物裝神弄鬼的胡塗亂抹，無意可解。《隋書・經籍志》即説它"文章詭怪，世所不識"；金代元好問《詩論絶句》也稱，"真書不入今人眼，兒輩從教鬼畫符"，道符幾成頑劣小兒信筆塗鴉的代名詞。相似意見在今人的論著中亦爲習見，如"根本無法辨人"、"畫得重重疊疊、莫名其妙"、"令人越看越糊塗"①，"符不是古代宗教的特殊的

①葛兆光:《道教與中國文化》101、102頁，上海人民出版社1987年9月第1版。

語言"[1],"因其不可辨識纔能達到譎怪惑人的目的"[2],等等不一而足。第二,由於資料或研究條件的限制,一些學者很少見到時代準確的較爲原始的實用道符材料,特别是早期道符,所見者多爲明清以來道書刻本著録的程式化道符,其是否爲道書寫成年代的教務活動的實用形制,究者頗存疑惑。如有人説,"以往我們講符咒,只是古人轉述的情況,真正的符咒是什麽樣子,誰也説不清",爲此探討者曾希冀從文物考古資料中找尋當時的道符。應當説這一努力方向是正確的,可惜由於材料陌生,時有張冠李戴、莫名其妙之事。如某位研究者聲稱,找到一件南朝梁大寶二年的"西域符咒真品",並將其圖形著録在自己的大作中,説它是"迄今所見最古老的符咒"[3]。而實際所言皆非,其書所録既不是原物形制,又不是現今所見最古老的符咒。學子尚且如此,一般人對道符的瞭解就可想知了。正是這兩種極端,給本來就以譎詭著稱的道符,又塗上了一層更爲神秘叵測的色彩。筆者曾在博物館工作有年,搜集過一定數量的早期道符資料,亦發表過《東漢道符釋例》(《考古學報》1991 年 1 期)、《武昌南齊劉覬地券刻符初釋》(《江漢考古》1991 年 2 期)、《唐宋道教秘篆文釋例》(《中國歷史博物館館刊》1991 年第 15、16 期) 等論文,對一些古代墓葬發現的道符進行了破譯論證,明確提出道符在東漢既已有之,不但可識,並且與當時的龐雜的道教信仰密不可分,"是一種遵循一定的宗教思維邏輯,通過文字和圖像表達特定思想的符號";"是我國古代長期留存的一種符號化的巫道語言和宗教秘密文字,是一種特殊形式的思想沉積物"。當時,因題目所限,拙作祇從道符的某一種類型中選擇一、二例進行探討,但由於行文中没有明確指出這一點,致使有的同志在引述我的考證時,僅僅立足於一、二種道符上就通論某個歷史時期的全部道符特徵。有鑒於此,這篇小文予就在文物考古

---

①高國藩:《中國民俗探微》86 頁,河海大學出版社 1990 年 6 月第 1 版。

②黄烈:《略論吐魯番出土的道教符籙》,《文物》1981 年 1 期。

③高國藩:《中國民俗探微》86—88 頁。

資料中再選一些典型材料，並結合古文獻記載，對符的出現和興起、階段類型劃分、定名以及變化規律等問題，談點看法。

一、符的出現和興起

在中國古代文獻的追述中，符這種東西出現極早。《黄帝出軍訣》云：

> 昔者，蚩尤總政無道，殘酷不已，黄帝討之於逐鹿之野，暴兵中原。黄帝仰天嘆息，愀然而睡，夢西王母遣人披狐皮裘，以符受之，曰：太一在前，天一備後，得兵契信，戰則剋矣！黄帝悟思其符，立壇畢而祈之，祭以太牢，用求神佑。須臾，玄魚巨鼇銜符出以水中，置壇中而去。黄帝再拜稽首，親自受符視之，乃所夢也。於是黄帝佩之以攻，即日擒蚩尤。①

此文以爲傳説中的黄帝時代就已使用由太一、天一構成的佩符，《事物紀原・符籙》稱，“蓋自是始傳符籙”。但由於其神話傳説色彩色較濃，今人多以其爲非。我們在這裏注意到的是文中的黄帝符的形制，即“太一在前，天人備後”。熟悉古天文史的人都知道，兩者皆爲古星之名。《史記・孝武本紀》載：“爲伐南越，告禱太一，以牡荆畫幡日月北斗登龍，以象天一三星，爲太一鋒。”《集解》注太一鋒云：“徐廣曰，天官書曰天極星明者，泰（即太）一常居也，斗口三星曰天一。案晉灼曰，畫一星在後，三星在前，爲太一鋒也。”如果這個記述不誤的話，那麽太一一星和天一三星組成的黄帝佩符，當作形。令人愕然的是，1972 年陝西户縣漢墓出土的陶瓶上的道符，正含有此形，其旁書十字，作“大天一，主逐敦惡鬼，以節”。在漢代大、太二字互通，“大天一”即太一、天一的合稱；“主逐敦惡鬼”是指其職司；“以節”係持節。這句話的大意爲：太一天

①《太平御覽》卷七三六引《黄帝出軍訣》。

一星神，持節驅逐惡鬼。顯然，《黄帝出軍訣》所言太一、天一構成的符至少在漢代就已存在，絶非向壁虚造。即使追溯到傳説中的原始文化時期，亦有蛛絲馬跡可覓。例如，1972 至 1975 年考古工作者發掘了屬於我國原始社會的仰韶文化廟底溝類型的鄭州大河村遺址，發現大量繪有天象的彩陶片，占出土陶片總數的 6%以上，所畫星圖色彩分明，頗有章法，一星和三星者皆有(見圖一。參見拙作《含山玉龜玉片補考》，《文物研究》1993 年 8 期)。可惜殘破過甚，難以一一拼合，無法確定其爲何星？但可以肯定當時存在對星象的崇拜，並且人們經常畫製這種東西。由此可知，如果把黄帝傳説做爲原始時代實際情況的曲折反映，那麼説此時出現符或者相類的東西並不爲過。

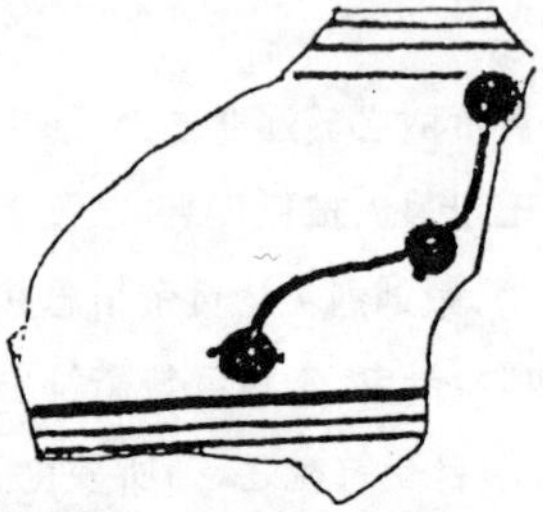
圖一　大河村陶片星圖摹本

在考古發掘所得的文字資料中，也提到一種與傳説人物大禹有關的符。湖北雲夢睡虎地秦簡《日書》乙種第 999、1000、1001、1002 號簡，寫有這樣一段墨書："出邦門，可行□，禹符，左行，置，右還，曰□□，□□右還，曰行邦令，行。投符地，禹步三，曰：皋，敢告符，上車毋顧，上。"①禹步是我國古代傳統宗教活動中經常使用的步伐，晉葛洪《抱朴子》以及後來的許多道書，都把它作爲一種極其重要的驅邪法術，日本陰陽道亦用此術，即所謂步罡踏斗。古來認爲它是大禹所創，故名禹步。出土秦簡記載它，顯係流傳有緒。禹符與它同見，足知兩者淵源也應相類。據《越絶書》記載，春秋後期吴國國君闔閭亦曾得到過一種與禹有關的符，其文云：

禹治洪水，至牧德之山，見神人焉。謂禹曰：勞子之形，役子

①爲印刷方便，原簡通假字、行文符號，一律改刪。

之慮，以治洪水，無乃怠乎？禹知其神人，再拜請誨。神人曰：我有靈寶五符，以役蛟龍水豹，子能得之，不日而就。因授禹而誡之曰：事畢，可秘之於靈山。禹成功後，乃藏之於洞庭包山之穴。至吳王闔閭之時，有龍威丈人得符獻之。吳王以示羣臣，皆莫能識，乃令齎符以問孔子。孔子曰：昔禹治水於牧德之山，遇神人授以靈寶五符，後藏於洞庭之包山，君王所得，無乃是乎？……使者反白闔閭，乃尊事之。先是江左童謠云：禹治洪水得五符，藏之洞庭之包山，龍威丈人竊禹書，得吾書者喪國廬。

這段文字記載，不見於《左傳》《國語》等先秦古籍，事又連及孔子，後人多不目爲信史。不過，其言禹時有符之事，卻恰與秦簡《日書》禹符吻合，實屬事出有因。據有關研究者考證，《日書》乙種的抄寫年代大約在秦國昭襄王 (前 306—前 250) 晚年，內容形成大約略早於公元前 278 年秦占楚國郢都之時①。可見，禹符之説至少在戰國時期就存在、並在當時宗教活動中使用。

馬王堆漢墓出土的帛書《五十二病方》中，也記載了一則以符治病的醫方。其云："燔女子布，以飲 □ 蠱而病者，燔北向並符，而蒸羊眉，以下湯淳符灰，即 □□ 病者，沐浴爲蠱者。"②"女子布"，指女子月經布，古人以爲其有驅邪之效；"蠱"是一種疾病，《內經・素問》玉機真藏論説，蠱"病名曰疝瘕，少腹冤熱而痛，出白，一名曰蠱"；"羊眉"，即羊多脂肪的臀，此處指羊尾。這條材料雖有殘缺，但大意可通，爲：燔燒女子月經布，以飲因蠱而發病者，燔燒北方的並符，蒸煮羊尾湯拌合符灰，治療病者，沐浴得蠱病的人。看來，這裏記載的當是用符制成符水療疾。東漢張角的療病法以及後代道士以符湯洗浴患者，與此絕相類似，從淵源上講，

①劉樂賢：《睡虎地秦簡日書研究》405—408 頁，臺灣文津出版社 1994 年 7 月初版。

②馬王堆漢墓帛書整理小組編：《五十二病方》125 頁，文物出版社 1979 年 11 月第 1 版。

實爲其遺緒也。據研究者考證,帛書《五十二病方》的抄寫時間,“不能晚於秦漢之際”,而就醫方內容來看,其產生的年代應早於《黃帝內經》,是我國現知最古的醫書①。以此判斷該書大約成於戰國晚期,符水治病當在此時有之。

符 (指宗教崇拜用符) 雖然出現很早,至遲是在戰國,但其名聲卻不高,更不爲統治階級所重,大約衹和一般靈物崇拜一樣,世間有人傳用而已。大概正是這一原因,傳世先秦古籍纔不見其踪影。兩漢時期,情況大變。西漢末,王莽圖謀篡奪劉氏皇位,開始把符與天命直接聯繫在一起,爲當皇帝製造藉口。《漢書・王莽傳》載,元始五年 (公元 5 年) 謝囂奏稱,武功長孟通在浚井時,得到一塊上圓下方的丹書白石,符文爲“告安漢公莽爲皇帝”,太后被迫下詔云:“今前輝光囂、武功長通,上言丹石之符,朕深思厥意,云爲皇帝者乃攝皇帝之事也。”王莽當上了攝皇帝。《漢書》稱“符命之起自此始矣!”幾年後,一個叫劉京的漢室宗親,爲討好王莽,他又製造出一通“天告帝符”,聲稱“得銅符帛圖於石前,文曰,天告帝符,獻者封侯,承天命,用神令”。就在這場鬧劇中,王莽以“符命”的名義,正式把皇冠戴到自己頭上,建立起新莽政權。劉秀在建立東漢王朝的過程中,也模仿王莽利用了符這種東西。《後漢書・光武帝紀》載:

> 光武先在長安時,同舍生彊華自關中奉赤伏符,曰: 劉秀發兵捕不道,四夷雲集龍鬥野,四七之際火爲主。羣臣因復奏曰: 受命之符,人應爲大,萬里合信,不議同情。周之白魚曷足比焉? 今上無天子,海內淆亂。符瑞爲應,昭然若聞,宜答天神,以塞羣望。

結果劉秀稱帝於天下。對上述史跡,學界熟知。有意思的是,本來

①《五十二病方》179—195 頁。

這兩位著名的改朝換代者能登上皇帝寶座，完全是依仗手中的實權和政治、軍事力量，爲什麼一定要藉用幾通符來表示承天命當皇帝呢？這與我國古代的祥瑞崇拜方式有關。先秦以及西漢早、中期，這種崇拜主要表現在自然物或以自然物面目出現的一些東西上，諸如鳳凰、麒麟、九尾狐、白魚、嘉禾、芝草、美石等等，以爲祥瑞所得者，即爲天命所任者。著名的例子是周武王伐紂渡河，有白魚躍武王船中，衆皆以爲這是天命所示，周將革命於商。但這種天降祥瑞的物體本身，並没有天命辭語，往往需要人再加以解說，人們如果没有發現或不承認，也就只好作罷，倘若出不逢時，作用正好相反。孔子作春秋遇白麟而絶筆，就是名證。而符命這種東西則完全不同了，它是由人手製造出來的，編造者能夠任意加入自己的意見，直接體現所要達到的目的。如前列王莽丹石符，就明明白白的寫出"告安漢公莽爲皇帝"，天命通過符這種形式由人手製造出來了。這是祥瑞之物根本無法辦到的。因此，祥瑞在統治階級眼中的地位大大降低，前舉《光武帝紀》用帶有譏貶的口氣說"周白魚曷足比焉"，實是由於此因。選擇符則可以最直接最方便的表達統治者的意圖，因此符也就成了王莽、劉秀體現天命的主要形式。東漢時期這種符命熱熾烈過一段，一些人往往因爲能夠與符拉扯上點什麽關係，就可指日高升。《後漢書·王梁傳》載，王梁本爲野王縣令，但因赤伏符上有"王梁主衛作玄武"的字樣，一下子受到皇帝的青睞，"帝以野王衛之所徙，玄武水神之名，司空水土之官也。於是擢拜梁爲大司空，封武強侯。"轉眼間，縣令位列三公越登槐鼎之任，符命推崇在此可見一斑。

二、漢墓所見道符諸類型

如上所述中國古代宗教用符是源遠流長的，至少戰國就在使用它，其下限則直達明清。由於道教以符籙著稱於世，是符的最主要的發揚光大者，有關資料又最多，因此據"名從主人"的習慣命名原則,我們以醖釀形成道教的東漢中期爲界,把符的崇拜史分爲前道符和道符兩大歷史時期。前道符時期大致可劃爲兩個階段。第一階段較長,指西漢中期以前,這時符衹作爲一般崇拜物使用;第二階段較短,衹包括西漢晚期和東漢早期,這時符與天命緊密結合在一起,爲統治階級所推崇;由於前道符時期資料較少,又未見實物,難以深入研究。道符時期的情況則完全不同了,不但傳世材料很多,而且在文物考古資料中發現相當數量的實用道符,有明確可靠的絶對或相對年代,既可據其書寫的形式區别出不同的類型,又可據類型因襲演變的時間,觀察出道符的發展階段和時代特徵。由此,我們認爲道符時期應劃分爲三個階段。

第一階段是東漢中後期,在這一階段中伴隨着早期道團組織的互不相屬、各自爲事的狀況,道符的具體名稱也比較複雜。《後漢書·劉焉傳》稱張陵在順帝時"造作符書"①,同書《皇甫嵩朱儁列傳》説張角用"符水",又《方技列傳》則載録了費長房的"主地上鬼神"符和麴聖卿的《丹書符》;成書於順帝時或更早的《太平經》,卻著録了"興上除害復文"、"令尊者無憂復文"、"德行吉昌復文"、"神佑復文",此外還提及"開明符"、"月華符"、"陰生符"、"星象符"、"五神符"等多種名目。顯然,如果當時還没有統一的符書的話,上列各符的形制,也會不盡相同,在漢墓中發現的道符也清楚表現了這一點,據其書寫、排列形式,我們分其爲六種類型。

第一種類型,外觀形態上没有統一布局,由或一、或二、或三、或四個漢字構成的符號組成,單個符號的形式和構意與《太平經》收録的復文完全相同,衹是整體形態顯得較爲鬆散,不像明正統本《道藏》收録的《太平經》復文那樣整齊有緒。爲此,我們稱這種道符爲復文類型。例如: 1984 至 1986 年考古工作者在洛陽邙山

①《後漢書》卷六十五《劉焉傳》。

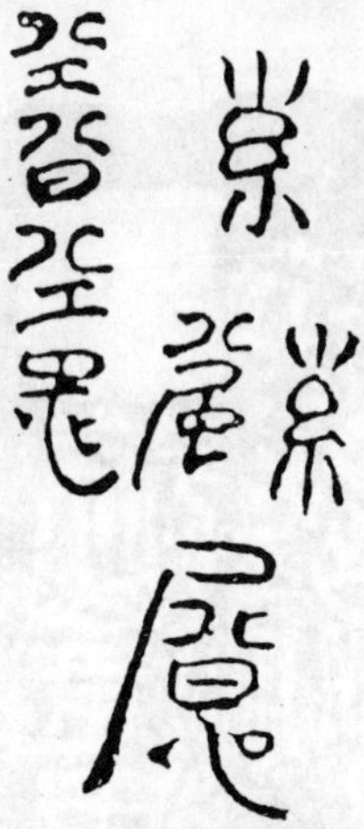

圖二　洛陽延光元年
復文式道符摹本

腳下發掘多座漢墓，其中一座出土一件硃書陶罐編 M24: 145，罐上硃書的一部份是解除文，內有"延光元年 (122)"紀年，另一部份即是復文式道符 (見圖二)，布局鬆散，由八個用漢字構出的符號組成，各符號全部可以識讀。釋出後爲："紃，紃八尸蟲，尸八曰圀八工，八曰八工鬼。"(參見拙作：洛陽延光元年硃書陶罐考釋，《中原文物》1993 年 1 期) 紃，即五彩繩，漢代避邪用物；八尸蟲，與三尸蟲相類，文獻不見記載，首見於河北望都漢墓出土的靈帝光和五年 (182) 磚券①；八工，即八功，意爲八種功德。大意爲：用彩繩紃禦止八尸蟲，令八尸蟲説汝的八功，八尸蟲説八功於鬼神。構成這通復文式道符的字組顯然是從一段咒文中摘録出來的，很有點後世文章關鍵詞記録的意味。這件材料是目前所知復文類型道符的最早標本，或許即是漢代復文的原形。我疑《太平經》收録的復文的本來面目或原初形式就與它相同，衹是後來經道士整理調配和歷代轉寫、版刻，纔成了我們今天所看到的整齊劃一的樣子。

第二種類型，整體形態比較一致，明顯分爲長短不拘的兩豎行，單行的書寫方式爲上起下行，符字之間也有一定間隔，不像後世道符字間往往纏綿不斷，而與漢代行用的字行格式相同。但是，符字的字體並不是漢隸，卻頗類古體篆書。考慮到後來道經及研究者經常使用符篆一名稱呼一種似篆非篆的道符，我們這裏把此類道符定名爲符篆類型。例如：周季木《居貞草堂漢晉石影》所録漢代除適刻石，即鐫一通這個類型的道符 (見圖三)。符旁有銘文

①河北省文化局文物工作隊：《望都二號漢墓》13 頁，文物出版社 1959 年 6 月第 1 版。

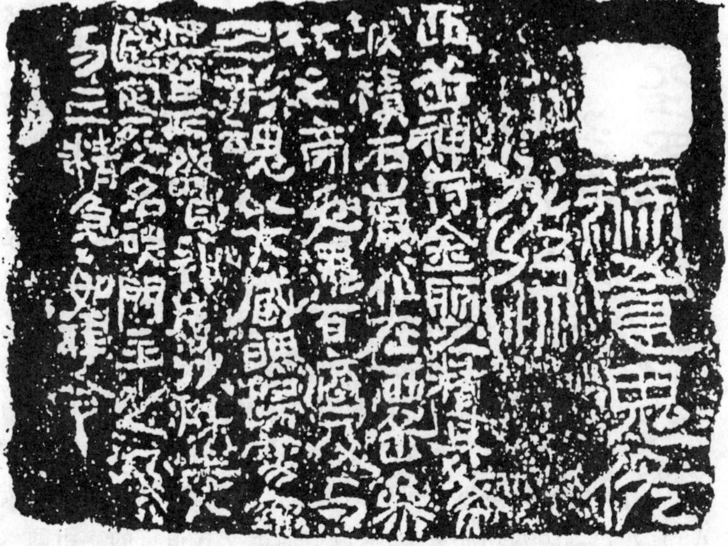

圖三　符篆類型西嶽神符拓本

七行，文爲："西嶽神符。金麗之精，其斧鉞積石巖，位在西嶽桑林之旁。滅君百適，及與三形，魂以下臧，魄歸冥司。其曰：正祭百神，□□門吏匠，定死人名，魂門主之，及與三精。急急如律令。"根據這一銘文，可以知道這通道符的具體名稱叫做"西嶽神符"，刻在石上的目的是"滅君百適"，從"魂以下臧，魄歸冥司"、"定死人名，魂門主之"等辭句看，其又應與墓葬關係密切，大體屬解除活動遺物。這種篆寫體的道符在漢代十分罕見，但在後世道經和唐宋鎮墓石上卻常能見到，而後者遠非這樣簡單，字體要繁複的多，字量也大。祇是其一行書寫不完又單起一行再寫、長短不定的總體構形，在後世則無例援引，表現出一種較爲原始的性質。

第三種類型，整體面貌像一篇短文，符的字體、風格顯得比較複雜，符字已和漢字固有的幾種字體脱離，變形較大，頗有單起爐竈另行製造的傾向，筆畫較硬，方形的東西較多，間雜一些似字非字的東西，大致可以看出豎行但相接甚近，給人一種相對詭異的印象。一通道符通常由幾十個符字組成，格式似乎還是當時文書上起下行、復行右起左行的方式，很像一通文書。《後漢書》載張陵、戴異等人所造的"符書"，有可能即是此類的東西。因此，我們這裏把它定爲符書類型道符。典型的例子見於河南洛陽唐寺門漢墓出土的陶瓶上，該瓶編號爲 M1：65，洛陽文物工作隊收藏①。瓶卷沿、直脛、圓肩、淺腹、大平底，通高 14.5、腹徑 16 厘米，符即用白粉寫在瓶腹上 (見圖四)。分佈較匀，大概瓶腹不夠用，瓶底還

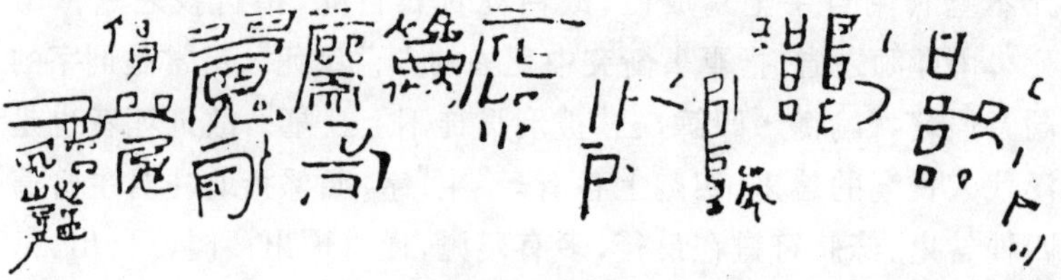

圖四　洛陽永康元年符書類型道符摹本

寫有五個。按該瓶符字大小和散佈面積，估計符字總數將超過三十個。可惜，由於符是用白粉書寫，固着不牢，殘漶較重，很難進行考釋。不過，在後世道符中還能見到瓶上個別符字的影子。如道經所載除三尸等符，由尸、鬼等字組成，而這件瓶上的符字也有兩個是尸、鬼二字疊壘。出土這件白粉書的墓穴，考古工作者發現一件陶瓦，上有墨書"永康元年 (167)"字樣 (剛出土時很清楚，現實物已模糊不清)。可見，這是一通東漢桓帝時期的符書式道符。

第四種類型，總體構形較爲鬆散，由圖形、咒文和豎寫直條狀的符字組成，三部分形式差異較大，相對獨立。圖形離開條狀符畫在其旁，咒文書寫在圖形下，條狀符寫在最後，初以爲三物並不統屬，後經與東漢道符圖與符字咒文混合書寫的成例比較，方悟三者是個統一體。這裏，我們稱其爲組合類型道符。例如：1957 年

①洛陽文物工作隊：洛陽唐寺門兩座漢墓發掘簡報，《中原文物》1984 年 3 期。

在陝西省長安縣三里村東漢墓發現多件硃書陶瓶，其中一件小口、卷沿、折肩、斜直腹、小平底，高20.5、口徑6.5、底徑7.5厘米。瓶腹寫有長篇解除文，文尾即附有這種組合類型道符。圖爲北斗星圖，由短綫和星點組成，斗魁內寫"北斗君"三字。星圖下有四行硃書，爲"主乳死咎鬼，主白死咎鬼，主帀死咎鬼，主星死咎鬼"；"乳死"，意出生不久即死，漢代以爲這是一種很厲害的鬼，《論衡・訂鬼》說"顓頊氏有三子生而亡去爲疫鬼"，即是指此；"白死"，白係自字的省減，洛陽延光元年硃書"生自屬長安，死人自屬丘丞墓"，兩自字全寫成白，故白死實爲自死，指自殺之鬼；"帀死"，帀即師之省，指軍事衝突中死去的人；"星死"，星當是刑字的同音假藉，《論衡・四諱》云"被刑爲徒不上丘墓"，故刑死者也是漢代人畏懼的咎鬼；四辭上各有一"主"字，顯係指北斗君主管這四種咎鬼。條狀符畫在最後，多有殘遲，僅可釋出：門、尸、出、鬼(見圖五)。

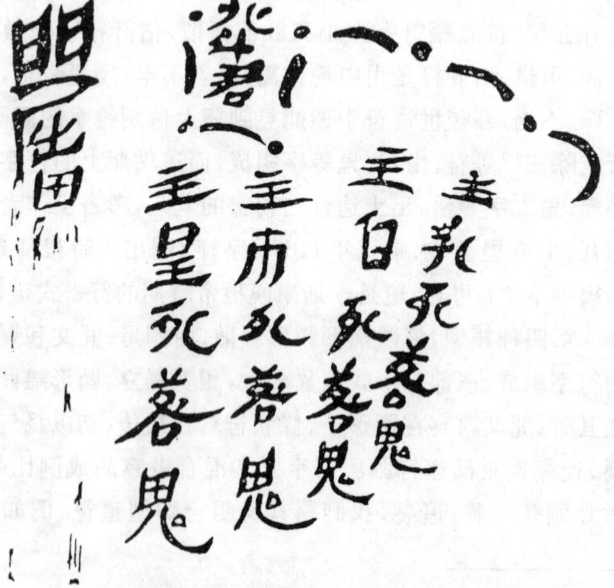

圖五　三里村建和元年組合類型道符摹本

《抱朴子》云：人"身中有三尸，三尸之爲物，雖無形而實魂靈鬼神之屬也，欲使人早死，此尸當得作鬼，自放縱遊行”。參考此説，這個組合符的大意是：主管四咎鬼的北斗君，鎮解墓門，防三尸出爲鬼……。同寫有該符的陶瓶一起，墓中還出土有“建和元年(147)”字樣的陶瓶。可見，此件組合類型道符係東漢桓帝時的遺物。

第五種類型，這種道符的主要特點是採取横排式布局，一通道符至少有兩個或兩個以上的方塊符，每個方塊符又由或多或少的漢字以及文字化的圖形混合構成，但整通符排列有序，各方塊的字或圖也書寫的比較匀稱。我們把它叫做横排類型道符。例如：1954 年洛陽西郊漢墓出土一件硃書陶瓶，上寫“解注瓶，百解去，如律令”九字，旁書道符一通，由三個方塊符横行排列而成 (見圖六)。第一符稍殘，可釋爲川，意爲大水，指水神；第二符，由厂、

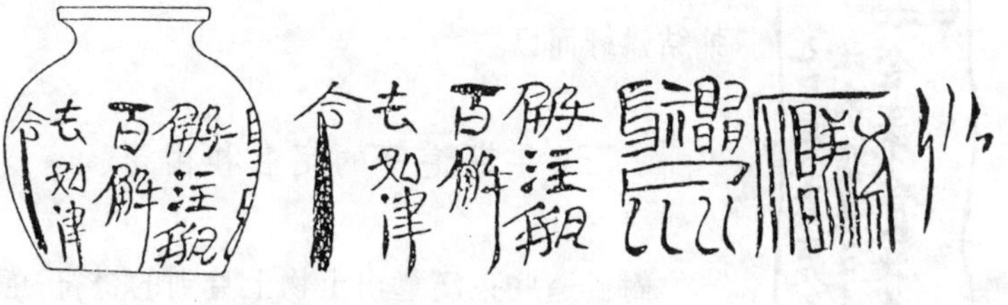

圖六　洛陽西郊解注瓶横排類型道符摹本

〢、鶡三字和人形組成，指神鳥導引死者；第三符由耳、月、目、日、六神、石字象形和四個乙字組成。整通符的大意爲：水神鎮解，到山巖的道路暢通，神鳥鶡引導死者離去，天通過它的耳目日月督察，六宗之神和神石彈壓殃咎邪氣。現知陝西户縣漢墓出土的陽嘉二年 (133) 曹氏符是最早的一件這種類型的道符。就整體形態、布局來説，此類道符在東漢已發展得較爲成熟，但在後世道經和傳世道符中卻見不到它的踪影。

第六種類型，這種符的整體形態基本上呈長條形，採用從上到下的直行豎寫方式，符字層層疊疊，結構比較緊密，既使含有圖

形,也構成一個相對完整的統一體。這裏我們稱其爲長條類型。在這類道符中,上述第四類型的圖形旁側列出的情況已經完全改變,圖已挪至豎排符中,雖然星圖的柄還枝出。據形式比較,第六類型道符應是第四類型的進一步發展。例如: 1957 年江蘇高郵邵家溝東漢墓中曾出土一件畫在木簡上的道符 (見圖七)。符在木簡上部,首繪斗宿 (也稱南斗) 六星,斗柄寫“符君”二字,星圖下寫出多個有一定變形的漢字; 木簡下部有硃書三行,爲: “乙巳日,死者鬼名爲天光。天帝神師已知汝名,疾去三千里,汝不既去南山,給 □ 令來食汝。急如律令。”這是一通長條類型道符,是現知東漢道符發展最爲成熟的形態,後世道經著録的道符及傳世者,大多都採用這種形式,祇是符字增加、筆畫日趨虬結盤紆而已。

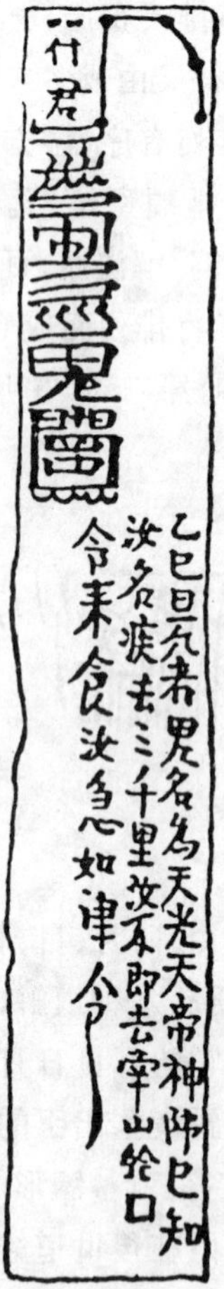

圖七 邵家溝漢墓木簡長條類型道符摹本

三、早期道符的定名和由來

對於這些東漢墓出土物上見到的畫符,應該怎樣定名呢? 我在《東漢道符釋例》等論文中首次使用了“道符”一名,一些同志在引證我的有關論點的同時,卻不同意這一名稱,認爲應該叫做“巫符”(如劉仲宇:《道符溯源》,《世界宗教研究》1994 年 1 期)。思忖再三,我以爲還是稱做“道符”比較合適,主要根據如下:

第一,現知最早的漢墓畫符和道教經典《太平經》復文有直接的血緣關係。《後漢書・襄楷傳》載: “初,順帝時琅邪宫崇詣闕,上其師干吉於曲陽泉水上所得神書百七十卷,皆縹白素朱介青首朱目,號《太平清領書》。"李賢注云:"神書,即今道家《太平經》也。"史書未載宮崇具體在順帝(126－144)那一年上《太平經》,有後期但也有前期的可能;其師得到《太平經》的時間,當然祇能更早;至於《太平經》成書的時間那麼更需往前推了,漢安帝時期(107－125)的可能性最大。前面我們已經列出東漢道符的第一類型即考古發現的復文式道符,最早者已達安帝延光元年(122),它採取的完全是《太平經》復文的書寫形式。這就出現兩種可能:一是《太平經》已經成書並流行,延光元年復文式道符書寫者受到該書的影響,採用了這種道符;二是《太平經》正在成書,該書的撰寫、編纂者對當時行用的復文式道符十分欣賞,便廣泛採集將其收録於書中。不管那一種可能,都標示出漢墓的復文類型道符和《太平經》復文有直接的血緣關係。顯然,我們如果承認《太平經》的道教經典地位,而不是把它叫做巫書,那麼把與其有直接的血緣關係的漢墓符視做道符纔比較穩妥。

第二,東漢時期的墓葬解除者和早期道徒皆自名爲道。前列各類東漢墓道符都是墓葬解除活動的遺物,那些進行解除活動的人除自稱天帝使者、天帝神師等名外,還自稱"要道中人",絶不見以巫自稱者。例如:1957年考古工作者在西安和平門外墓葬發現一件漢初平四年硃書解除瓶,硃書記述一位自稱天帝使者的人如何爲王氏之家安冢除殃,最後則稱:"要道中人和以五石之精,安冢墓利子孫,故以神瓶鎮郭門。"顯然,解除者又在這裏自名爲"要道中人"。而要道一辭自來是道士常用術語。如《太平經》云:"天帝病除,帝王安且壽,民安其所,萬物得天年,無有怨恨,陰陽順行,羣神大樂且喜悦,故爲要道也。"葛洪非常推崇吳國一位叫介象的道士,其著《抱朴子・雜應》説:"吾聞吳大皇帝曾從介先生受要道。"以此理解"要道中人"一語,簡直就是在以道教中人——道士自居。由此,我們没有理由一定要把這些墓葬解除者書畫的符稱爲巫符,還是叫做道符合適。

第三,早期小道團的出現遠早於張角太平道和張修的五斗米道。中國早期道教組織以張角、張修、張魯等人的起義或割據一方著稱於世，但其時已動輒以幾萬甚至幾十萬人計之，其組織形態應比較成熟。根據事物發展的一般規律看，這不會是早期道團的初級形式，其前還應該有一些政治色彩淡薄、以宗教活動爲本、各自爲事的小教團。目前考古發現的一些資料已表現出這種跡象。例如：1991 年河南省偃師縣出土一通漢"河南梁東安樂肥君之碑"，記述了一個叫肥致的"道人"，"其少體自然之姿，長有殊俗之操，常隱居養志，君常設之棗樹上，三年不下，與道逍遥"；"詔聞梁棗樹上有道人，遣使者以禮娉君，君忠以衛上，翔然來臻，應時發算，除去災變，拜掖庭待詔，賜錢千萬"；"君神明之驗，譏徹玄妙，出窈入冥，變化難識，行數萬里不移日時，浮游八極，休息仙庭。君師魏郡張吴，齊晏子、海上黄淵、赤松子爲友，生號曰真人，世無及者"(見圖八)。碑文通篇充滿了道教色彩。碑文還談到肥致，"行成名立，聲佈海內，羣士欽仰，

圖八　漢河南梁東安樂肥君之碑拓本

來集如雲”,看來當時聚集在這個道人周圍的信徒數量不會很少。在他死後,信徒中的“從弟子五人,田傴、全雨中、宋直忌公、畢先風、許先生,皆食石脂仙而去”。弟子隨師而死,足見這個早期道團信仰之堅。樹立該碑者許孝萇即是肥致的弟子許幼仙的兒子,碑建於建寧二年 (169),如以三代人約略計之,肥致當是東漢章帝、和帝時期 (76－105) 的人;而該碑碑首直刻“孝章皇帝太歲在丙子崩,孝章皇帝、孝和皇帝,孝和皇帝太歲己丑崩”,這是表示碑中所記道人肥致事是章、和兩帝時期的事跡也。由此,可以明白無誤的説,東漢章和時期社會上就出現了以道教信仰爲中心的早期道團。在這種情況下,不能説比張角太平道、張修五斗米道早的畫符都是民間巫師所爲,像肥致這種“應時發算,除去災變”的早期道團搞些道符也實無不可。

那麼,對於本文所説前道符時期的符是否可以稱爲巫符呢?我以爲這也需要斟酌。這裏牽涉到一個對巫的概念的理解、認識問題。在一些研究著作和論文中,每逢談到先秦兩漢宗教問題,多喜談巫,並往往套用西方論著的提法總括這一時期的民間宗教活動爲巫。其實,中國古代的巫和西方宗教學的巫在概念上並不一致。中國的巫僅僅是一部分宗教事務的承擔者。《墨子・非樂》云:“其恆舞於宮是謂巫風”;《説文》云:“巫,女能事無形以舞降神也”;漢鄭玄《詩譜》云:“古代之巫實以歌舞爲職。”除此以外,很多宗教事務則往往由卜、祝、宗、史等承擔。《國語・楚語下》在談春秋及其以前的宗教事務時,列述過三種人。第一是巫與覡,“民之精爽不攜貳者,而又能齊肅衷正,其智能上下比義,其聖能光遠宣朗,其明能照之,其聰能聽徹之,如是則明神降之,在男曰覡,在女曰巫”;第二是祝,“是使制神之處位次主,而爲牲器時服,而後使先聖之後有光烈,而能知山川之號、高祖之宗、宗廟之事、昭穆之世、齊敬之勤、禮節之宜、威儀之則、容貌之崇、忠信之質、禋絜之服,而敬恭明神者,以爲之祝”;第三是宗,“使名姓之後,能知四時之主、犧牲之物、玉帛之類、采服之儀、彝器之量、次生之度、屏攝之位、壇場之所、上下之神、氏姓之出，而心率舊典者，爲之宗”。儘管這一記述帶有理想化的成份，也不足以囊括當時的全部宗教活動，但據此可知巫僅是諸宗教活動中的一種職事，實不足爲一通名。李養正先生在談到有關宗教職事人員時，將巫與史、祝、卜等並列，顯然是比較合於事實的①。

到了戰國秦漢時期，宗教職事人員的名稱、種類發生較大變化，可以説是日趨複雜。但《史記》、《漢書》、《後漢書》記載有關問題時，還是類别分明的。涉及到巫，有直言其爲女巫者，有以地域或崇拜對象名稱冠其首者，諸如梁巫、晉巫、荆巫、九天巫、河巫、南山巫之類；載録其它宗教職事則有陰陽、五行、方技、數術、天文等類别；各類再分又有細目，如數術其流又有風角、遁甲、七政、元氣、六日七分、逢占、日者、挺專、須臾、孤虛等等；以家呼之則有五行家、堪輿家、建除家、叢辰家、曆家、天人家、太一家等等；統而言之則有方士、道人、道士、道術之士等學術界早已熟悉的通名，對一些諳熟方術的官吏、士人、包括民間人士，或徑載其所通之方或所習之術，絶不言其爲巫；更值得注意的是，《後漢書》在記載以符劾厭鬼神的費長房、麴聖卿時，亦不以其爲巫。據劉歆《七略》或《漢書・藝文志》分類，載禹符的《日書》屬數術，載符水事的《五十二病方》屬方技，看來大凡日者、醫家以及持方有道者，在需要的時候都有可能使用。根據這些情況，前道符時期的符也不宜單單稱爲巫符，且不説到目前爲止還没有發現巫人用符的記載，即或有之也很難把它與其它宗教用符區别開來而單名之爲巫符，不如就緣時人之俗稱其爲符，如果一定要在名前加個冠詞，還不如稱其爲方術符。

對於早期道符的來源，有的同志認爲是模擬古代軍事政體中的兵符，“符的本義爲調動軍隊的憑信。通常以竹或金屬製成，上刻文字，剖爲兩半，一半留於朝廷，一半由領兵將帥持有，朝廷要

①李養正《論道教與儒家的關係》，《世界宗教研究》1992年4期。

調動軍隊時便派使者持符爲憑傳達命令。所以符爲權力象徵。對持符使者的聽命,實際是對朝廷絶對服從的表現。道士將符搬進鬼神世界,恰是模擬封建軍政體制中權利信物的作法”。坦率地説,這個結論僅僅是根據符字表面字義的分析而得出的,没有事實基礎。就實際資料來説,兵符與道符在使用形式上區别極大。如,分爲兩半的兵符,符上鑄有榫子、榫口或契刻齒迹,當皇帝或朝廷調動軍隊時,需要合符,被調動的軍隊一方必須驗證對方的半符,如不能合榫或契合,對方的則被否決。而現今所見的各種東漢道符實物資料,從來没有一分爲二的,也没有可以合二爲一的,在使用過程中根本不需要什麼合符,它表示的是一種由上向下發出的絶對命令,如以世間皇權政體的各種命令形式相對比,它與皇帝的命令——制最爲相似,東漢時期的有關文物考古資料已清楚表明了這一點。如: 1980 年洛陽東郊史家灣東漢墓中,出土一件永壽二年 (156) 陶瓶,瓶上硃書解除文明確談到符咒的使用,其文云:

> 豕(矢)之符晝(咒),制曰: 夜 □□ 乘傳居署,越度閡梁,□堇攝録佰鬼,名字無合得逃亡,近留行遠,□ 生 □ 徯山主,洩致桀 □,□□□ 旦女嬰,執火大夫燒汝骨,風伯雨師揚汝灰,没 □□ 者使汝築玄垣五百 □□,成其上没成其下,臻其 □ 汝。黄帝呈下。①

豕即矢,同音假借,《詩・大雅・江漢》毛傳云:“矢,施也。”晝即咒,同音假借,《集韵・宥部》:“晝,陟救切,音咒”,是其證。制,衆所周知在世間專指皇帝所命,即《史記・秦始皇本紀》的“命爲制”。“制曰”之後一大段是指這道符咒所要表達的意思。“黄帝呈下”是表示該符咒由黄帝發出。全段大意是: 施用符咒,命令説: 日夜兼程乘傳居署,越過障礙橋梁,拘捕百鬼,名字不合的鬼怪可以逃亡,近處的可以留也可以

①蔡運章《東漢永壽二年鎮墓瓶陶文考略》,《考古》1989 年 7 期。

遠走,等待山主赦免。名字相合的要受到嚴厲處罰……執火大夫燒你的骨頭,風伯雨師要揚散你們的骨灰,……用它築成玄牆五百,風雨削除它的上面和下面,臻滅你們。符命是黄帝呈下的。很顯然,這裏道士所用的符咒就以天神名義所發出的命令,其所模擬的即是人世間統治者的制、詔等一類下行命令,與做爲信物的兵符關係並不大。後世很多道符上寫有敕、符敕、敕命、敕令等字様實源於此。

那麽道符以天帝神的名義發出是不是模擬兵符所代表的世間軍政統治權力呢? 我以爲也不是這様。人們清楚,我國自商周以來迄於兩漢,天命和君權神授思想就非常流行。在這種思想的影響下,統治者爲確立自己的政治權力,都紛紛向天帝神意靠攏,或虔誠或虚僞的在自己頭上構造出天命神意的光圈。從《詩經》的"天命玄鳥降而生商"、殷紂王的"我生不有命在天乎",直到我們前舉王莽、劉秀的符命鬧劇,無不清楚地表明了這一點。也就是説,天命神意很早就是世間的統治者和宗教人物雙雙認同的形式上的最高權威和最高意志,無論人間的帝王還是與鬼神交通的巫、祝、宗、卜、史以及陰陽、五行、方術家之流,都要對其表示順從。在這種情況下,符或道符的製造、崇信者,完全没有必要去繞個圈子模擬一下兵符代表的權力,再與神搭上勾;他們衹要把道符直接與天帝神意聯繫在一起,或以天帝神的名義發出,就足以號令於天下人、鬼兩界。限於篇幅這裏不再多説。

四、道符類型的逐步統一

魏晉南北朝時期,道符進入它的第二個發展階段。這時,道符的種類不但大大增加,同時還出現專門的符書。《抱朴子・道意》説,一個叫李寬的道人,曾在吳國傳給其徒"三部符"。該書《遐覽》則輯録一大批符書書名:

> 有自來符、金光符、太元符三卷、通天符、五精符、石室符、玉策符、枕中符、小童符、九靈符、六君符、元都符、黄帝符、少千三十六將軍延命神符、天水神符、四十九真符、天水符、青龍符、白虎符、朱雀符、玄武符、朱胎符、七機符、九天發兵符、九天符、老經符、七符、大捍厄符、玄子符、武孝經燕君龍虎三囊辟兵符、包元符、沈羲符、禹蹻符、消災符、八卦符、監乾符、雷電符、萬畢符、八威五勝符、威喜符、巨勝符、採女符、玄精符、玉曆符、北臺符、陰陽大鎮符、枕中符、治百病符十卷、厭怪符十卷、壺公符二十卷、九臺符九卷、六甲通靈符十卷、六陰行廚龍胎石室三金五木防終符合五百卷、軍火召治符、玉斧符十卷。此皆大符也。其餘小符不可具記。

這是目前所知最早的一篇有關道教符書的目録,傳世文本中可能有錯簡,如枕中符兩見。葛洪是晉代著名道士,曾窮經皓首廣泛搜羅、研究道教有關典籍和各種法物,應當説當時社會行用的重要符書典籍已基本收入。同書還著録多種道符的形象資料,如老君入山符、仙人陳安世符等等,從葛洪衹收大符典籍而對小符一筆不記的情況分析,書中所録諸形道符,都應該是大符。在魏晉南北朝時期的文物考古資料中,我們也發現了多件實用道符,其總體外觀形式與《抱朴子》著録的道符外形基本相同,採用的都是直行豎寫式,屬東漢文物考古資料中的第六種類型道符。爲説明問題,我們選擇五例較爲典型的材料列出。

第一例西晉仙師木簡符。本世紀初在敦煌一個烽燧遺址中發現,符寫在一枚木簡上,自上而下直行豎寫,符字大部分都是可識的漢字,祇有個別字變形較大但仍可識讀,因符首爲“仙師”二字,故名仙師木簡符。釋文爲:“仙師敕令,三天責龍星鎮定空炁(氣)安。”(見圖九)三天,是道教專門術語,指三清天。《雲笈七籤》卷八《釋除六天玉文三天正文》云:“三天者,清微天、禹余天、大赤天是也。”《道教義樞》卷七引《太真科》云:“三天。最上號曰大羅,是道境極地,妙氣本一。唯此大羅生玄、元、始三氣,化爲三清天。一

圖九 西晉仙師木簡符摹本

曰清微天玉清境，始氣所成；二曰禹余天上清境，元氣所成；三曰大赤天太清境，玄氣所成。"顯見三天是代表道教的最高神，即三清。龍星是古星名。《左傳・桓公五年》"龍見而雩"，服虔注云："四月昏，龍星體見，萬物始盛，待雨而大，故雩祭以求雨也。"這是説在古人的信仰中龍星是管雨的。《史記正義》引《漢舊儀》云："夏則龍星見而始雩，龍星左角爲天田，右角爲天庭。天田爲司馬，教人種百穀爲稷。"看來龍星又是百穀之神。該通道符的大意是：仙師傳達敕令，最高神三天責命龍星鎮護農事氣候安和。此符出土于敦煌西晉烽燧遺址中，其地處西北乾旱地區，很有可能是雩祭求雨活動中道士施法的遺物。

第二例元嘉十年徐副地券星象符。1977 年發現於湖南省長沙縣麻橋出土的一方青石質地券上，券長 33、寬 26、厚約 2 厘米。券面大部鐫刻長篇道教文書，共 495 字。文以"新出太上老君符勑"名義發出，接着就是"天一地二，孟仲四季，黄神后土，土皇土祖，土營土府，土文土武，土墓上、墓下、墓左、墓右、墓中央五墓主者，丘丞墓伯，冢中二千石，左右冢侯、丘墓掾史，營土將軍，土中督郵，安都丞，武夷王，道上遊邏將軍，道左將軍，道右將軍，三道將軍，蒿里父老，都集伯伥，營域亭部，墓門亭長，天罡、太一、登明、功曹、傳送隨斗十二神"等一大批天神地吏之名，都是符勑所要使命者。接後即是此道符勑的具體目的，文尾以“太上老君地下女青詔書律令”結束。這是一通明白無誤的道教符勑，墓主徐副就是天師道代元治的官祭酒。(參見拙作《徐副地券中天師道史料考釋》，《考古》1993 年 6 期。) 道符刻在券尾，是一通十分罕見的純粹由星圖構成的星象符 (見圖十)。《太平經》後聖李君靈書紫文二十四訣提到過一種“星象符”；《抱朴子·登涉》所收老君入山符中有一純粹由星象組成的道符；就實物而言，這通元嘉十年星象符則是現知最早的一例。該星符原缺一角，但可據同類星圖復原，其自上而下分別由北斗七星、文昌六星、房宿四星、衿二星、心宿三星構成，在畫製此符時曾對原星圖的位置加以調整，以形成爲長條狀。據銘文內“元嘉十年 (433)”紀年，此符顯然是南朝宋文帝時期的遺物。

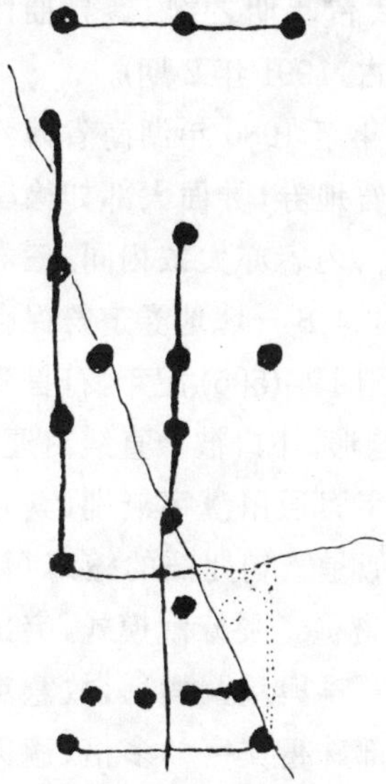

圖十　元嘉十年星象符摹本

第三例永明三年劉覬地券刻符。1956 年發現於湖北武漢東郊何家大灣出土的一件陶質地券上，券長 48、寬 24、厚約 5 厘米，現藏中國歷史博

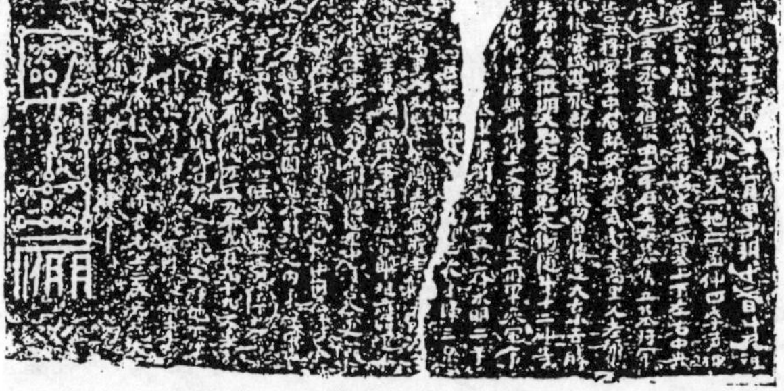

圖十一　永明三年劉覬地券及刻符拓本

物館，筆者在該館工作期間曾多次拓摹。券大部和元嘉十年地券一樣，刻有內容相似的券文，券尾刻出道符一通（見圖十一）。該符自上而下由北斗七星、文昌六星、天槍三星、三臺六星、北斗輔星和尸、丨、倜三字組成。《六書統》云：倜"委也，託也，朋同類，故可託。"其符意爲：北斗、文昌、天槍、三臺及北斗輔星，今將死者上託於諸星神佑護。該符的星圖及組字構成的也是長條狀。據卷內"永明三年（485）"刻文，此符爲南朝齊武帝時期之物（參見拙作《武昌南齊劉覬地券刻符初釋》，《江漢考古》1991年2期）。

第四例天監四年地券硃書符。1978年至1980年湖南省博物館在資興發掘多座南朝墓，出土三塊陶質地券，券面大部如徐副地券、劉覬地券一樣，都有長篇道教文書，內容亦大致相同。三券券尾都有用硃砂寫出的道符，其中編號474:8一塊地券道符保存較好，該券券文有梁天監四年（505）紀年。符首爲北斗七星圖案，但稍有變形，斗口被一直綫封連。下爲五個符字，其中禾字與通用漢字無別，其它四個則變形較大，估計似是一句咒語的縮寫（見圖十二）。該符的畫制也遵從了長條狀模式，突出的是北斗七星下的符字，爲與星圖對稱，故意寫的分外長大，是地券前部硃書文字的多倍，適與星圖構成一個長條狀的勻稱的符形。此符爲南朝梁武帝時期遺物。

圖十二　梁天監四年硃書符摹本

第五種吐魯番硃書天帝神符。係1959年10月，新疆自治區博物館在吐魯番阿斯塔那古墓葬區303號墓內發現的，符畫在一張紙上。同墓出土一方有麴朝"和平元年（相當西魏大統十七年、公元551年）"紀年的墓志，故該符畫出時間當不晚於此時。紙原折成一長2.5、寬2厘米的小塊，縫在一絹囊內，展開後長27.5、寬10厘米。紙的左上部即是該符，爲一右手持長叉、左手持大刀的神像和

圖十三　吐魯番硃書天帝神符

一變形黃字形成；下部及右上寫有四行咒文，依國家文物鑒定委員會副主任、中國歷史博物館研究員史樹青先生的意見，釋文爲："天帝神符，注煞百鬼，死鬼新後不道鬼，不得來近，護令達，着頭上，急急如律令也。"(見圖十三)兩者皆爲硃書。據釋文，知紙上道符應名爲天帝神符，是用來煞鬼的，使用時着著在頭上。依這道符的符名推斷，神像下的黃字有可能是指黃帝，是表示此爲黃帝神像。該符雖然簡單，但神像與符字亦作上下直行排列，採取的還是長條狀。這種以人形和符字組成的道符較爲少見，此前僅見東漢洛陽解注符有文字化的人形，但在《道藏》著録的道符中卻有不少。如《鬼谷子天髓靈文》卷下的猛獸符、通身符、老翁符等，符首皆繪猛獸、巨人、老人形象。

現知魏晉南北朝時期文物考古資料中所見道符，大體即如以上五種。相對於東漢道符來說，已從那種紛雜的面貌逐步走向統一，復文式、符書式、橫排式的道符已消失不見，直行豎寫的長條式道符成爲這一階段道符的最基本的類型，屬第一階段第六種類型的道符已普及到中國南北地區。《隋書・經籍志》所稱：陶弘景"受道經符籙"、太武帝"受符籙"、"每帝即位必受符籙"，顯然對第二階段道符的發展是很有刺激作用的。

五、鼎盛階段道符的新品種

隋唐至明清時期，是道符發展的第三階段，實際上也是它的最後階段。在這一階段中，由於道教的發展、法術儀式的繁複、道書的廣爲傳播，特別是《道藏》的編撰，使道符的書寫形式已完全規範化、固定化，大多數道符都寫作長條狀，儘管繁簡多有不同。除此外，也出現一些極具特色的新品種，其中與篆書形式相仿、多符組合、成篇排列的道符就是最重要的一類。這類道符在道書中被稱爲天文、真文、神篆、雲篆、玉篆、赤書、玉文、秘文、秘篆文等等，其特點是符字成篇、每每以五種組成一套。在文物考古資料中，這種符篆已有發現，主要見於墓葬出土的五帝 (青帝、白帝、黑帝、赤帝、黃帝) 或五方 (東方、西方、北方、南方、中方) 鎮墓石上。例如: 1958 年考古工作者曾在陝西三次發現這種符篆。其一，見於咸陽縣出土的唐代鎮墓石上，該石蓋石刻"大唐景龍元年歲次丁未十一月乙未朔八日壬寅謹爲梁王鎮"字樣，這個梁王就是武三思，《新唐書·外戚武士彠傳附三思傳》云，三思既死，"贈太尉，復封梁王"。符篆刻在該石底石上，共 64 個。其二，見於蒲城縣的唐昭成皇后竇氏鎮墓石上，底石亦刻 64 個符篆。其三，見於西安南郊龐留村唐墓出土的鎮墓石上，石共五合，其一缺底。據同出墓志，墓主爲"大唐壽王第六女""清源縣主"。符篆都刻在底石上，共 206 個。後來在蒲城唐睿宗李旦橋陵亦發現兩塊同類鎮墓石，共刻符篆 128 個。再如: 四川地區的宋墓自五十年代起，也多次出土這種鎮墓石或陶券。有關博物館、文管所、圖書館亦藏有一定數量的這類刻石或拓本。可是，由於過去對符篆缺乏研究，也沒有人整理考釋，因此每有發現皆謂不識，更有甚者則斥其爲道士的胡寫亂畫。其實，這全是一種誤解。此類符篆與漢字字形有密切聯繫，完全可以用漢字漢語對讀譯出，道書中亦録有這類符篆的譯文，祇是由於兩者字形差距較大，現代人認識不到其旁所注漢字爲該符篆譯文罷了。(參見拙作《唐宋道教秘篆文釋例》，《中國歷史博物館館刊》1991 年 15、16 期。) 也就是説，由於不用失傳，我們今天在面對這些文字符號時纔會感到迷惑不解、無所適從，它們也就變成了一種宗教秘密文字。囿於篇幅，這裏僅選擇中國歷史博物館、北京圖書館所藏五紙靈寶五帝天文拓本録出。

第一件爲歷博藏中元天文，館藏編號 13155。拓上有 16 個符篆，分四行排列，行四字，首行符篆前刻一行楷書小字，爲"靈寶黄帝鍊度五仙安靈鎮神中元天文"(見圖十四)。其漢字譯文爲："黄中總炁，統攝無窮，鎮星吐輝，流煉神宫。"1984 年四川省成都市北宋張确夫婦墓所出一塊石卷上，刻有相同的符篆，祇是個別筆畫略有差異，

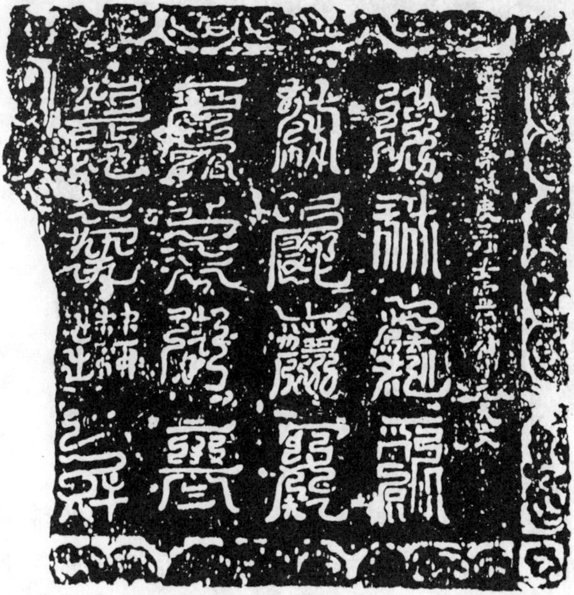

圖十四　靈寶黄帝中元天文拓本

銘文自稱"中方八天薦拔真文"，同石上部即刻出符篆的 16 個楷書漢字譯文。據兩方墓石拓本對比，知唐代中元天文實際就是宋代的中方八天薦拔真文，是時代的差異造成的名稱的不同，符篆卻是一種。

第二件爲歷博藏"三炁天文"，館藏編號 13156。拓上有符篆

64 個,分八行排列,行八字,但首行符篆邊紙裁減過甚,從同類資料考察,其前亦當有"靈寶赤帝鍊度五仙安靈鎮神三炁天文"楷書(見圖十五)。其漢字譯文爲:"南閻洞浮,玉眸詵詵,梵形落空,九

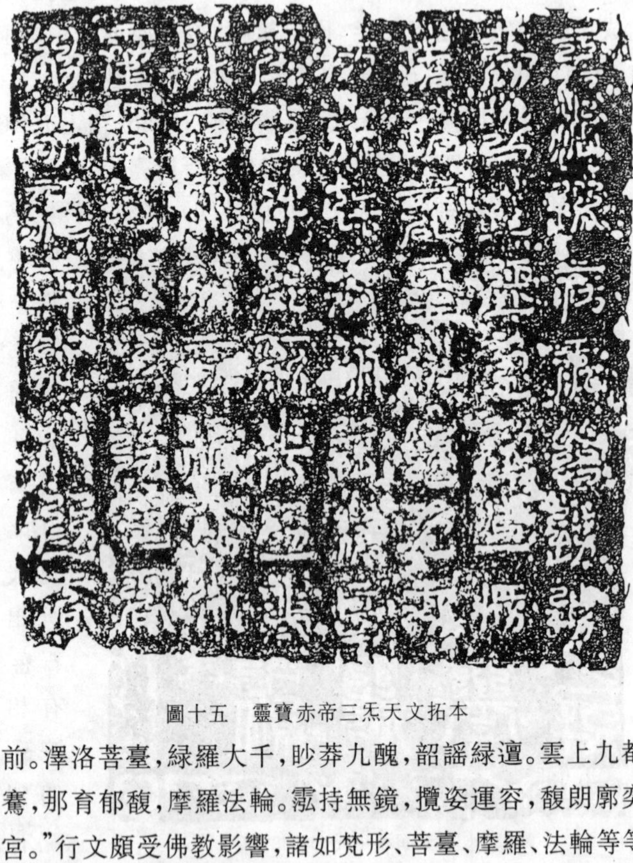

圖十五　靈寶赤帝三炁天文拓本

靈推前。澤洛菩臺,緑羅大千,眇莽九醜,韶謠緑邅。雲上九都,飛生自騫,那育郁馥,摩羅法輪。霐持無鏡,攬姿運容,馥朗廓奕,神纓自宫。"行文頗受佛教影響,諸如梵形、菩臺、摩羅、法輪等等,顯然出自釋家,其下各篇亦如此類。

第三件爲北圖藏"五炁天文",館藏編號誌 5069。拓上有符篆 64 個,亦分八行排列,行八字,首行符篆前有一行楷書小字,爲"靈寶黑帝煉度五仙安靈鎮神五炁天文"(見圖十六)。其漢字譯文爲:"獲無自育,九日導乾,坤母東復,形攝上玄。陀羅育邈,眇炁合雲,

飛天大醜，總監上天。沙陀劫量，龍漢玞鮮，碧落浮黎，空歌保珍。

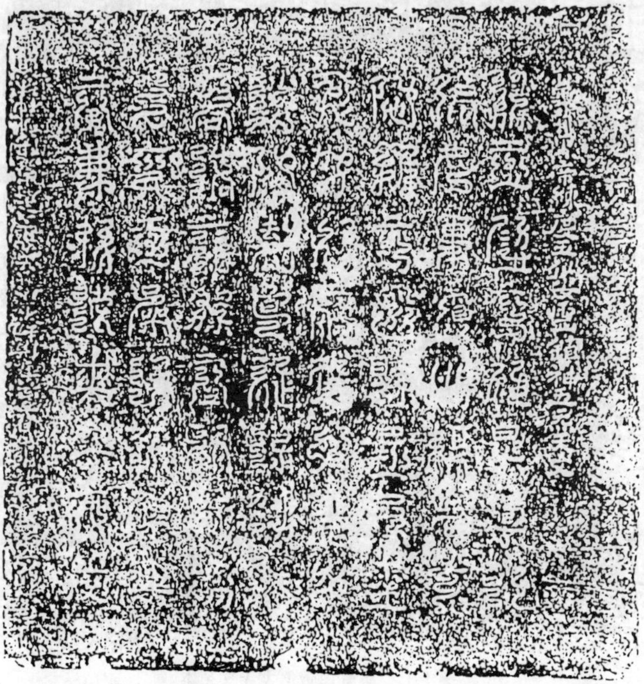

圖十六　靈寶黑帝五炁天文拓本

惡奕無品，洞妙自真，元梵恢漠，幽寂度人。"前説成都張确夫婦墓出土一塊符篆相同的刻石，自銘"北方八天薦拔真文"，石上部的楷書釋文全部相同。係唐代天文即宋代真文的又一實證。

第四件爲北圖藏"七炁天文"，館藏編號誌 5068。拓上符篆 64 個，亦分八行排列，行八字，首行符篆前有一行楷書小字，爲"靈寶白帝鍊度五仙安靈鎮神七炁天文"(見圖十七)。其漢字譯文爲："刀利禪猷，婆尼咎通，宛藪滌色，太眇之堂。流羅梵明，景蔚蕭嵎，易邈無寂，宛首少都。阿纏郁竺，華莫延由，九開自辨，阿那品首。無量扶蓋，浮羅合神，玉誕長桑，栢空度仙。"在唐代刻石中，存在一種符篆完全相同，衹是排列爲十一行者，稱"西方七炁素天元始

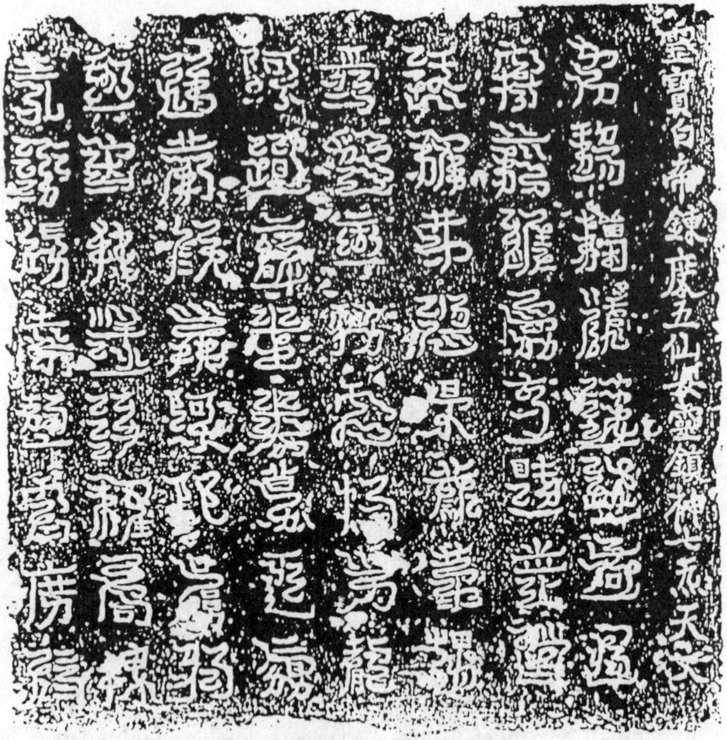

圖十七　靈寶白帝七炁天文拓本

符命"。是這種符篆已廣爲流行的一個表現。

第五件爲北圖藏"九炁天文"，館藏編號爲誌 5072。拓上符篆 64 個，分八行排列，行八字，首行符篆前有一行楷書小字，爲"靈寶青帝練（鍊）度五仙安靈鎮神九炁天文"（見圖十八）。其漢字譯文爲："亹婁阿薈，無惒觀音，須延明首，法攬菩曇。稼那阿奕，忽阿流吟，華都曲麗，鮮菩育臻。答落大梵，散烟慶雲，飛灑玉都，明魔上門。無行上首，回蹠流玄，阿陀龍羅，四象吁員。"

在這個階段中，道符的另一特點是開始出現在其它法物上。比如道教素來重視印章，爲其施法三寶（印、鏡、劍）之一，《録異記》説它有"驅策百神"的威力。早期使用的法印印文都是當時行用的漢字，一看即明，如東漢著名的黄神越章之印，但自唐宋始則

圖十八　靈寶青帝九炁天文拓本

廣泛採用道符做印文（參見拙作《中國古代道教法印研究》，《中國歷史博物館館刊》1993 年 2 期）。例如：中國歷史博物館收藏一枚宋代道教銅印（見圖十九）。直柄立鈕，通高 3.3、印面徑 6.6 厘米，上有六個圖形式符篆，頗似今天所說的美術字。因不識，入藏後定名爲宋道教銅印。以道書所録法印印式相驗證、考訂，其實它

圖十九　宋道教銅印印文

就是《道法會元》卷五十七、卷一百二十三多次提到的“雷霆都司之印”。銅印第一個符字仍保留雷字的雨部，田字則依雷公持斧的傳説改作有孔的斧鉞之形；第二個符字保留霆字的雨、壬二形，衹是省去走旁；第三、四、五六個符字相對於都、司、之、印四字來説，雖有所變形，但仍存其大體字形，比較容易認讀。再如：中國歷史博物館還收藏一枚明代道教銅印（見圖二十）。直把立鈕，通高4.2、印面徑6.5厘米，因印面文字是頗爲繁複的符字，入藏多年一直未能釋出。《無上黄籙大齋立成儀》卷四十三、《上清靈寶大法》卷二十七即收有兩件印文相同的印式，行文及印式旁注文明確指出該印印文爲“靈寶大法司印”。類似的以符爲印文的道教法印數量較多，質地除銅外，還有玉、石、硬木、角等，估計全國各文博單位以及個人的收藏總數將達兩百方以上。

圖二十 明道教印印文

屬於皇帝、諸侯王等高級貴族所使用的一些宗教法物上，亦出現了道符。例如，1981年武當紫霄窩出土一組明湘王投龍遺物，其中的玉簡正面刻告文、背面即刻道符（見圖二十一）。符由代表三天或三清的變形字、三簡中的山簡和天人昌降玉福太上敕九字組成。大意是：三天接受投送的山簡，天人昌盛，降玉福於天下，此爲太上敕命（參見拙作《明武當山金龍玉簡與道教投龍》，《社會科學戰綫》1994年3期）。除這些法印、玉簡外，在銅鏡、銅鐘、石碑、地券、陶瓦、絲帛、厭勝錢，以及桌椅等很多物品上都出現道符，反映出在道符發展的第三階段，它已滲入到社會的多個角落，

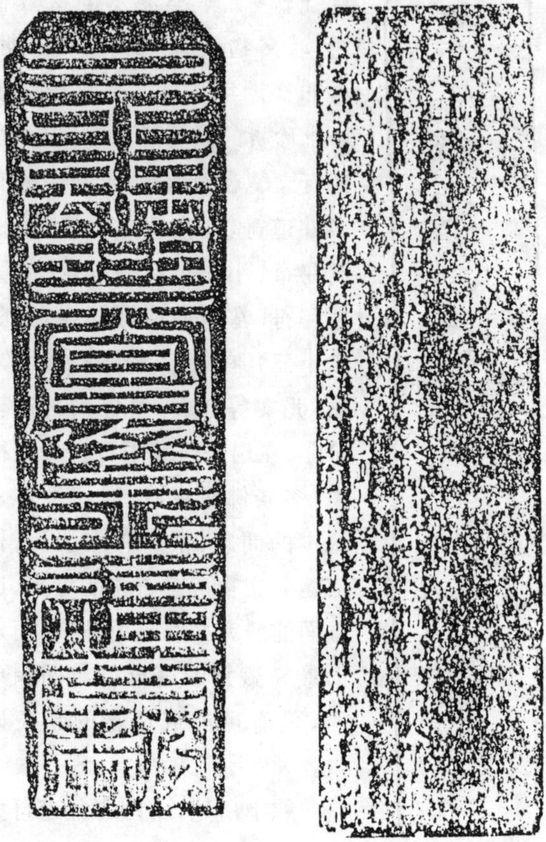

圖二十一 明湘王玉簡

是其進入鼎盛期的重要標志。

必須指出的是,在這一歷史時期內道符還通過各種途徑,對中國周邊的文化區域產生很大影響,在其信仰領域內發揮重要作用。例如:日本大阪桑津遺址,曾出土一件畫有道符的木簡,時代大約相當於我國的唐代,符在木簡正面上部,形體較大(見圖二十二)。符首爲中國傳統二十八宿中的星(又稱七星)宿圖案,星宿下爲石字象形和安字。其意爲:天神七星宿值鎮,神石彈壓,安定無事。簡正面下部和簡背墨書是咒文,爲:"咎厄,道意白加之,稟之年,在家客不之。"大意是:對咎殃邪厄,按天道義理由白石神加以約束,按稟受的年壽,對在家俗人不要干犯。這是目前所知在日本出土的最早的符咒資料之一,對道符

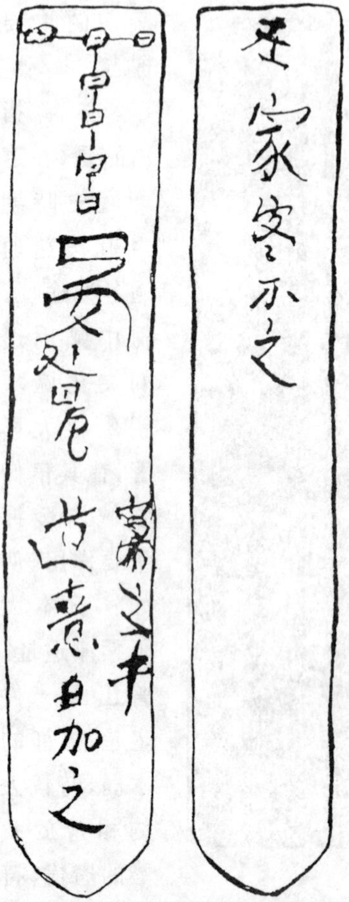

圖二十二　桑津木簡符摹本

東傳日本有重要研究價值。(參見拙作《日本桑津木簡道教符咒》,《文物天地》1992 年 6 期)再如：近年在日本京都曾發現一批珍貴的陰陽道資料,現存京都府立總合資料館,資料中録有多件道符,如大鎮之靈符、除疫癘秘章、小兒一切除厄章、截瘧之秘符、當病加持符等等(見圖二十三)。在符形、名稱、施用方法、咒文等方面,全係來自道教符咒。在過去研究中日文化交往中,多談佛教東渡,對道教傳入日本的問題,很少有人涉及。相信隨着文物考古資料的增多,這方面的研究必將有所拓展,而外形最易識别的道符以及同類東西,最有可能成爲它的新突破口。

綜上所述,中國古代道符大致經過了這樣一個歷史過程：其源於早期的靈物崇拜,僅是諸靈物中的一種;兩漢時期由於帝王將符與天命結合在一起製造出符命,大大提高了符的社會地位和影響;東漢中後期道教人物接過這種崇拜形式,並將其至少發展爲六種類型,形成道符的第一發展階段;魏晉南北朝時期,道符的形式逐步統一,使長條類型道符成爲最基本的符制,形成道符的第二個發展階段;自隋唐時期開始至明清,由於道教的復興,

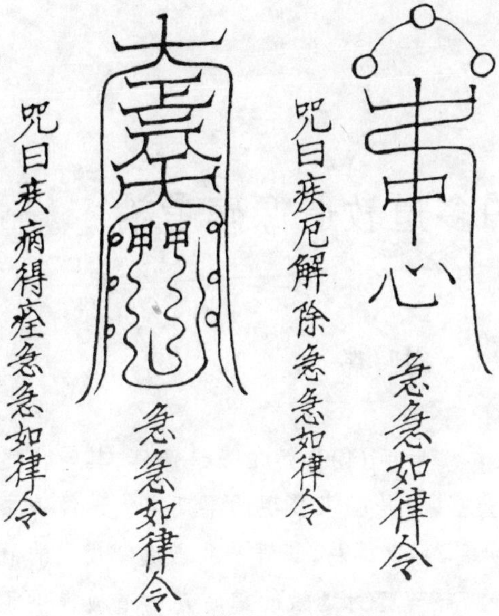

圖二十三　日本當加持符摹本

道符也進入它的鼎盛狀態，在長條類型道符爲主的情況下，創造出靈寶天文、符印等新品種，並且在其它一些物品上出現，以至於越過大海傳入到日本等國家，形成道符的第三個發展階段。可以説，道符是道教文化的重要組成部分，既是傳統的又是性格鮮明的中國古代文化的標志物之一。

本文所用資料，除筆者搜集外，俞偉超、黄綱正、宋少華、張振新、王光鎬、徐耀進、范士民、史希光諸先生以及日本學者永島暉臣慎先生曾予提供，在此特致誠摯謝意。

作者簡介　王育成，1951年生，山東淄博人，北京大學歷史系畢業，中國社會科學院歷史研究所文化史研究室副主任、副研究員。

北魏姚伯多道教造像碑考論

劉昭瑞

内容提要　北魏太和二十年(496)姚伯多造像碑，其時代之早，文字之長及内容之豐富，都是歷來發現的早期道教造像碑中所僅見的。通過本文的研究，可以認爲，該碑是我國迄今發現的最早一通老子造像碑。同時，該碑記對認識北魏時期的道教提供了第一手資料，有助於瞭解《老子想爾注》在北魏時期的流傳和影響；對如何認識和評價寇謙之"清整道教"的歷史地位和實際效果，該碑記也提供了一些難得的比照材料。

北魏姚伯多道教造像碑，今存於陝西耀縣藥王山博物館，1991年筆者去西安，便中得遊藥王山并觀覽該碑，石風化已甚，文字亦漫漶難以悉辨。該造像碑大概自民國初年始顯於世，故清末以前金石著作均未著録，近代以來雖有學者將該石介紹於世人，但僅限於石刻形制的描述和文字的辨識與迻録，還没有進一步的研究，實則該造像碑記所反映的内容極其重要和豐富，對我們認識早期道教史中的諸多問題都大有裨益。以下參照近人著録，對造像記部分文字加以整理，并作一些初步探討。

一、關於造像碑的形制和文字 —

據筆者所見,最早著録該碑並迻録其文字的,是民國年間題宋伯魯等修、吳廷錫等纂的《續修陝西通志稿》,收於該書的卷一四〇"金石六",題"姚伯多造像記",並附記云:

石高五尺,廣二尺四寸,正面刻佛像及曾祖父、父母以下姓名;陰面刻記,共二十三行,行二十八字。今在耀州。

文中對像主的性質及文字位置的判斷都有誤,編纂者大概未見實物,僅據不完整的拓本立説,所迻録的文字也衹限於碑陽龕像下部分。近韓偉、陰志毅二先生撰文,對該石及龕像形制作了詳細描述①,并迻録了碑陽、碑陰及左右側全部文字。爲方便計,茲將其描述撮述如下:

姚伯多碑,高138、寬72、厚31釐米。碑爲兩面鑿龕造像。碑陽雕矩形龕。龕正中造"皇先君文"之像。"文"爲何人,不可考。就發願詞推知姚氏家族爲當時北地郡執道教牛耳者……文,戴道冠,聃耳長頸,衣着不顯。雙手置於腹前,作結跏趺坐狀。二脅侍稍矮於主尊,亦着冠,雙手拱於胸前,曲膝下蹲於文之兩旁。

碑陰刻上下兩龕。上龕僅雕一像,形狀與碑陰主尊雷同。下龕主尊垂膝而坐,右手當胸,左手按床。主尊造像僅勾輪廓,以極簡刀法刻出面像及四肢,乃造像中少見的手法。

右側爲減地綫雕的兩排供養人。上爲道民姚文迂,下爲伯多五兄弟。

左側爲清信士梁文姬、胡女進等五人供養像,似爲姚氏兄弟妻輩。

碑之四面除龕及供養人像外,全爲發願詞。《續修陝西省通志稿》僅收姚碑之正面發願詞。其附記中把"皇先君文"説成是

①《耀縣藥王山的道教造像碑》,《考古與文物》1987年第3期,以下簡稱韓文。

"正面刻佛像"等語,顯係有誤。

文中附有石之四面照片,頗便讀者,但就迻録的文字看,大概由於今石文字泐甚,多有扞格難通之處,持之與《續修陝西省通志稿》所録碑陽正面文字相較,據文意可以校正者不少,這是因爲《通志稿》所據應爲較早拓本,文字保存尚較好的緣故。惜《通志稿》僅録碑陽一面文字,將來如能有較早拓本發現,相信會更有利於整個造像記文字的通讀與理解。該造像記全文大約 1200 餘字,文字之長、時代之早與內容之豐富,都是歷來發現的早期道教造像記中所僅見的。下面所作録文,以韓文所録爲主,據《通志稿》所録作若干訂正,訂正之處,附見於文末注釋中。另,據文字內容看,碑之左、右側文字乃各自成篇的發願詞,碑陰文字則主要記造像者姚伯多世系諸事,以無其他文字可以互校,本文暫不録。

碑陽:

夫大①,道幽玄,以玅②寄爲宗;靈教③□□,□ 虛無爲能。是以羣④方而功不在己⑤,生成萬物,不以存私爲可⑥稱。故⑦能包羅六合而品類咸熙,纖介通微而感物不凋⑧。經云:"大道如昧而研之者明,至言若納(訥)而尋之者辨。"故⑨真文彌梵,非高何以可宗。李□⑩耳和生,非玄教無以合空,郁陵齊⑪禪,以致⑫其真⑬。

---

①"大",韓文作"本"。
②《通志稿》作"妙"。
③"教",韓文作"孝"。
④⑤"羣"、"己",《通志稿》均作"□"。
⑥"爲可",《通志稿》無"爲","可"作"□"。
⑦"故",韓文作"啟"。
⑧"不凋",韓文作"否"。
⑨"故",韓文作"較"。
⑩韓文無"□"。
⑪"齊",《通志稿》作"□"。
⑫"致",韓文作"鼓"。
⑬"真",韓文作"當"。

當今世道教紛，羣惑玆（滋）甚，假道亂真，羣聚爲媚。大道□□[①]，清虛爲真，素爲潔練，身克修大道之法[②]者，北地郡[③]姚伯多兄弟等，承帝舜之苗胄，珠紫身世，□[④]論士爵[⑤]，書[⑥]不可□[⑦]。九族雍穆[⑧]，素負清潔[⑨]。兄弟[⑩]至孝，通於神明[⑪]，望樹青[⑫]族，雅量淵廓，神心肅悟[⑬]，發自天然。雖形寄時俗，超然遠敬。乃自克削，內懷歡心，於大代太和廿年歲在丙子九日辛酉朔四日甲子，姚伯多、伯龍、定龍、伯養、天宗等，上爲帝王，下爲七祖[⑭]眷屬，敬造皇先君文石像一軀。營構裝飾，極工匠之奇雕，隱起形圖，像[⑮]若真容現於今世；倚[⑯]錯盡窮[⑰]巧之製，修來清顔，有若真對。若非[⑱]道協幽宗，理會上言，焉能若此者。于[⑲]時，敬奉之徒，□太極以興觀，信悟[⑳]之賓，望玄門而聖[㉑]偶。不勝[㉒]欣躍之至，即而頌之。其辭曰：

①“□□”，韓文作“之少”。
②“法”，韓文作“太”。
③“地郡”，《通志稿》祇作“池”字。
④“□”，韓文作“仰”。
⑤“爵”，韓文作“酎”。
⑥“書”，韓文作“香”。
⑦“□”，《通志稿》作“洸”。
⑧“穆”，韓文作“宗”。
⑨“素負清潔”，《通志稿》作“慶妙素清”。
⑩“兄弟”，《通志稿》作“潔肅”。
⑪“明”，韓文作“能”。
⑫“青”，《通志稿》作“書”。
⑬“悟”，韓文作“悮”。
⑭“祖”，《通志稿》作“世”。
⑮“像”，韓文作“瑑”。
⑯“倚”，《通志稿》作“綺”。
⑰“窮”，韓文作“穹”。
⑱“若非”，韓文作“非夫”。
⑲“于”，韓文作“平”。
⑳“悟”，韓文作“悮”。
㉑“聖”，《通志稿》作“喪”。
㉒“勝”，韓文作“能”。

茫茫太上，亹亹幽微[①]，于矣皇先，誕精云[②]湄，純風漸皷[③](被)，品物浴[④]暉，非至非咸，孰啟賓(竇)機。洸洸尹生，妙契玄理，遠其城都，皓變素起，微言既暢，萬累都止[⑤]，陳文五千，功不在己。衝虛纏邈，如昧愈深，不智[⑥]其誰[⑦]，像帝先人，化治西域，流波東秦。至感無其(綦)，崇之者因，既建[⑧]石像，□□[⑨]靈仙，在斯[⑩]云邇[⑪]，岳峙霄間，壯麗嚴飭，妙觀閑閑，仿佛神儀，載揚真[⑫]賢。濟濟川原，雍□[⑬]開□[⑭]，俄俄周[⑮]流，君子交齊，降生哲人，叙此孰[⑯]資，清爲時範，動爲世師，非爲玄[⑰]德，政化是妣；其妣唯何，唯政是匡；其政唯何，柔[⑱]而能剛。造立[⑲]石像，德立彌章，唯我皇先，與日齊光。伯多、伯龍、姚定龍、姚伯養、姚天宗□始供養，千載不忘，壽身[⑳]舍身，道□將自，如[㉑]此種福，萇[㉒]入天堂，子□□□，後更煩(繁)昌[㉓]，後人□[㉔]之，供養如常，若當不信☒。

①“微”，韓文作“徹”。
②“云”，《通志稿》作“之”。
③“皷”，《通志稿》作“被”。
④“浴”，《通志稿》作“沾”。
⑤“止”，韓文作“上”。
⑥“智”，《通志稿》作“知”。
⑦“誰”，韓文作“訛”。
⑧“建”，韓文作“達”。
⑨“□□”，韓文作“因滲”。
⑩“斯”，韓文作“軒”。
⑪“邇”，《通志稿》作“邁”。
⑫“揚真”，韓文作“楊其”。
⑬“□”，韓文作“宗”。
⑭“□”，韓文作“開”。
⑮“周”，韓文作“風”。
⑯“孰”，韓文作“熟”。
⑰“玄”，韓文作“立”。
⑱“柔”，韓文作“矛”。
⑲“立”，韓文作“主”。
⑳“壽身”二字，《通志稿》祇作“□”。
㉑“如”，《通志稿》作“趁”。
㉒“萇”，《通志稿》作“□□上”。
㉓“昌”，韓文作“冒”。
㉔“人□”，韓文作“之身”。

二、造像碑的定名及與《老子想爾注》的關係

《通志稿》以爲該碑爲佛教造像，韓文已糾其誤，但韓文據造像記中“敬造皇先君文石像一軀”語，以爲碑主像爲“皇先君文”，亦有誤解。“文”字應屬下讀，即“文石”爲一詞，《山海經・中山經》記陰山“多礪石、文石”，《漢書》卷六十七《梅福傳》有“文石之陛”語，“文石”是指質美之石。類似的語例，在漢以來的石刻中常見，如貞石、貞珉、琬琰等，均用來形容所選碑材石質之美，元代以來的談金石文例的書及葉昌熾《語石》卷六等均有論及。由此可見，“皇先君”應爲姚伯多兄弟所造像主之名。

“皇先君”，在造像記的“辭曰”以下文中又稱爲“皇先”，如所云：“造立石像，德立彌章，唯我皇先，與日齊光。”“皇先”顯然指所造石像，也即皇先君。皇先或皇先君究指何人，通過造像記所記亦可考見。

考石刻文字的通例，石若爲紀念某人而立，立石者則在“辭曰”(或作“贊曰”、“銘曰”等) 下作韻語進一步對該人加以歌頌，東漢及其以後的頌德碑、墓碑、墓誌等類石刻文字莫不如此，姚伯多造像記亦不脫此通例。從該造像記“辭曰”以下的文字看，所歌頌的就是老子，辭中“皇先”一詞兩見，“帝先人”一詞一見，均指老子。下面對“辭曰”以下文字的上半段作一些分析。

首句“茫茫太上，亹亹幽微”，“太上”在道教詞匯中意義紛繁，《老子想爾注》已有“一散形爲氣，聚形爲太上老君”語[1]，後來的道教典籍中或徑稱老子爲太上，但這裏的“太上”應不是指老子，《禮記・曲禮上》“太上貴德”，陸德明《釋文》云“太上，謂三皇五帝之

①饒宗頤：《老子想爾注校證》，上海古籍出版社，1991 年，下同。

世。""茫茫太上"與"亹亹幽微"對語，前句言至高至遠，後句言至精至微。"于矣皇先"至"孰啟竇機"，"于矣"同"吁嗟"，乃贊嘆之詞，《詩・周南・麟之趾》："于嗟麟兮"，《韓詩外傳》作"吁嗟"。此段乃述老子托神化生，以道化物之事。神化老子誕生及化生萬物事，自《列仙傳》及至後來的《猶龍傳》均有表達，可以互證。

"洸洸尹生"至"陳文五千，功不在己"一段，尹生顯然是指尹喜，此段是敘述尹喜向老子請益，老子因以爲作道德五千文之事，該故事最早見於《史記・老子列傳》，云："老子修道德，其學以自隱無名爲務。居周久之，見周之衰，乃遂去。至關，關令尹喜曰：子將隱矣，強爲我著書。於是老子乃著書上下篇，言道德之意五千餘言而去，莫知所終。"劉向《列仙傳》記尹喜"周大夫也，善內學，常服精華，隱德修行。時人莫知老子西遊，喜先見其炁"云云，所謂"先見其炁"，後來的談老子神迹的書更多描繪，也是造像記"遠其城都，晧(皓)變素起"語義之所本。

"不智(知)其誰，象帝先人"一句，化自《老子》(河上公本)第四章"吾不知誰之子，象帝之先"一語，但明顯受《老子想爾注》的影響。《老子想爾注》本"誰之子"作"誰子"，注"吾不知誰子，象帝之先"一語云："吾，道也。帝先者，亦道也。與無名、萬物始同一耳。未知誰家子，能行此道；能行者，便象道也，似帝先矣。"注語中省"帝之先"句的"之"字，"帝先"也成爲道的同義語或別名。《老子想爾注》既釋"帝先"爲道，實亦即老子的化稱，因爲《想爾注》中，同樣也稱老子爲"道"，如其注《老子》第十章"載營魄抱一能無離"云："一者，道也"，"一散形爲氣，聚形爲太上老君，常治崐崙，或言虛無，或言自然，或言無名，皆同一耳[①]。在《想爾注》中所構築的道教神學體系中，虛無、自然、無名、萬物始、一、道、太上老君、帝先、老子等是多位一體的，所以《想爾注》既稱太上老君即老子爲道，道又可以稱帝先，當然老子也就是帝先。姚伯多造像記爲補足

①見饒宗頤《老子想爾注校證》。

四字一句語例,加一“人”字,作“像帝先人”,這裏的“人”也不是一般意義上的人,因爲老子化生,本托神人形。“皇先君”與“帝先人”語例亦同。通過上述也可看出,自東漢末以來,老子稱號的繁複多變。

造像記“化治西域,流波東秦”一句,“東”是相對“西域”而言,“東秦”應指時人眼中的中國。這兩句應與老子化胡成佛的傳説有關。“化治西域”是説老子青牛駕車的化胡西去,“流波東秦”是説佛教白馬馱經的東來中國,這與造像石左右側發願詞中所反映的佛、道雜糅的內容也是吻合的。僅從考古發現的實物文字材料看,除了已佚的南宋洪适《隸釋》卷三著録的東漢邊韶《老子銘》中有老子化胡説的痕迹外,姚伯多造像記中所反映的老子化胡説,迄今所見,應該是最早的了。

綜合以上分析,立於北魏太和二十年,即公元 496 年的姚伯多造像碑,按照一般古器物學或石刻學定名中“名從主人”的原則,現在可以確切地定名爲“姚伯多老子造像碑”。碑陽龕中的那位頭戴道冠,聃耳長頸,結跏趺坐狀的主尊,應該就是時人眼中的老子。

下面對姚伯多老子造像碑與《老子想爾注》的關係略作一些分析和推測。

將《老子》“像帝之先”句省去“之”字化“帝之先”爲一“帝先”名詞,并指認爲道或老子的别號,就筆者所見,在迄今傳於世的各家注《老子》書中,僅《想爾注》一例。關於敦煌本《老子想爾注》的成書時代,國內外學術界尚存在着不同意見,中國學者一般都認爲是“三張”天師道一系教化信徒用的讀本,或直指爲張魯作品,即時代在東漢末年。國外學者中則有些不同看法,主要來自於日本學術界,福永光司先生以爲該書“恐怕是張魯系統道教教團在魏晉時代作爲教育骨幹使用的講義記録。”①而楠山春樹、麥谷邦

①《佛教與道教——以漢譯〈佛説無量壽經〉爲例》,《中日佛教研究》,中國社會科學出版社,1989 年。

夫等先生則認爲成書於魏晉以後,即南北朝時代①。對後一種意見所提出的一些證據,香港饒宗頤先生②、臺灣李豐楙先生③均有詳略不同的辨駁,筆者也曾撰文參加討論④。該書的成書時代至少不應晚到魏晉以後,而該書反映的是"三張"天師道的思想,則基本上爲學術界所確認,我們在這裏推測《老子想爾注》的時代要早於姚伯多老子造像碑,也是可以成立的。

獨特的語言詞匯的同用,往往反映出相互之間的影響與傳承,尤其在思想哲學流派中表現的最爲突出。姚伯多老子造像碑原出土地不明,據近人介紹,耀縣博物館及陝西省博物館所藏一批北朝道教或佛、道混合的造像石,大致出在今耀縣、華縣等及西安近郊一帶⑤,這一帶基本上屬漢代長安及三輔地區。史載建安二十年(215)曹操定漢中,擕張魯及臣僚遷鄴,"待以客禮"。近人著作據《三國志》及《華陽國志》記載,指出建安年間漢中之民大批移徙內地有三次⑥,一次是《三國志·杜襲傳》所記內徙"洛、鄴者八萬餘"。一次是建安二十四年劉備斬夏侯淵,取漢中,"張郃率吏民內徙"⑦。所徙之地不詳。最早的一次是張魯降時,張既説曹操,"拔漢中民數萬户以實長安及三輔"⑧。東漢之末,經董卓之亂,人民流離死亡殆盡,故爲首徙之地。大量漢中人民的內徙,勢必將"三張"天師道也帶入長安及三輔地區,雖然近世一般的談道教史著作多據曹丕《典論》及曹植《辨道論》⑨,推測曹魏政權對張魯採取的是優寵利用而又嚴加限制的政策,但考慮到長安及三輔地區遠離鄴

①楠山春樹:《老子想爾注考》,《老子伝説の研究》,創文社,1979年;麥谷邦夫:《老子想爾注につ厶こ》,《東方學報》第57號,1985年。

②《四論想爾注》,見《老子想爾注校證》附。

③《老子〈想爾注〉的形成及其道教思想》,《東方宗教研究》新一期。

④《論〈老子想爾注〉中的黄、容僞伎與天師道"合氣"説》,《道家文化研究》待刊。

⑤韓偉、陰志毅:《耀縣藥王山佛道混合造像碑》,《考古與文物》,1984年第5期。

⑥卿希泰主編:《中國道教史》第一卷,第235頁,四川人民出版社,1992年。

⑦劉琳:《華陽國志校注》卷六,巴蜀書社1984年。

⑧《三國志》卷一五《張既傳》。

⑨并見《廣弘明集》卷五。

都，大量原天師道徒聚集於此地，還是應該有足夠的活動空間，而"三張"天師道教義也應在此間有廣泛的流傳和影響。陳寅恪先生《崔浩與寇謙之》一文曾指出，崛起於關中地區的寇謙之即世爲"三張"天師道徒，且係曹魏之初移民於長安及三輔地區者。

姚伯多老子造像碑陰文字係記姚氏世系，但文字多有難通之處，其略云：

> 姚伯多者，軒轅之苗冑，虞舜後□，高風□□□暢……□□前君臨萬□，遷民北地，望樹四方，□格萬代，修人須德，名顯竹素。始祖□天帝上年，用爲皇越大將軍□州刺史□從□□□和留時鎮南大將軍□□□□後留時大中大夫江夏太守姚常石□使部尚書冠軍將軍上谷太守姚鈴蔭，姚時□縣都留統吉陽保主□州令，祖姚束魏邑□中大夫□北地□□父□□

所出人名均不見於史傳。前引碑陽録文有"北地郡"，上文中有"前君臨萬□，遷民北地"語，據《魏書·地形志》，曹魏文帝分三輔馮翊之祋祤始置北地郡治於此；北魏時轄富平、泥陽等七縣，隋改泥陽爲華原，唐天祐三年(906)改置耀州。雖然姚氏家族何時自何地遷入三輔地區尚不清楚，如推測姚氏亦係從漢中遷入者，尚嫌史料不足徵，但如前文所論，該地區乃張魯入鄴後天師道活躍的主要地區，作爲世居於此地的姚氏家族自然也不能不受到張魯天師道的影響。因此，我們有理由推測，"帝先"類語在《老子想爾注》和姚伯多老子造像碑記中共見，並不是偶然的，它表明《老子想爾注》應該在此地有流傳，並且在當時還具有一定的影響。

三、從姚伯多老子造像碑看寇謙之的"清整道教"

寇謙之早年從成公興隱修於華山，後又隱修於嵩山，自言神瑞二年(415)遇太上老君於山頂，以寇"立身直理，才任軌範，堪處師位"，授其《雲中音誦新科之誡》二十卷，使其"清整道教，除去三張僞法，租米錢稅及男女合氣之術。"北魏太武帝始光(424—428)

初,獻其書於上,初頗受冷落,時人或信或疑,後得崔浩推轂引見,雖表面上甚見遵用,以至太武帝亦"親至道壇,受符籙",但實際上"亦知其無成",羈縻利用而已。太平真君九年(448),寇卒,未亡之前,寇頗有自知之明,謂隨其而來的嵩山諸弟子云:"及謙之在,汝曹可求遷録。吾去之後,天宮真難就。"所謂"天宮",即静輪天宮,其高萬仞,令不聞鷄鳴狗吠之聲,於其上方得與天神接,是寇"欲要以無成之期"(太武帝之子世宗語)以干利禄。及寇死,天宮想亦罷廢,諸弟子亦風流雲散,以至孝文帝太和十五年(491)遷其道壇於"桑乾之陰,岳山之陽",衹好另召"諸州隱士,員滿九十人"以充數。

以上是《魏書·釋老志》所記寇謙之事迹梗概。現在一般的道教史著作,都將寇謙之的"清整道教"放在極其重要的位置上來描述,並將寇謙之與陸修静、陶弘景等人並稱,所根據的材料,一爲《釋老志》,一爲一般認爲是寇謙之撰而今殘存於《正統道藏》中的《雲中音誦新科之誡》(亦名《老君音誦誡經》)一卷。其他無論是道教文獻還是非道教文獻,都難再找到寇或其著名弟子的踪迹或影響。從現在的國内外道教學著作中也可以看到,自曹魏以後到隋以前,對北方道教,除稱述寇謙之於其間,或目之爲北方天師道,或逕稱寇謙之新天師道以外,其他實蒙昧不清,漫無統緒。這不能不引起我們對寇謙之"清整道教"實際效果的懷疑,因而對寇謙之在道教史中的地位,是否也有着一個再評價的問題。姚伯多老子造像碑記中的部分文字可以證實我們的懷疑。

如上文所引造像碑記,姚氏家族可謂簪纓世族,碑記文字亦頗雅馴,碑又立於關中地區,造像記作者不論是對流行於士大夫中間的道教還是對流行於民間的道教,都應該是熟悉和瞭解的,作者記當時世間的道教狀況則是一片混亂狀態,云:"當今世道教紛,羣惑滋甚,假道亂真,羣聚爲媚。"碑立於公元496年,距寇謙之死年即公元448年近50年,而距《釋老志》記寇於始光初年獻其書於太武帝並以"帝王師"名義開始"清整道教"有70年左右,但道教並無"清整"迹像,與《雲中音誦新科之誡》所記的寇"清整道教"之前北方道教"從系天師升仙以來,曠官寘職,道荒人濁"等狀況卻是相同的,也與現在認爲是早期道教文獻的今存於《正統道藏》中的《三天內解經》、《正一法文天師教誡科經》等有關記載也是相同的。

除上文已引述外,從《釋老志》的其他文字中也可以看出寇謙之"清整道教"的命運。《釋老志》記寇兩次受神諭,一次爲上述神瑞二年,另一次則爲泰常八年 (423),前一次當爲《雲中音誦新科之誡》二十卷撰成之年。後一次,《釋老志》記云:"有牧土上師李譜文來臨嵩嶽,云:老君之玄孫,昔居代郡桑乾,以漢武之世得道,領治三十六土人鬼之政。"賜寇謙之書一種,名爲《天中三真太文録》,六十餘卷,又教以"天宮静輪之法"以"輔佐北方泰平真君"云云。其中有一段文字值得注意,云仙人作誥謂寇謙之曰:"吾處天宮,敷演真法,處汝道年二十二歲,除十年爲竟蒙,其餘十二年,教化雖無大功,且有旨[1]授之勞。"所謂"道年二十二歲",若僅據《釋老志》所記文意,似指寇謙之從成公興學道始,至泰常八年之數,但據今存於嵩山中嶽廟的《中嶽嵩高靈廟之碑》所云:"天師寇君名謙□,□□□□,高□□□,隱處中嶽卅餘年",又稱仙人"降臨,授以九州真師"[2],據《釋老志》,碑應立於太祖從崔浩之言,"使謁者奉玉帛牲牢,祭嵩嶽",并迎寇謙之"其餘弟子在山中者"四十餘人之時。碑爲當時所立,記寇隱於嵩山三十餘年,顯然不合"道年二十二"之數。《釋老志》記寇始光初年獻其書於太武帝,始光初年若可推爲始光二年 (425) 甚或三年 (426),至寇之死 448 年,略合二十二年之數,則《釋老志》的所謂"道年二十二歲",應指寇希望其重新構築的道教體系用之於世以"清整道教"至其死這段時間,而《釋老志》所引的一段文字,也祇能是出自寇身後之人

①"旨"原作"百",據《校勘記》引《册府元龜》卷五三改。

②陸增祥:《八瓊室金石補正》卷一二。

或即其弟子所撰。《釋老志》又所謂“十年爲竟蒙”,應理解爲寇上書後,“時朝野聞之,若存若亡,未全信也”這一段時間;至崔浩上書進一步薦引後,始得大用,至寇死,則應爲《釋老志》的“其餘十二年”。《釋老志》稱寇的“清整道教”努力是“有旨授之勞”,但卻無“大功”,從姚伯多老子造像碑記中所記的當時道教混亂狀況得到了印證。

《釋老志》記寇謙之“清整道教”,以清虚爲旨,以禮度爲用,輔之以服食閉煉之術,這在今存《道藏》中的《老君音誦誡經》有明確表述。該書借老君之口,數言“煩道不至,至道不煩”,對道士各種行爲進行規範,反對妄取錢財,貪穢入己;反對妄托老子,欲作不臣;反對不循正道,妄求長生;反對違科犯約,遊行民間;反對男女合氣,黄赤之道;反對妄署道官,自稱師治,等等。姚伯多老子造像碑記也很强調大道的清虚無爲,如云“大道幽玄,以竗寄爲宗;靈教□□,□虚無爲能”,又云“大道□□,清虚爲真”,又云“克修大道”,“素爲潔練”等,皆與寇謙之“清整道教”之旨相合,但這些相同,并不能用來説明造像記所反映的内容是受到了寇謙之的影響。實際上,自東漢末以來,特别是黄巾起事失敗、張魯内遷後,在早期道教裏的有識之士中,始終存在着一種類似“原教旨主義”的運動,即以老子爲號召,以“五千文”爲準繩,提倡人們的思想和行爲回歸到老子創立的“道教”中去,其表現的主要形式,就是借老子之口,重新規範道教,從《老子想爾注》到《大道家令戒》乃至隋唐之際成書的《太玄真一本際經》等,莫不如此,甚至連佛教也要被改作老子化胡之説。從確切與老子有關的方面説,出現了更合乎嚴格標準的《老子五千文》讀本,老子“清静”、“無爲”思想得到了普遍認同和闡發,等等。而根據考古新發現的材料,結合傳世的被篡改了的早期道教文獻以及有關佛、道論戰的文獻,老子還被實用主義地盛稱爲“老鬼”,以去迎合和改造廣大民衆的信仰。從這個意義上説,寇謙之的“清整道教”,衹不過是這場長達數百年之久的“老子原教旨主義”運動的一個組成部分,而由於其本身的功利性和缺乏基礎,自始至終衹能厠身於宮廷之間,衹是因爲其幸運,使得我們今天較爲確切和詳細地知道的多一些而已。

如何恰如其分地評價寇謙之"清整道教"的作用,牽涉到早期道教研究中的諸多問題,這裏還僅限於根據考古新材料作一大致推論,詳細的討論則俟諸異日。

四、姚伯多老子造像碑與早期道教造像中的幾個問題

關於道教造像的起源,由於史料和實物的缺乏,至今尚屬蒙昧不清。就實物材料看,魏晉及其以前,没有道教造像流傳於世,文獻中也不見記載,近人推測,"最初的道教造像,大致出現於南北朝初期"①,如果就嚴格意義上的道教造像看,這一推論是可以成立的。據現在所發現的早期道教造像的分佈及其時代,還衹局限於北朝,最早的又在北魏時期,這應該是受佛教造像影響所致。由於本文對姚伯多老子造像碑的定名的確定,可以對早期道教造像史研究上的以下幾個問題得出一些新的認識。

首先可以確定的是,姚伯多老子造像碑是迄今爲止所發現的最早的老子造像實物。

從道教發展史看,最早出現的應該是老子造像,是合乎情理的。考傳世文獻中關於早期道教所造像主的記載,多以"天尊"名之,如唐釋法琳《辨正論》卷六云"考梁、陳、齊、魏之前,唯以瓠盧成(盛)經,本無天尊形象。"又引王淳《三教論》云:"近世道士,取活無方,欲人歸信,乃學佛家,製立形像,假號天尊及左右二尊人,置之道堂,以憑衣食。宋陸修静已爲此形。"(《廣弘明集》卷一三)《隋書·經籍志》亦記北魏太武帝於爲寇謙之所立道壇之中"刻天尊及諸仙之像而供養焉。"這裏的"天尊",以情理度之,均

①丁明夷:《從獨強樂建周文王佛道造像碑看北朝造像》,《文物》,1986年第3期。

應指老子。

其次,由於姚伯多老子造像碑記中老子又稱“帝先”、“皇先”、“皇先君”,據此可以確定另外兩通北朝造像亦應爲老子造像。

一爲吳洪樹造像碑,今亦存於耀縣藥王山博物館。碑陽鑿“凸”形龕,內造一天尊二脅侍,天尊戴冠聃耳,結跏趺坐於雙獅頂托的榻上,二脅侍側立兩旁。造像記文字作北魏體,但殘缺失紀年,近人録其文有云:“是故神先因方設教,留經出法,使令後人,仰尋法習。”又云:“是以道民吳洪樹兄弟父叔,仰尋經文,內發慈心,敬造三寶,思崇福業,割家珍以纖募通徹,興建石像一區(軀)。”文中有“神先”一詞,此處的“神”與姚伯多石中的“先”前所冠的“帝”、“皇”同義,“神先”亦屬老子別稱。

另一爲北周保定元年(561)馬落子造像碑,今存於北京中國歷史博物館,近人介紹云,石“以黃花石爲之,石質頗佳,滑潤如玉,爲石造像中之佳作。正面上方雕有一龕,龕中間坐一頭戴道冠的老年道者,身着道服,右手理髯,左手下垂扶膝,雙目微合,面顯慈祥,身旁兩側各侍立道童一人……”①。碑陰另有造像龕,下有造像記云:“保定元年四月三日,道民馬落子皂(造)西玉(?)先君像一區(軀),上爲七世父母、所生父母,依緣眷屬一囗。”造像記中的“先君”應如姚伯多石中的“帝先人”、“皇先君”之例,衹不過省去了“帝”、“皇”這類表其神性的形容詞。“先”字在古代文獻中,除有“先祖”之義外,在漢代文獻中還用作“先生”的省語,成爲一種敬稱,如《史記》卷一〇一記鼂錯“學申、商刑名於軹張恢先所”,《集解》引徐廣云:“先即先生。”又《漢書》卷六七《梅福傳》記梅福上書云:“叔孫通遁秦歸漢,制作儀品。夫叔孫先非不忠也。”先亦爲先生之省。漢代叢辰十二神中有“勝先”,《太平經》中有“家先”,其取義尚不清楚,大約亦有神秘尊稱之義。馬落子造像碑記的“先

①石夫:《介紹兩件北朝道教石造像》,《文物》,1961年第11期。

君"也屬老子别稱,所造像主自然非老子莫屬①。

還有一通北魏魏文朗造像碑,值得在這裏提出來作進一步的討論。

魏文朗碑今亦存於耀縣藥王山博物館。該碑四面造像,共六鋪主尊,八側身而立脅侍,除碑右側兩鋪主尊的道教造像性質較爲明顯外,其他則爲佛教造像。該碑立於北魏太武帝始光元年(424),早於姚伯多老子造像碑七十餘年,由於學者們的撰文介紹而廣爲國內外關心早期道教造像研究的學者所熟知②。該石之陰龕下所刻造像記云:

> 始光元年,北地郡□原縣民□浪□□,佛弟子魏文朗,家多不□,皆有違勸,爲男女造佛道像一區,供養平等,每過自然,子孫昌榮,所願從心,眷屬大小,一切□□,如是因緣,使人〼

從造像記內容可知,該石的造像者魏文朗自稱"佛弟子",乃一佛教信徒,自然視所造之像皆爲佛像,包括有道教色彩的造像在內;有學者介紹該石時,將"爲男女造佛道像一區"語中的"佛道"讀爲"佛、道",意爲佛和道③,這是不可從的,因爲不論是早期的漢譯佛經,還是一般文獻,"佛教"多稱爲"佛道",這一點,湯用彤先生早有詳論④,而該石造像記中又無道教色彩,所以這裏的"佛道"完全是"佛教"或"佛"之義。相同的例子,又如北周明帝元年(557)獨強樂建周文王佛道造像碑,石今存四川成都龍泉驛區文管所,碑額題字頗長,其下半段云:"獨強樂爲文王建立佛道二尊像,元年歲

①耀縣博物館尚存有一通隋開皇十九年劉玄子碑,碑記文字有"敬造四面先君一區"語,"先君"或録文作"老君",未知孰是,暫附記於此。

②本文從韓文(《耀縣藥王山佛道混合造像碑》,《考古與文物》,1984年第5期)說;又,張燕:《我國現存最早的一通佛道混合造像碑》,《文物天地》1991年第4期,張文以爲碑正面龕中兩并列主尊,一爲佛教之釋迦,一爲道教之天尊,與韓文不同。又參見坂出祥伸:《"氣"と道教神像の形成》,《文藝論叢》第42號,1994年。

③同前注張文。

④參見湯用彤:《漢魏兩晉南北朝佛教史》第五章,上海書店,1991年。

次丁丑造。”有學者據“佛道二尊像”語，指該石下部兩側各一尊毫無道教色彩的右側佛像爲道教造像，其致誤的原因亦應如上述，該石額上文字言“佛道二尊像”，文中則作“爲王造佛二尊”，文末又云“弟子何周敬造釋迦像，願一切法界衆生早得作佛。爲法界衆生敬造。”①可見該石是帶有紀功性質的純粹的佛教造像碑。

如上所論，魏文朗碑所造像中雖有道教色彩，但從整體上看，還衹能視作佛教徒所造佛像，與之相較，姚伯多既爲純粹的道教徒，而且無論是其所造像還是主要的造像記文中都極少佛教色彩，那麼，姚伯多老子造像碑在早期道教造像史中的地位就顯得更爲重要了，也可以說是我國迄今發現的最早的一通道教造像碑。

作者簡介 劉昭瑞，1955 年生，文學博士，現爲中山大學人類學系副教授。

①陸增祥《八瓊室金石補正》卷二三。

一張新出土的明代酆都冥途路引

江玉祥

一九八八年夏，筆者隨川大歷史系幾位師友赴四川省井研縣考察民俗文物，在縣文化館意外發現一張從明墓中出土的"酆都山冥途路引"，落款爲"萬曆四十三年"(附圖一)。蒙文化館同志告知，此引係從一盜墓者手中繳獲。盜墓者已將墓中值錢之物倒賣罄盡，唯此路引買賣雙方均不識貨，故未出手。我一見驚喜萬狀，此迺極有學術價值之民俗和道教文物，學人當珍視之。文化館諸君聞言，立即收回，小心保管。隨後，該館將此引送成都，參加全省普查文物展覽。筆者方有機會隔着玻璃展櫃，仔細玩味，并抄録其文字，拍攝其格式。今翻檢當日記録照片，略加考釋，道其價值，以供民俗學和道教研究者參考。

(一)

井研縣出土的明代"酆都山冥途路引"係一木刻印紙，整張紙長 66 釐米，寬 51 釐米，因久埋墓中，紙色呈土黄，可能原爲白色或即爲黄表紙。路引邊框長 54 釐米，寬 44 釐米；周邊飾以 2.5 釐米寬的雲紋；邊飾及引文均爲墨色拓印，印鑒兩方亦爲墨色；死者籍貫，姓名、出生年月日時和隨身衣物係臨時用毛筆填寫。今將引文按原分段格式 (僅將直行改横行) 移録於下：

酆都山冥途路引　(按：此行字體約3釐米見方)

大明國四川成都府井研縣化里大西街解元坊居住奉(按：此段及下面路引(正文字體約1.5釐米見方)

道給引信女宜人周氏自述本命庚午年六月初十日申時建生上屬

北斗　星君主照以　投詞告給路引事伏聞

道祖太上老君商武丁丑年二月十五日降誕之辰凡諸天仙衆同赴

降筵普照陽間男子女人生居

塵世夭壽不齊善果不修沉淪多墜不思人身難得中土難生假死(使)得生正法難遇多迷真性故入邪(邪)

宗多恣淫慾巧詐群情以致貧富貴賤等類福少罪多無常難免入茲冥府罪業無邊今體

太上好生之德廣發道力出給路引普救衆生離諸地獄若有善男信女發心請給路引哮念

太乙救苦天尊四萬聲隨身佩奉諸司照證蕩滌罪愆超仙境界一切關隘處所即便放行如是刁蹬時有

玄天上帝巡游三界急差神兵押赴酆都問罪施行須至引者隨身穿上下衣服計開

太乙救苦天尊　上身衣服壹拾肆件裙柒條

(按：字體爲3釐米見方)　壽紙壹拾貳封包袱壹件雨傘壹把

右給付信女宜人周氏隨身照證

(按：此行字體爲3釐米見方。"付信女"上蓋墨印一方，印文不清。

萬曆四拾叁年 | 二月初四 | **日給**

→(按：此處蓋墨印，9釐米見方，印文四行，字迹不清)

王(按：此字3釐米見方)

祖師萬法教主玄天仁威上帝金闕化身天尊

(按：此行字大3釐米見方)

以上即井研出土明代"酆都山冥途路引"全文。引文括號中的字,係筆者根據近代荆楚地區流行的"龍虎山冥途路引"(附圖二)改正的錯别字。明清以五品官妻、母封宜人,墓主周氏生於庚午年(1570 年)六月初十,死於萬曆四十三年(1615 年)二月,享年 45 歲,應是五品官之妻。酆都山,即道家所謂天下鬼神之宗酆都北陰大帝治鬼的羅豐山。梁道士陶弘景著《真誥》卷 15《闡幽微第一》云,羅豐山"山上有六宫,洞中有六宫,輒周回千里,是爲六天鬼神之宫也。"這是有别於北方泰山地獄系統的另一個地獄系統、南方酆都山地獄系統。九至十世紀期間,印度佛教地獄系統和中國本土南北兩大(泰山和酆都山)地獄系統在川西合流,産生了地獄十殿信仰。地獄十殿冥王,第一次出現在唐末五代時期成都大聖慈恩寺和尚藏川僞造的《佛説閻羅王授記四衆預修生七往生淨土經》中。南宋時期,南方道教又將地獄十殿納入酆都山地獄系統,推向全國,形成了中國地獄十殿信仰民俗。大約與此同時,民間發生了酆都地獄在四川酆都縣的附會傳説。洪邁《夷堅支志》癸卷五"酆都觀事"條:"忠州酆都縣五里外有酆都觀,其山曰盤龍山,之趾即道家所稱北極地獄之所。"於是,這個自漢晉以來號爲道教福地的酆都縣(隋以前名平都縣)便成了聞名遐邇的鬼都、閻羅天子的京師。清人王培荀(1783－?)著《聽雨樓隨筆》卷六云:"酆都平都山廟中有鐵印,不知始於何時。篆文有'總統萬靈'等字。有所謂'路引'者,云執之冥間,關隘無阻。人多崇信,買者雲集,用鐵印後,復求縣印,上憲惡其惑衆,追入藩庫,香火今陵替矣。"平都山在酆都縣界内,俞樾《茶香室叢鈔》卷 16"酆都陰君"條:"宋范成大《吳船録》云:忠州酆都縣,去縣三里有平都山。碑牒所傳,前漢王方平、後漢陰長生皆在此得道仙去,有陰君丹爐。滿山古柏大數圍,轉運司歲遣官點視,相傳爲陰君手種。陰君以煉丹濟人,其法猶傳。"《輿地紀勝》云:"仙都觀,在平都山,唐建,宋改景德,又名白鶴觀。"酈道元《水經注》卷 33 云:"(平都)縣有天師治,兼建佛寺甚清靈"。酆都縣平都山爲道書七十二福地之一,歷代仍以道觀爲主。王培荀所謂"平都山廟",應爲平都山上的仙都觀。井研明墓出土的萬曆四十三年"酆都山冥途路引",可能就是酆都平都山仙都觀發售的那種路引。四川酆都城是傳説中的冥間京師,舊時以該地出售的路引爲最高級,人們路過都要買上幾張珍藏,或作爲貴重禮品贈送親友中的長輩。井研周氏既爲五品官妻,獲得此引,并非難事。

"酆都山冥途路引"上的"太乙救苦天尊",龍虎山冥途路引上亦有。太乙(一)救苦天尊,也簡稱太乙(一)天尊,《太上洞玄靈寶業報因緣經》説他是太上道君的化身,他在道教中的地位是數一數二的。《靈寶領教濟度金書》卷96第三説他的全副稱號是:東極天中長樂宫赤圖光內紫金容大聖,神通廣度沈淪九幽教主,大慈仁者,尋聲赴感應念垂慈億億劫中度人無量大慈大悲大智大慧太一救苦天尊。他的功德類似佛家救苦救難的觀世音菩薩,《太一救苦護身妙經》説,"東方長樂世界有大慈仁者太一救苦天尊,化身如恆河沙數,物隨聲應,或住天宫,或降人間,或居地獄,或攝羣邪,或爲仙童玉女,或爲帝君聖人,或爲天尊真人,或爲金剛神王。"凡受災受難中人,衹要舉聲唱"太一救苦天尊"之名,"自然應現化身"。《拔度血湖寶籙》稱,凡是被打入地獄的人,衹要他們的親族或遺族帶着太一救苦天尊傳授的神符向神祈禱,下地獄的親人便一定能得救。"酆都山冥途路引"上説:"若有善男信女,發心請給路引,哮念太乙救苦天尊四萬聲,隨身佩奉諸司照證,蕩滌罪愆,超仙境界,一切關隘處所,即便放行。"《雲笈七籤》卷118《道教靈驗記·張仁表念太一救苦天尊驗》介紹道士張仁表病入地獄、哮念太一救苦天尊獲救的故事,云:"(張仁表)於冥關之中行四五里,一無所睹,徐問所驅捕者:'此何處也?與門外所見不同。'或答曰:'此太一天尊宫爾!過此方到本司。'仁表聞太一之名,忽記得平常講説之處,多勸人念太一救苦天尊。今此乃天尊之宫,何可不念。即高聲念太一救苦天尊十餘聲,牽頓者皆笑曰:'臨渴穿井,事同噬臍,胡可得也?'即聞衆笑,不阻其念,更唱十餘聲,其調哀楚，其音悲切，亦淚下沾衣。如是，忽有赤光照其左右，牽頓者一時舍去，獨在光明之中。顧眄四方，即山川明媚，雲物閑暇，頃之，天尊與侍從千餘人現其前矣！仁表禮謁悲咽，叩搏稽顙，述平生之過，願乞懺悔。天尊坐五色蓮花之座，垂足二小蓮花中；其下有五色獅子九頭共捧其座，口吐火焰，繞天尊之身於火焰中；別有九色神光周身及頂，光焰鋒芒外射，如千萬槍劍之形；覆七寶之蓋，後有騫木寶花，照耀八極；真人、力士、金剛神王、玉女、玉童充塞侍衛，陰陽太一、四十六神自領隊從，亦侍左右；雲車羽蓋，遍滿空中。天尊謂仁表曰：'人之在生，大慎三業十惡，三業十惡之中，口過尤甚。一人妄說，萬人妄行。妄說之人，首當其罪。汝之三業，罪無不爲。吾不救護，永淪幽苦，汝壽命已盡，不當復還。今赦汝七年，誘化於世，以吾此像，廣示於人，開引進之門，爲趣善之要，勉宜行之！'即使童子引還，疾已瘳矣。數日後，以己之財帛於肅明觀畫天尊之像，東洛關外，畿輔之間，傳寫其本，遍令開悟。……(仁表) 七年而終。"此則故事，不僅宣傳了太乙救苦天尊的靈驗，而且具體描繪了太乙救苦天尊的形象。"龍虎山冥途路引"上印有一幅木刻畫，便是騎在一頭獅子上的太乙救苦天尊。天尊背飾火焰，前有玉女玉童充塞侍衛。手中所持，形似拂塵，實爲柳枝。《太一救苦護身妙經》描繪的太一救苦天尊形象，即是"足躡蓮花，圓光照耀，手執柳枝淨水，九頭獅子，左右隨從"，真有點剿襲觀音大士的味道。冥途路引突出太乙救苦天尊，使其不僅是一張"執之冥間，關隘無阻"的地下世界通行證，而且成了死者免受地獄之苦的護身符，難怪"人多崇信，買者雲集"。

(二)

井研明墓出土的"酆都山冥途路引"，是明代社會流行的"路引"的翻版，它是供死者在地下世界使用的"通行證"。這種葬俗可以追溯到西漢，漢代社會流行的通行憑證，叫"傳"或"過所"，民間喪葬習俗中便相應出現了隨葬告地下官吏的冥間文書。這種寫在簡牘上的冥間文書，在長江流域已出土了四、五件，陳謙、黄盛璋先生已撰文論及，筆者也有文章闡述①。筆者認爲，漢代地上官吏爲死者開的"告地下官吏的冥間文書"，是明清以至近代流行的"冥途路引"的嚆矢，是巴蜀荊楚地區一種源遠流長的葬俗，它的産生和流傳是同南方酆都地獄系統的形成和發展聯繫在一起的。

路引是元明清實行的通行證或身份證。1942 年，吳晗先生曾寫過一篇《路引》的文章刊登在《文史雜志》第二卷第一期上，引經據典，證明"明有路引之制，軍民往來必憑路引，違者關津擒拿，按律論罪，定制極爲嚴密。"明代末期的著名作家馮夢龍 (1574－1646) 輯録編訂的話本小説集《三言》中，也有反映明代使用路引的描寫，如《醒世恆言・白玉娘忍苦成夫》:

(張萬户) 寫下問候書札，上壽禮帖，又取出一張路引，以防一路盤詰。

今日張進病倒，程萬里取了這十兩銀子，連路引鋪陳，打做一包，收拾完備，……離了鄂州，望着建康而來。一路上有了路引，不怕盤詰，并無阻滯。

(張進) 即忙教主人家打開包裹看時，卻留下一封書信，并兀良元帥回書一封，路引盤纏，盡皆取去。……便去稟知兀良元帥，另自打發盤纏路引。

元人劇曲中也有路引的描寫，如：施惠《幽閨記・文武同盟》:

你去渡關津，怕有人盤問，又没個官司文憑路引，此行何處能安頓?

賈仲名《對玉梳》一折：

急收拾了半文，剛剛的剩紙路引。

清代使用路引，見於薛福成：《出使四國日記・光緒十七年

①陳謙：《開到地下世界的介紹信》，《文物天地》1989 年第 1 期，第 40 頁。

二月十三日》:

康熙年間,義國教士馬國賢以善繪油畫馳名,居中國京都十有三年,供奉內庭,頒賜大緞馬匹等物,并發路引,許攜華生五名航海西歸。

由此可見,路引并非明代獨有,元明清均流行。《文物》1994 年第 4 期刊登了楊其民先生的文章《兩張新發現的明代文件一牙貼和路引》,使我們得以了解明代路引的真相。楊文介紹了一張明嘉靖三十六年工部主事批發的路引,今將其格式和引文轉録如下:

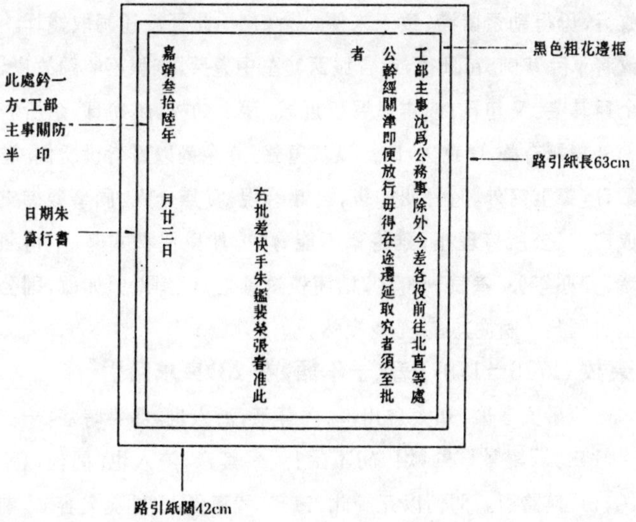

據楊文介紹,明代路引,寫在紙上,採用半印勘合,即半印鈐於路引上,半印存發引官府,回來要勘合,并繳銷路引。此引批文和半印都以墨筆勾消,知此引係用畢後繳回存檔者。井研明墓出土的"酆都山冥途路引"發引日期與這張陽間路引的批發時間,相距僅 58 年,兩張路引紙張大小、書寫格式、目的用途(儘管活人憑陽間路引通過的是地上關津;死者隨葬冥途路引,是活人希望死者能憑此路引順利通過想象中的冥途關津,以便早日脱離地獄之苦、轉世投胎。)大致相同。它們之間的主要區别: 首先是發引的

機關不同。陽間路引的填發機關是官府有司，冥途路引的填發機關是道觀道士（如是佛家路引，則由寺廟僧侶填發，見本文後附圖三"西方路引"）。事情也不盡然，清代紀昀（1724－1805）著《閲微草堂筆記》卷一《灤陽消夏録（一）》：

余在烏魯木齊，軍吏具文牒數十紙，捧墨筆請判，曰："凡客死於此者，其棺歸籍，例給牒，否則魂不得入關。"以行於冥司，故不用朱判，其印亦以墨。視其文，鄙誕殊甚。曰："爲給照事：照得某處某人，年若干歲，以某年某月某日在本處病故。今親屬搬柩歸籍，合行給照。爲此牌仰沿路把守關隘鬼卒，即將該魂驗實放行，毋得勒索留滯，致干未便。"余曰："此胥役托詞取錢耳。"啟將軍除其例。旬日後，或告城西墟墓中鬼哭，無牒不能歸故也。余斥其妄。又旬日，或告鬼哭已近城。斥之如故。越旬日，余所居牆外䰡䰡有聲。（《説文》曰："䰡，鬼聲。"）余尚以爲胥役所僞。越數日，聲至窗外。時月明如晝，自起尋視，實無一人。同事觀御史成曰："公所持理正，雖將軍不能奪也。然鬼哭實共聞，不得照者，實亦怨公。盍試一給之，姑間執讒慝之口。倘鬼哭如故，則公益有詞矣。"勉從其議。是夜寂然。

袁枚（1716－1797）著《子不語》卷23"鬼求路引"條：

德齡安孝廉，知太倉州事。內幕某，浙人也。偶染時症，一夕大呼曰："歸歟！歸歟！胡不歸！"察其音，陜人也。問何以不歸，曰"無路引。"問何以死於此，曰："我寧夏人，姓莫名容非，前太倉刺史趙酉遠親也。萬里賫糧而來，爲投趙故。趙刺史反拒不納，且一文不贈，故窮餒怨死於此。"問何以不纏趙，幕友與汝寧有冤乎？曰："趙已他遷，鬼無路引，不能出境，纏他人無益，故來纏幕友，庶幾驚動主人，哀憐幕友，必與我路引。"德公聞而許之，召吏房作文書，咨明一路河神關吏，放莫容非魂歸故鄉。幕友病不醫而愈。

這兩則故事反映了一個很重要的事實，即直到清乾隆年間，還殘存着人間的官吏爲鬼魂開冥途路引的習俗，如同漢代的官吏爲死者填“告地下官吏冥間文書”一樣。之所以説是殘存的習俗，因爲這樣作不是常例，而是在鬼魂糾纏之下，個别官吏偶一爲之的事情。至遲從明代開始，給鬼魂開冥途路引，已由道觀寺廟專司其責，井研明墓出土的“酆都山冥途路引”，以及本文披露的近代“龍虎山冥途路引”和“西方路引”就是最好的證明。同時，我們也應看到中國古代封建社會裏，政權和神權長期交織在一起，人王即是神王的鑾風，不會那麽容易消失。酆都山冥途路引上既蓋仙都觀鐵印又蓋縣印的事實，不正顯示出地上的官吏同時也履行管理地下鬼魂的職能嗎?

其次，陽間路引和冥途路引的區别：陽間路引採用半印勘合，用畢後須繳回官府存檔；而冥途路引，不要求繳回，可能發引者內心明白：逝者如斯，有去無回。王培荀有兩首咏《酆都路引》的詩，耐人尋味。其一：“陰陽何處立嚴關，祇似循環晝夜間。果是黄泉攔去路，如何逝者不生還。”其二：“作僞無端駭衆聞，如狂如醉久紛紜，羣生迷卻來時路，應是冥王少牒文。”①

(三)

清宣統元年 (1909) 傅崇矩編撰《成都通覽・成都之喪祭及喪祭之預備》，記舊時四川的喪禮程序和準備工作共 52 項，“酆都路引”爲第八項，排在“念經 (一名做道場)”之後。可見，“酆都路引”爲四川喪禮必不可少的一種預備物。老百姓辦喪事的“酆都路引”，不一定真從酆都城買來的，而是各地道院板印刻成，用黄紙掃拓。板存道院，道士有法事可做，方能頒給，并須繳幾毛錢，以充道院經費。舊俗視死如生，以爲人死後從地上陽間世界到地下陰間世界，如同家人出遠門一樣，儀式甚爲隆重。首先想到陰間世界也是金錢至上，處處須打點，事事要花錢，因此親人剛斷氣，家屬

①清・王培荀：《聽雨樓隨筆》卷 6，巴蜀書社 1987 年版，第 377 頁。

便燃香燭,焚紙錢,謂之"倒頭紙",以便死者走在陰間的路上用。接着,又想到出遠門要帶换洗衣服,於是爲死者擦抹身體,理髮梳頭以後,就要穿衣服鞋襪,老衣穿單不穿雙,三、五、七件不等,視家境貧富而定。井研周氏,爲五品官妻,家境殷實,攜帶的衣物格外豐厚,計有"上身衣服壹拾肆件,裙柒條,壽紙(即紙錢)壹拾貳封,包袱壹件",更奇者,還有"雨傘一把",可能死者家屬顧慮陰間世界也天有不測風雲,"晴帶雨傘,飽帶飢糧",未雨綢繆,有備無患。以上過程,謂之"小殮"。入棺,謂之"大殮"。民間傳説,人死後即到陰曹地府,而去陰間之路,一片漆黑,故入棺後,要在柩前點一盞菜油燈,無間晨夕,爲之照明,謂之"點路燈"。又傳,陰曹地府遍設關卡,如無路引,守關卡的鬼卒便不予放行,因此要請道士"做道場",爲死者"開路",發路引。"繼此,則燒老袱,置引袋,獻羹湯","引袋者,由道士燒路引,合前燒之落氣錢,以其灰實於袋,附諸棺者也。"① 接下來就是出殯、安葬諸般儀式。井研明墓出土的"酆都山冥途路引",因得之於盜墓者之手,不知原來置於墓中何位置? 想來,應放在棺中"引袋"內。不過,至少可以知道,明代的冥途路引不是燒成灰隨葬,而是隨葬原件。時移事異,風俗殊焉!

四川民間喪俗中的"酆都冥途路引",1949年以後基本絶迹。近年來隨着旅游業的發展,又時有出現。

1994年12月寫於川大

作者簡介 江玉祥,1945年生。四川大學博物館副教授。主要著作有《中國影戲》、《古代西南絲綢之路研究》等。

---

①《合江縣志》(六卷。民國十八年鉛印本),又見《新繁縣志》(三十四卷,民國三十六年鉛印本)。

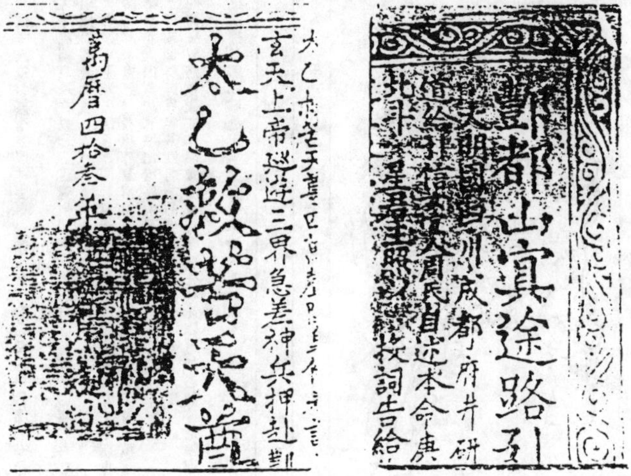

附圖一：四川省井研縣明墓出土萬曆四十三年"酆都山冥途路引"

福地龍虎山冥途路引

靈寶大法司

天師門下　謹按
元始天尊科典救拔度人領引冥途路照往生事今據○省○府○縣○司○堡○鄉○坊○社管下僧家吉向居住奉
道薦亡陽居
合門百拜人等詞稱哀爲亡故○○正魂生○年○月○日○時終于○年○月○日○時自從去世未卜升沉今薦生方惟憑
道力請給路引照證超升恭逢
太上老君慶誕大會諸天聖衆天師真君同赴會筵放大光明普照世間男女生居塵世造業無邊不修善果億劫漂沉不念人身難得中土假使得生正法難遇
多迷真道多人邪宗多恣淫殺巧詐羣情貧富壽夭等類作福者少造惡者多積累罪愆拘繫冥司彼睹冤對受諸苦惱無有真期吾體　太上好生之德廣發
慈悲之念轉請龍虎山萬法宗壇出給路引早度
生方陽眷一念哀誠實寫鄉貫年月姓名端的虔誠念誦
太乙救苦天尊四萬聲放路救拔亦作盤纏隨身夾帶前往冥途驛遞如遇關津把隘即便放行不得攔阻但陰司牛頭獄卒刁蹬抗拒阻滯善人不見超升許令
上奏
帝旨急差神兵捉拿押送酆都城赴天牢照女青律治罪施行頒給

右給承恩領引亡故　正魂收執

太乙救苦天尊

太歲　年　月　日　證明師　承行

三天扶教輔玄體道静隨顯佑高明大法天師張真君

附圖二

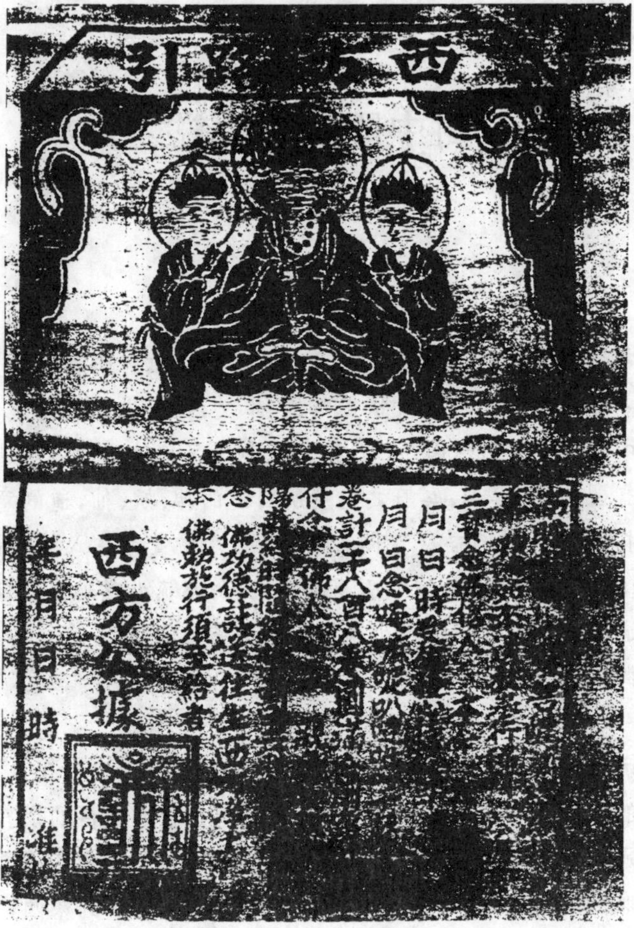

附圖三：近代佛教寺廟發售的“西方路引”(四川省大邑縣)

論道教對中國傳統小說之貢獻

張振軍

内容提要 道教與小説有着密不可分的血肉聯繫,對此,學術界一直是認識不够或評價偏低的。本文認爲,道教以傳統儒家文化中所缺少的幻想因子,直接影響、刺激了傳統小説的創造力。道教有關仙境、異域、冥府之説及所創造的神、妖、仙、道的意象,不僅拓展了小説的描寫空間,還給小説人物畫廊注入繽紛的色彩;道教傳説所孕育的原始叙事範型,成爲傳統小説永恒的母題;而仙道法術則不僅增添了小説情節的奇譎變幻,而且直接影響了小説的叙事結構。

宗教與藝術往往有着非同尋常的姻親關係。已有一千八百年歷史的道教,是唯一的在中國本土上産生并發展成長的宗教,它與中國的文學藝術尤其是古代小説有着密不可分的血肉聯繫。而這種血肉聯繫的紐帶,正是傳統儒家文化中所缺少的東西,那就是想象力。

對于道教對中國文學的深刻影響,學術界一直是認識不夠或評價偏低的。中國通俗文學專家胡適之先生説過:

> 中國固有的文學很少是富于幻想力的,像印度人那種上天下地毫無拘束的幻想力,中國文學裏竟尋不出一個例(屈原、莊周都遠不夠資格),長篇韻文如《孔雀東南飛》衹有實的叙述,而

> 没有一點超自然或超過空間、時間的幻想。這真是中國古文學所表現的中國民族性。在這一點上,印度人幻想文學之輸入確有絶大的解放力。試看中古時代的神仙文學如《列仙傳》、《神仙傳》,何等簡單? 何等拘謹? 從《列仙傳》到《西遊記》、《封神榜》,這裏面纔是印度的幻想文學的大影響。(《白話文學史》)

作爲一位學貫中西的學者,胡適之先生站在世界文學相互影響的角度,强調印度幻想文學(主要指佛教文學)對中國文學的影響,這是持之有故、言之成理的。但是,全面否定中國文學的想象力和創造力,卻很難讓人苟同;把《西遊記》、《封神榜》等優秀作品的産生完全歸結于印度佛教文學的影響,也是不符合實際的。

誠然,"實用理性"是中國傳統文化的重要特徵,孔夫子"不語怪、力、亂、神"(《論語·述而》)、"敬鬼神而遠之"的信條,對中國文學的幻想力也産生過消極的影響。但是在儒家正統思想之外,一直存在着一種對立的思想因素。莊子就主張對鬼神之事采取"余姑以妄言之,而汝姑妄聽之"①的立場,并不是消極地回避。"莊騷兩靈鬼"②則以其宏逸變幻與荒唐譎怪,赫然居于中國文學之林。至于道教對中國詩詞、文言小説、白話小説的影響,更是無法忽視的事實。

在度過了一提宗教就有宣揚迷信嫌疑的學術荒漠的年代之後,對道教與文學關係的研究有了顯著進展。在這裏,筆者僅就道教對古代小説的影響談談自己的淺見。

從總體看,道教對古代小説影響最深、最本質的東西無疑是幻想或想象力,因爲道教創造神仙系統的思維方法與小説創作構思頗多近似之處,同時道教的幻想也刺激了小説作家的藝術創造力。具體説來,道教所創造的神仙之境,仙、道、妖、鬼等意象,由道教産生孕育的小説母題,以及奇譎變幻的仙道法術,直接影響了

---

①胡應麟:《少室山房筆叢》卷三十六。
②龔自珍詩句。

古代小說的創作。

一、道教對小説描寫空間的拓展

道教的基本教義是潛心修煉,飛昇成仙,因而它想象出一個完整的神仙系統,并虛構出美妙無比的仙境。而對仙境的描繪,構成了古代小説中色彩絢麗而令人神往的一個組成部分。在《洞冥記》、《十洲記》、《列仙傳》、《神仙傳》等道書中,有關天宫、三島、十洲、十大洞天、三十六小洞天、七十二福地等仙境的描寫,光怪陸離,令人眼花繚亂。托名東方朔的《十洲記》通過漢武帝與東方朔問答,記述八方巨海中之十洲及三島的奇異,是較有代表性的一種。書中涉及太上真人、鬼谷先生、天帝君、西王母、上元夫人等仙人,而尤以異物描寫爲中心。如火光獸、風生獸、夜光杯、返魂樹、反生香等等,俯拾即是。元洲的五芝澗水甜如蜜汁,飲之可以長生不老;瀛洲玉醴泉"飲之數升即醉,令人長生";聚窟洲的反生香氣味可達數百里,人死了聞之即能復活。

與以描寫仙境異物爲中心的《十洲記》、《洞冥記》等不同,《漢武故事》、《漢武内傳》等則在描繪仙境奇異美麗的同時,着力刻畫了仙境中仙女的美麗及其與人的歡會。《山海經》中"豹尾虎齒"半人半獸的西王母,在這裏搖身一變而成了"天姿掩藹、容顔絶世"的麗人。以《邗子傳》(《列仙傳》)、《劉晨阮肇》(《幽明録》)、《袁相根碩》(《搜神記》)等爲代表的"入山遇仙"故事也大都描寫了仙女與人的遇合。冰清玉潔的仙女與奇花異草一様,成了仙境中必不可少的點綴。

方士道徒爲了自神其説,還着意刻畫了殊方絶域的意象。這對古代小説的描寫空間也是一種拓展。殊方絶域之説在上古神話中即已出現,在《山海經》裏也有記載,如結胸國、交脛國、一目國、三首國、豕喙國、毛民國、羽民國、大人國、小人國等。楚辭《招魂》中也有"長人千仞,惟魂是索"的"東方"及"雕題黑齒、得人肉以祀”的“北方”的描寫。對此，神仙家著作自然有所借鑒。如《洞冥記》專記“别國”之異物奇事，包括善苑國、烏哀國、勒畢國、脩彌國、吠勒國等等。祗國能照見鬼魅的獻金鏡，烏哀國食之千歲不飢的蓰和膏，遇暴雨而光不滅的丹豹髓燈，食之則可不眠的卻睡草等等，都是方士道徒自神其説以爲號召而虚構的。

道教所創造的仙境對古代小説尤其是神魔和志怪小説産生了深遠影響，成爲其中的重要意象。在蒲松齡的《聊齋志異》中，就有不少以仙界爲背景的短篇佳作。如《白于玉》描寫廣寒宫，“内以水晶爲階，行人如在鏡中。”“桂樹合章，參空合抱；花氣隨風，香無斷際。亭宇皆紅窗，時有美人出入，冶容秀骨，曠世并無其儔。”文詞清麗而繪景如畫，確實令人如置身仙境之中。作者極寫仙人之美與仙人之樂，將仙人的永生與快樂與人間功名富貴的短暫相對比，暗寓了一種蔑視功名富貴和世俗貪慾的意味，這與方士道徒勸誘修仙的目的也是相通的。《聊齋》中還有一批人仙相戀的愛情故事，如《西湖主》、《仙人島》、《雲蘿公主》、《織女》、《嫦娥》、《粉蝶》等等。《翩翩》描寫羅子浮宿娼金盡，落泊染疾，被仙女迎入洞府。洞府中不僅石梁横架，光明徹照，美人若仙；且有溪水長流、濯之則痊愈的神泉。以山葉作珍饈，以溪水製佳釀，以蕉葉縫衣裳，以白雲絮棉襦，更是穎異奇絶。就連懲治輕薄男子的手段也與衆不同：當其一有邪念，“自顧所服，悉成秋葉”，下體如裸。表現了豐富的想象力。而這種想象力，不能不説是得力于仙話的啟示。

至于殊方絶域的意象，對古代小説的影響也是極爲明顯的。如《聊齋志異》中的《羅刹海市》，以大羅刹國美醜顛倒的世風影射人間現實。《夜叉國》則從小夜叉不知“官”爲何物，借商人之口這樣説道：“出則輿馬，入則高堂；上一呼而下百諾；見者側目視、側足立：此名爲官，”飽含了對那些作威作福的官吏的不滿和譏諷。李汝珍的《鏡花緣》則更是一部專借異域諸國風俗諷刺現實的傑作。當然，佛教中也有殊方絶域之説，我們不能把小説中的殊方描寫全歸功于道教，就像不能把地獄描寫完全歸功于佛教一樣。

在道教觀念體系中，在天界和人間之外，還有冥界。《楚辭·招魂》與《山海經·海內經》中都已有冥界的記載，稱作“幽都”。早期的志怪小説中則稱爲“泰山”。後來道教又創酆都冥獄，與佛教地獄之説已無多少差異。范成大《吴船録》卷下云：“去縣三里，有平都山……碑牒所傳，前漢王方平、後漢陰長生，皆在此山得道仙去。有陰君丹爐及兩君祠堂皆存……道家以冥獄爲酆都宫，羽流云：‘此地或是。’”酆都是四川省東部長江北岸的一個縣名（今爲豐都縣），爲道書七十二福地之一。道教把它描繪成冥司，其實也衹是借用其名罷了。《聊齋志異》卷四就有《酆都御史》一篇，其中的神將“赤面長髯”(顯係道教名神關帝)，卻曉喻御史“誦佛經可出”，反映了佛道二教的合流①。冥司的意象也給小説提供了想象的天地。尤其是《聊齋志異》，借陰曹冥府的陰森可怖影射和比附黑暗醜惡的社會現實，寫下了許多膾炙人口的寓意之作。如《夢狼》中的冥間“巨狼當道”、白骨如山；《考弊司》中的地府是哀鴻遍野、污吏横行；《席方平》中的鬼官受賄，竟使冥間種種刑罰施加于負屈者之身；《李伯言》更是卓然不羣，描寫“抗直有肝膽”的李伯言代替閻羅審案，遇到同邑王某的案子，有意偏袒。當他一念方生，忽見殿上大火驟起，直撲梁棟；而待他急消私念，火也驟然而熄。火的意象顯然寄托了作者的政治理想，舒洩了他“第恨無火燒臨民之堂廨”的憤懣。它寄托作者的美好願望，把冥間描繪成公正神聖之所在，將幽幽泉臺投上一層炫人眼目的理想之光。使地獄的描寫别具一格。

二、道教對小説人物畫廊的延伸

道教有一個完整的神仙譜系。最高神爲太上老君、元始天尊、玉皇大帝，因時代的變遷而異。六朝以後的最高神是元始天尊。地

①佛教和道教都曾奉關羽爲神，有關菩薩、伽藍神和關聖大帝等稱謂。參見金井德幸《神社和道教》，載《道教》第二卷，上海古籍出版社 1992 年版。

獄的最高神爲酆都大帝。

雖然各道教派別的神仙譜不盡相同,但卻大致相近。南朝陶弘景的《真靈位業圖》是一個比較完整的神仙譜,按位置的尊卑高下分成七個層次,分別以元始天尊、大道君、太極金闕帝君、太上老君、張奉、中茅君和北陰大帝爲首。第一層次清一色全是“道君”,第二層次則是赤松子、王方平、王子晉、王褒等一班仙人和魏夫人魏華存等一班女真,第三層次是一大批歷史人物如安期生、孔子、顏回、黃帝、堯、舜、弄玉、莊子等,第四層次主要是方士道徒如張道陵、鬼谷先生、張子房、茅君、東方朔、徐福、葛洪等。以北陰大帝爲首的第七層次,聚集了秦始皇、魏武帝、漢高祖、晉文公等一班鬼神。

在完整的神仙譜系之外,還有不少有關道教神仙的傳說。最著名的是西王母與十洲三島的故事。宋代以後在民間流傳極廣的“八仙”,也是被神化了的道教真人。捉鬼的鍾馗、顯靈的關聖,則簡直可以和佛教中的菩薩分庭抗禮。

以上所有的道教之神仙,幾乎都曾被古代小說所“借用”,成爲小說的有機組成部分,從而豐富了小說人物形象,延伸了小說形象的畫廊。如《西遊記》在以如來爲首的佛教諸神之外,又有以玉皇大帝爲首的道教神仙系統,太上老君及西王母等散仙都是重要角色。在神魔小說《封神演義》中,從元始天尊、通天教主,各教派諸仙到下界諸神魔,更是構成了一個完整的道教神魔系統。不僅如此,作者受道教法術的啟示塑造了許多奇異人物,極大地增強了小說人物的吸引力。如長有千里眼、順風耳的高明、高覺,長有能飛的肉翅的雷震子,能遁土而行的土行孫等等,都是道教血肉孕育而成。

在道教衆神和諸仙之外,妖與道在古代小說中占有重要地位。

妖的意象植根于“萬物有靈”之說,妖怪禍人的記載也遠在道教產生之前即已出現。驅妖除怪故事在道書中發揚光大,卻是無可否認的事實。其理由很簡單,那就是借驅妖除怪而自神其教。由于此一目的,方士道徒創造了衆多怪異可怖的妖怪形象,如狐妖、蛇精、鷄精、獸怪等等,不一而足。雖然這些精怪形象僅僅是道徒爲自神其教虛構出來的,但到了小説家筆下,卻發生了本質不同的變化。它們爲作家的創作意圖驅使成爲小説形象構成的有機部分。例如唐人傳奇中的《任氏傳》中的狐妖,已不再是禍人的妖孽,而是作爲作品主題服務的形象出現的。至如民間傳説《白蛇傳》中的白蛇青蛇,以及蒲松齡筆下的衆多慧美多情的花妖狐魅,則是小説家借助道教精妖意象而進行的創造性的想象的結晶,極大地豐富了古代小説的人物畫廊。如果没有道教對精怪的渲染在前,這些藝術奇迹當然是不可能産生的。

道教在創造爲自神其教服務的精怪意象的同時,也設置了它的對立面,這就是身懷種種法術、能夠斬妖除怪的道士。道士作爲一個土生土長的獨特意象,在中國古代小説中占有重要地位。明代鄧志謨撰的《咒棗記》,叙述薩真人棄醫學道、除惡驅鬼;《鐵樹記》,記述許真人(許遜)鐵樹鎮妖孽。《警世通言》卷四十《旌陽宫鐵樹鎮妖》,也寫許真人除妖之事。至于《鍾馗降鬼傳》,則專門描寫捉鬼的鍾馗。《喻世明言》卷十三、十四《張道陵七試趙昇》、《陳希夷四辭朝命》則刻畫了趙昇和陳摶不爲功名美色所動、棄絶世俗情慾的超凡形象。

值得特別注意的是,道士形象在明清小説中已趨向于定型化,并深刻地影響到後來的小説創作,形成一組一脈相承的定形化人物形象,其主要特質是: 1、威武剛正,一身正氣,給人一種威懾力;2、身懷絶妙法術,關鍵時刻能大顯異能,克敵制勝;3、行爲舉止均超脱凡俗,透出一種“仙風道骨”。如通俗文學中出現最多的許真君、呂洞賓等形象。《水滸傳》中的公孫勝,《封神演義》中的姜子牙,以及後來武俠小説中的劍仙,都是這一系列中的典型。

在《聊齋志異》中,作者往往利用道士來譏諷世態人情,賦予道士以新的意義。如《嶗山道士》譏笑不勞而獲者,《道士》諷刺表面仁厚内心齷齪者,《種梨》懲戒貪婪吝嗇者,均可謂淋漓盡致。有的道士形象有瘋顛的意向,則是對超脱凡俗這一方面的發展和延伸。

總之,道教所精心構想的神妖仙道,在古代小説中同樣築起了它們瑰麗神奇的王國。它們的出現,給古代小説人物畫廊注入了繽紛的色彩。

三、道教所孕育的小説母題

道教不僅爲傳統小説提供了神妖仙道的意象,還孕育了一系列小説的母題。所謂母題,是指小説題材的原始範型,由它可以引導出一串同一範式的作品。傳統小説中的神仙洞窟範型、仙凡相戀範型、度脱範型、降妖鬥法範型等,都是道教傳説化育而成。

1. 神仙洞窟範型

神仙洞窟範型起源于方士道徒的基本信念——世外仙境之説。它主要描寫世間凡人偶入仙山洞窟的所見所歷——仙境的奇異和美麗。劉向《列仙傳》中的《邗子傳》是其濫觴:

> 邗子者,自言蜀人也。好放犬子,時有犬走入山穴,邗子隨入。十餘宿行,度數百里,上出山頭。上有臺殿宫府,青松樹森然,仙吏侍衛甚嚴。見故婦主洗魚,與邗子符一函并藥,便使還,與成都令橋君。橋君發函,有魚子也。著池中養之,一年皆爲龍形……

自此篇首開先河,一連串的同類故事出現在魏晉六朝志怪小説中。比較著名的有《拾遺記》中的《洞庭山》,《搜神記》中的《袁相根碩》,《幽明録》中的《劉晨阮肇》、《黄原》等等。從《洞庭山》始,其中加入了男女歡愛的内容。《劉晨阮肇》故事最爲著名:

> 漢永平五年,剡縣劉晨、阮肇共入天台山取穀皮,迷不得反……逆流二三里,得度山。出一大溪,溪邊有二女子,姿質妙絶;見二人持杯出,便笑曰:"劉、阮二郎,捉向所失流杯來。"晨、

肇既不識之，緣二女便呼其姓，如似有舊，乃相見忻喜。問："來何晚邪？"因邀還家。其家銅瓦屋，南壁及東壁下各有一大床，皆施羅帳，帳角垂鈴，金銀交錯……食胡麻飯、山羊脯、牛肉，甚甘美。食畢行酒，有一羣女來，各持五三桃子，笑而言："賀汝婿來。"酒酣作樂，劉、阮忻怖交并。至暮，令各就一帳宿，女往就之，言聲清婉，令人忘憂。至十日後，欲求還去，女云："君已來是，宿福所牽，何復欲還邪？"……

劉、阮故事在文人騷客中廣爲流傳，紛紛作爲典故播入詩篇詞章。

由這一母題衍生的作品相當豐富。晉陶潛著名的《桃花源記》；唐人小説中的《沈警》、《元柳二公》、《周秦行記》、《遊仙窟》；以及《聊齋志異》中的《翩翩》、《仙人島》、《西湖主》，都是一脈相承的。

2. 仙凡相戀範型

這一範型其實就是筆者曾論及的人神戀小説中的"悲劇式"一類[①]。其模式是仙女（或稱神女）主動下嫁人間男子，經過一段時間的戀愛、婚姻生活，在極不情願的情況下分手。代表性作品即見于《搜神記》的《董永》、《弦超》，見于《搜神後記》的《白水素女》，見于《靈怪集》的《郭翰》，見于《通幽記》的《趙旭》，和見于《河東記》的《盧佩》等等。

由于唐之前的志怪小説多爲宗教與傳説雜糅，應該説，這些故事有的是方士、道徒編造出來的仙話，有的則是民間傳説的記載。但二者大多較難嚴格加以區分。因爲即使是傳統的民間小説，由于方士道徒的渲染、重述，也大多沾染上了濃重的仙道氣息。因而，把它們納入道教，是没有問題的。爲確認這一點，這裏再補充兩點：(1) 道教認爲人們經過修煉，可以長生久視，飛昇成仙，并可致"玉女來御"，應該可以作爲仙凡相戀模式的一個引綫或門

①見拙文《略論古代小説中的人神戀故事》，《西南師大學報》1991年第1期。

徑,而這類故事中對男主人公修煉的着意渲染,則可看作這個引子的暗注。(2) 對這一範型的悲劇結局,筆者曾從人類學的角度探討了其神話因素——集體無意識的積澱。①這裏還應從道教本身找一找它的支撑點。我們知道,道教中有"謫凡"的觀念。即上界神仙因犯有過失或動了凡心,被天帝貶謫人間,遍歷情緣孽海,最後償完宿債,重歸仙班。導致仙凡相戀範型悲劇結局的"天機",是否與此有關呢? 我想我們很難作完全否定的回答。

我曾經説過,這一模式是中國古代人與神仙戀愛小説的基本形態,對唐代以降的小説戲曲和民間故事産生了深遠影響,同一題材的作品罕能脱其窠臼。這裏還要強調的是: 這一模式不僅是人神戀小説的母題,也直接影響了人妖戀,人鬼戀小説。從那些慧美多情的女妖、女鬼的聲容笑貌,我們難道不曾看到謫凡仙女那熟悉的面影?

3. 度脱範型

道教認爲,修煉者一旦修煉成功,不僅能自己得道,還可超度有仙緣的凡人,助其飛昇。這種度脱之説經道教徒的一再渲染,最終成爲小説戲曲的一個母題。

度脱模式的構成,通常是某個有仙緣的凡人,經真人點化,大徹大悟,依歸道教而得成正果。在小説中,真人對有仙緣者的點化和試探 (或稱磨礪) 往往是主要內容。例如《喻世明言》中的《張道陵七試趙昇》,描寫張道陵天師在收趙昇爲徒之前,對其進行了種種考驗。"七試"內容是:

> 第一試: 辱罵不去;第二試: 美色不動心;第三試: 見金不取;第四試: 見虎不懼;第五試: 償絹不吝,被誣不辯;第六試: 存心濟物;第七試: 捨命從師。

趙昇經受住了"七試"的考驗,張天師纔收他爲徒,"將生平所得

①參見拙文《略論古代小説中的人神戀故事》。

秘訣，細細指授”。後來，趙昇在鶴鳴山中白日昇天。

在元雜劇中，專有神仙度化一類。僅馬致遠一人就撰有《呂洞賓三醉岳陽樓》、《馬丹陽三度任風子》和《邯鄲道省悟黄粱夢》三部劇作。另外，岳伯川的《岳孔目借鐵拐李還魂》、《呂洞賓度鐵拐李岳》，范康的《陳季卿誤上竹葉舟》，李壽卿的《月明和尚度柳翠》，谷子敬的《呂洞賓三度城南柳》，楊景賢的《馬丹陽度脱劉行首》等等等等，都是這類劇目。這些度脱劇着重于“點化”，以仙凡對照，去除受度者的凡心俗念。并且所度之人，多爲沉迷于貪欲的世俗之輩。例如馬致遠筆下的任風子是個屠夫，聽説一個道士勸人吃素，以爲破壞了他的生意，前去殺那道士(即馬丹陽)。結果被馬丹陽驅遣神人責罰。任屠夫省悟之後，休妻棄子，立志學道，并經受了酒色財氣、人我是非的種種考驗，向道彌堅。

度脱範型直接來源于道教，宣揚了棄絶一切世俗情欲，忍辱負重，一心向道，尋求彼岸的解脱的宗教意識。但其中無疑也藴含對社會現實的批判意向。度脱母題衍生出的長篇小説有明代楊爾曾的《韓湘子全傳》及清代倚雲氏的《昇仙傳演義》等，分述呂洞賓點化韓湘子和濟小塘事，書中加入了修善濟世、懲惡揚善的描寫。

4. 降妖鬥法範型

道教主要分爲丹鼎、符籙兩大派系。符籙派承襲古代巫覡之風，宣揚以占卜溝通神意，以符水消災去病和以符咒召劾鬼神，降妖驅怪。道教還有許多雜術，包括飛行變化、隱淪四方等等。《抱朴子》内篇卷十九《遐覽》中云：“服大丹十日，欲隱則左轉，欲見則右回，或可爲鳥獸。”《搜神記》中記述葛仙翁能夠嗽飯成蜂，并能驅使蝦蟆及行蟲燕雀。至于穿牆遁土、飛劍斬妖、撒豆成兵，更是神奇無比。這些當然不足爲信，但道徒爲自神其教，卻以此敷演成種種降妖除魔、施術鬥法的故事，并成爲後來小説中的叙事範型。

斬蛟是出現較早的道士除妖故事，許真君斬蛟最爲著名。據唐代張鷟《朝野僉載》記載：“西晉末，有旌陽縣令許遜者，得道于豫章西山。江中有蛟爲害，旌陽没水劍斬之。”至宋人劉斧《青瑣高

議》中,則出現了許真君與蛟精鬥法的詳細描寫:

……許後在豫章遇一少年,容儀修整,自稱慎郎,許與之話,知非人類。既去,謂門人曰:“適少年乃蛟蜃精,吾念江西累遭洪水爲害,若不剪除,恐致逃遁。”遂舉道眼一窺,見蛟精化一黄牛于沙地。許謂弟子施太玉曰:“彼黄牛,我今化黑牛,仍繫以白巾與鬥,汝見之,當以劍截彼。”俄傾二牛奔逐,太玉以劍中黄牛之股,因投入城西井中。黑牛亦入井,蛟精逕走。先是,蛟精在潭州化一聰明少年,又多珍寶,娶刺史賈玉女,常旅遊江湖,必多獲寶貨而歸。至是空歸,且云被盜所傷。須臾,典客報云:“有道流許敬之見使君。”賈出接坐,許曰:“聞君得佳婿,略請見之。”慎郎托疾不出。許厲聲曰:“蛟精老魅,焉敢遁形!”蛟迺化本形至堂下,許叱咤空中神殺之……

《太平廣記》卷十四“許真君”條又有文詞增飾,但敍述基本相同。衹是此處的“許叱咤空中神殺之”變成了“尋爲吏兵所殺”,道味稍減。許真君幻化黑牛,召劾神靈,皆爲道教法術本色。《西遊記》中二郎神與孫悟空鬥法,顯然與許真人斬蛟鬥法同出一源。

在著名的古代長篇小説中,鬥法的描寫占有重要地位。幾乎所有的重要篇章都難以擺脱與它的干系。如《三國演義》有諸葛亮大擺八卦陣,《水滸傳》有公孫勝鬥法破高廉,《西遊記》描寫孫悟空降魔伏妖,幾乎次次離不開鬥法。在許仲琳的《封神演義》中,鬥法的場面更是俯拾即是,不勝枚舉。其鬥法場面之宏大、争鬥之激烈、殘酷,可説是空前絶後。如金鰲島截教十神排出十大惡陣,助紂爲虐,前來援助姜尚的闡教諸仙,每破一陣,即傷一人;通天教主大擺“誅仙陣”、“萬仙陣”,竟至于元始天尊與老子親來會戰,纔將其攻破。寫來惊心動魄。這些鬥法的場面描寫,構成了小説的主要情節和重要組成部分。降至清代無名氏的《萬仙鬥法全傳》及醉月山人的《百大妖精鬥法》,鬥法成了全書的主幹,其與降妖鬥法母題的血緣關係更是一目了然。

道教所孕育的小説母題當然不止前述這幾種範型,例如從

《幽明録》中的《楊林》、唐人小説《枕中記》、《南柯太守傳》、《櫻桃青衣》，直到《聊齋志異》中的《黄粱夢》，可説是將道教"人生如夢"思想形象化的夢幻範型[①]，往往是仙道用來警示人生、超度凡俗的手段和門徑。道教傳説中的許多意象，如八仙過海、王母獻桃、麻姑搔癢、鍾馗打鬼、關公顯聖等等，都已成爲中國文學的重要組成部分，也成爲小説的永恆母題。

四、仙道法術與小説情節結構的奇譎變幻

無論是仙境、異域，還是神妖仙道，作爲道教爲中國古代小説提供的獨特意象，它們不僅爲中國小説拓展了描寫空間，對小説的情節也作出了重要貢獻——即增強了小説情節的穎異色彩。至于道教的種種法術和降妖捉怪的故事，更使小説情節顯得奇譎瑰麗，變幻莫測。《封神演義》中的雷震子雙翅高翔，土行孫遁土而行；《西遊記》中孫悟空七十二般變化；《平妖傳》中聖姑姑剪紙爲馬、撒豆成兵；《醒世恆言》中吕洞賓飛劍斬妖人[②]……無不變幻奇譎，瑰麗多姿。《聊齋志異》卷三《白于玉》一篇，即涉及道教許多法門。如白于玉背騎青蟬，是"召鶴術"；變作小人，爲"變化術"；金丹一粒，使太史返老還童，是"外丹術"；以金釧滅火，則爲"雜術"。卷七《鞏仙》中，鞏道士"袖裏乾坤大"，竟可供尚秀才起居其間，娶妻生子。光怪陸離，令人眼花繚亂。

降妖捉怪故事，則以其穎異與緊張增強了小説情節的魅力。僅以蒲松齡筆下的《劉海石》爲例：本篇所描寫的衹是一個爲人熟知的道人除妖故事，但作者對狐妖的描寫，卻頗具特色。它那腦後和尾尖禍人的數莖白毛，令人過目難忘，思之膽寒。更爲重要的

①參見詹石窗、汪波：《道教小説略論》，載《道家文化研究》第四輯。
②《醒世恆言》卷21《吕洞賓飛劍斬黄龍》。

是作者在不長的篇幅中,塑造了一個灑脱傲世、普救衆生,令人敬佩的道士形象。篇中描寫道人相宅、看相、捉狐、拔毛等情節,皆極其細膩逼真,歷歷如現,極見筆力。尤其是狐妖被捉而復逃,逃而復被捉的描寫,更是波瀾起伏,令人忽而震惊,忽而慶幸,心隨情節的起伏而跌宕。

至于鬥法的描寫,前已略述,這裏不贅。

在現實情節的描寫中,仙道的出現往往可使情節頓生波瀾或峰回路轉。如《聊齋志異》中的《石清虛》篇,描寫順天人邢雲飛癖好石頭,每見佳石,必不惜重價購之。一次在河中捕魚,偶得一石,"四面玲瓏、峰巒疊秀","喜極,如獲異珍。既歸,雕紫檀爲座,供諸案頭。"某豪強聞而強奪之,并失手落于河中。邢"頓足悲憤","出金,雇善泅者,百般冥搜,竟不可見。"後來邢雲飛至落石處,竟意外地又發現了那塊異寶,"解衣人水,抱之而出。攜歸,不敢設諸廳所,潔治內室供之。"按説,邢雲飛之愛石,已表現得相當充分了。但作者并未停留至此,而是筆鋒一轉,推出幻想的情節來:一仙翁來到邢家,點破了奇石的來歷,要攜之而歸。邢雲飛不肯,百般哀告。仙翁見他如此愛石,覺得以石與他,可謂得人,衹是此石會引起奇禍,必須帶走三年。邢雲飛又不肯。仙翁説,若留此石,你要損壽三年。而邢雲飛竟然回答:"願!"至此,一個癖好奇石、不惜性命的"石癡"形象躍然紙上了。又如《佟客》中的董生,"慷慨自負"。佟客以幻異之術設置了一個羣賊拷打其老父的情景,以測試董生的性情肝膽,使之原形畢露。此篇與《石清虛》有異曲同工之妙。

道教法術對古代小説叙事結構的影響也是極爲明顯的。

唐人王度的《古鏡記》描寫以寶鏡驅妖斬怪的故事。汪辟疆稱其"侈陳靈異,辭旨詼詭,後人摹擬,汗流莫及。上承六朝志怪之餘風,下開有唐藻麗之新體。洵唐人小説之開山也。"①但這篇作品在

①《唐人小説》,古典文學出版社 1957 年版,第 10 頁。

小說史上的獨特貢獻卻不在“藻麗”，而在于其叙述結構。作者描寫了一系列的妖異靈怪禍人故事，均以寶鏡爲綫索相牽連，全篇以寶鏡之得而始，以寶鏡之失而終。寶鏡作爲道教之法器，在小說中成爲叙事結構的骨架。這種叙事結構在中國小說史上是未有先例的，因而具有重要地位。

在古代著名的長篇小說中，祈禳、授書、占夢等往往成了總攝小說叙事結構的關鍵與鎖鑰。《水滸傳》第一回“張天師祈禳瘟疫，洪太尉誤走妖魔”，以伏魔殿中走脱三十六天罡、七十二地煞，暗示梁山泊一百單八位好漢的聚義，揭開了官逼民反、揭竿而起的農民大起義的壯烈畫卷。第四十二回“還道村受三卷天書，宋公明遇九天玄女”，則通過玄女之口，暗示宋江必爲梁山之主及“外夷與內寇，幾處見奇功”的後事。《禪真逸史》、《女仙外史》等書中，也都有玄女授書的情節，并成爲乾坤扭轉的契機。在《封神演義》中，則以文王占夢來解釋周興的原因。我國最偉大的長篇古典小說《紅樓夢》，則是以一僧一道的警語預示全書的主旨和結局，并以僧道之語收煞全書。第一回中跛脚道人的《好了歌》是對全書主旨的揭露。至于“太虛幻境”中的對聯，更是將金陵十二釵的命運和盤托出。

不管作者是要宣揚宗教迷信，還是借以預示小說的主旨，表達創作意圖，仙道法術對古代小說結構的顯著影響卻是毋庸置疑的。

作者簡介　張振軍（張萇），1956年生，河南中牟人。1987年北京大學中文系研究生畢業，文學碩士。現爲《中國人民大學學報》編輯部主任、副編審。著有《禁錮與超越》（與毛德富合作）等。

道教與中國畫略論

丁若木

内容提要 本文詳細闡述了道教思想及觀念對于中國畫的影響，指出道教與中國畫的關係最引人注目的方面，是直接以道教神仙、人物、神話、修煉故事等爲道畫的題材，至于道家、道教思想直接融入中國畫的内在精神之中，又可從中國畫崇尚生機、自然、氣韻、虛實(有無)、簡樸、尚静等神境中窺見出來。文章認爲道教對中國畫的滲透，是通過歷代一大批道士畫家和深受道家思想熏染的世俗畫家來實現的。

宗教與藝術，在人們心目中恍如兩個十分隔膜的東西：前者神聖，後者世俗；前者追求純善，後者追求純美。然而細細想來，世界上有哪個地區不曾有過宗教對藝術的滲透，不曾有過藝術的宗教化時期？的確，宗教與藝術性質不同；但二者都是人類的精神追求，也有相通之處：宗教和藝術的活動都是以自身爲目的的活動①。無怪乎在19世紀德國絶對唯心主義傳統中，藝術與宗教、哲

---

①美國學者馬特蘭指出："藝術與宗教的聲音必須以構成的是目的而不是手段的方式來發出。它們的活動在自身之外没有目的——即没有既定的或外在的目的。"(《宗教藝術論》，今日中國出版社1992年版第117頁)這一觀點受啟發于馬林諾夫斯基《巫術、科學、宗教與神話》中有關巫術與宗教的區别的論述。與此相應，馬特蘭把"匠藝"與"藝術"區分開來。

學同被安置于絶對精神的範圍內。本世紀上半葉,我國著名教育家蔡元培先生曾提出"以美育代宗教"的主張。之所以能"代",正因爲二者有可"代"的相通處。我們知道,宗教在大多數場合下提倡禁慾,而藝術的功能,正如五代山水畫家荆浩所説:"嗜慾者,生之賊也。名賢縱樂琴書圖畫,代去雜慾。"①也就是説,藝術跟宗教殊途同歸,都可以替代人的其它慾求。宗教所禁之慾,從根本上説主要是食、色兩大慾。其實人類的慾求實不限于此二大類,其他慾求在人類歷史上也起着重要的善的與惡的杠桿作用,甚至獻身于宗教也是一種追求,衹不過它們在價值尺度上有不同的等級而已。再者,藝術以其生動的形象感染人,而宗教作爲符號象徵體系,也要運用藝術的象徵和表現去打動人的心弦②。馬特蘭在對藝術與宗教進行比較時指出:"藝術與宗教的活動創造了存在的東西。"③我認爲,這也是以價值爲核心的一般文化的表徵,它們作爲人爲事物决定着我們對現實給定的世界——這一世界既是自然進程,也是人類過去活動的結果——的反應方式。

從中國畫來看:中國畫在過去很長一段時期重視"明勸戒"、"成教化"的社會功能,同時作爲一門藝術,十分強調通過"氣韵生動"的藝術形象表達情和意。道、佛二教勸人戒惡從善,就不可避免地會以繪畫的感人的形式傳播各自的信仰和教義。中國畫有道釋一門,盛于六朝隋唐,至今仍有餘響。北宋米芾最爲推重,認爲

①荆浩《筆法記》,載沈子丞編《歷代論畫名著匯編》,文物出版社 1982 年版第 49 頁。

②宗教具有多方面的特徵,作爲符號象徵體系,按照蘭德爾的説法,有 (1) 情感;(2) 合作;(3) 表達;(4) 神聖或秩序四重功能。宗教象徵既是非表現性的,又是非認識性的(見〔英〕約翰·希克:《宗教哲學》,三聯書店 1988 年版第 168－169 頁)。但是我認爲,這并不意味着,具有宗教意義或以宗教爲題材的藝術作品不可能同時具有藝術表現性。相反,例如南宋梁楷的《潑墨仙人》和清初八大山人筆下的花鳥都是富有藝術表現力的。

③馬特蘭《藝術宗教論》第 1 頁。一個類似例子是西方現代派畫家克利説:"藝術并不描繪可見的東西,而是把不可見的東西創造出來。"(轉引自赫伯特·里德:《現代繪畫簡史》,上海人民美術出版社 1979 年版第 102 頁)

它"有以勸戒爲上"[①]。元代湯垕也說:"收畫之法,道釋爲上。蓋古人用工于此,欲覽者生敬慕愛禮之意。"[②]即使是山水畫,也跟道、釋二教有着密切的瓜葛。北宋山水畫家郭熙指出:"君子之所以愛夫山水者,……塵囂韁鎖,此人情所常厭也。烟霞仙聖,此人情所常願而不得見也。"[③]最後一句話就涉及到宗教和藝術"使不存在的東西成爲存在的首創性"活動[④]。山林岩壑乃是道家隱士、道士和僧尼高蹈遠引、離世絶俗的理想去處,故而山水畫倍受青睞,它寄托着他們超塵拔俗的高尚襟懷[⑤]。中國畫所特有的梅蘭竹菊"四君子"一門,以及常見于畫中的松、鶴、荷花、水仙等等形象,人們所賦予它們的意義,都跟道、佛的人生價值觀有很深的歷史淵源關係。它們或清幽、孤寒,或高潔、長壽,不正是道、佛人生理想的寄托和象徵嗎?

關于道教與中國畫的關係,過去部分美術論著從不同側面有所論及[⑥],但專論不多,且其重要意義仍未引起人們的足夠重視。有鑒于此,爰成是篇,擬擇要從道畫、信徒畫家與中國畫理論三個方面論述這一問題。有關山水、花鳥、四君子等畫種與道教的關係等問題這裏暫不討論,更爲全面、深入的研究,當俟于將來。

---

①米芾《畫史》,見《歷代論畫名著匯編》第 118 頁。又載于黄賓虹、鄧實選編的《美術叢書》,江蘇古籍出版社 1986 年版第 1 册。

②湯垕《畫鑒》,同上書第 200 頁。《美術叢書》第 2 册題作《古今畫鑒》。

③郭熙《林泉高致・山水訓》,同上書第 64 頁。

④《宗教藝術論》第 116 頁。

⑤應避免一種誤解,即認爲衹有隱士們纔作山水畫,山水畫不能表現其他意趣(例如對大好河山的贊美)。這顯然是不符合事實的,尤其不符合當代現實。但就山水畫(而不是一般的風景畫)的形成和在宋元時代臻于鼎盛而言,道家隱逸思想和道釋二教無疑起過促進作用。重要的是山水畫中的意趣是什麽,在什麽時代起過什麽樣的作用。

⑥鄭午昌編著的《中國畫學全史》和俞劍華、潘天壽、王伯敏等分别著《中國繪畫史》,都不同程度地述及道教對中國畫的影響。但他們畢竟是在叙述中國畫史,而不是討論道教與中國畫的關係。至于論著,可以舉出徐復觀的《中國藝術精神》(該書大部分篇幅論中國畫)、伍蠡甫的《中國畫論研究》以及温肇桐的《顧愷之"以形寫神"論的思想淵源和他的藝術實踐》、王遜的《荆浩的〈筆法記〉》等文。這些論著大多注意到老莊思想對中國畫的影響,而道教與中國畫的關係似涉及不多。

一

道教與中國畫的關係最引人注目的方面，是直接以道教神仙、人物、神話、故事和修煉等爲題材的道畫。它起源于先秦秦漢以神仙傳説和養生氣功爲內容的繪畫。戰國時代的繪畫遺迹，以長沙楚墓出土的“御龍”、“夔龍”(題目有爭議，一説是“龍鳳”)帛畫爲代表。這兩幅畫表現升仙的主題，爲漢畫之濫觴。升仙的題材盛于漢代。例如，洛陽邙山西漢卜千秋墓升仙圖，描繪墓主夫婦在仙人的送迎下乘風升仙的情景。長沙馬王堆漢墓非衣帛畫，上部繪日月星辰、雙龍、扶桑樹等，日中金烏，月中靈蟾玉兔，表達乘龍升天的神仙信仰；中部繪人間生活，墓主人軑侯夫人迎接賓客，後立侍從，流露出對現世福祿壽的眷戀情緒；下部繪地下，有力士頂承其下，體現對陰鬼的鎮劾。這種天、人、地三段式宇宙及透露出來的好惡觀念，跟早期道教的宇宙模式（如《太平經》）和仙道思想（如《抱朴子內篇》）十分吻合。馬王堆墓還出土了有關養生之道的導引圖，實爲道教修煉圖之先聲。四靈（青龍、白虎、朱雀、玄武)、西王母、扶桑樹等是漢畫中常見之物。此外，還出現了孔子見老子畫像①。秦漢間具有巫文化色彩的神仙方士對于神仙畫的廣泛流行起着推波助瀾的作用。《史記・封禪書》記載説漢武帝時，“齊人少翁以鬼神方見上”，武帝因其言，“迺作畫雲氣車，及各以勝日駕車辟惡鬼。又作甘泉宮，中爲臺室，畫天地泰一諸鬼神，而置祭具以致天神。”道教繼承中國古代的某些巫術，而關于巫術和宗教之區別，馬林諾夫斯基提出：“我們底定義説，在神聖領域以內，巫術是實用的技術，所有的動作衹是達到目的的手段；宗教則是包括一套行爲本身便是目的的行爲，此外別無目的……咒、

①參見陳垣編纂、陳智超、曾慶瑛校補的《道家金石略》，文物出版社 1988 年版第 7 頁。

儀式、術士底遵守一切條件,更永遠是巫術底三位一體。"①巫術的目的乃是外在的現世的目的,因此道教兼有宗教(這是主要的)和巫術的因素,這使得它在高揚超凡出塵精神的同時仍保留着現世主義的品格。正如常任俠先生所指出的那樣,漢代統治者所崇信的是道教(實指方仙道和繼起的黃老道)、巫術和原始的神話傳說,漢畫中常有的四靈和饕餮係"保護死者的神物","取以厭勝辟邪"②。凡此種種,證明道畫乃直承漢代以神仙、巫術爲主題的繪畫。

六朝隋唐之間,道畫盛行于世,大約可分爲(1)天尊、神靈、仙人、高道畫像;(2)神話故事圖;(3)修煉秘圖三大類。前者如顧愷之的《列仙圖》、謝赫的《安期先生圖》、閻立德的《采芝太上像》、《七曜像》、閻立本的《三清像》、《延壽天尊像》、《北帝像》、《十二真君像》、《紫微北極大帝像》、吳道子的《天尊像》、《太陽帝君像》、孫位的《説法太上像》、《天地水三官像》、張素卿的《容成》諸真人像。道教故事圖,如顧愷之以張道陵考驗王長、趙升等弟子的故事(出自《神仙傳》)爲題材畫雲臺山(顧氏有《畫雲臺山記》述之甚詳)和作《黄初平牧羊圖》、《初羊叱石圖》等,此類作品多根據道經,故在唐代一如佛教以某某"經變"命名。第三類如《五星圖》、《紫微二十四化圖》、《驗丹圖》等,內容比較複雜,尤其值得注意。《歷代名畫記》卷三記述唐代以前秘畫珍圖,其中有不少是道教故事和修煉秘圖。例如《黄帝升龍圖》出自《列仙傳》,《白澤圖》出自《抱朴子內篇》;《五嶽真形圖》、《老子黄庭經圖》本是道書秘圖。還有一部分漢代讖緯圖和歷代方術圖(如《六甲遁形圖》、《遁甲開山圖》、《五星八卦二十八宿圖》、《十二星宮圖》、《日月交會九道圖》、《八卦八風十二時二十八宿音律圖》等)與道教關係密切。

---

①《巫術、科學、宗教與神話》,中國民間文藝出版社 1986 年版第 75 頁。巫術是一種准宗教現象。目前有"巫教"的提法,容易給人造成巫術即宗教的錯覺。特于此處附帶指出。

②常任俠《中國古典藝術》,上海出版公司 1954 年版第 51 頁。

唐代以前道畫以壁畫爲主,與道教雕塑異曲同工,共同起着宣傳道教信仰的效果。也有卷軸畫,如《歷代名畫記》卷三提到長安太清宫"殿内絹(卷軸絹畫)上寫《玄元真》是吴(道子筆)"①。唐代上都長安太清宫、龍興觀、玄真觀、萬安觀、開元觀、咸宜觀、玄都觀,東都洛陽弘道觀、老君廟等處都有畫壁,畫者多爲丹青高手,甚至在長安佛教千福寺竟有韓幹畫的《天師真》。

五代北宋間,道畫仍然很盛②。有不少畫家工畫道釋,如著名花鳥畫大家黄筌(成都人)雖不以道釋畫名世,卻畫了許多道畫,僅《宣和畫譜》著録的就有《三清像》三、《星官像》二、《壽星像》三、《南極老人像》、《寫十真人像》、《真官像》《葛洪移居圖》二、《莊惠觀魚圖》二、《長壽仙圖》二、《升龍圖》、《醉仙圖》、《許真君拔宅成仙圖》等作品。宋代名畫流傳至今有北宋武宗元所繪《朝元仙杖圖》和另一幅大體相似的《八十七神仙卷》,還有南宋梁楷的《黄庭經神像圖卷》、《潑墨仙人》等。宋代君臣多崇道,尤其是宋徽宗既崇道又善書畫,在位時把道釋畫一門列在首位。

金元時代,全真道興起,道教信徒已轉向山水畫,它表徵着道家精神之復歸。但道畫在宗教表現和藝術質量上反而較宋畫更爲成功,人物更爲傳神,更注意運用中國畫特有的綫條表現力去塑造神韵生動的神仙羣像,氣勢也更爲宏大、壯觀。流傳下來的精品如傳爲重陽真人(實爲金元間人)所畫《吕嵒像》軸、山西芮城永樂宫壁畫和山西高平聖姑廟壁畫,可以概見這一時代的風格。

金元以後,道畫主要流傳于民間,此外明代宫廷畫家也習道畫。著名士人畫家從事道畫者已較少見,但也有畫迹,如元代趙孟頫擅長道釋畫,道畫見于著録的有《軒轅問道圖》、《老子像》等作品,現存明《正統道藏》尚刊印着他所作《玄元十子圖》;明代文徵明所畫老子像,流傳至今。

---

①張彦遠《歷代名畫記》,上海人民美術出版社 1964 年版第 60 頁。

②有一種觀點,認爲這一時期道釋畫已經衰落,看來與事實有一定出入。

有必要提起注意的是,《正流道藏》中附有許多圖式,它們本身就是道畫。道藏十二部分類法中,靈圖自成一類,但道畫實不限于此類。有些唐代以前經書,如陶弘景編《真靈位業圖》、司馬承禎編撰《上清侍帝晨桐柏真人真圖讚》和《太上靈寶洪福滅罪像名經》、《老子像名經》,原來應是以圖繪爲主的。因年代湮遠,一部分經書現僅存文字部分。總之,道畫在道經中占有很大比重,這是一件無庸置疑的事實。

道畫在藝術上有很高的價值。道釋畫曾長期居于中國畫主流地位,晉唐間偉大畫家幾乎都以此名家[①]。中國人物畫是伴隨着道釋畫的興盛而成熟的。顧愷之説畫人最難,又説"畫東王父,居然有神靈器,不似世中生人"[②]。畫神仙需要更多的藝術想象力,從這個角度來講,其難度應大于畫人。道畫着重于"以形寫神"。顧愷之《畫雲臺山記》的設計爲"畫天師瘦形而神氣遠"[③],力圖繪出他的仙風道骨。唐宋道畫造型有所不同,較丰腴;金元間人物面龐丰滿,衣紋流暢;但神氣清遠這一點則是始終未變的原則。人們總結出一套"製作楷模",提出"道像必具修真度世之範"[④],這顯然是依據道教的教義所作出的高度概括性規定。要具體掌握它非常不易,因爲不僅需要熟練的技法,而且必須對道教教義有透闢的悟解。

道畫不但在中國畫中占有重要地位,對東亞周邊國家繪畫藝術也有較大影響。朝鮮樂浪發掘的東漢永平二十年 (69) 漆盤,就有彩繪的西王母像[⑤]。高勾麗壁畫,前期已經出現了飛天、仙人、飛龍、舞鳳、日月星宿等,後期主要表現對天界的向往,既有仙人,也

①參見《宣和畫譜》卷一《道釋叙論》。
②顧愷之《畫評》,《歷代論畫名著匯編》第 5 頁。
③顧愷之《畫雲山記》,同上書第 9 頁。
④郭若虛《圖畫見聞志》卷一《叙論》,四川美術出版社 1986 年版第 32 頁。
⑤常任俠《中國古典藝術》,上海出版公司 1954 年版第 67 頁。

有女媧、伏羲、蟾蜍、三足金烏、四方神等，在它們的護衛下，墓主人飛升上天。或繪八卦，或繪煉丹，體現出墓主人向往神仙生活[①]。

二

道教對中國畫的影響主要是通過信徒畫家和具有不同程度的道教信仰或道家思想的士人畫家來實現的。唐代張彦遠説："自古善畫者，莫非衣冠貴冑、逸人高士，振妙一時，傳芳千祀，非閭閻鄙賤之所能爲也。"[②]歷史上有些文人士大夫追求個人的精神自由，不堪世俗的種種束縛，往往轉取消極避世的態度，他們或遁逸山林，或寄情書畫，從道家和道教那裏吸取精神營養[③]。趙孟頫妻管道升贈詞云："人生貴極是王侯，浮利浮名不自由。争得似，一扁舟，弄風吟月歸去休。"趙和云："渺渺烟波一葉舟，西風木落五湖秋。盟鷗鷺，傲王侯，管甚鱸魚不上鈎。"善畫的道士或信徒、隱逸之人，勢必把他們的信仰、思想和價值觀體現在繪畫作品中。如果他是高手，他的情操、風格就會連同他的畫法乃至作品爲人效仿；如果他是文人，他就可能著書立説，垂範于後世。

晉代以前，從事道畫的道教徒多不著名。即使晉以後，衆多道教造像、壁畫作者都不見于畫史。但漢晉間道士如張陵、左慈、鄭思遠等皆通圖讖、符籙之學，楊羲、許謐和許翩等皆工書，他們的書畫之名反爲道術所掩。晉代以後，上層士人信道者增多，士人中信徒畫家始見于畫史。晉代著名的有王羲之、顧愷之等。二王父子信奉張天師一系正一道。王羲之"書既爲古今冠冕，丹青亦妙"[④]。子王獻之也是書法大家，善道畫則鮮爲人知。據米芾《畫史》記

①陳兆復《高勾麗壁畫藝術初探》，《中國畫研究》第 2 期第 278—280 頁。

②張彦遠《歷代名畫記》，第 25 頁。

③中國部分士大夫的自由思想源自《莊子》，他們所追求的自由是個人的精神自由，跟近代的自由思想還是有所區别的；但比較儒家權威主義，仍屬自由思潮之一種。

④《歷代名畫記》，同前第 96 頁。

述："李公麟云：海州劉先生收王獻之畫符及神一卷，咒小字，五斗米道也。李伯時衹一見，求摹不許。"①作爲北宋繪畫高手的李公麟 (字伯時) 欲摹仿其畫，足見水平不低。至于顧愷之，更是對後世有很大影響的畫家，有人已指出其爲道教信徒。他畫道教人物重視傳神，而且是中國山水畫的最初嘗試者之一。此外，晉明帝司馬紹兼信道佛，善書畫，作品有《東王父西王母圖》、《穆王宴瑶池圖》、《瀛洲神圖》。嵇康酷好道家，又常修養生服食之事，曾從道士孫登遊。"能屬詞，善鼓琴，工書畫"②，在《巢由圖》中表達了他的隱士思想。士人中謝稚畫《游仙圖》，後劉宋時蔡斌繼有此作。南朝道士中善畫的佼佼者陶弘景，"明衆藝，善書畫"。梁武帝打算徵用他爲官，他便畫了兩牛，一頭金籠頭牽之，一頭逶迤就水草，武帝知其意，便不再逼他出仕③。其以畫明志，傳爲一時佳話。

隋唐承六朝遺風，作道畫者不乏其人；同時山水畫技法漸趨成熟，隱士多好此門。一部分畫家本係信徒，如唐玄宗李隆基是著名道教徒，書畫備能。唐代道士中著名畫家則有司馬承禎、張素卿、陳若愚等。司馬承禎傳陶弘景一系上清仙法，書畫琴詞衆藝皆類于陶。張素卿爲簡州人，出家後唯畫道門尊像。乾符中修道于青城山常道觀。作有《老子過流沙圖》、《五嶽朝真圖》、《九皇圖》、《五星圖》、《老人星圖》、《二十四化真人像》、《太無先生像》、《十二仙真形》等。入五代，又受前蜀主王建命于丈人觀畫五嶽四瀆等神，造形詭怪，觀者無不恐懼。陳若愚，東蜀人。師事張素卿，專畫道像，曾在成都龍興觀作四靈像壁畫。高士中盧鴻一隱于嵩山，善畫山水樹石。鄭虔與李白、杜甫爲詩酒友，其詩、書、畫并稱"三絶"。劉商工山水，傳説他後得道。會稽張志和性高邁不拘檢，自稱"烟波釣徒"。著《玄真子》10 卷。書畫皆狂逸，唐人朱景玄把他和王墨

---

①《歷代論畫名著匯編》第 109 頁。
②《歷代名畫記》，同前版第 122 頁。
③同前，第 150 頁。陶作此畫，顯然是直接受了《莊子》影響。

(一作默,即王洽)、李靈省同列逸品,評説"此三人非畫之本法","蓋前古未之有也"[①]。孫位亦會稽人,唐末僖宗時自京入蜀,號"會稽山人"。疏野曠達,與道士釋僧常往來。善畫道釋。現僅見《高逸圖》一件,畫法上繼承顧愷之,用綫細勁,并着重眼神刻劃。北宋黄休復在《益州名畫記》中評他爲逸格一人,置于最上。他如王維、吳道子等兼信佛道,這在文藝家中比較普遍。五代北宋成都人石恪畫《仙宗十友圖》,其中就有王維。王維信奉禪宗,但又追求長生不老,作有《太上像》、《四皓圖》,其情操、風範和藝術成就更近于道家隱士 (禪宗跟道家本有相通處[②])。

五代道士則有厲歸真、孫晟、李壽儀等善畫。厲歸真善畫牛、虎,兼工鷙禽、雀竹。南昌信果觀塑像每苦于雀鴿糞穢,他便畫一鷂于壁間,從此雀鴿不敢棲止。梁太祖曾召問:"君有何道理?"他答道:"衣單愛酒,以酒禦寒,用畫償酒,此外無能。"[③]《宣和畫譜》作者評論説:"此與'除睡人間總不知'之意何異? 真寓之于畫耳。"[④]孫晟 (一作成) 好學工詩,《仙鑒》稱其以詩爲讖。馬令《南唐書》、周密《齊東野語》并記其修道于廬山簡寂宫,曾畫賈島像置于屋壁,晨夕禮事,被其他道士視爲妖。因爲道士衹能禮拜道像,甚至以此殉葬,如南唐北宋道士沈庭瑞死前命其徒以《度人經》、土星畫像一軸爲殉[⑤]。李壽儀,邛州依政人。在本縣有德觀爲道士,齋醮之外,專精畫業,人稱"李水墨"。多畫道門尊像,往來青城山丈人觀,學張素卿筆法,神彩氣韵,超邁時流。此外,後梁山水大家荆浩隱太行山洪谷,自號"洪谷子",著《山水訣》、《筆法記》。有人推測他可能爲道士。但據《五代名畫補遺》記述,本業儒,遇五代多

①朱景玄《唐朝名畫録》,四川美術出版社 1985 年第 35 頁。

②學術界有一種觀點,認爲禪宗是道家化的佛教。從禪宗摒絶言説、崇揚直悟等特徵來看,這是有根據的。

③郭若虚《圖畫見聞志》,四川美術出版社 1986 年版第 109 頁。

④《宣和畫譜》卷十四,同前版第 231 頁。

⑤《華蓋山浮丘、王、郭三真君事實》卷五。

故,遂退隱不仕。從他的思想特徵來看,乃是一位受道釋影響的隱士。相傳五代北宋道士陳摶曾畫《無極圖》于華山石壁。陳摶是否善畫,尚待深考,但其能書,則有存世"開張天岸馬,奇逸人中龍"對聯墨迹可證。

宋元時期是道教徒對中國畫作出卓著貢獻的最爲輝煌的時期,道士、信徒畫家更多見于著述,其影響也更大。南宋趙希鵠説:"古人遠矣,……故言山水則當以李成、范寬,花果則趙昌、王友,花竹翎毛則徐熙、黃筌、崔順之,馬則韓幹、伯時,牛則厲(歸真)、范(不泯)二道士,仙佛則孫太古,神怪則石恪,貓犬則何尊師,周炤,得此數家,已得奇妙……"① 其中所言有個别人物屬唐五代(如韓幹、徐熙、黃筌),大多爲宋人。提到道教徒就近一半,但仍有漏略,如劉道士的山水,郭忠恕的屋木,李得柔的神仙,都是一流水平。至于元季四大家多崇信道教,他們對明清影響極大,尤其是倪、黃二家幾乎籠罩明清畫壇,以至于"家家倪黃"。僅限于宋金間而言,鄭午昌《中國畫學全史》就列舉了道士牛戩之寒雉、野鴨,李懷仁之龍,李思聰之山水,羅勝先之雨餘蝃蝀,金王壽(此沿前代畫史之訛,應爲王嘉)之人物,轂道士之仕女,左幼山之山水人物,尹可元、武道光之竹石花鳥,許龍湫、楊世昌之山水,吕拙之屋木,王顯道之羅漢(《畫繼》卷五祇記其"專心畫龍,格制雄壯"),徐知常之神仙,徐泰定之水墨山水,楊大明之龜蛇,皆有名于時。當然不止這些,還有趙雲子、湯子升、李八師、三朵花(不詳其姓名)、程若筠、蕭太虚、甘風子、田白、林靈素、葛長庚(即白玉蟾)、丁野堂、歐陽楚翁、魏道士、紫微劉尊師、危道人、朱大洞等善畫。其中尤著名者:

劉道士,江南人,與僧巨然同師董源,爲江南山水畫派鼎足而

①趙希鵠《洞天清禄集》,載《美術叢書》,江蘇古籍出版社 1986 年版第 1 册第 559 頁。

三的人物[1]。米芾説巨然畫僧在主位，劉畫道士在主位，以此爲别。現僅見一幅據認爲是他作的《湖山清曉圖》[2]。

孫知微字太古，眉陽彭山人。精黄老學，“清淨寡慾，飄飄然真神仙中人”[3]。善道釋畫，劉道醇稱“蜀中寺觀，多有其親筆。畫釋老事迹，則不茹葷食，在于山墅，經時方成”[4]。

何尊師，閬中 (一説江南人，或説不知何處人)。善畫貓，罕見其匹。《宣和畫譜》記其龍德中居衡嶽，常往來于蒼梧、五嶺，僅百餘年，人嘗見之，顔貌不改。今有《葵石戲貓圖》存世。

徐知常和李得柔皆徽宗時名道。徐任左街道録，繼爲沖虚大夫、蘂珠殿侍晨。李爲紫虚大夫、凝神校籍，後亦任侍晨。二人皆擅畫神仙事迹，康有爲《萬木草堂藏畫目》尚著録他本人所藏徐知常《仙女采藥圖》絹本掛軸。

徽宗趙佶善畫，“藝極于神”。在位時不僅集古今名人畫 1500 件，成《宣和睿覽集》，而且自己也作畫，擅長花鳥。其畫山水受唐宗室李思訓父子青緑金碧一路影響，儼然“閬風羣玉”、“天漢銀潢”、“仙人樓居”，“至于祥光瑞氣，浮動于縹緲空明之間，使覽之者欲跨汗漫、登蓬瀛”[5]。有設色《仙山樓觀圖》等作品。又好畫祥瑞之物，集成《宣和睿覽册》“至纍千册”。建五嶽觀，大集天下名手作畫；“寶籙宫成，繪事皆出畫院”，時時臨幸，稍不如意，即命重畫。其時風氣所被，道士多能畫，如著名道士林靈素善墨竹，太乙宫道士程若筠善畫古木。

南宋則葛長庚 (白玉蟾) 善草書 (今有行書《題仙廬峰六咏》存

---

①郭若虚亦記一劉道士，係建康人，工畫道釋鬼神，江南寺觀時見其迹。不知和工山水的劉道士是否一人。《畫繼》卷八《銘心絶品》著録江南道士劉貞白《梅雀圖》，卷九又提到“劉貞白松石”。疑即畫山水的江南劉道士。

②見謝稚柳《鑒餘雜稿》。

③《宣和畫譜》卷四，同前版第 80 頁。

④《聖朝名畫評》卷一，臺灣商務印書館影印文淵閣《四庫全書》第 812 册第 454 頁。

⑤《畫繼》卷一《聖藝》，臺灣商務印書館影印文淵閣《四庫全書》第 813 册第 505 頁以下。

世),畫竹石,曾繪張伯端、薛道光和自己像。他的畫多配有詩歌、文詞,借以發揮他的道教思想,詩、書、畫、道相得益彰,兼有文人和道士意趣。《自讚》稱用"水墨寫霜縑",以表現自己"本來真面目"①。

金王嚞(重陽真人)是全真道教主,度馬丹陽夫婦之日,曾畫點骷髏、天堂二圖和自得真圖,用對比的形象手法宣揚宗教。又作《松鶴圖》和《史宗密真人像》。

丁野堂住廬山清虛觀,善畫梅竹。宋理宗召問:"卿所畫者,恐非宮梅。"答云:"臣所見者,江路野梅耳。"遂號"野堂"②。他所畫野梅表現出跟官方院派畫家的宮梅迥然不同的道家情趣。

宋末元初鄭思肖係道教徒,《正統道藏》收載他所編撰的《太極祭煉內法》。工寫墨蘭,題云:"純是君子,絕無小人。"③是他高尚情操的真實寫照。有《墨蘭》等存世。

元代道士畫家當首推黄公望。黄公望字子久,號"一峰"、"大癡道人",常熟人。本姓陸,繼永嘉黄氏。後入全真道,開三教堂。《正統道藏》收入他所傳道書數種。善畫山水,師董源,晚年變法,自成一家。爲元季四大家之首。其畫論主張"去邪、甜、俗、賴"④。四大家中雲林子倪瓚亦信道,預覺世亂,散家財,"黄冠野服,浮游湖山間"⑤。其畫以天真幽淡爲宗,最爲簡逸高雅,深得道家意趣。餘如吳鎮、王蒙,亦受道教影響。四家中除王畫繁複之外,都有簡淡、生拙之一面。

此外,道士張雨、方從義亦負盛名。張雨一名天雨,字伯雨,教內名嗣真,號"貞居子",自稱"句曲外史",吳郡海昌人。曾爲茅山

①《修真十書上清集》卷四十三。
②夏文彥《圖繪寶鑒》卷四,北京中國書店影印世界書局 1932 年版第 60 頁。
③同上書,第 78 頁。
④《歷代論畫名著匯編》,第 165 頁。
⑤拙逸老人周南老《元處士雲林先生墓志銘》,見倪瓚《清閟閣全集》卷十一,臺灣商務印書館影印文淵閣《四庫全書》第 1220 册第 324 頁。

崇壽觀主。長于道教著述。詩詞書畫并絶,而畫頗得山川靈氣。方從義字無隅,號"方壺"等,貴溪人。居上清宫。畫山水極瀟灑,潑墨無塵俗氣。惲南田評論説:"方方壺蟬蜕世外,故其筆多詭岸而潔清","離披點畫,涉趣不窮,天下繪事家見之,茫然錯愕不能解"①。今存《神獄瓊林圖》等可見其蒼郁畫風。其餘天師張與材、張嗣成、張嗣德、趙元靖、吴霞所、丁清溪、王景升、蕭月潭、上正真、徐太虚、張彦輔、盧益修、宋汝志等,或專工一技,或兼能數門。這時期士大夫多兼信道佛,故其畫風深受時代熏陶,如趙孟頫畫頗有道家高古之意(如《鵲華秋色圖卷》等)。

自宋元之後,道教徒已不專習道畫,而多寫山水及四君子,或專工其他。元代道士畫風疏野蕭散,氣格超逸簡淡,尤能體現道教情趣。

明清道士畫家仍然不少②,但水平高邁、富于創造性者已不及宋元之盛。較有名如冷謙(元明間人)、彭元沖、沈明遠、張復、沈乾定、劉本銘、鄭濂、樊鎮、趙蓮、實珍、徐國祥、陳士英等。天師張宇初兼工蘭竹。個别佼佼者,如八大山人朱耷,譜名朱統鍌,係明宗室。初爲僧,後爲道士,于南昌建青云譜道院。亡國之痛,個人的悲慘遭遇,一寄于畫。所畫花鳥,遺世獨立,筆簡意冷,耐人尋味。傳山入清後受道法,號"朱衣道人"。山水以骨勝,一如其在書法上的"寧醜勿媚"主張。此外,明清間人張風字大風,號"升州道士"。性極幽僻,多寓道院僧寺。周亮工記"大風學道學佛三十年,不茹葷血"③。畫無師承,深入元人堂奥。晚年畫風縱逸,秦祖永評論他"真翰墨中散仙也"④。現代畫家張大千對之十分傾慕,曾以其字號堂

①惲正叔《南田論畫》,《歷代論畫名著匯編》,文物出版社 1982 年版第 338 頁、343 頁。

②例如,據《中國畫學全史》統計,明代能畫者凡 1300 人左右,其中道釋占 1/10。可見人數仍不少。

③周亮工《印人傳》卷二,載《篆學叢書》上册,北京中國書店 1983 年影印本。

④秦祖永《桐蔭論畫》卷首《書畫大家》,《藝林名著叢刊》第 6 頁。

名"大風堂"。江上外史笪重光晚居茅山修道,有"郁風掃葉道人"諸號。工書畫,著有《書筏》、《畫筌》。在一地著名者則如清嘉慶間梁溪女冠王韵香,自號"清微道人"。擅畫蘭,著《畫竹法》。

明清繪畫承元人遺緒,文人畫大盛于世。許多文人畫家雖不能説是虔誠的道教徒,但深受道教影響。這種影響在近代因外來文化和商品經濟的衝擊而漸次式微,然而其文化意蘊并不隨時間的流逝而消失,因爲它本質上是一種藝術的精神,而藝術的精神將永存,更何況這種精神已融入傳統中國畫理論之中。

三

中國傳統文化以儒、佛、道三教并立爲顯著特徵①。姑且不説佛教。儒家思想在傳統畫論中的表現主要限于提倡"雅"、"中和"與"教化"三點,對此道教徒也可認同;而道教(包含道家)對中國畫理論的影響則是多方面的②。道教思想對中國畫論的影響主要表現在以下幾大方面:

1. 生機

中國畫首重"氣韻生動",追求內在的精神,氣韻之間,以氣爲主。"氣韻"有時是分别而言(如筆成氣,墨成韵),有時就是"氣"的同義詞。清唐岱論氣韻,認爲是"天地間之真氣"③。元楊維楨説,"氣韻生動"即是"傳神"④。關于"氣韻"説問題,下文還將論及。"氣"在不同場合下有不同含義,很難準確定義,大體説來就是董其昌所謂"生機",姑名之曰"生命能"。

①這裏所説"儒"、"道"包括:傳統祭祀宗教和儒家爲一家,道家和道教爲另一家。牟鍾鑒先生已提出這一觀點。

②道教跟道家既有區别又有繼承關係,前者以後者思想作爲立教基礎,因此歷史上稱道教爲"道家",把它視爲道家精神財富的繼承者,也是有一定根據的。

③唐岱《繪事發微》,《歷代論畫名著匯編》第419頁。

④楊維楨論畫,載同上書第207頁。謝赫最早提出"氣韻生動"時,主要是針對人物畫而言,後纔擴大至一般繪畫。"傳神"似較合乎原義。

道教認爲,氣乃是構成生命的要素,氣能生神、生明。《太平經聖君秘旨》説:"夫人生本混沌之氣,氣生精,精生神,神生明。"①道教以長生成仙爲旨趣,故重視養氣、養神,内丹家尤注重先天元炁、元神。而畫論中的"氣"、"神"首先講的是畫家精神氣質的表現或流露,因爲畫中氣、神自不能脱離人之氣、神。在這一方面,文人畫家偏重天賦之氣,認爲這不是刻意所能做到的。北宋郭若虚説:"骨法以下五者可學,如其氣韻,必在生知,固不可以巧密得,復不可以歲月到,默契神會,不知然而然也。"②明董其昌也説:"畫有六法,若其氣韻,必在生知,轉工轉遠。"③所謂"生知",是指自然禀賦的能力,而不是指經驗内容或作畫技巧。這含有假設先天之氣的意味。

《老子》説:"死而不亡者壽。""谷神不死"。認爲實的有形之物終不免于一死,但其中有人所看不到的虚的東西會留下影響,就好比人行走的道路,"道沖而用之有弗盈",道虚通則氣流暢,纔會有生機。《莊子》主張免形棄世,壹性養氣,《刻意篇》專論"養神之道",反對刻意爲之。道教繼承道家學説,同樣强調順乎自然的養氣、養神之道。

古代畫論中已經注意到繪畫與養生的關係,并且模糊地意識到氣韻即生機對于養生的作用。北宋韓拙已指出,"前人"作畫"爲己","用此以爲銷日養神之術"④。後董其昌説:"畫之道,所謂'宇宙在乎手'者,眼前無非生機,故其人往往多壽。至如刻畫細謹,爲造物役者,乃能損壽,蓋無生機也。"⑤他繼以黄公望、沈周、文徵明

①《太平經合校》,中華書局 1960 年版第 739 頁。

②《圖畫見聞志》卷一《叙論·論氣韻非師》,第 49 頁。

③《畫禪室隨筆·畫訣》,同前版第 35 頁。但董又説:"畫家六法,氣韻生動。氣韻不可學,此生而知之,自有天授。然亦有學得處:讀萬卷書,行萬里路,……"還是承認有後天學得處,并非完全取决于先天禀賦。關于畫家六法,參謝赫《古畫品録》序。

④韓拙《山水純全集》,同前引第 146 頁。

⑤《畫禪室隨筆·畫源》,第 47 頁。

皆大耋，仇英短命，趙孟頫祇活了六十餘歲爲例説："仇與趙雖品格不同，皆習者之流，非以畫爲寄，以畫爲樂者也。寄樂于畫，自黄公望始開此門庭耳。"①在《仿大癡山水》題記中又説："大癡九十而童顔，米友仁八十餘，神明不衰，蓋畫中烟雲供養也。"②

此處貶抑趙孟頫未必允當，但特別提到全真道士黄公望跟"習者之流"不同，是董氏極有眼力之處。"宇宙在乎手"出自道教《陰符經》。董氏以"禪"名其畫室，但在理論和實踐上均頗得道家意趣③。確如他所説，崇尚氣韻的畫家多長壽（古今皆有不少例證，畫家平均壽命高于普通人）。誠然，長壽取决于各種因素，并不限于畫一道，但作畫尚自然氣韻，使氣神暢茂，對于調節人的生命機制是有裨益的（近來有人提倡氣功作畫，這很值得深入研究）。

2. 自然、天真

文人畫家注重天賦之氣，就包含着強調無意識的自發性、反對有意造作的意思。而這種觀點恰好是道家和道教的觀點。道教以清静自然、返樸歸真爲其教義，這一教義源自老莊。《老子》固以返樸歸淳爲旨趣，《莊子》亦倡"復其初"④，所説"真人"的特徵是"不以心損道，不以人助天"。在道教理論和實踐中，注重"自然"、"天真"也包含着擺脱世俗見解、規則和利名的意思，同時還具有發掘人的生命潛能的積極意義。

中國畫論中同樣強調自然、天真。張彦遠把"自然"定爲上品之上，并説："夫運思揮毫，自以爲畫，則愈失于畫矣；運思揮毫，

①《畫禪室隨筆・畫源》，第47頁。

②《雜言上》，第72頁。按有一字異，此據墨迹改。

③董其昌曾自述游閩中遇異人談攝生奇訣，在讀《黄庭内篇》夜觀五藏神。又説："長生必可學，第不能遇至人授真訣。即得訣未必能守之終身，予初信此道，已讀禪家書有悟入，遂不復留情。有詩曰：'未死先教死一場。'非七真不解此語也。"（見《畫禪室隨筆・記事》、《雜言上》）"七真"即全真道北七真。可見他所受的影響是復歸于道家的近乎禪宗的全真道。

④《莊子・繕性》、《大宗師》。《秋水篇》還具體解釋説："牛馬四足，是謂天；落馬首，穿牛鼻，是謂人。故曰無以人滅天，無以故滅命，無以得殉名。""故"是有意造作的意思，"命"則意謂自然稟賦。

意不在于畫,故得之于畫矣。"[①]在這一方面,文人畫家深得個中三昧,多有經驗之談。例如清人笪重光説,作畫"偶爾天成,加以人工而或損"[②]。戴熙也説:"有意于畫,筆墨每去尋畫;無意于畫,畫自來尋筆墨。蓋有意不如無意之妙耳。"[③]米芾極爲推崇董源一路畫法,也正在于"董源平淡天真,唐無此品","巨然……布景得天真。……老年平淡趣高"[④]。湯垕論品賞名畫,指出高人勝士的畫跟一般畫家的畫不同,若觀高人勝士之畫,須"先觀天真,次觀意趣"[⑤],正是注意到了他們作畫的特點。

宋元以後,文人畫家多主張遺去機巧,這不僅是就作畫而言,而且還意味着要求畫家釜底抽薪,從人品修養上擺脱世俗名利等種種束縛。清初畫家石濤就説:"人爲物蔽,則與塵交;人爲物使,則心受勞。勞心于刻畫而自毁,蔽塵于筆墨而自拘。此局隘人也,但損無益,終不快其心也。"[⑥]清人盛大士認爲:"米(芾)之顛,倪(瓚)之迂,黄(公望)之癡,此畫家之真性情也。凡人多熟一分世故,即多生一分機智;多一分機智,即少卻一分高雅。故顛而迂且癡者,其性情于畫最近;利名心急者,其畫必不工,雖工必不能雅也。"[⑦]顛、癡、迂,這樣的人格在道教仙傳和高道傳中不乏其例,正是道教所高揚的"天真"、"真人"的人格。在古代畫論中常常發現這樣一種觀點,即認爲畫品有賴于人品,畫的品味不但是技巧發揮的結晶,而且更重要的是人的精神氣質的表現。因此畫論中崇尚自然、天真,乃是道教理想人格觀點的直接體現。

此外,文人畫家追求"神似"、"古意"、"簡率"、"生拙"、"逸氣",力斥"作家匠氣",皆與崇尚天真有關。例如上述湯垕在論品

①《歷代名畫記》卷二,第35頁。
②笪重光《畫筌》,《歷代論畫名著匯編》同前版第306頁。
③戴熙《賜硯齋題畫偶録》,同書第573頁。
④米芾《畫史》,第103頁。
⑤湯垕《畫鑒》,第201頁。
⑥《苦瓜和尚畫語録·遠塵章第十五》。
⑦《溪山卧游録》卷二,《美術叢書》同前版第2册第1336頁。

賞高人勝士之畫"先觀天真"時,特別提到他們作畫無非"游戲翰墨","寄興寫意","愼不可以形似求之"。趙孟頫提倡"作畫貴有古意",對工細、濃艷的畫風深致不滿,并說:"吾所作畫,似乎簡率,然識者知其近古,故以爲佳。"①明人顧凝遠解釋"生拙"二字時說:"生則無莽氣,故文,所謂文人之筆也;拙則無作氣,故雅,所謂雅人深致也。"②宋以後,畫尚逸品,逸是自然的流露。倪瓚有兩句名言常爲人引證:"僕之所謂畫者,不過逸筆草草,不求形似,聊以自娛耳。""余之竹聊以寫胸中逸氣耳。"③黃公望題倪瓚《春林遠岫》詩可爲一解:

春林遠岫雲林畫,
意態蕭然物外情。

"逸",不僅是他的藝術風格,而且是他那道教高士生活的眞實寫照。④

3. 氣韻、形神

中國畫論崇尚氣韻。在某些場合,"氣韻"又作"神韻",或簡稱"神"。多數論者在形、神之間偏重于神似。目前有人認爲,氣韻即是作品一切表現技巧和製作構思的有機結合,獲得高度統一的具體體現。這從現代人的理解來看無疑是對的,但古人"氣韻"說的意義則并非如此清晰(以下將引據說明這一點)。還有,這種觀點尚是依據分析一綜合的模式,但綜合究竟建立在分析的基礎之上⑤。作爲欣賞者,恐怕首先直接感覺到的是作品渾沌如一的氣

①見《歷代論畫名著匯編》,第203頁。

②顧凝遠《畫引·生拙》,同上書第232頁。

③倪瓚論畫,同上書第205頁。

④歷史上道教徒的畫,除了如白玉蟾、黃公望、倪瓚那樣明顯帶有文人的道家情趣的作品之外,還有更爲疏野、質樸的一路,玆不詳述。

⑤這裏所說"分析"、"綜合"不是指分析哲學中分析命題和綜合命題,而是國內通常使用的方法論意義。有一种十分流行的觀點,即認爲中國傳統思維方式是綜合型的,有别于西方分析類型。由于同一理由,笔者實不敢苟同这一見解。大量例證表明,傳統中國人似乎更傾向于實用的直覺悟性類型的思維方式,但这也不足以概括所有中國人的傳統思維方式。

韵,其次行家才從各個方面予以分析,然後加以綜合。爲什麼古人説氣韵"不可學","祇當意會,難以言傳"?甚至沈括説"書畫之妙,當以神會,難可以形器求也"①。這聽起來簡直像悖論,因爲書畫都是有形象的②。勿寧説"氣韻"對于古人乃是一種直覺的、非分析的東西。因此我認爲,古代的"氣韻"説正是受了道家和道教反對名狀的直覺主義影響的結果③。

老子提出,道無形無名,本質上是不可言説的,然而"其中有信";要傳達信息又需要説,因此,勉強給它一個名字叫"道",又比之爲"谷神"。這裏"道"比喻虚通;"谷",山谷,亦喻虚;"神"實無所比喻,表示玄化莫測、難以名狀之義。唐代道士吳筠解釋神、氣、形的産生説:"本無神也,虚極而神自生;本無氣也,神運而氣自化;氣本無質,凝委而成形。"④道教《黄老玄示經》説:"道者不可言傳。"⑤宋陳顯微説:"可言可思皆人也,不可言不可思皆天也。"⑥遺貌取神,得意忘言,尤爲《莊》《列》所提倡。《莊子·養生主》講庖丁解牛,"以神遇而不以目視"。常爲人引用的陳去非墨梅詩:"意足不求顔色似,前身相馬九方皋。"即出自《列子·説符篇》中秦穆公令九方皋相馬的典故。

大體上,道教認爲神爲形之主宰,形爲神之居宅,形神合同則生,分離則死。後世内丹家猶言"形神俱妙"。但也有異説,認爲死屬形,神則不死。魏晉間成書的《西升經》已有此説,唐宋後尤盛。

---

①沈括《夢溪筆談》卷十七,臺灣商務印書館影印文淵閣《四庫全書》第 862 册第 798 頁。

②悖論也發生在老子所説的"道"。老子説道不可説,但他還是説了五千餘言。一個類似的例子是本世紀西方最有影響的哲學家之一維特根斯坦説確有不可説的"神秘",然而正如羅素幽默地説,他卻説出了許多 (參見《邏輯哲學論》序)。

③馬特蘭指出:"宗教活動與藝術活動一樣進人無法言喻之境,它即是發揮或首創。"(《宗教藝術論》第 75 頁) 無獨有偶,一部分現代派畫家拒絶對藝術作品作解釋,認爲藝術批評無用甚或有害。

④吳筠《玄綱論·同有無章》。

⑤《雲笈七籤》卷九十二《仙籍語論要記·衆真語録》。

⑥陳顯微《文始真經言外旨》卷一。

內丹家修煉次第：形(精)→氣→神→虛(道),以煉神返虛爲極地。總的趨勢是愈來愈注重神,甚至主張遺落形體。古人認爲"有形則有名",而神據認爲是難以名狀、祇可意會的東西,這樣就造成"形"與"神"在觀念上的對立。

道家和道教的上述觀點,尤其是道教在形神觀上的演變,在中國畫論中都有所體現。中國畫論總的趨勢也是愈來愈強調神的重要性。顧愷之在《魏晉勝流畫贊》中提出"以形寫神",是受當時道教形神合同説的影響。南朝宋宗炳説："神本亡(無)端,棲形感類;理入影迹,誠能妙寫。"主張"山水以形媚道","暢神而已"①。二者都以構形爲手段,以寫神或暢神爲目的。唐宋以後,文人士大夫更爲注重神,所謂"筆墨在境象之外,氣韻又在筆墨之外"②。朱景玄定神、妙、能、逸四品,以神爲最上,張彥遠強調意在象外説："意存筆先,畫盡意在,所以全神氣也。""今之畫,縱得形似,而氣韻不生,以氣韻求其畫,則形似在其間矣。"又説自然界"玄化亡言,神工獨運",因而提出"意在五色,則物象乖矣。夫畫特忌形貌"的觀點③。荆浩説畫有神、妙、奇、巧,神居首位,認爲"神者,亡有所爲,任運成象"④,是根本的東西。歐陽修《盤車圖詩》云："古畫畫意不畫形,梅詩咏物無隱情。忘形得意知者寡,不若見詩如見畫。"宋人袁文説："作畫形易而神難。形者其形體也,神者其神采也。凡人之形體,學畫者往往皆能,至于神采,自非胸中過人,有不能爲者。"⑤鄧椿更認爲,不僅人有神,而且物也有神,作畫祇一法,即是爲天地萬物"傳神而已"⑥。所謂"神",就是超乎形表的氣韻,也就是象外意,就是韓拙所推賞的"不測之神思,難名之妙意"⑦。關

①宗炳《畫山水序》,《歷代論畫名著匯编》第14－15頁。

②戴熙《賜硯齋題畫偶録》,同上書第574頁。

③《歷代名畫記》卷二,第37、34、23頁。

④《筆法記》,《歷代論畫名著匯编》第50頁。

⑤袁文《瓮牖閑評》卷五,臺灣商務印書館影印文淵閣《四庫全書》第852册第455頁。

⑥鄧椿《畫繼》卷九,臺灣商務印書館影印文淵閣《四庫全書》第813册第546頁。

⑦《山水純全集》,《歷代論畫名著匯编》第143頁。

于這一點,清人鄭績又説是"味外味",并指出其特徵爲"形似有形而無形","祇當意會,難以言傳,正謂此也"①。他還認爲畫中兩種病:"有形之病,淺白易見,可指而言也";"無形之病,可以意會,難以言喻也"②。現代山水大師黄賓虹談其心得體會,也説:"造化天地自然也,有形影常人可見,取之較易;造化有神有韵,此中内美,常人不可見。畫者能奪其神韵,纔是真畫。徒取形影,如案頭置盆景,非真畫也。"③

以上這些畫論均重視神,并且認爲氣韻或神難以名狀,與前引郭若虚所説"默契神會,不知然而然"同意。是中國古代畫論的主流。

4. 有無、虚實

《老子》中説:"有無相生。""有之以爲利,無之以爲用。"同時又説:"天下之物生于有,有生于無。"④有無之間,以虚無爲本。《莊子》持虚無恬淡的生活態度,説"虚則無爲而無不爲"⑤。道教既以《老子》、《莊子》爲經典,亦高揚虚無之道,《無上秘要》、《道教義樞》、《雲笈七籤》、《玄綱論》等書所載多有闡述。這對中國畫理論和實踐均有很大影響。

有無關係在中國畫中就是虚實關係。從某種意義上講,以形寫神,也正是通過畫面上的虚實關係表現出來的。因爲"神"儘管很玄妙,總要由形象的筆墨爲人體悟、意會,而筆墨是實,空白是虚,筆墨之中又有深淺、濃淡、乾濕等等虚實變化。中國畫論中很强調布局的虚實關係和空白的運用,常常引用《老子》的一句話:"知白守黑。"主張虚中有實,實中有虚;實中求虚,虚中求實;虚實

①鄭績《夢幻居畫學簡明》卷一《山水·論意》,北京中國書店 1984 年影印本。戴熙亦言:"雲林得味外味,故着筆不多,意思愈遠。"(《賜硯齋題畫偶録》)

②同上書卷一《山水·論形》。

③黄賓虹《山水畫語録》(趙志鈞選輯),載伍蠡甫主編的《山水與美學》,上海文藝出版社 1985 年版第 260 頁。

④通行本"天下之物","之"作"萬"。此據馬王堆帛書本。

⑤《莊子·庚桑楚》。

相生。

笪重光是一位道教徒,深得個中三昧。他説:“空本難圖,實景清而空景現;神無可繪,真境逼而神境生。”①清方薰説:“古人用筆,妙有虚實,所謂畫法,即在虚實之間。虚實使筆,生動有機;機趣所之,生發不窮。”②古人畫訣有“實處易,虚處難”六字秘訣。黄賓虹認爲:“減筆山水,頓有千岩萬壑之思。以少許勝多許法也。然較繁密爲尤難。”③在中國畫中常常空出紙的白地,起着調節畫面的作用,這在文人畫和南宋時期院體畫中都有不少實例。此外,文人畫家非常重視虚和蕭散的藝術意境和意在象外的藝術效果,都是崇尚虚無的表現。

5. 尚簡,以一治萬

道家和道教均尚簡樸,認爲萬物得一,一生于虚同之道。《老子》説:“道生一,一生二,二生三,三生萬物。”《黄帝四經・道原》闡釋説:“恆先之初,迵同太虚。虚同爲一,恆一而止。……古無有刑(形),大迵無名。……一者其號也,虚其舍也,無爲其素也,和其用也。”此“迵”即“通”,亦即《莊子》所説“道通爲一”④。道教經中也常見用“通”形容或解釋“道”。《黄帝四經・十六經》又説:“一者道其本也。”因而提出“正一”(《正亂》)、“守一”(《三禁》)的主張。《莊子》也説“通天下一氣耳”,“聖人故貴一”⑤。這些思想完全爲道教所承襲,道經中幾乎異口同聲地説“一”是道的根本,故當“守一”。正一道之名,亦取義于“道正一元”。所謂“一”,意爲原初的、最簡樸的同一。道教“守一”雖有多種意謂,但尚簡一義則是基本的旨趣。

這種思想在中國畫論中便體現爲尚簡和“以一治萬”的觀點。

---

①笪重光《畫筌》,《歷代論畫名著匯编》第310頁。
②方薰《山静居論畫》,同上書第584頁。
③黄賓虹《山水畫語録》,同前引第266頁。
④《莊子・齊物論》。
⑤《莊子・知北遊》。

韓拙説,“用筆有簡易而意全者”①。其説可以梁楷的簡筆畫、倪瓚的簡逸、八大的簡括、弘仁的簡静、程邃等人的簡古等等繪畫實踐爲證。董其昌拒斥刻畫繁細的畫風,認爲既傷天趣,也會損壽。石濤則系統地提出“一畫”説和“以一治萬,以萬治一”的理論,他的這套理論完全建立在道家宇宙觀的基礎上。

他在《苦瓜和尚畫語録・一畫章第一》開篇即説:“太古無法,太樸不散。太樸一散而法立。法于何立?立于一畫。一畫者,衆有之本,萬象之根。……立一畫之法者,蓋以無法生有法,以有法貫衆法也。……一畫之法立而萬物著矣。故曰吾道一以貫之。”②這跟《老子》宇宙生成觀同構,且與《黄帝四經》“道生法”思想相似。又説:“一畫者,字畫先有之根本也;字畫者,一畫後天之經權也。”③“辟混沌者,舍一畫而誰耶?畫于山則靈之,畫于水則動之,畫于林則生之,畫于人則逸之。”④這實際上是《老子》“天得一以清,地得一以寧,神得一以靈,谷得一以盈,侯王得一以爲天下正”在畫論中的另一種説法。

6. 尚静,以柔勝剛

道教作爲繼承道家思想的宗教,以清静柔弱爲宗。全真道士馬珏曾説:“夫道以無心爲體,忘言爲用,柔弱爲本,清淨爲基。”⑤這是對道教教義的概括説明。《太上老君清静心經》説:“夫道,一清一濁,一静一動,清静爲本,濁動爲末。……清者濁之源,静者動之基。人能清静,天下貴之。”⑥這在畫論中也有體現。

中國畫論中尚静,主要表現在三個方面。一是就繪畫的功能,認爲“學畫所以養性情,且可滌煩襟,破孤悶,釋躁心,迎静氣”,如

①《山水純全集》,同前引第142頁。
②《苦瓜和尚畫語録・一畫章》。
③同上書《兼字章》。
④同上書《絪緼章》。
⑤《甘水仙源録》卷一《全真第二代丹陽抱一無爲真人馬宗師道行碑》。
⑥《太上老君清静心經》是《太上老君説常清静妙經》的異本,其中有的文句可訂後者之訛。如後者白文本“動者静之基”實“静者動之基”之誤。

此可致長壽[1]。二是求畫格高,認爲需要人品修養,而人品修養首重清静寡慾。例如清沈宗騫説:"夫求格之高,其道有四:一曰清心地以消俗慮,二曰善讀書以明理境,三曰卻早譽以幾遠到,四曰親風雅以正體裁。"關于第一點,他又解釋説:"筆墨雖出于手,實根于心。鄙吝滿懷,安得超逸之致?矜情未釋,何來沖穆之神?郭恕先、黄子久,人皆謂其仙去,夫固不可知,而其能超乎塵埃之表,則有獨絶者。"[2]文人畫家認爲,作畫并不僅僅是以一定的技巧再現物象,而是人的精神氣質的流露。而他們又十分推崇"静穆"的書卷氣,因此要求作畫時需"氣静神凝",如對神明。古代有的畫家作畫,尤其是作道釋畫前必沐手焚香,安居静室,也是爲了造成一種肅穆的氣氛,使心境寧謐。

尚静的第三個方面是對"氣韻生動"在繪畫實踐上的領會。"氣韻生動"是相對于"板"而言,并非與静相矛盾。明唐志契指出,"氣韻生動與烟潤不同","而生動處,又非運之可代矣。生者,生生不窮,深遠難盡,動而不板,活潑迎人。要皆默會而不可名言"[3]。相反,静是氣韻之一端,笪重光認爲:"山川之氣本静,筆躁則静氣不生。"王翬、惲壽平對此解釋説:"畫至神妙處,必有静氣,蓋掃盡縱橫餘習,無斧鑿痕,方于紙墨間静氣凝結。静氣今人所不講也。畫至于静,其登峰矣乎!"[4]也就是説,畫之静氣是平素清静修養、除去縱横習氣的結果。因此和通常理解相反,中國畫論中講"氣韻生動",其更深層次是極爲推重静的。静是含蓄,是收斂,從沖和、淡遠、荒寒、清曠、幽邃、空靈等等風格中都可以體悟到中國畫的一個"静"字。文人畫家之所以力斥"縱橫氣"、"霸悍氣",也正

---

①王昱《東莊論畫》,《歷代論畫名著匯編》第400頁。

②沈宗騫《芥舟學畫編》卷二《山水·立格》。

③《志契論畫》,《歷代論畫名著匯編》第221頁。

④《畫筌》,引同前第312頁。主静不僅古人有之,今人亦有之。例如黄賓虹自題《富春山圖》:"江山本如畫,内美静中參。"自題山水册云:"意遠在能静。"主張"心神專志,虚心静氣"。

在于追求"静氣"這種氣韻上的極境。

與尚静相應,道家和道教在剛柔之間推重柔的一面。《老子》說:"人之生也柔弱","柔勝剛"。"知其雄,守其雌,爲天下溪。"《黄帝四經·經法·名理》説:"重柔者吉,重剛者威(滅)。"《十六經·雌雄節》重雌亦同此意。道教《彭祖攝生養性論》也説:"神強者長生,氣強者易滅。柔弱畏威,神強也;鼓怒騁志,氣強也。"《太上老君説常清静妙經》説:"老君曰:上士無爭,下士好爭。上德不德,下德執德。"也是尚柔的表現①。

這種以柔勝剛的主張在中國畫論中也有所反映。特別是明末莫是龍、董其昌、陳繼儒等倡爲南北宗説,推崇王維、董源、米芾、元季四大家,排斥院體派和明代浙派,其中奥秘之一就在于披麻皴和斧劈皴兩大皴法體系之異。王維(被董其昌尊爲南宗文人畫始祖)真迹不可見。從可考的畫迹來看,董源始采取較柔和的披麻皴法,此後南宗畫家多用之。米芾父子創大小米點皴,倪瓚用折帶皴,王蒙多用解索皴,一般仍將它們歸入披麻皴系統。至如荷葉皴等,也是披麻皴分支。南宋、明代院體派和浙派則以斧劈皴爲主,這也包括唐寅,衹不過他將畫法稍加柔化,且以詩入畫,故畫史將他也置于文人畫家之列。董其昌説:"畫中山水位置皴法,皆各有門庭,不可相通。"②斧劈皴剛直、外現,在董其昌等人看來易生霸悍氣;而披麻皴柔和、圓秀、內斂,正適合文人畫家的審美觀③。其實在世界美學史上,也有人(例如康德)區分"優美"和"崇高"兩大範疇,前者給人以柔、圓的感覺,後者則跟剛、直聯繫在一起。大體説來,西方繪畫并不排斥動和剛,相反較之中國卻是偏重于

①道教的尚静、尚柔主張看似與其尚陽觀念(《太平經》中已有尚陽觀點,後世內丹家尤甚)衝突,其實不然。因爲道教中的"陽"主要代表生、神的一面,而"陰"則代表死、鬼的一面。

②《畫禪室隨筆·畫訣》,同前引第35頁。

③黄賓虹在《山水畫語録》中以董源巨然爲例,特別講到"內美感人之深"。可以説這是中國文人畫主張在現代的遺響。

陽剛;而中國畫傳統(至少就古代而言)則偏重于静和陰柔等內美,這乃是道家觀念潛移默化的結果,由此而獨具特色和永恆的魅力。

論道教對宋詩的影響

詹石窗

内容提要 歷代評論家談及宋詩者頗多，但有關道教與宋詩之關係問題則少有人問津。本文從内容與形式方面探討了道教對宋詩的影響，認爲在宋詩壇中從西崑體詩人到江西派詩人，從山水詩人到政治詩人，從大詩人到小詩人都可以找到深受道教影響的典型。之所以如此，不僅是因爲傳統的慣性作用，而且還在於宋代統治者對道教的扶植以及宋詩人自身在思想情趣上與道教意識某些方面的契合。

談及宋詩，歷來褒貶不一。早在南宋時期便有人對宋詩發泄不滿情緒。嚴羽在《滄浪詩話·詩評》中謂：“唐人與本朝人詩，未論工拙，直是氣象不同。”劉克莊也刮本朝詩人的耳光，認爲宋詩是“資書以爲詩”(《韓隱居詩序》,《後村先生大全集》卷九十六)，以至後人有除了書本子外，便無詩之説。到了明代，宋詩的處境更慘。在“文必秦漢，詩必盛唐”的學術空氣中，宋詩被列入“調俗”、“味短”、令人“氣悶”的流作之中。到了清代，宋詩的命運有所好轉。此時出現了以宋琬、施閏章爲首的宗宋派，而後又出現了復興宋詩的運動，他們專學宋詩，以宋詩相標榜。承接宋詩運動的“同光體”詩人陳衍更是極力抬高宋詩的地位，以爲宋詩具有“清而有味，寒而有神，瘦而有筋力”的境界。不過，就是在這種氣候中，仍不乏貶宋詩之士。王士禎、沈德潛便是代表。直至今日,對於宋詩的評價仍然是衆説紛紜。

且不管歷代評論家如何駡宋詩,又如何給宋詩人發獎品。有一問題倒是他們很少問津的,那便是道教對宋詩的影響問題。本文擬就這一問題略抒管見。

一

兩宋三百年間,詩人燦若羣星,詩歌數量之多令人刮目相看。在衆多的詩作當中,詩人們奏響了時代的強音:"樓船夜雪瓜洲渡,鐵馬秋風大散關"(陸游《書憤》);也吐出一股股仙風道氣。一羣羣男仙、女仙、真人、道士游歷於宋詩所描繪的大好河山之中,一座座香烟繚繞的紫雲觀、洞霄宮矗立於宋詩所展現的廣宇內。

"神之來兮風肅然,神之去兮升九天。排凌兢兮還恍惚,羽旄紛兮蕭薌熁。"①西崑體代表人物楊億在詩歌中迎神送神,而極力反對西崑體,與之格格不入的蘇舜卿、梅堯臣則"吟對疎鐘俗機盡,已疑身世屬仙曹",想象自己進入了天上仙班的行列。身爲蘇門四學士之一、開宋詩第一大派的黄庭堅,一面探索禪機,一面又接受道教的哲理。他深得"主静歸真的精髓","樂山泉之勝",自號山谷道人。開派領袖如此,後來者更不用説。陳師道"老覺山林可避人,正須麋鹿與同羣。"(《即事》)陳與義懂得"牆厚不盈咫,人間隔蓬萊"(《遊葆真池上》)之後,便御風而游。還有林敏功、林敏修、吕本中、曾幾等等,亦無一不受道教的影響。

南宋詩人楊萬里、范成大、劉克莊各自找到了屬於自己的《羅浮山》、《放鶴亭》、《靈寶道院》。感慨"人生自古誰無死,留取丹心照汗青"的愛國詩人文天祥,"病中蕭散服黄冠"②,穿起道服,

①楊億《亞獻終獻送神并奏理安之曲》,《武夷新集》卷五。
②文天祥《借道冠有賦》,《文山集》卷二。

以便“他年煉就九還丹”。另一愛國詩人汪元量,在國破家亡、悲憤沉痛之餘,也寄情山水,企羡黄冠。

其實,受道教影響最大的宋詩人應屬蘇東坡和陸游。

蘇軾歌罷“大江東去”,也吟《宿九仙山》,與葛洪、許邁同流,并唱出:“何年謝簪紱,丹砂留迅晷。”①他“七歲從道之師”,深受神仙傳説的薰陶,於是有了“上帝高居愍世頑,故留瓊館在凡間”②的“追憶”。在他的詞作裏,也留下了不少的道教影響的痕迹。《水龍吟》:“古來雲海茫茫,蓬山絳闕知何處?人間自有赤城居士,龍蟠鳳舉,清静無爲,《坐忘》遺照,八篇奇語。”他雖然對蓬萊仙境抱有疑問,卻對清静的道教修身思想頗爲贊同。不僅如此,他還曾經撰文解説道教的“扣齒握固”之術,以爲“此法特奇妙,乃知神仙長生不死非虚語也。”③對照一下這段論述便不難明白蘇軾詩歌作品何以有濃厚的道味了。

至於陸游,在早期雖然主要投身於現實鬥争之中,有着積極入世的理想與抱負,但道教影響的痕迹在詩文之中依然隨處可見。他爲道教神仙鍾離權以及錢道人作“贊”,根據道調譜式,創作《步虚》等,這説明陸游早期便留心道教活動,關注神仙之説。光宗紹熙元年(1190),陸游開始隱居山林,以後的二十年時間裏,他過着“中原百戰血塗野,此老醉眼初不知”④的生活。環境的變化,使他的詩歌也發生了變化。在這時期,他寫了許多記夢詩、幽居詩,在内容上都涉及到游山玩水、修道煉丹之事。他忽而游於山水中:“采藥鹿門山,釣魚富春渚”⑤;忽而夢從仙去,騎鶴升天:“遼海曾從仙鶴丁,百年塵土污中瓶”⑥;忽而從夢中驚醒,苦讀道書,大發感慨:“吾讀黄老書,掩卷每三嘆。正使未長生,去

①《自仙遊回至黑水見居民桃氏山亭高絶可愛復憩其上》,《東坡詩集註》卷二。
②《洞霄宫》,同上書卷三十二。
③《上張安道養生訣論》,《東坡全集》卷四十四。
④⑤《劍南詩稿》卷七十一《幽居即事》。
⑥同上書卷六十。

死亦差緩”[①];忽而又與道流相交往,“更爲乞《黄庭》”[②];忽而又闢在道室之中,“織罷化吾梭,棋終爛汝柯”[③]。此時的詩人完全陶醉於道教的玄想意趣之中,似乎自己就是一個名副其實的道人。

以上描述表明:在宋詩壇中,從西崑體詩人到江西派詩人,從山水詩人到政治詩人,從大詩人到小詩人中都可以找到深受道教思想影響的典型。

二

道教對宋詩的影響不僅表現在詩人思想情操和作品內容上,而且也表現在作品風格和藝術手法上。

宋代的詩歌,就總體而論,由於説理暢玄的成分較多,其詩味相對説來不及唐詩。不過,這并不意味着宋詩完全没有藝術想象。事實上,在那些涉及到道教的仙境或道教活動、道教踪迹的作品中,我們亦不難看出作者對於想象的廣泛運用。

陸游《步虚》云:“微風吹碧海,細細生龍鱗。半醉騎一鶴,去謁青華君。歸來天風急,吹我過緱山。鏘然哦詩聲,清曉落人間。人間仰視空浩浩,遠孫白髮塵中老。初見姬翁禮樂新,千九百年如電掃。”[④]在這首詩當中,陸游描寫自己騎鶴上天,拜訪仙人。忽被天風吹落人間,發現裔孫一個個都已白髮蒼蒼,老態龍鍾。通過對比,顯示了仙世時光的久遠和人世時光的易過。這種神妙和奇特的想象顯然與道教存想的思維方式有千絲萬縷的聯繫。在想象當中,詩人們可以讓自己一時升仙,與其他仙人并肩共游:“因

①《劍南詩稿》卷七十二《讀道書》。
②同上書卷六十八《寄隱士》。
③同上書卷八十五《道懷》。
④《劍南詩稿》卷二十。

過緱山朝帝庭,夜聞笙簫弭節聽"[1];"秋來漸有佳風月,擬與飛仙日往還[2]";"浩歌野渡驚雲起,狂舞空庭挽月留[3]"。在這裏,詩人宛然就是仙人。他們創造了安樂和平、神秘變幻的仙境,并將自己置身於其中,從而使作品産生了誘人的魅力。

如果我們進一步考察,還會發現,宋詩人的奇特想象往往與道教古老的神仙傳説交織在一起。王安石《送僧惠思歸錢塘》詩云:"渌淨堂前湖水緑,歸時正復有荷花。花前立有餘杭姥,爲道仙人憶酒家。"(《臨川文集》卷三十四)表面看來,這首詩好像衹是在摹寫渌淨堂前的自然景色,但稍加推敲即可明瞭就在那貌似寫實的文字背後正潛藏着一個撲朔迷離的神仙勝境。因爲作者在其中應用了一個道教的神仙典故。李壁注此詩時引《列仙傳》曰:王方平以千錢與餘杭姥,相問沽酒。姥送酒答云:"恐地上酒,不中尊飲耳。"這就是王安石詩中"餘杭姥"的由來。按照葛洪《神仙傳》的記載,王方平是與麻姑同降蔡經家之後纔引出餘杭姥的一段情節的。在這之前,王方平曾"召進行廚",宴席之上所列盡是天上的奇花異果,香氣飄散……。弄清了這個典故的來龍去脈之後,再返過頭讀一下王安石的詩,立即就會感到:由於神仙傳説的應用,詩歌的描寫使天上與人間聯成一片,頗有含蓄性。

不過,宋代詩人也不是單純地把筆端朝向那虚幻神秘的仙家勝境。在他們馳騁想象力以描繪色彩斑斕的神仙世界時,他們也謳歌自然,吟咏山水,從而使其作品在迷離與變幻的背景之中襯出了一層清幽與古樸的色調,而這一色調依舊與道教存在着不解之緣。試讀蘇舜卿的《宿太平宫》詩:"驅車長道久塵勞,一宿清宫醒骨毛。古檜有風天自籟,石壇多露鶴争嗥。星河耿耿秋還迴,樓觀澄澄夜更高……。"(《蘇學士集》卷六)詩人從自己的所見所

①②《芙蓉城》,《東坡詩集註》卷四。
③《劍南詩稿》卷十三《醉題》。

聞和感受出發，描寫了道人活動場所——太平宫的自然景象：微風歌吟，古檜伴奏，露濕石壇，野鶴共鳴。接着筆鋒一轉，視綫從地上引到天上：秋夜高遠，星光燦爛。在這麽一個清幽時刻，幾許疎鐘把人們帶進了既純且樸的境界……。像這樣的作品在宋代可以説是汗牛充棟的。

衆所周知，崇尚自然，以自然爲美，這本是先秦老莊道家的基本美學主張。隨着道家向道教的轉變，崇尚自然的審美情趣也爲道教中人所弘揚。唐開元間道士司馬退之《洗心》詩云："山瘦松亦勁，鶴老飛更輕。逍遥此中客，翠髮皆長生。草木多古色，鷄犬無新聲……"(《全唐詩》卷八百六十）司馬退之在此詩之中通過瘦山、勁松、老鶴以及草木、鷄犬的意象的應用和柔和古樸色彩的渲染，表現了他對大自然的熱愛。另一位盛唐時期的修道隱士許宣平也頗喜通過自然景觀的描繪來表現其修道的情感："隱居三十載，築室南山巔。静夜玩明月，清朝飲碧泉。樵人歌壠上，谷鳥戲岩前。樂矣不知老，都忘甲子年。"①這位隱居道人觀賞的是静謐夜中的明月，飲用的是碧緑清純的泉水，聆聽的是，壠上樵人的歌唱，迷戀的是石岩之前谷鳥的戲嬉。這一切都反映了他對山居生活風光的愛好，寄托了"復歸自然"的審美觀念。對照一下道士或者修道隱士的作品，再看看蘇舜卿《宿太平宫》一類的宋代詩作，就會發現後者與前者之間不僅存在着脈絡的聯結關係而且在審美情趣上也具有共同點。

從語言上看，宋詩與道教的關係也是相當密切的。由於宋代詩人在他們的作品中涉及到道教活動，描繪了神仙勝境，在造句遣詞時自然也就離不開借用道教的專有術語或常用語。試看蘇東坡《留題仙都觀》："飛符御氣朝百靈，悟道不復誦《黄庭》。龍車虎駕來下迎，去如旋風摶紫清。"(《東坡詩集註》卷二十三）這首詩

①沈汾《續仙傳》卷中。

歌幾乎全篇都是運用道教的語言進行寫作的。從脈絡結構上看，上引該詩諸句包括了三個遞進的層次。第一個層次着眼於修煉方法。我們知道，在道教的體系中，修煉的方法是十分龐雜的。各個具體道派又是有所側重的。符籙派道教以符法爲主，而丹鼎派道教則以內外丹的修煉爲主。蘇東坡詩的第一、二句即點出了仙都觀道士的特殊修煉法式，這就是"飛符"，他們力圖通過符法來調整氣的流行以感動天地神靈，至於默誦《黄庭經》的內丹法式則非其主要途徑。第二個層次着眼於修煉的效果。在仙都觀道士們的心中，符法是神通廣大的，它可以使自己得道感應上仙派下龍車虎轅下來迎接。第三個層次着眼於修煉的最高境界——這就是"摶紫清"。所謂"紫清"即指天上神仙居住之處。唐李白詩《春日行》有"深宮高樓入紫清，金作蛟龍盤繡楹"之句，其中之"紫清"就是"仙居"。而蘇東坡《留題仙都觀》中的"紫清"亦同此意。這就説明：由於脈絡結構的規範，蘇東坡此詩的用語也就富有道教化的品性。

從總的來看，宋詩對道教術語或常用語的采擷主要表現在下列幾個方面：第一，引用道教的仙名人名。如"真人"、"仙翁"、"道人"之類；第二，引用道教洞府宮觀之名。如"九仙山"、"蓬萊宮"、"紫澤觀"之類；第三，引用有關修煉術語，如"丹砂"、"藥囊"、"丹竈"、"餐霞"、"服氣"、"金丹"之類；第四，引用道教經書之名，如《黄庭》、《老子》、《莊子》、《參同》之類等等。這一類語匯成爲宋代詩人進行詩歌創作的重要因素，成爲那些描寫神仙變化和反映道教活動的作品的明顯的外在特徵。透過道教語言這一"物質外殼"，我們不僅可以看到詩人們受道教影響的深度，而且可以由此窺視到詩人們的內心世界。

三

任何關係的構成都有其特殊的原因。宋詩與道教的關係當然不會例外。作爲複雜的文化現象,宋詩之所以從內容到形式都深受道教的影響,這是有多方面的因素在起作用的。

如果要尋根究底,那麼道教對宋詩的影響問題當追溯至先秦道家、神仙家與詩歌的關係。作爲文學一大支流的中國古典詩歌在很早的時候便已出現了塑造神仙形象,描寫神仙境界的作品。如《楚辭·遠游》以及漢樂府中的《上陵》、《董逃行》都有這方面的內容,隨着道家、神仙家,逐步演變爲道教,原先與古典詩歌所存在着的特殊關係作爲一種"積澱"的形式,在新的時期中構成新的動力定型,與道教發生新的"效應"。故而,在漢代的中國古典詩歌之中,每見神仙"逍遥之游",而方外道士亦多向詩人"作揖"。魏代曹操幻想自己"至昆崙,見西王母"(《陌上桑》),渴望"仙人玉女,下來遨游"(《氣出唱》)。這種對道教神仙典故的雅好也遺傳給他的兒子曹植。在《仙人篇》中,曹植請女仙湘娥拊琴瑟,請秦女吹笙竽。在《遠游篇》中,他似乎看到了隱於金沙中的夜明珠,迫不及待地要把它發掘出來,送給仙人織女和湘妃。兩晉人張華不僅像曹家父子那樣,想象湘妃、織女引吭高歌的情景,而且希望"玄娥薦瓊石,神妃侍衣裳"(《遊仙詩》)。繼張華之後,復有陸機作《前緩聲歌》,高唱"宓妃興洛浦,王韓起太華。北征徭臺女,南要湘川娥"。王鑒作《七夕觀織女詩》,低吟"素女執瓊華,絳旗若吐電"。郭璞、庾闡也争相寫作"游仙詩",插上想象的翅膀,"玄覽"崑崙聖母之曼游,"傾聽"月宮姮娥之妙音。至南北朝,沈約作《湘夫人》、《和竟陵王游仙詩》二首,《華陽先生登樓不復下贈呈詩》;吳均作《登二妃廟詩》;王僧儒亦作《湘夫人》,劉顯作《游仙詩》。在他們的詩作裏,王公王母、姮娥、織女、湘妃反覆地出現,成爲他們借以抒發情感,表達逍遥至樂的共同對象。唐代開始,道教進入全面發展時期,神仙傳説中的種種故事傳説更爲文人們所熟悉和喜愛。於是乎,盧照鄰、王勃、李頎、王維,相繼借助詩的想象與神仙"攜手同游"。大詩人李白灌了酒後,更是飄飄然,"堯舜之事不足驚,自余囂囂直可輕。巨鰲莫載三山去,我欲蓬萊頂上行"(《懷仙歌》)。由此可見,早在五代十國以前,文人們已經廣泛地援道入詩。從歷史的角度看,宋代詩歌的"道味"乃是以往文壇中援道入詩傳統作用下的結果。

不過,必須指出,除了傳統的慣性作用之外,宋代統治者對道教的扶植,也是造成當時詩歌中道教色彩濃厚的一個重要原因。宋太祖趙匡胤,經陳橋兵變之後,南征北戰,結束了割據局面,社會相對穩定。在此情況下,道教也從戰亂中擺脱出來,重新走上正常發展的軌道,并且受到了統治者的有力支持。宋太祖一方面抓緊朝綱建設,一方面大興土木,建設宮觀,"思得有道之士居之"①。宋太宗繼位之後也學哥哥的樣子,"命有司即國之東南建太一宮,詔天下戒潔之士以居之"②。此後歷代皇帝幾乎都遵行這種扶植道教之宗旨。一時間,"尊道、學道"成爲統治者與士大夫階層的熾熱風氣,這種風氣也在社會上蔓延開來。南宋時期,雖然祇剩下半壁江山,但帝王們仍就奉行既定的崇道政策。高宗趙構南渡之後便大興土木,置觀城南,召見天師,屢加封號。此後諸帝,亦一如既往,或建宮觀,或封號、或塑全像,或賜寶器。這一切措施,無疑促進了道教的發展,擴大了道教的影響。

從作家的組成角度看,兩宋時期出現了不少隱居山林的詩人,這一部分詩人雖并不是道士,但他們往往與道士有密切的往來,對道教的掌故頗爲熟悉。因此,當他們進行創作時,平日道教的種種影響自然也就在作品中反映出來。《宋稗類鈔》卷六《隱逸》第十一載:"呂微之家,仙居萬山中,博學能詩文,而安貧樂道。"《宋稗類鈔》卷二十《詩話》稱"楊樸、魏野,皆咸平、景德間隱

---

①《宋史》卷 461。

②《歷世真仙體道通鑑》卷四十八《張契真》。

士。樸居鄭州，野居陜，皆號能詩”。江西詩派三宗之一的領袖人物陳師道以及林敏功亦爲“安貧樂道”的“高隱之士”。他們的生活都與道士接近，有相同的思想情趣，容易產生共鳴。著名隱逸詩人林逋便有與道教人物結緣之辭：“劍石苔花碧，丹池水氣紅。”①“幾獨枕肱人迹外，半窗松雪論天倪。”②由於隱士與道士有着特殊的關係，其詩歌作品打上道教的烙印也就不足爲奇了。

至於那些積極入世的詩人，雖然爲了維護封建統治，各盡其力，或變法、或進策、或從戎，有很高的政治抱負，但往往由於種種社會因素的作用，他們的才能無法得到真正施展，政治抱負不能得以實現，甚至走上十分坎坷的道路。這種人生旅途上的波折也會導致他們在思想上靠近道教。因爲道教的體系除了有維護封建統治的作用外，還有安慰人生的“鎮静功能”，失落的詩人們可以從那裏找到思想的寄托。像王安石、蘇東坡、楊萬里、陸游等詩人都有坎坷的經歷。王安石的變法，受到了以司馬光爲首的保守勢力的阻撓，導致半途而廢，他本人也不容於朝廷，謝病歸隱。而蘇東坡一生之中屢遭貶謫，直至被趕到天涯海角——海南島纔算結束。陸游的經歷更爲曲折，他兒時“萬死逃胡兵”，二十九歲考進士又因名列秦檜孫之前，觸怒秦檜而受黜。秦檜死後，陸游雖然有了露面升遷的機會，但不久又因所謂“交結臺諫，鼓吹是非，力説張浚用兵”而被“免歸”。王、蘇、陸仕途屢屢失意，其他詩人也相差無幾。梅堯臣一生窮困不得志，黄庭堅亦受遭貶，死於異地；楊萬里被罷了官；劉克莊幾起幾落，可以同陸游媲美。社會的打擊，使詩人們心灰意懶，大失所望。於是由用世轉而慕山林之美，好無爲清静之説。王安石居金陵，思想多入於佛老；東坡先生

①《宋代五十六家詩集·和靖詩集》之《洞霄宮》。
②同上書《寄太白李山人》。

大學長生之方,"聽人説鬼便欣然"①;楊萬里"退休南溪之上,老屋一區,僅庇風雨"②;陸游則背起藥囊,尋仙訪道……。經過一番周折的用世詩人們,看破了世情,走上了與其他早先的隱士合流的道路。在隱居期間,他們每參悟玄義,造幽逸之語,遣閑適之詞,抒寫仙韻,神游廣宇,從而使其作品有了"仙風道味"。

此外,道士寫詩和理學家寫詩,這也是導致宋詩總體中"仙風道味"濃厚的一個不可忽略的因素。

隨着道教活動的中興,著名道士輩出。如陳搏、林靈素、張伯端等人在當時的社會中都頗有名氣。這些道士不僅精通道義,成爲道教的骨榦力量,而且往往也會寫詩。陳搏"及長,讀經史百家之言,一見成誦,悉無遺忘,頗以詩名"③。於武當山辟穀養氣之時,他作詩八十一章,號《指玄篇》,撰《入室還丹詩》五十首,還有其他雜詩甚多。今所見《太華希夷志》尚載有陳搏《睡歌》等詩十九首。紫陽派鼻祖張伯端自幼好學,涉獵三教經書,"罄所得成律詩九九八十一首,號曰《悟真篇》,内七言四韵一十六首,以表二八之數,絶句六十四首,按《周易》諸卦,五言一首,以象太乙之奇,續録《西江月》十二首,以周歲律……"④還有張伯端的道術傳人石泰作《還源篇》八十一章,每章均"五言四句,以授晚學"⑤。石泰弟子薛道光於注解《悟真篇》之餘,作《丹髓歌》詩三十四章,薛道光弟子陳楠作《翠虚篇》詩,陳楠弟子白玉蟾作《上清集》、《武夷集》、《玉隆集》,其中亦多有詩作。第三十代天師張繼光撰有《三十代天師虚靖真君語録》七卷,除卷一之外,其餘亦皆爲詩詞之作。道士們的詩歌創作雖然在總體上看藝術性并不太高,但在張揚道

①俞樾《右臺仙館筆記・序》。
②《宋稗類抄》卷六《隱逸》。
③《宋史》卷457《隱逸傳》。
④《正統道藏》第4册第2734頁,臺灣藝文印書館縮印本。
⑤《修真十書》卷二《還源篇・自序》。

教思想,擴大道教影響方面無疑起了極大的作用。

在道士們積極進行詩歌創作時,理學家們也"揮筆疾書"。宋代理學大師周敦頤、程顥、程頤、朱熹等著書立説,把儒家學説發展到一個新的水平。就在構建體系的過程中,他們也通過種種途徑借鑒或吸取了道教的思想養分,《宋史》卷四百二十七稱周敦頤"得聖賢不傳之學,作《太極圖説》、《通書》,推明陰陽五行之理。"所謂"聖賢不傳之學"其實就是道教的"別傳《易》學"。還有二程所提出的"性即是理","氣有清濁,禀其清者爲賢,禀其濁者爲愚"①的理氣學説,同様也溶進了道教的內容。作爲理學集大成者的朱熹甚至還親自注釋道教典籍,作有《周易參同契考録》、《黄帝陰符經注》等。他還與其學生蔡元定多次討論《參同契》與道教典籍的秘義問題,足見他們對道教內容探索的積極性之高。這些號稱"於書無所不通,於文無所不能"②的理學宗師,在詩歌創作方面也不甘落後。宋人金履祥編有《濂洛風雅》六卷,集宋代三十九位理學家的詩,其中有不少作品也反映了道教的思想影響。諸如"天風拂衣袂,縹緲覺身輕"。③"仙掌遠相召,縈紆度石橋"。④其道味不可謂不濃。尤其是熟諳道教秘笈的朱熹更是直接描寫道士生活,把仙家境界的表現與個人性情的抒寫結合起來。試讀其《武夷七咏・丹竈》:"仙人推卦節,煉火守金丹。一上烟霄路,千年亦不還。"顯然,這是有感於道教煉丹舊事而發的。詩人開門見山地點出了煉丹的主持者即是道教的"仙人",詩中一個"推"字表現了煉丹者的仔細測算,一個"守"字則顯露了煉丹者持之以恆的信念。

概而言之,道士在詩中描寫自己的修道生活,隱士在詩中

①《二程遺書》卷十八。
②方回《桐江續集》卷三十二《送羅壽可詩序》。
③《濂洛風雅》卷四《同宋復古游山巔至大林寺》。
④同上書卷四《遊紫閣山》。

表達對神仙生活的向往，仕途失意的詩人們則用仙人典故來排遣煩悶和郁憂的情緒、寄托其理想追求，而理學家則通過對神仙典型的咏嘆以明天理。他們，或獨唱，或輪唱，或合唱，從而使道教的思想與傳説獲得廣泛的傳播媒介。宋詩壇也就升起一股道教齋醮和“迎送仙人”的“烟霧”。

作者簡介 詹石窗，1954年9月生，福建省同安縣人。1986年四川大學宗教學研究所碩士生畢業，現爲福建師範大學宗教文化研究所副所長、副教授。著有《道教文學史》等。

從《小山樂府》看張可久的道家道教思想

韋金滿

(甲)緒　論

道家和道教兩個術語，有聯繫又有區別。道家屬諸子的學派之一，是一種哲學的派別，如先秦的《老子》、《莊子》以及後世的《陰符經》都屬道家；至於道教，則是一種宗教。南朝梁代劉勰說："道家立法，厥品有三：上標老子，次述神仙，下襲張陵。"①北周道安亦說："一者老子無爲；二者神仙餌服；三者符籙禁厭。"②這就是說，在道教形成之後，道士把道家哲學加以宗教化。宗教化的道家哲學，便是道教體系的理論支柱。近人胡孚琛在《道教與仙學》一書中，更認爲道教是雜取中國儒、道、釋及其他學派的理論而發展起來的，它的目標是度世救人、長生成仙和合道通神③。

①見劉勰《弘明集》卷八《滅惑論》。

②見道安《廣弘明集》卷八二《教論》。

③胡孚琛在《道教與仙學》第一章說："所謂道教，是中國古代母系氏族社會自發的原始宗教，在演變過程中，融合進流傳的巫術禁忌、鬼神祭祀、民俗信仰、神話傳說和各種方技術數，以道家黃老之學爲旗幟和理論支柱，雜取儒家、墨家、陰陽家、神仙家、醫家等諸家學派的修煉理論、倫理觀念和宗教信仰成分，在度世救人、長生成仙，進而追求與道合一的總目標下，神學化、方術化爲多層次的宗教體系。它是在漢代特定的歷史條件下不斷汲取佛教的宗教形式，逐步發展而成的具有中國傳統的民衆文化特色的宗教。"

元代各宗教,以喇嘛之勢爲最盛。但元之諸帝雖崇奉喇嘛,而對於道教亦極優待。據《元史·釋老傳》所記,當時道教之四個派别是:全真教、正乙教、真大教及太一教。其中流傳最廣、影響最深的是全真教①。同時,全真道士與士人交往的情况,也甚爲普遍。道教既在元代知識分子中廣泛流傳,順理成章地與文學有着不可割切的關係,最明顯的莫過於元曲。

在中國文學史上,漢賦、唐詩、宋詞、元曲,分别代表了各個不同時代的文學特色。元曲,作爲元代文學的主體,無論思想性和藝術性,都有着很高的成就,在中國的藝術寶庫中,放射着奪目的光彩。所謂元曲,實包含兩部份:一是散曲,一是雜劇。散曲可以説是元代的新詩,雜劇是元代的歌劇②。

現在流傳下來的元人散曲作家,依照明代朱權《太和正音譜》的不完全統計,約有一百八十七人;又據近人任訥《散曲概論》的統計,可考的作家增到二百二十七人,還有若干無名氏。至於流傳下來的作品,據隋樹森《全元散曲》所輯,有小令三千八百多首,套數四百七十餘首。此外,尚有不少作家被埋没,不少作品已散佚。儘管如此,我們單就上列的數字來看,也可想見散曲在元代流行的盛況了。

在芸芸的散曲作家中,最負盛名的,首推張可久。他不作雜劇,專作散曲。胡存善將他所作的散曲編成《小山樂府》。到了明代,李開先重編爲《張小山小令》二卷,刊行於嘉靖年間。清代的胡莘皡抄本,則有《小山樂府》六卷。直至現代,先有任訥整理重編的《小山樂府》六卷,收入《散曲叢刊》裏,共得小令七百五十一首,套數七首;繼有陳乃乾輯元人小令集,録得小山小令七百四十八首;後有隋樹森編《全元散曲》,輯得張可久小令八百五十五首,套

①黄兆漢《從任風子雜劇看元雜劇與道教的關係》一文中,引《元史·釋老傳》記載的道教四派爲:正一、全真、大道、太乙。該文載於《道教與文學》一書第二十八頁,可資參考。

②語見劉大杰《中國文學發展史》第二十二章《論元代的散曲》。

數九首。作品數量，爲元代散曲作家之冠。可惜的是，近世研究張可久的散曲，或考其生平，或論其風格，甚或探其內容，絶少從他的作品來探討他的道家道教思想，猶論龍之一鱗，論豹之一斑，未能得其全面。故此，我現在試從他的作品去探討一下他的道家道教思想①。

(乙) 張可久的生平及其道家道教思想

張可久，字小山；或云名伯遠，字可久，號小山②；或云名可久，字仲遠，號小山③；或云名可久，字伯遠，號小山④。慶元 (今浙江鄞縣) 人。以路吏轉首領官⑤，又曾爲桐廬典史⑥，皆爲卑秩。小山懷才不遇⑦，浪跡江湖，遊蹤所至，湘贛皖閩江浙，並有題詠。晚年隱居杭州，吟賞尤多，當時已有《今樂府》、《吳鹽》、《蘇堤漁唱》三種散曲集盛行於世⑧。至正初，年七十餘，尚作崑山幕僚⑨，至正八年猶在世，壽當八十以上⑩。

張可久的散曲，題材廣泛得很，山水、園林、名勝、游賞、懷古、述懷、宴集、唱和、次韻、分韻、贈答、題寄、詠物、行旅……林

①本文是依據隋樹森所輯《全元散曲》爲版本。

②見蔣一葵《堯山堂外紀》。

③見《四庫全書總目提要》。

④見朱彝尊《詞綜》。

⑤見曹楝亭本《録鬼簿》卷下《張小山傳》。

⑥見錢惟善《江月松風集》之《送張小山之桐廬典史》詩。

⑦李開先《張小山小令序》云："抑鬱下僚，志不獲展。"

⑧見鍾嗣成《録鬼簿》卷下。

⑨孫楷第《元曲家考略》載李祁《雲陽集》卷四《跋賀元忠遺墨卷後》一文云："余平生宦遊，多在兩浙。元忠亦然。曩余在婺源時，浙省請預貢試。元忠適在財賦督府。歡會之情，顛倒之意，磊落豪宕，亦豈知有今日哉！卷中所書陳大卿文一篇，全述張小山詞。因記余之浙省時，領省檄督事崑山，坐驛舍中。張率數吏來謁。一見問姓名，乃知其爲小山也。時年已七十餘，匿其年數，爲崑山幕僚。遂與坐談笑。"

⑩見羅忼烈《元曲三百首箋》。

林總總。其中流露他的道家思想，表現他的道教精神的作品，約有二百多首①，幾佔全集四分之一。難怪涵虚子評云："若被太華之仙風，招蓬萊之海月。"②今試從遊賞、幽居、感興、遊仙、交遊及酬唱等六方面，探討一下張可久散曲的道家道教思想。

(一) 遊賞方面

根據小山樂府的內容，可以肯定地説，張可久一生的足跡，多在江南一帶，尤其是杭州西湖。在集中的標題上寫明《西湖》或《湖上》的，不下七八十處。此外，他往來的地方，主要是浙江的三衢、鑑湖、會稽、山陰、金華、天台、苕溪，其次是江蘇的金陵、金山、崑山、茅山、吳淞、淮安。他如安徽的徽州、黄山、采石江，湖南的長沙、洞庭湖，福建的武夷山等，也是他到過的地方。其中有很多風景秀麗的洞天福地，爲道教仙真修煉之所，例如金華山、括蒼山、卧龍山、桐柏山、爛柯洞、天台山、桃源洞、武夷山、黄山等③。遊蹤所至，可久必藉此抒發其道家道教的思想。譬如：

正宫　醉太平　金華山中④

金華洞冷。鐵笛風生。尋真何處寄閑情？小桃源暮景。數枝黄菊勾詩興。一川紅葉迷仙徑。四山白月共秋聲。詩翁醉醒。

此首寫作者路經金華山，對此小桃源之黄菊，引起詩興，表露出他羡慕陶淵明歸田的閑情。

---

①遊賞約九十二首，幽居約四十首，感興約四十首，遊仙六首，交遊約三十五首，酬唱約二十五首。合計二百三十八首。

②明朱權《太和正音譜》："張小山之詞，如瑤天笙鶴。其詞清而且麗，華而不艷，有不喫煙火食氣，真可謂不羈之材。若被太華之仙風，招蓬萊之海月，誠詞林之宗匠也，當以九方皋之眼相之。"

③道教中一百一十八個洞天福地的地名今考，由錢安靖先生在撰寫中國大百科全書《仙境》條目時查閱資料考出，見曾召南、石衍豐《道教基礎知識》，四川大學出版社一九八八年版。

④金華舊縣在今浙江金華市境內，北有金華山（又名長山或常山），山下有洞，道書稱三十六洞之一，爲道士修道之地。

正宫 醉太平 登卧龍山①

黄庭小楷。白苧新裁。一篇閑賦寫秋懷。上越王古臺。半天紅雨殘雲載。幾家漁網斜陽曬。孤村酒市野花開。長吟去來!

此首寫作者登上卧龍山,看見王羲之所寫的《黄庭經》及古樂府的《白苧曲》所産生的隱逸情懷。

雙調 清江引 桐柏山中②

松風小樓香縹緲。一曲尋仙操。秋風玉兔寒,野樹金猿嘯。白雲半天山月小。

這首寫作者遊覽桐柏山,看見桐柏山中的修道之士,遠離塵俗,一片清幽的仙境,滿懷羨慕之情。

南吕 金字經 金華洞中

竹暖鶴梳翅,樹香鹿養茸。好景神仙圖畫中。通。好山無數重。桃源洞。緑波隨落紅。

這首寫作者登臨金華洞,但見洞裏恍如"仙境"、"福地",羨慕之情,油然而生。

中吕 紅繡鞋 過括蒼山③

鴉噪巖前古廟。鶴鳴松頂危巢。南明峰下路迢遥。問清溪道士有,喜白髮故人饒。看青山今日飽。

這首乃作者路過括蒼山,觀景而作。鴉噪鶴鳴引起注意,不怕路遥,既有道士引導,又復見故人,充分流露出閒逸之情。

中吕 迎仙客 括山道中④

雲冉冉。草纖纖。誰家隱居山半崦。水煙寒。溪路險。半幅青帘。五里桃花店。

此首是作者路經括蒼山,對山居的讚美。山水怡情,村店沽酒,在

①卧龍山,即府山,又名種山,在今浙江紹興市西隅,東南山麓有越王臺,高數十米,南宋建。

②桐柏山,在浙江天台縣西北,上有桐柏宫。

③括蒼山,在今浙江東南部。

④括山,即括蒼山,天一閣本《小山樂府》題作《括蒼道中》。

謝絶塵囂的環境裏,平淡的生活中别有意趣。

中吕 朝天子 湖上

瘿盃。玉醅。夢冷蘆花被。風清月白總相宜。樂在其中矣。壽過顔回。飽似伯夷。閒如越范蠡。問誰。是非。且向西湖醉。

“湖上”的湖,是指杭州西湖,亦即指西湖一帶。這首曲以湖上飲酒爲題,表露了作者安貧知足、自得其樂的真趣。尤其末三句:不管誰是誰非,但求在西湖醉酒就是了。一派恬静閑適之情。

雙調 折桂令 村庵即事

掩柴門嘯傲煙霞。隱隱林巒,小小仙家。樓外白雲,窗前翠竹,井底朱砂。五畝宅無人種瓜。一村庵有客分茶。春色無多,開到薔薇,落盡梨花。

此首寫作者獨步出門,放情山林,悠閑自得,簡直覺得自己是來到了世外的“仙家”。

雙調 落梅風 湖上

羽扇塵埃外,杖藜圖畫間。野人來,海鷗驚散。四十年繞湖賒看山。買山錢更教誰辦?

這首曲寫作者遊覽西湖一帶,觸景而作。前四句寫自己隱居的生活:輕摇羽扇,扶扙而行,何等悠哉游哉! 彷彿置身於塵世之外、畫圖之間。末二句表達了作者湖上隱居的情懷,妙在引用東晉支道林托人買山的故事,反映自己的自鳴得意①。

中吕 普天樂 西湖即事

蕊珠宫。蓬萊洞。青松影裏,紅藕香中。千機雲錦重。一片銀河凍。縹緲佳人雙飛鳳。紫簫寒月滿長空。闌干晚風。菱歌上下,漁火西東。

這首曲乃作者遊覽杭州西湖時的即興之作。根據道家傳説,天上

①魯迅在《且介亭雜文二集》論隱士説:“凡是有名的隱士,他總是有了‘悠哉游哉,聊以卒歲’的幸福的。倘不然,朝砍柴,晝耕田,晚澆菜,夜織屨,又那有吸煙品茗,吟詩作文的閑暇?”

"上清宮"有"蕊珠宮",爲神仙所居;又根據古代方士傳説,"蓬萊"是神山,在東海之內,爲神仙所居。作者將西湖比作仙人居住的蕊珠宮和蓬萊洞,把現實的美景與傳説中的仙境溶合在一起,足可想見他受道家道教的思想影響之深了。

(二)幽居方面

由於張可久在仕途上不很得意,晚年便退隱泉林。因此在他的散曲裏有很多作品流露出幽居山村的樂趣,並反映出對神仙的仰慕。例如:

雙調 折桂令 幽居①

紅塵不到山家。贏得清閑。當了繁華。畫列青山,裀鋪細草,鼓奏鳴蛙。楊柳村中賣瓜。蒺藜沙上看花。生計無多,陶令琴書,杜曲桑麻。

這首曲寫作者經歷了紛紛的塵世,晚年隱居山中,表現出淡薄名利的思想及山居的幽趣。"紅塵"三句,寫作者隱居山中,悠閑自得。"畫列"三句,寫眼前景象,青山好像富貴人家的畫飾,細草好像錦裀,鳴蛙好像鼓吹。"楊柳"二句,用邵平賣瓜的故事②,比喻自己在清苦的環境裏,也有快樂的地方。末三句,引用陶潛及杜甫詩句,寫出自己生計不多,但有琴書和田園,足以爲樂矣。

雙調 清江引 幽居

紅塵是非不到我。茅屋秋風破。山村小過活。老硯閒工課。疏籬外玉梅三四朵。

這首曲寫作者幽居山村的生活,清高雅淡。

雙調 清江引 山居春枕③

門前好山雲占了。盡日無人到。松風響翠濤。槲葉燒丹竈。先生醉眠春自老。

---

①《太平樂府》題作《山居》。

②邵平本秦東陵侯,秦亡,改名换姓,種瓜長安城東,瓜美,世稱東陵瓜。

③李開先輯《張小山小令》題作《山中春睡》。

這首曲寫春日山居，一枕醉眠，寄情物外，自得其樂，充分表現了作者隱居山中的閑適生活。

雙調　殿前歡　愛山亭上

小欄干。又添新竹兩三竿。倒持手版搘頤看。容我偷閑。松風古硯寒。蘚上白石爛。蕉雨疏花綻。青山愛我，我愛青山。

這是張可久散曲中較爲突出的小令，也可以説是他的幽居生活的作品中寫得極爲悠閑灑脱的一篇。這首曲寫作者在讀書寫曲之餘，站在愛山亭上，忽見兩三支新竹，引起作者莫大的情趣，禁不住托着下巴觀賞起來，陶醉於青山花雨之中。末二句“青山愛我，我愛青山”八字，看似平平，細細體味，便覺吐語不凡，餘味深遠，作者一片閒適之情，躍然紙上。

餘如：

南呂　四塊玉　樂閒①

遠是非。尋瀟灑。地暖江南燕宜家。人閒水北春無價。一品茶。五色瓜。四季花。

雙調　沉醉東風　幽居二首

腳到處青山綠水。興來時白酒黃雞。遠是非。絶名利。腹便便午窗酣睡。鸚鵡杯中晝日遲。到強似麒麟畫裏。(其一)

笑白髮猶纏利鎖。喜紅塵不到漁蓑。八詠詩。三間些。收拾下晚春工課。茅舍疏籬小過活。有情分沙鷗伴我。(其二)

亦表現作者看徹人世，隱居泉林，過着清靜無爲的生活，一派道家思想，躍於紙上。此外，在幽居期間，張可久亦極渴慕神仙，頗有“神仙道化”的意味②。譬如：

南呂　金字經　仙居

白日孤峰上，紫雲雙澗邊。饑有松花渴飲泉。仙。抱琴巖下

①天一閣本《小山樂府》題作《幽居》。

②“神仙道化”一名最先見於明朱權(1378－1448)《太和正音譜》裏的“雜劇十二科”，其首的就是“神仙道化”。

眠。蟠桃宴。鶴來騎上天。

南呂　四塊玉　閑居

勝事添。殿塵減。玉洞仙書帶雲緘。金華羽士登門探。酒一罎。藥幾籃。經半龕。

越調　寨兒令　小隱

種藥田。小壺天。伴陳摶野雲閑處眠。學會神仙。老向林泉。今日是歸年。蘆花絮暖勝絨氈。木香亭大似漁船。曲欄邊鶯睍睆。小池上鷺嬋娟。先。收拾下買山錢。

曲中的"仙"、"仙書"、"神仙"等詞語,皆與神仙有關的字眼;至於"蟠桃宴"、"鶴"、"藥"、"經"等語,亦是與道教有關的術語;餘如"金華羽士"、"陳摶"等詞語,均是相傳的道教中人。此可見張可久的思想是老莊思想與方士思想的混合,亦足證道教思想對他的影響。

(三) 感興方面

根據張可久的事跡,可知他懷才不遇。所以,在他的散曲中頗多感興之作,一方面抒發他隱逸的情懷,另一方面亦反映了他好道慕仙的精神。例如:

雙調　水仙子　次韻①

蠅頭老子五千言。鶴背揚州十萬錢。白雲兩袖吟魂健。賦莊生秋水篇。布袍寬風月無邊。名不上瓊林殿。夢不到金谷園。海上神仙。

此首曲一派道家的語言,老子主張清静無爲,恬淡寡慾,提倡"恬淡爲上,勝而不美"。莊子亦認爲:"虛静恬淡,寂寞無爲者,天地之本而道德之至也。"張可久在這一首曲裏,充分表現了他的道家思想。他追求的是"白雲兩袖吟魂健"、"布袍寬風月無

①《張小山北曲聯樂府》與《樂府群玉》並以此首作《吳山秋夜》之第二首。

邊”,他要求的是“名不上瓊林殿”①、“夢不到金谷園”②,足可見他生活態度的灑脱。

中呂 滿庭芳 金華道中

營營苟苟。紛紛擾擾,莫莫休休。厭紅塵拂斷歸山袖。明月扁舟。留幾冊梅詩占手。蓋三間茅屋遮頭。還能夠。牧羊兒肯留。相伴赤松游。

這首曲乃作者在浙江遊覽時,途經金華道中,有感而作。曲中寫出作者對營營苟苟的紅塵看透了,他要學范蠡扁舟遊湖,或學張良隨赤松子游,或學牧羊兒隨“金華羽士”登仙,企圖擺脱官場而歸隱去了。

中呂 滿庭芳 山中雜興二首之二

風波幾場。急疏利鎖,頓解名繮。故園老樹應無恙。夢繞滄浪。伴赤松歸歟子房。賦寒梅瘦卻何郎。溪橋上。東風暗香。浮動月昏黄。

這首曲寫作者厭惡官場生活,急想抛卻名繮利鎖而歸隱田園,去過隱士仙人般的生活。“故園”一句,是用陶淵明《歸去來兮辭》中“三徑就荒,松柏猶在”的意思。“夢繞滄浪”一句,是用《滄浪之歌》:“滄浪之水清兮,可以濯我纓。滄浪之水濁兮,可以濯我足”的意思,都是寫作者很想歸隱,去過自由自在、無拘無束的生活。“伴赤松”二句,是舉兩個古人例子作爲效法的對象。前句中的“赤松”即“赤松子”,是傳説中的仙人,“子房”即漢初的張良,此句是説張良願棄人間事,欲從赤松子遊,後一句的“何郎”即梁朝何遜,此句是説何遜在揚州時,招來許多文人對梅笑傲終日。换言之,張可久是要效法他們歸隱,像張良那樣伴仙人遊樂,像何遜那樣賞梅賦詩。

---

①瓊林殿,即瓊林苑,宋苑名,在汴京(今河南省開封縣)。即謂自己名字不在科舉功名之中。

②金谷園,爲晉石崇所建。石崇豪奢門富,此借其金谷園以喻富貴。换言之,這句是説連作夢也没想到要富貴。

(四) 遊仙方面

“遊仙”一類的題材，始自屈原的《楚辭》。到了魏晉時代，神仙道教形成，遂使人堅信神仙實有、仙人可學。譬如郭璞的《遊仙詩》，便帶有神話色彩，是他們設身處地遊仙的美好理想①。道教仙真，即是體道得仙的人。這些人有靈異，有神通，被載入仙人傳記，成爲後世修道者的榜樣②。換言之，仙人就是得道的人，因之，對仙的追求，即是對道的信仰。張可久的散曲中，“遊仙”的題材只有六首，如：

中呂　紅繡鞋　尋仙簡霞隱

白草磯頭獨釣。青衣孺子相招。尋真不怕路迢迢。閒雲迷洞口，殘雪老牆腰。夕陽紅樹杪。

南呂　金字經　遊仙

桂影黃金樹，帝鄉白玉京。夢斷釣天月正明。聽。粉箏江上聲。遊仙興。落花香洞庭。

越調　小桃紅　遊仙夢

白雲堆裏聽松風。一枕遊仙夢。相伴瓊姬玉華洞。錦重重。覺來香露泠衣重。長橋彩虹。空臺丹鳳。花影月明中。

等等，可謂首首都流露出作者遊仙的心志。

(五) 交遊方面

在元代，士人與道士往還的情況，極爲普遍。在現存的資料中，當然無法證實張可久是否道教中人，但從當時社會流行的風氣和他對道教的認識以及他在散曲中所表現的思想傾向，可

---

①郭璞《遊仙詩》云：“采藥遊名山，將以救年頹。呼吸玉滋液，妙氣盈胸懷。登仙撫龍駟，迅駕乘奔雷。鱗裳逐電曜，雲蓋隨風迴。”

②道教仙人傳記，有劉向的《列仙傳》、葛洪的《神仙傳》和後世的《洞仙傳》、《續仙傳》、《三洞集仙録》、《歷代真仙體道通鑒》及其《續編》等。還有專録女仙的《墉城集仙録》和《歷代真仙體道通鑒後集》。著名仙真有黃帝、西王母、王喬、赤松子、王玄甫、三茅真君、南五祖、北七真及在民間盛傳的八仙（鍾離權、吕洞賓、鐵拐李、張果老、曹國舅、韓湘子、藍采和、何仙姑）等。

以說張可久受道教思想的影響很深,無可疑議。例如:

越調　憑闌人　和白玉真人

寶劍英雄血已乾。玉府神仙心自閑。煉霞成大丹。袖雲歸故山。

越調　憑闌人　白雲鍊師山居

丹氣溶溶生紫煙。石齒泠泠鳴玉泉。住山不記年。看雲即是仙。

南呂　金字經　訪吾丘道士

細草眠白兔,小花啼翠禽。且聽松風坐綠陰。尋。洞天深又深。遊仙枕。頓消名利心。

以上數首,足可證張可久與道士的交游,雖不能確知"白玉真人"、"白雲鍊師"、"吾丘道士"等是何許人,但他們都是道教中人,當無疑問。

此外,張可久亦有與同時代貴人、文士相交往,充分流露出他的道家道教思想。例如:

雙調　折桂令　疏齋學士自長沙歸①

望仙華十二芙蓉。夜醉長沙,曉過吳松。稅駕星壇,題詩玉井,掛劍琳宮。鶴唳黃雲半空。雁來紅葉西風。秋興誰同。絕唱仙童。相伴疏翁。

南呂　罵玉郎過感皇恩採茶歌　爲酸齋解嘲②

君王曾賜瓊林宴。三斗始朝天。文章懶入編修院。紅錦箋。白苧篇。黃柑傳。　學會神仙。參透詩禪。厭塵囂,絕名利,近林泉。天台洞口,地肺山前。學煉丹,同貨墨,共談玄。　興飄然。酒家眠。洞花溪鳥結姻緣。被我瞞他四十年。海天秋月一般

①疏齋學士是指盧摯。盧摯,字處道,一字莘老,號疏齋,又號嵩翁,涿郡人。至元五年進士,官至翰林學士承旨。貫雲石序《陽春白雪》,謂疏齋之詞媚嫵,如仙女尋春,自然笑傲。

②酸齋,即元代散曲家貫雲石,維吾爾族人。自號酸齋。他曾爲翰林學士,後辭官隱居江南。他善作散曲,與張可久等人贈答唱和很多。

圓。

曲中無一不流露出道家的隱逸思想和道教的修煉精神。

(六) 酬唱方面

張可久的散曲，頗多酬唱之作，其中有二十多首皆與道家道教的思想有關。例如：

中呂　普天樂　次韻歸去來①

草堂空，柴門閉。放閒柳枝。伴老山妻。誰傳紅錦詞。自說白雲偈。照下淵明休官例。和一篇歸去來兮。瓜田後溪。梅泉下竺，菊圃東籬。

中呂　紅繡鞋　次崔雪竹韻

學孔子嘗聞俎豆。喜嚴陵不事王侯。百尺雲帆洞庭秋。醉呼元亮酒。懶上仲宣樓。功名不掛口。

越調　寨兒令　次韻

你見麼，我愁他。青門幾年不種瓜。世味嚼蠟。塵事摶沙。聚散樹頭鴉。自休官清煞陶家。爲調羹俗了梅花。飲一盃金谷酒。分七椀玉川茶。嗏。不強如坐三日縣官衙。

以上數首，皆表現出作者辭官歸隱過着清閒自得的生活的嚮往。曲中之“照下淵明休官例，和一篇歸去來兮”、“喜嚴陵不事王侯”、“功名不掛口”、“自休官清煞陶家”、“飲一盃金谷酒，分七椀玉川茶”等句，充滿道家的氣味。至於：

越調　寨兒令　山中分韻得聲字

犯帝星。動山靈。怪當年釣魚嚴子陵。塵世逃名。清水濯纓。笑我問長生。駕青牛自取丹經。換白鵝誰寫黃庭。煙籠燒藥火，月伴看書燈。聽。林外起秋聲。

雙調　慶東原　次馬致遠先輩韻九篇

燒丹竈。洗藥瓢。樂清閒幾箇人知道。閒吹鳳簫。悶拈兔毫。

①次韻，是和韻的一種。和韻是就他人詩詞曲所用之韻而作，有用韻、依韻、次韻三種。次韻就是依次押他人所用之韻腳。

焉用牛刀。他得志笑閒人，他失脚閒人笑。(其一)

雙調　慶東原　次馬致遠先輩韻九篇

門長閉，客任敲。山童不喚陳摶覺。袖中六韜。鬢邊二毛。家裹簞瓢。他得志笑閒人，他失脚閒人笑。(其二)

以上數首，則又充分表現了他的道教精神。譬如："笑我問長生，駕青牛自取丹經"、"煙籠燒藥火"、"燒丹竈、洗藥瓢"、"山童不喚陳摶覺"等詞語，皆係與道教有關的人物和術語。由此可知道張可久在和別人韻的時候，亦不忘抒發其道家道教的精神。

(丙) 結　論

從以上的探討可以看出，張可久的作品往往流露出道教的氣息及道家的隱逸思想①。其實，形成他辭官歸隱這種傾向的原因很多，譬如感仕途之不遇、歎人生的無常、信命運之有定、對自然的陶醉等等，更不容忽視的是他對神仙的仰慕，這完全是受了道教思想的影響。根據本人初步統計，上列的六項作品，其道家與道教思想所佔的比重亦有不同，試列表說明如下：

內容＼篇數＼思想	道家	道教	合計
遊　覽	32	60	92
幽　居	28	12	40
感　興	24	16	40
遊　仙	——	6	6
交　游	15	20	35
唱　酬	10	15	25
合　計	109	129	238

此外，好像張可久這樣的道家道教思想，在元代其他人的散

①南懷瑾說："與其說：道教淵源於黄、老，毋寧說：道家淵源於隱士思想，演變爲老、莊或黄、老，更爲恰當。"引見黄兆漢《道教與文學》一書。

曲作品中，也比比皆是。爲省篇幅，不再舉例。

大抵自蒙古人統治中國後，首先是種族上的仇視，其次就是對知識分子作出打擊，除了十級之分，列九儒十丐外，更於元代開國後，八十年間廢除科舉，堵塞了一般知識分子進身之路。再加上當時道教的流行，士人多與道士結交往還。這種境況深深地影響了他們的作品，使其往往流露出道家與道教的思想。張可久就是此中的例子。

作者簡介 韋金滿，字希真，廣東東莞人。1944 年生。1986 年獲得香港新亞研究所文學博士。現任香港浸會大學中文系講師，並兼任香港新亞研究所、香港珠海大學中國文學研究所博士生導師；香港道教學院客座教授。主要論著有《懷燕廬吟草》、《周邦彥詞研究》、《柳蘇周三家詞之聲律與修辭》等。

正一道音樂與全真道音樂的比較研究

甘紹成

內容提要　正一道、全真道的音樂，是道教音樂在漫長的歷史發展中繁衍出來的兩大不同的音樂派別。本文從歷史比較及風格流布比較研究的角度，對這兩大道派的音樂進行了細緻的比較研究，指出正一道的音樂具有歷史悠久，一方流佈，風格多樣，亦道亦俗的特點；而全真道的音樂則以承上啓下，天下流佈，超凡脱俗，亦道亦禪等見長。兩者互相補充，互相彰顯，共同組成道教音樂的輝煌殿堂。

引　言

正一道音樂和全真道音樂是道教音樂在歷史發展過程中繁衍出來的兩大不同樂派。儘管它們在音樂內容上的表現基本相同，演樂程序大體一致，各自都擁有一套包括聲樂、器樂在內的韵腔和器樂曲牌形式，但是從總的來看，這兩派道樂在歷史發展、流佈特點、風格韵味等方面還存在着很大差異。爲了揭示這兩派音樂之間實際存在的差異，本文試從兩個方面來進行論述，以求對正一道音樂和全真道音樂的各自特徵作更進一步的瞭解。

一、歷史比較研究

(一) 歷史悠久的正一道音樂

在道教樂派中,正一道音樂的歷史最爲悠久,它可以上溯到一千八百多年以前東漢時期產生的五斗米道音樂。

五斗米道及其齋醮科儀音樂的形成與巫教有關。王明先生認爲:"原始的五斗米道,大抵從民間流行的巫鬼道演變而來。"① 而五斗米道的音樂也是直接繼承了巫教祭祀音樂傳統的,據《笑道論·戒木枯死》二十二謂:"又按三張之術,畏鬼科曰:左佩太極章,右佩昆吾鐵,指日則停空,擬鬼千里血。又造黄神越章殺鬼,朱章殺人。或爲塗炭齋者,黄土泥面,驢輾泥中,懸頭著柱,打拍使熟。"又謂:"今觀其文,詞義無取,有同巫俗解奏之曲,何期大道若此。"東漢王符《潛夫論》卷三《浮侈》第十二說:"今多不修中饋,休其蠶織,而起學巫祝,鼓舞事神,以欺細民,熒惑百姓。"《後漢書·董卓傳》注引《獻帝起居注》亦說:"(李) 傕性喜鬼神左道之術,常有道人及女巫歌謳擊鼓下神,祭六丁,符劾厭勝之具,無所不爲。"這些都說明,五斗米道音樂的產生是直接繼承巫教祭祀音樂傳統的。

南北朝時,經過道士寇謙之、陸修静的改造製作,使五斗米道音樂逐漸脱離巫祝的影響,形成具有自身特點和較爲完備的天師道科儀音樂。天師道在南北朝時分化成北天師道和南天師道,其代表人物分别是北魏的寇謙之 (365－448) 和劉宋陸修静 (406－477),他們二人分别對北天師道和南天師道的音樂發展做出了重要貢獻。寇謙之著有《雲中音誦新科之戒》經韵樂章,並製定了

---

①引自卿希泰主編《中國道教史·第一卷》中王明撰"序",四川人民出版社 1988 年版。

"直誦"和"音誦"兩種誦唱方式。據現存《雲中音誦新科之戒》殘篇《老君音誦戒經》中說："老君曰：道官籙生，初受戒律之時，向戒經八拜，正立經前，……執經作八胤樂音誦，受者伏誦經意卷後，訖，八拜，止。"若不解音誦者，但直誦而已。陸修静則爲齋醮科儀創作了不少步虛詞，如在《洞玄靈寶玉京山步虛經》中，尚保存有他所作的《步虛詞》十首，《洞玄靈寶升玄步虛章序疏》還爲這十首《步虛詞》作了疏解。有關"步虛"韵曲在齋醮科儀中的運用情況，陸修静在《洞玄靈寶齋説光燭戒罰燈祝願儀》中述到："真人皆一日三時旋繞上宫，稽首行禮，飛虛浮空，散花繞香，手把十絶，嘯吟洞章，贊九天之靈奥，尊玄文之妙重也。今道士齋時所以巡繞高座吟咏步虛者，正是上法玄根衆聖真人朝宴玉京時也。"

唐五代十國時期，天師道的齋醮科儀音樂活動頻繁，並受到統治者的提倡。唐玄宗時，嘗召一十五代天師張高，命在京師置壇傳籙，頒賜張高金帛，免其租税①。唐肅宗亦重天師道，曾降香幣，建醮於龍虎山中，賜宸翰以贊天師像。咸通中，唐懿宗又命二十代天師張諶建金籙大醮，所賜金幣甚豐②。五代十國時，吴太祖命茅山道士聶師道設醮於龍虎山③。"(閩，王)昶亦好巫，拜道士譚紫霄爲正一先生，又拜陳守元爲天師，……守元教昶起三清臺三層，以黄金數千鑄寶皇及元始天尊、太上老君像。日焚龍腦、薰陸諸香數斤，作樂於臺下，晝夜聲不輟，云如此可求大還丹"④。

宋代，以龍虎宗爲代表的天師道受到統治者的崇奉，齋醮科儀音樂活動不斷。北宋真徽二宗尊寵道教，對天師道後裔十分青睞。大中祥符八年(1015)，真宗召二十四代天師張正隨至京，賜號"真静先生"，吏部尚書王欽若奏立"授籙院"並敕改龍虎山"真仙觀"爲"上清觀"。宋徽宗當朝期間，曾數次召第三十代天

①②參見張繼禹著《天師道史略》一書第78頁、79頁，華文出版社1990年版。
③參見《十國春秋》。
④《新五代史》卷六十八《閩世家》第八。

師張繼先，並賜號“虛靖先生”。張繼先還奉詔在內廷和京城建壇設醮①。真徽二宗還御制有道教音樂歷史上第一部有詞有譜的聲樂譜集《玉音法事》，據任繼愈、鍾肇鵬主編的《道藏提要》説：“此書詞曲，至遲亦當爲宋真宗宋徽宗所製，前者稱曰製，後者則稱聖製，殆爲北宋末人所輯，……”②該譜集疑即爲根據宋以前以天師道爲主流的符籙各派的道曲精華編輯而成，它收録了從唐代傳至宋代的道曲共50首，是一份極其重要的道教音樂文獻，後來收入明《正統道藏》。

元代，由於信州龍虎山天師世系第三十八代天師張與材在元成宗大德八年(1304)被封爲“正一教主”，主領三山(龍虎山、閤皂山、茅山)符籙，龍虎宗遂改稱爲正一道。早在元太祖時，元世祖忽必烈曾派密使到龍虎山訪問三十五代天師張可大，占卜天下統一之事。以後忽必烈又召見三十六代天師張宗演，命其主領江南諸路道教，賜銀印，並封其爲“宣道靈應沖和真人”。之後，每代天師都被元統治者封爲“真人”，襲掌閤皂山、龍虎山、茅山等三山符籙，統領江南宗教。正一道的齋醮科儀音樂由此倍受重視。據記載，從元初至元末的近百年中，正一道士差不多每年都要爲皇室舉行齋醮活動，有時在一年中甚至還要舉行數次。據《元史》卷十一《本紀》第十一載：“(至元)十八年(1281)三月，……詔三茅山三十八代宗師蔣宗瑛赴闕。……甲辰，命天師張宗演即宮中奏赤章於天七晝夜。……七月，……命天師張宗演等即壽寧宮奏赤章於天凡五晝夜。八月，設醮於上都(今內蒙古正藍旗東閃電河北岸)壽寧宮。”以上記載，從另一個側面反映了正一道的科儀音樂在元代時的活動情況。

明代，朱元璋一統天下後，以“驅逐韃虜”的大漢皇帝自居。

---

①參見張繼禹著《天師道史略》一書第81頁至84頁。
②見該書第438頁，中國社會科學出版社1991年版。

他仿效唐宋制度，曾一度扶植御用道教，使古老的天師正一道再度興盛。洪武七年 (1374)，敕令正一道士編定《大明玄教立成齋醮儀》。洪武十七年 (1384)，四十三代天師張宇初奉召赴闕，在紫金山建玉籙大齋。洪武十九年 (1386) 又奉命祈雨於神樂觀。張宇初所撰之《道門十規》，對後世道教尤其是正一道的音樂影響很大。他在上書中云："苟不以誠敬齋莊爲本，惟務鐘鼓喧嘩，幡花眩彩，語言嬉笑，舉動輕浮。何以對越上帝，通誠三界。……其所用雲樂之外，其餘鐃鈸鈴鐸之類，不得雜用。"永樂年間，朱棣頒發的《大明御制玄教樂章》彰世，反映了明統治者對正一道音樂的重視和提倡，以至於當時正一道在舉行國醮時，登壇表演的科儀道士及樂師在人數上已成："唱念二十一名，其中知磬四名，正儀一名，表白四名，清道一名，宣讀一名，詞儀二名，引磬二名，手鼎二名，知鐘一名，知鼓一名，侍職二名。內壇奏樂一十五名，其中雲鑼一名，笙四名，管二名，笛二名，札二名，板二名，鼓二名。外壇奏樂一十四名，其中雲鑼二名，笙二名，管二名，札二名，笛二名，板二名，鼓二名。"①

清代，正一道的科儀音樂仍有發展。雍正五年 (1727)，龍虎山正一高道婁近垣隨五十五代天師張錫麟例覲入京。雍正八年 (1730 年)，授龍虎山提點，欽安殿住持。十一年 (1733) 封爲"妙正真人"。乾隆時封爲"通議大夫"。乾隆十五年 (1750) 由天師府弟子根據婁近垣手抄本整理編成《清微黃籙大齋科儀》，附有道樂曲牌 17 首。其中有《金字經》、《清江引》、《對玉環》、《園林好》、《浪淘沙》等。此後，又出現以《梵音斗科》爲標題的手抄本，末尾附有"失無祭告樂譜"五曲，其中除一首爲歌譜外，其餘爲四首器樂曲牌：《青鸞舞》、《金字經》、《隔凡》、《桂枝香》②。

---

①明嘉靖中江永年《茅山志後編》。

②參見楊蔭瀏、曹安和《蘇南吹打曲》一書第 43 頁，音樂出版社 1957 年版。

清末民國時期,正一道式微,其齋醮科儀音樂活動除在上海、蘇州比較公開以外,其他地方則大多代之以散居火居道的身份在民間開展活動。甚至某些地方的正一道士爲了在民間謀求生存,取得應酬齋醮事務的資格,還不得不依附於當時一度走紅的全真道派,就連字譜、科書也與全真道的龍門宗派相通,但在音樂上卻行的是本派的那一套。這種情況在民國時期的四川尤爲突出,據民國《灌縣志》説:"晚近道徒有不住觀而家居者,專以誦經謀衣食,其説不外地獄天堂,與釋氏之下乘絶相類,又神仙家之變體矣。"該志又説:"當時全縣行此種職業的道士約三百餘人,俗稱火居(或火壇)道士。"[①]火居道士是指有家室並居家不住觀的道士,一般多屬天師正一道系統,所以多數學者認爲火居道士是正一道士的俗稱,或稱散居正一道士。關於火居道士的稱謂,至遲在明代就已見之於文獻。據明俞汝楫《禮部志稿》三四《僧道禁例》謂:"洪武中僧道不務祖風及俗人行瑜伽法稱火居道士者,俱有嚴禁。"民國期間,湖南、四川、湖北、山東、山西等地均流行火居道的音樂,然而,這些火居道音樂,在音樂格調上卻大有脱離原正一道主領三山符籙,統領江南道教及其齋醮音樂的正統趨勢,向着另一個音樂體系發展。但是,爲了便於比較,本文仍將把它與正一道音樂合起來看。

(二) 承上啓下的全真道音樂

在道教樂派中,與正一道音樂相提並論的是另一樂派——全真道音樂。該派音樂是繼正一道音樂之後,在金代興起的樂派,因此説它是"承上啓下"。全真道創建於金世宗大定七年(1167),"因創始人王重陽在山東寧海(今山東牟平)自題所居庵爲全真堂,凡入道者皆稱全真道士而得名……"[②]。金時,全真道的影響

①引自王純五主編《灌縣宗教志》(內部發行)一書第9頁。
②引自《中國大百科全書·宗教卷》第318頁,中國大百科全書出版社1988年版。

最大,該派在發展過程中,形成了七個支派。即:龍門派、南無派、華山派、嵛山派、清静派、隨山派和遇山派。在以上分派中,至少有三個道派對全真道的齋醮科儀音樂在傳承、傳播和發展上做過不同程度的貢獻,而且他們的創派人均是主持齋醮科儀音樂活動的大法師。據有關文獻記載:全真道嵛山派的創始人王處一於"金大定二十八年(1188),應召赴闕主持萬春節醮事"①。全真道隨山派創始人劉處玄(字通妙,號長生子)於"金大定二十八年,在昌陽主持齋醮,設壇禱雨,頗有應驗"②。全真道龍門派創始人邱處機也是一位擅長齋醮科儀音樂的高道。他在金明昌年間和大安年間,曾先後參與過昌陽、膠西等處的齋醮活動,並數次雲游山東嶗山。至今,山東嶗山摩崖石刻上還保留有他當年在嶗山一帶參加齋醮科儀音樂活動方面的詩作和詞作,它是全真道音樂在山東一帶流傳的真實見證。其中,嶗山白雲洞崖壁二十首詩前有序曰:"東萊即墨之牢山(即嶗山),三圍大海,背負平川,巨石巍峨,羣峰峭拔,真洞天府地一方之勝境也。然僻於海曲,舉世鮮聞,其名亦不佳。予自昌陽醮罷,抵於王城永真觀。南望烟靄之間,隱隱而見。道衆相邀,遷延數日而方屆,遂閑吟二十首,易爲鰲山,因暢道風雲耳。棲霞長春子書"。這是邱處機第一次上嶗山時留下的詩作。金大安元年(1209),邱處機由膠西第二次到嶗山,並在嶗山太清宫、上清宫、鶴山神清宫等宫觀説法闡教,留居數載,幾處留下了他的詩詞摩崖刻石。在詩和詞前均寫有序,記述了邱處機當年在膠西參與齋醮活動後第二次到嶗山時的情況。

詩前序曰:"大安己巳膠西醮罷,道衆相邀再游鰲山,復留詩二十首。"《磻溪集》中收録有他的其中兩首建醮詩:

醮罷歸來訪道山,山深地僻海灣環,

①②分别參見黄海德、李剛編著《簡明道教辭典》中"王處一"、"劉處玄"條,四川大學出版社 1991 年版。

掉船即向波濤看,化出蓬萊杳靄間。

怪石嵌空自化成,千奇萬狀不能名,

斷崖絶壁無人到,日夜時聞仙樂聲。

另在嶗山上清宫東西巨石上,還刻有邱處機題留的《青玉案》詞一首。詞刻前,有他人爲之作的序:"長春真人于大安己巳年膠西醮罷,道衆邀請來游此山,上至南天門,命黄冠士奏《空洞步虚》畢,乃作詞一首,名曰《青玉案》。"詞曰:

乘舟共約烟霞侶,策杖尋高步,直上孤峰尖險處。長吟法事,浩歌幽韵,響遏行雲住。①

它反映了全真道音樂在金代的流傳狀況。

金元之際,由於全真道龍門派創始人邱處機的才華出衆,他深得當時金、蒙、宋三方統治者的推崇。出於籠絡人心的需要,三方争相於1216年到1219年間向他發出邀請。在權衡形勢之後,他謝絶了南宋和金的詔請,獨應了元太祖之詔,不辭萬里跋涉,率領十八弟子,去大雪山見了元太祖,受到元太祖成吉思汗的禮遇。在他返歸燕京(今北京市)後,太祖賜以虎符、璽書,命他掌管天下道教,詔免道院和道士的賦税差役。他利用當時的機遇,廣發度牒,建立平等、長春、靈寶等八個教會,並大肆建立宫觀,設壇作醮,廣招門徒,使全真道有了很大發展②,全真道的科儀音樂也由此大興,而邱處機所居的長春宫(今北京白雲觀前身)也由此成爲全真道第一叢林和傳播道教音樂的中心。至元八年(1271),王惲在清明日游長春宫時,曾作詩盛贊長春宫内的道樂之聲:

嗚珂振轂滿重城,花底春光沸玉笙。

放眼壺天如隔世,侍談仙馭勝登瀛。

輕風韵颯金鐺静,竹露光寒鶴夢清。

①參見吉雲《訪邱祖在嶗山留下的遺迹》一文,載《中國道教》1988第1期。

②參見曾召南、石衍豐編著的《道教基礎知識》一書第114頁,四川大學出版社1988年版。

且莫臨漪門外去，夕陽正在總真明。

又，袁桷有《蒞醮長春宮》詩，云：

飄飄笙鶴雨絲輕，聽徹靈璈曲再成。

玉案香分花有影，瑤階松冥露無聲。

九枝燈裏開真景，三素雲中賀太平。

莫怪錦袍衣袖冷，還家從此羡長生。①

直至元末，全真道的齋醮科儀音樂活動依然不斷。元仁宗延佑二年(1315)，全真教掌教孫德或曾與太一崇玄體素演道真人蕭天佑和正一道玄教大宗師張留孫等，在大都長春宮設金籙普天大醮②。天曆二年(1329)，全真道士苗道一曾奉命在長春宮建醮③。以上材料説明：元代以後，隨着正一道與全真道兩大道派的正式確立，道教音樂也由此形成正一道音樂和全真道音樂兩大樂派。

明代，因朱元璋採取揚正一、抑全真的政策，尤對江南天師正一道懷有特殊感情，倍加贊賞"正一專以超脱，特爲孝子慈親之設，益人倫，厚風俗，其功大矣哉"④。因而使全真道的齋醮科儀音樂在發展上受到極大抑制。

清代，全真道龍門派著名道士、第七代律師王常月有感於自丘長春(即邱處機)歿世以後，教風逐漸"頹衰不振，邪教外道，充塞天下，害人心術，壞我教門"，爲使"丘長春真人之家風尚在，王重陽祖師之心法猶傳"，於是高舉中興全真道這面大旗，先後在北京、江浙、湖北武當山等地開壇傳戒，所傳戒子僅北京白雲觀就有千餘⑤，全真道的齋醮科儀音樂也隨之中興。至清光緒三十二年(1906)，《重刊道藏輯要·全真正韵》在四川成都問世，它標志

①轉引自張鴻懿《北京白雲觀道教音樂研究》一文，載《第一屆道教科儀音樂研討會論文集》，《人民音樂》編輯部編。

②參見《簡明道教辭典》"太一道"條。

③《元史》卷三十三《本紀第三十三》。

④《御制玄教立成齋醮儀文序》，《正統道藏》第264册。

⑤《太上律脈》。

着全真道的經韵音樂已形成了全國通用的唱譜;全真道的科儀音樂已完全走向成熟和規範化。

在《重刊道藏輯要・全真正韵》一書中,共收有全真道通用的"十方韵"(即全真正韵)56首,係當時全真道科儀音樂中最常用的曲目。該書是賀龍驤、彭翰然在成都重刻《道藏輯要》時續加,全書附唱詞和"當請譜"。"當請譜"是以擊樂器鐺子和鉸子爲主要樂器伴奏的擊樂譜,它只標出擊樂器與唱詞所對應的板位,而無現代之曲詞。道士師父在進行傳授時,以右手代鐺子,左手代鉸子(亦稱鑔),拍桌而一句一句教,道徒便一句一句地學,全憑口傳心授①。

民國以來,儘管戰亂頻繁,但全真道仍有道樂活動。1912年,全真道的全國性教會組織"中央道教會"成立,對全真道及其科儀音樂的開展做了一些工作。1938年,國民黨四川省政府主席劉湘死後,成都二仙庵有幾十名全真道士受命在武侯祠昭烈墓前爲劉做了近兩個月的道場②。1942年,上海第一座全真道坤道院——紫陽宮,出現了一支由道姑組成的經懺樂班,在上海道樂界嶄露頭角③。本世紀四十年代,北京白雲觀的全真道科儀音樂曾在京城名噪一時,"據童年生活在白雲觀的張景源回憶,四十年代,國民黨要員喪母,曾在當時的中南海出大經,白雲觀住持安世林親自領班,出動百餘名道士,攜帶法器香案,從城郊西便門外的白雲觀出發,浩浩蕩蕩吹打至中南海。法場爲僧道共聚,白雲觀做的法事壓軸,其場面極爲浩大"④。由於白雲觀道樂在當時的影響,1944年至1945年,王君僅先生曾對白雲觀住持安世林和白全

①參見武漢音樂學院道教音樂研究室編的玉溪道人閔智亭傳譜的《全真正韵譜輯》一書"序",中國文聯出版公司1991年版。

②據四川青城山著名高功江至霖給筆者提供的口碑資料。

③參見陳蓮笙《上海道教概況》一文,載1986年《道協會刊》第17期(內刊)。

④轉引自張鴻懿《北京白雲觀道教音樂研究》一文(油印稿),1989年12月香港首屆"道教科儀音樂研討會"論文。

一口傳的北京韵進行了搜集記譜和整理。此外,著名音樂史學家楊蔭瀏先生也曾到四川青城山常道觀(即天師洞)搜集全真道音樂。

二、流佈、風格比較研究

(一)流佈特點

從流佈特點來看,正一道音樂(包括火居道音樂)一般只限於"一方流佈";而全真道音樂則是"天下流佈"。意思是説:正一道音樂是一種地方性很強的音樂,儘管全國各地幾乎都有正一道音樂,但它們之間無論在韵腔、還是樂器配置以及演奏形式方面均有很大差異,各是各的樣子,共性因素較少,僅在一個地方使用,誰也替代不了誰;而全真道音樂則是一種同一性很強的音樂,各地之間無論在韵腔,還是樂器配置以及演奏形式方面均大體相同,共性因素很多,其音樂可以説是全國通用。正一道與全真道音樂在流佈上產生的上述差異,具體可以從兩個方面來看:

1. 從音樂形態看

在韵腔的使用上,若將各地正一道音樂中的韵腔加以比較,不難發現,即便是一首同名同詞的道歌,各地使用的基本上都是它本地風格的曲調,詞同曲不同。僅以我國江西、蘇州、上海流傳的正一道韵腔爲例,拿同一首《步虛》比較①,結果發現,江西是江西曲,蘇州是蘇州曲,上海是上海曲,各不相同。這些不同的韵腔,往往又與它當地流傳的地方音樂緊密聯繫。例如,現今流傳於江西龍虎山天師府正一道音樂中的韵腔,其中有不少稱之爲"弋陽腔"的道歌,很可能就是直接來源於江西本地的民間音樂尤其是戲曲唱腔②。而蘇州、上海正一道音樂中使用的韵腔,卻大多與

①譜例請參考王忠仁主編《中國龍虎山天師道音樂》一書中《步虛》,陳大燦《同一道曲在各地流傳中的變化》一文譜例三之《步虛》(載曹本冶、羅炳良編輯的《國際道教科儀及音樂研討會論文集》第172頁),南京音像出版社出版發行的《霓裳雅韵》盒帶中所録《步虛》。

②參見王忠仁主編《中國龍虎山天師道音樂》一書文字部分,中國文聯出版公司1993年版。

崑曲唱腔有關係。正如陳國符先生考察説:“江南正一教道士齋醮,唱崑曲,奏粗細十番鑼鼓。”①另在我國其他地區如雲南、四川的正一道音樂中,所使用的韵腔則分别與雲南洞經曲調和川劇高腔有密切關係②。然而,全真道音樂則不一樣,在全真道使用的韵——腔中,卻有一種全國通用的經韵,這就是全真道視爲最正統的韵——全真正韵,即所謂十方韵。這種韵腔是全國各地全真道十方叢林或子孫叢林以及部分宫觀通用的經韵。據考察,近代以來,全真道的十方韵曾廣泛流傳於我國北京、陝西、甘肅、河南、山東、江蘇、浙江、湖南、湖北、河北、四川等地的全真道觀。這些地區使用的十方韵曲目,大體都是根據清光緒三十二年 (1906 年) 在成都問世的《重刊道藏輯要·全真正韵》一書編訂的曲目。其曲目分别爲:《澄清韵》、《舉天尊》、《中堂贊》、《小贊韵》、《大贊韵》、《步虚韵》、《下水船》……等等,合計共 56 首韵腔。筆者曾將我國幾個地區流傳的全真道十方韵作過比較③,發現它們所使用的韵腔皆是同出一源,不僅曲名相同,而且唱詞和曲調均同。

在樂器配置與演奏形式上,正一道往往是因地而異,從大陸各地以及臺灣地區的正一道音樂進行觀察,各地在樂器配置和演奏形式上,一般都與它當地流傳的地方樂種相似。例如,在蘇南(蘇州、無錫、常熟) 地區的正一道音樂中,它的樂器配置和演奏形式往往採用當地盛行的“蘇南吹打”;在上海地區的正一道音樂中,它的樂器配置和演奏形式往往採用“江南絲竹”;而西安地區的正一道,往往採用“西安鼓樂”;河北地區的正一道,往往採用“河北吹歌”;山西地區的正一道,往往採用“山西八大套”;雲南地區的正一道,往往採用“洞經音樂”;四川地區的正

①參見陳國符《道樂考略稿》一文。《道藏源流考》第 305 頁,中華書局 1963 年版。

②參見王純五、甘紹成編著《中國道教音樂》一書中,“四川的道教音樂”與“雲南的道教音樂”兩章內容,西南交通大學出版社 1993 年版。

③參見甘紹成《全真道曲——十方韵的流傳》一文,載武漢音樂學院學報《黄鐘》1991 年第 4 期。

一道,往往採用“川劇鑼鼓”;福建、臺灣的正一道,往往採用“福建南音”。如此種種,均與各地地方樂種一脈相承。這些不同地區的正一道音樂,根據內容需要和曲目要求,有的使用絲弦樂器和竹製吹管樂器合奏的“絲竹音樂”(在上海、蘇州一帶常見);有的使用吹管樂器和打擊器合奏的“吹打音樂”(各地都有);有的則使用純打擊樂器合奏的“鑼鼓音樂”(以蘇南地區、川西地區常見)。而全真道的樂器配置和演奏形式與正一道正好相反,卻是“大同小異”、“全國通用”。從全國各地來看,凡屬全真道宮觀,只要是没有作過人爲性的加工,它使用的樂器不外乎都是最常見的那些傳統打擊樂器,即:鐺、鉸(亦稱鑔)、二星、引磬、鈴(手鈴、吊鈴、碰鈴)、磬(大、小)、木魚(大、小)、鼓(堂鼓或手鼓、殿鼓)等。其他地方在此基礎上也有用雲鑼、笛子、笙、管子和其它樂器的,但並不常見。筆者曾以青城山道教經樂團樂師的身份,親自參加過 1993 年 9 月 17 日至 26 日在北京白雲觀舉辦的護國佑民、世界和平“羅天大醮”傳統盛典,詳細觀察了北京白雲觀、湖北武當山、西安八仙宮、廣州三元宮、杭州抱朴道院、香港青松觀以及四川青城山全真道使用的樂器,它們之間除一部分是各地人爲添加的樂器外,其餘使用的均是前面所提到過的常用樂器。由於各地全真道使用的樂器都比較相近,所以它們採用的演奏形式也都十分整齊劃一。其演奏形式最常見的是採用鐺、鉸、二星、引磬、鈴、鼓、木魚等打擊樂器合奏的“法器牌子樂”。其曲目有武當山使用的《直板》、《三鑔板》、《五鑔板》、《九鑔板》;青城山使用的《大過板》、《小過板》、《快板》、《朝山會》;嶗山使用的《清板》、《花板》、《七星點》、《隨生板》、《九勝板》;河北鉅鹿縣靈應觀使用的《回聲鈸》、《五聲歌》、《緊九聲》、《緊搖鑔》、《慢搖鑔》、《天下同》等,名稱雖不同,但音樂卻大同小異。

由此看來,正一道在樂器配置和演奏形式上不僅“因地而異”,而且“形式多樣”: 它使用的樂器品類齊全,包括吹、拉、彈、打諸品種;演奏形式豐富多彩,包括絲竹、吹打、鑼鼓諸形式,而且還繁衍出若干地方性樂種(前已有述)。而全真道不僅各地"大同小異",而且形式"整齊劃一":它使用的樂器面窄,多爲壇場使用的打擊樂器,大多無吹、拉、彈樂器;演奏形式單一,多爲法器牌子樂,而少見絲竹、吹打和鑼鼓音樂。二者之間的這些差異,除了從音樂形態上表現出來以外,而且還從宗教派別的實際差異表現出來,這就是以下要談及的第2點。

2. 從道派區别來看

在稱謂上,正一道,除了有正一派、正乙教、天師道、五斗米道等稱謂外,它又有應門、應教、應付、火居道等稱謂。這些稱謂,從不同角度反映了正一道的宗教性質。所謂應付、應門、應教,是指該派道士主要在一方以應酬民間齋醮科儀音樂爲業。所謂火居道,是指該派道士有家室,雖奉香火,但平日一般散居家中,仍食人間烟火,不脱家室之累,故稱火居道①;亦稱散居道、在家道。不論應付、應門、應教,還是火居道,它們的稱謂可能均來自於佛教。舊時,漢族佛教中有一派稱之爲應付僧(亦稱應福僧、應佛僧、應赴僧)的佛派,他們在民間專門支應佛事,不但未落髮,而且還可以喫葷,有家室。它流行於北方地區、蘇南地區、川西地區和福建地區。有的稱這派僧人爲副門,有的稱香花壇。這派僧人,早在明代就已見諸於文獻,據明劉若愚《明宫史》木集"漢經厂"條云:"如遇萬壽聖節,正旦、中元等節,於宫内啓建道場,遣内大臣瞻禮,揚幡掛榜,如外之應付僧人一般。……圓滿後,仍各易内臣服色。"另在《紅樓夢》第十四回有:"這日乃五七正五日上,那應付(佛)僧正開方破獄,傳燈照(按:應爲召)亡,參閻君,拘都鬼,延請地藏王,開金橋,引幢幡。"此僧平時依附寺院爲"謀生"之

①參見《簡明道教辭典》"火居"條。

道,寺院真僧亦賴之。以酬應佛事,支使差遣,故名[①]。此外,這派僧人又稱爲火宅僧。據唐鄭熊《番遇雜記》謂:“僧之有室家,謂之火宅僧。”[②]由此看來,某些地方道教中所稱的應付道士、應門道士、應教道士、火居道士,實際上形同於佛教中的應付僧、應門和尚、香花和尚和火宅僧。然而,從道教方面來看,無論是應付道士、應門道士、應教道士還是火居道士,它們的性質都與正一道一樣,只是稱謂不同罷了。例如,近世我國湖北武當山一帶的正一道士就俗稱爲“應付”或“應門”道士;山西一帶的正一道士卻俗稱爲“應門士”;湖南一帶的正一道士卻又俗稱爲“應教”道士。

全真道與正一道的稱謂不同,它除了稱全真派、全真教外,在民間還有稱禪門士、清静道、静居道的。這些不同稱謂,也分别説明了全真道的宗教性質。所謂禪門士,是指全真道士很像佛教禪門和尚,不娶妻室,不茹葷腥,以廟爲家,過集體的宗教生活等,因而又稱爲出家道。所謂清静道、静居道,是指全真道士注重清修、静養,出家修行並在日常的宗教生活中通過誦經、拜懺來達到修身養性和悟道成仙。它與佛教禪門和尚通過誦經、拜懺來達到修禪成佛是非常近似的。這些被稱爲禪門士的全真道士在我國山西地區確有其例,如山西晉南的全真道士就俗稱爲“神門士”[③]。

道教正一道、全真道與佛教應付(應教)、禪門的這種特殊對應關係,早在明代初,朱元璋就在《御制玄教立成齋醮儀文序》中説過:“朕觀釋道之教,各有二徒,僧有禪有教,道有正一有全真。禪與全真務以修身養性,獨爲自己而已;教(筆者按:應教)與正一專以超脱特爲孝子慈親之設,益人倫,厚風俗,其功大矣哉。”道教與佛教的共性,在全真道與禪門之間表現得尤爲突出,

①參見葉大兵、烏丙安主編《中國風俗辭典》中“應付僧”條,上海辭書出版社1990年版。

②參見《辭源》合訂本中“火宅僧”條,商務印書館1988年版。

③參見劉建昌、陳家濱、任德澤《山西宗教音樂調查報告》一文,載山西省音樂舞蹈研究所《音樂舞蹈》1991年第1期(內刊)。

這兩派之間有着許多相似之處。例如,佛教禪門建立有十方叢林和子孫叢林制度,全真道也有;佛教禪門有用於日常舉行的《禪門朝暮課誦》儀式,而全真道也有相似的《玄門早晚壇功課》儀式;佛教禪門音樂中有《香贊》、《三寶偈》、《梅花引》、《三寶詞》、《返魂香》、《十供養》、《五供養》、《骷髏真言》等梵唄,而全真道音樂中卻也有相似的《小贊》、《大贊》、《三寶贊》、《梅花引》、《三寶詞》、《返魂香》、《十供養》、《五供養》、《嘆骷髏》等韵腔。在上述曲目中,其中的確有一部分是佛道兩家共用的曲目,並且名同、詞同、曲同;佛教禪門中所使用的樂器,全真道也相似。此外,佛教禪門和尚有外出雲游參訪的習慣,而全真道士也有。這些相似和相同特點,正如民間常說的"佛道一家"。至於"佛道一家"的說法,實際上早在全真道初創時,其創始人王重陽就曾在《答戰公問先釋後道》詩中說過:"釋道從來是一家,兩般形貌理無差。識心見性全真覺,知汞通鉛結善芽。"①所以,至今在道門中還流傳着這樣一句話,即:"禪通天下,應供一方。"②意思是說:禪門(佛教禪宗、道教全真)是"天下相通",即"全國通用",也就是"天下流佈";應門(佛教應付,道教正一)是"一方應用",即"一方使用",也就是"一方流佈"。對照此話,考察佛道教音樂流佈狀況,佛教禪門音樂與道教全真派音樂的確可以說是"全國通用","天下流佈";而佛教應門(即應付、應教)音樂與正一道音樂的確可以說是"一方應用","一方流佈"。關於全真道"天下流佈"和正一道音樂"一方流佈"的具體表現,本文前面已從音樂形態的角度比較了它們之間實際存在的差異。至於佛教禪門音樂與應門音樂在流佈上的差異,其特點也與道教上述兩派音樂相似。

(二)風格韵味

---

①《重陽全真集》,《正統道藏》太平部。

②據四川青城山著名高功江至霖給筆者提供的口碑資料。

在音樂的風格韵味上,正一道音樂由於是“一方流佈”,且各地不同,因而它具有“風格多樣”的特點。從大範圍看,一般來説,南方的正一道音樂以清新活潑、華麗雅緻見長;北方的正一道音樂則以質樸明朗、熱烈粗獷取勝。從小範圍來看,各省市之間,區縣之間,其風格又會帶有當地的韵味,如京味(北京)、海味(上海)、陝味(陝西)、川味(四川)、滇味(雲南)、晉味(山西),等等,不一而足。從器樂曲牌的演奏風格來講,即便是處在同一個地區如上海的正一道音樂,市區道士與郊區道士演奏同一首主旋律的曲牌,其演奏風格也會是“同中有異”。正如上海正一道中所流傳的一句“十里不同道”的行話。據上海正一道士史孝進以其親身經歷觀察説:“市區的道士在演奏風格上更趨於細膩、莊重、幽雅,鐘鼓上板眼分明,不多加花,似乎在喧囂的都市裏,給人以一種寧寂、超凡脱俗之感;而郊區的道士在演奏上則趨於緊打慢唱,具有清新、活潑、歡快明朗的韵律和較濃的生活氣息,這與他們長期生活在鄉間,其宗教儀式更大程度上是爲娱人分不開的。”①

以上説明,正一道音樂的確是一種地方性很强且風格韵味多樣的音樂,它與地方民間音樂密不可分,“形似俗樂”,除了在音樂(主要指器樂)形態上形似地方俗樂外,另在服飾、飲食、家庭、行止、組織、傳承等方面都形似世俗性的民間班社。例如,在服飾方面,正一道士除做法事時穿道服外,平時均穿便服,與民間藝人及俗人無别;有時,即使在做法事時,多數地方的正一道法師纔穿道袍,而其他樂師則同樣穿便服。在飲食方面,正一道士除了在法事期間“葷腥回避”以外,平常喫葷素均可。在家庭方面,正一道士可結婚也可不結婚。在行止方面,正一道士可常住道觀,也可散居(如各地散居正一道士,即火居道士)在家過宗教生活。在組織

---

①引自史孝進《〈進表〉科儀音樂概論》一文,載《中國道教》1990年第1期。

活動方面,正一道多屬臨時性組織,平時分散活動,或經商,或種田,或授徒,或搭戲班;一旦有某道士聯繫到齋醮業務,便以掌壇師的身份僱請其他道士參加。在傳承方面,與民間音樂班社相差無幾,有跟師學、離師學。學道立紙約,師父口傳心授,徒弟三年滿師,或另立門户,或繼續跟師、參師,往往根據徒弟手藝的深淺而定。凡有家底的正一道士,通常自有一套應付道場事務的服飾、科書、經書、神案、道具、樂器,形同民間音樂班社。所以,至今戲曲團體中仍流傳着"無道不成班"的行話。它説明各地正一道音樂同地方俗樂之間的關係是多麽密切!例如,過去有很多民間音樂班社是由正一道士組成或參與的,俗稱"道士班"。他們在戲班中的演唱風格,又往往稱之爲"道士腔"。這在我國江西、江蘇、浙江、四川、雲南、陝西均有體現:在江西,"如弋陽縣當地人的傳説,弋陽腔是由道士唱《目連戲文》演變而來的。現在贛東北和贛南的高腔藝人都一致認爲,弋陽腔的音樂唱腔,就是以《目連戲文》唱的作爲標準曲牌。以演《目連戲》爲內容的南戲從浙江傳到江西不久,弋陽縣的佛道兩教都組織人員搬演。其中屬於道教的一派,則由職業性的道教徒演唱,並從中摘出若干場次,用作道場法事演出節目。這些唱腔遂被人們稱作'道士腔'。"①在江、浙一帶,"江蘇南邊(長江以南)和浙江北邊鄉村裏,有的祀神戲劇不是由戲人擔任,而是由道士擔任的。"②另在過去四川、雲南的川劇、滇劇班社中,有不少樂師同時也是民間正一道壇的樂師③。以上是關於正一道音樂與地方戲曲音樂班社之間的例子;此外,還有關於正一道音樂與地方樂班(或稱樂社)之間關係的例子,例如,在陝西"西安鼓樂"樂社中,就有一個屬於正一道派的

①引自蒲亨強《武當山道腔科儀音樂的曲體結構及風格初論》一文,載《人民音樂》編輯部編《第一屆道教科儀音樂研討會論文集》第16頁。

②引自田仲一成《道教儀禮與祀神戲劇之間的關係》,載曹本治、羅炳良編輯的《國際道教科儀及音樂研討會論文集》第155頁。

③參見《中國道教音樂》中"四川的道教音樂"與"雲南的道教音樂"兩章。

鼓樂社,它在陝西及全國的影響均很大。在這個樂社的許多成員中,不少是西安城隍廟的正一道士,如安來緒、孟清真、張教振、賈教仁、樊明智等,他們均爲"西安鼓樂"的好把式,其中安來緒享譽當今樂壇,曾被接納爲中國音樂家協會會員,並且還作爲正式代表參加過第三屆全國文藝界代表大會。據中國道協閔智亭大師在成都告訴筆者:"安來緒是我們的道友,我們在西安常見面,但他屬於正一派道士。"以上諸例,既說明了正一道音樂的俗性特徵,又反映出它在風格韵味上的多樣化。這種多樣化風格的形成,與正一道音樂具有"一方流佈"、"一方應用"的特點分不開的(前面已有討論,兹不贅述)。

全真道音樂與正一道音樂正好相反,它在流佈特點上由於是"天下流佈"、"全國通用"(就總體而言),因而它具有"風格獨特"(單純)的特點。無論你走到全國各地哪一家全真道宮觀,只要它們在音樂體制上仍保留着全真道的傳統,其音樂在風格韵味上聽起來大都相一致。即:古樸、淡雅。具體表現在:

1. 韵腔古老

據考證,目前全真道仍在使用的韵腔——十方韵,是現今還活在全真道觀中最古老的韵。該韵從金代創製以來,雖經歷了八百年左右的傳承,儘管也會受到其它音樂品種的影響,但它卻像一枝"出污泥而不染"的荷花,至今在音調、演唱風格上仍保持着古代風貌。這一點,我們從各地流傳的十方韵實際存在的同一性中已得到說明①。十方韵的古老性同全真道在傳承上的保守性是分不開的。如在過去的道門中曾流傳有"死全真"一說,意即全真道是一種很傳統的宗教,它的音樂在傳承過程中,道衆須恪守成規,不能隨意更改。傳授時,道士師父教一句,徒弟學一句,全

①參見《全真道曲——十方韵的流傳》。

憑口傳心授。儘管全真道音樂因各地師承關係客觀存在着傳授者與被傳授者之間對音樂的感受程度(如師父傳授音樂的可靠性,以及徒弟對師父所教曲調的模仿程度),或多或少也有一定差異,但這畢竟是微乎其微,無損大體。不像正一道音樂,儘管歷史悠久,但由於該派在長期的傳衍過程中,用樂思想非常開放,且善於靈活地融攝各種地方音樂成分來充實自己,因而在道門中另有"活正一"之說。正如明末清初葉夢珠在其著作《閱世編》卷九中,列舉他童年所聽到的與他老年所看到聽到的道教音樂(正一道)之間的差別中說到:"余幼所見(釋道)齋醮壇場,不無莊嚴色相,至於誦經宣號,雖疾徐抑揚,似有聲律,然而鼓吹法曲,更唱迭和,獨多率真。今道場裝飾靡麗,固不可言;至贊誦宣揚,引商刻羽,合樂笙歌,竟同優戲。"

2. 用樂樸素

一般來說,全真道使用的音樂大體都比較樸素、不花俏,很恪守傳統。它的演唱方式,形似誦經,一板一眼;行腔樸實、自然,不尚華彩;使用樂器簡單、面窄;演奏形式整齊劃一、不複雜。這種樸素性,當與全真道對齋醮科儀音樂的重視程度以及出家思想有關。儘管全真道也聲稱"非科教不能弘揚大道"①,但從全真道的歷史考察,該道派主要是重清修、兼科教(科儀),只把音樂當作宏揚祖師道場的一種副業,而並不靠此爲生(經濟來源)。因此,舊時的全真道一般都有田產,生活有保障,道士們除了經管廟宇香火外,其餘時間都可以用來修煉,或坐蒲團,或念經,只要念好每日"早晚功課",也就可以應付道教事務了。加之,過去很多出家做全真道士的人,他們的初衷都是想出家修煉,以便能悟道成仙,而不是想去當一名專門應付經懺科儀的應教道士(即正一道士),並在

---

①《太上玄門功課經·序》。

道教音樂藝術上有所作爲。正如過去佛道二教中曾經流傳過的一句行話:"寧坐蒲團飢餓死,不作禪門應教生。"①它從側面反映了作爲"禪門士"的全真道對待道教音樂的態度只可能是"兼顧"或"順其自然",而不可能把音樂當做專業來予以"足夠重視"。至於行腔是否需要進一步考究?樂器需不需要進一步更新?似乎都無關宏旨;只要道衆在壇場上"衣冠整肅"、"道貌莊嚴"、"依科闡教"、"隨聲應和",能應付道場就行了。所以,全真道對音樂的重視程度和出家思想,必然影響其音樂的樸素性。如果我們再聯繫全真道在服飾、壇場設置、日常生活方面的"樸素"性,那麽,音樂上的樸素性也就不難理解了。所有這些,均與正一道音樂大相徑庭。

3. 曲調平淡

在全真道使用的韵腔中,被視爲最正統的韵腔——十方韵(即全真正韵),總體聽起來給人以清虚中和、平淡無華的感覺。因爲這種韵的音調古老,行腔樸實、自然,旋律一般以級進爲主,進行上又無大的跌宕起伏,節奏平穩,速度大多舒緩,韵腔全國通用,且具有溶東西南北中爲一體的超地域風格色彩,因而它的曲調也就顯得中和、平淡。這種特異性風格的形成,當與全真道所追求的"清心寡欲"、"澹泊寧静"的宗教生活不無關係。

4. 氣質幽雅

全真道的音樂雖比較簡樸、平淡,但由於它主要用於各地名山、宫觀的宗教儀式,特殊的宗教環境,寧静的修道生活,神秘的宗教氣氛,深刻陶冶了全真道音樂幽雅的氣質。這種氣質尤其在全真道使用的器樂曲中更是如此。全真道使用的主要器樂形式屬於"細樂"(亦稱"小樂"),其樂器多屬發音輕巧、音響柔和的殿

①據四川青城山著名高功江至霖給筆者提供的口碑資料。

堂法器,合奏起來往往給人以“超絶塵世”的感覺。即便是音量較大的鐘、鼓樂器,由於它們在音樂中通常以獨奏的形式出現,哪怕是演奏一段開静的音樂還是止静的音樂,也會令人感受到晨鐘暮鼓的幽雅氣質。

結　語

總而言之,正一道的音樂歷史悠久,一方流佈,風格多樣,亦道亦俗;全真道的音樂承上啓下,天下流佈,風格獨特,亦道亦佛(禪)。二者之間的差異,真可謂涇渭分明!這些差異從另一角度説明:正一道是一種“應世入俗”的宗教,該派道士大多散居民間,面向世俗生活,與當地羣衆有着廣泛的聯繫與交流,它善於結合普通羣衆在音樂方面的興趣愛好,廣泛吸收人們所喜聞樂見的民間音樂形式來豐富自己的音樂,所以,它的音樂聽起來往往具有濃厚的世俗氣息;而全真道則是一種“超凡脱俗”的宗教,該派道士均出家身居宮觀,面向洞天福地的宗教生活,雖也與外界有所接觸,但它並不“同流入俗”,僅吸收和借鑒與自己格調相近的佛教禪門音樂來豐富自己的音樂,所以,它的音樂聽起來往往具有濃厚的宗教氣息。不論是正一道音樂還是全真道音樂,它們在中國道教音樂的歷史上都有自己的重要地位,在今後的發展中,仍將對道教音樂的未來產生影響。

道教音樂特徵簡論

蒲亨強

内容提要 道教音樂在民族文化和宗教文化的合力作用下形成了一系列自身的形式特徵(兼容性、專業性、文物性、幅射性和超地域性),通過這些特徵可以清楚認識道教音樂的特殊價值和在中國傳統音樂中的重要地位。

音樂作爲外弘內修的舟楫,素爲道教所重。在近兩千年的發展歷程中,道教廣攬博收多種民族音樂的養料,并按自已的哲學觀念和審美情趣對之作了新的綜合、提煉,從而構建起豐富複雜、別具神韵的宗教音樂體系。

由于各種原因,有關道教音樂的研究起步甚晚,直到本世紀八十年代中期,這一禁錮多年的禁區纔真正被突破,在中國民族音樂六大集成工作的推動下,全國不少地區先後以“搶救”的性質發掘整理出了珍貴的道教音樂資料,其以豐富深厚的內涵、優美古雅的旋律、平和安詳的音韵震動了學術界。有感于道教音樂的博大幽深,有感于它已面臨音斷聲消的嚴峻現實,有感于祖國文化精萃的研究常被外國痛着先鞭的歷史事實,一些音樂學者先後將道教音樂的整理研究提上了議事日程,由此迎來了道教音樂研究持續發展的新時期。1986 年初春,我剛寫完碩士論文,《中國民族器樂集成·湖北卷》編輯部邀我參加武當山道教音樂的調研工作,并爲即將出版的《中國武當山道教音樂》一書撰寫“概述”,這一有幾分偶然性的機遇，使我得以同道教音樂結下不解之緣。

當我初次聆聽道教音樂時，就明顯感受到其韵味十分古雅奇妙，猶如步入深山，初見一朵養在深山人未識的奇葩，不禁爲她那奇異的風采而贊嘆不已。這種感受，促使我在以後的研究中不斷探索：道教音樂究竟有哪些不同于其它音樂品種的自身特點，她在中國音樂史上究竟占有什麼地位？通過近十年的系列性專題研究，逐漸對道教音樂的基本特質有了一些認識，本文略作簡論，以就教于方家。

一、整體結構的兼容性

道教創教伊始，就積極倡導音樂。至晚在漢順帝時問世的《太平經》，提出了最早的道教儀式音樂理論，認爲音樂有三種功能：即"樂人"亦即"通神明，得長生久存"；"樂政"亦即"移風易俗"；"樂神"亦即"得樂天地法者，天地爲其和，群神爲之喜"①。道教音樂在形成過程中，不斷兼收并容不同階層的音樂，因而成其博大。早期天師符籙道齋儀音樂，主要吸收了民間巫覡祭祀音樂，所謂"弦歌鼓舞，烹殺六畜，酌祭邪鬼。"②"殺生淫祀，禱祭邪神，歌舞妖孽，自稱姑郎。"③到士族神仙道創建正統的儀式音樂時，就開始吸收宮廷雅樂④、方士琴歌⑤、佛教音樂⑥等多種因素。唐代以後，道教爲官方承認，道教音樂隨之大量流入宮廷，唐明皇、宋徽宗或親

①王明：《太平經合校》186頁、13頁、586頁。

②劉宋三天弟子徐氏撰《三天下內解經》卷上。

③《太極真人敷靈寶齋戒威儀諸經要訣》。

④如道教典籍《太清玉册》卷五云："漢武帝……迺命道士大合天樂于昊天之宮，以祀三清上帝，命其名曰三清天樂。"《漢武內傳》寫西王母來賓漢武帝，使諸女："彈八琅之鼓，吹雲和之笙，作九天之韵，歌靈玄之曲。"等事，實爲帝王貴族生活的反映，被道教視爲理想的"仙樂"。

⑤《列仙傳》中多有善援琴吹竽的文人之傳說。

⑥最早的經典道曲《步虛》相傳是道士效佛教魚山梵唄之聲而成的。事見《異苑》、《高僧傳》卷十五《經師·論》。

自向道士教授道曲，或親撰道曲歌調，或在全國抽調道士作經樂培訓，不少文人、貴族也以能寫道教題材的歌曲爲能事，這些都給道教音樂注入了上層雅樂的新內容，對于地區性民間音樂，也同樣兼收并容，所謂“廣陳雜樂，巴歌渝舞，悉參其間。”①至元明以降，道教音樂下移，尤其是散居民間的火居道士更多地吸收了各地的傳統音樂材料如戲曲、小調、器樂曲等，以至清文人驚呼當時的道樂已是：“合樂笙歌，竟同優戲。”(《閱世編》)

對各種音樂吸收層面的廣闊，使道教音樂形成了豐富複雜而又多層次的整體構成特點，對于道教音樂，我們很難用雅樂、俗樂等傳統概念去界說，因爲它是容多種層次的民族音樂材料于一體，已成爲民族音樂的一種綜合體現。道教音樂整體構成的兼容性或綜合性，是我們認識道教音樂的第一個基點。必須提及，道教音樂對各種教外音樂的吸收比重是有所不同的，由于魏晉以來，正統道教主要在上層宮廷和文人階層中傳播，故使道教音樂在整體構成上較多吸收古代宮廷音樂、文人音樂和藝術性較爲成熟的民間音樂的成分，而近世俗樂尤其是形式較爲簡樸的民歌和歌舞的因素甚少，這正是道教音樂的韵味特別古雅玄妙的重要原因之一。

二、音樂傳習的專業性

道教對教外音樂的吸收，絶不是生搬硬套，而是按照儀式和宗教理想的需要，對之作了新的綜合與提高，舊時的宮觀，實爲一培訓、加工音樂的特殊場所，其對音樂的傳授、編創和表演都達到相當高的專業化水平。宮觀內設有專職的音樂人員高功、經師、樂師、知鼓、知磬等，經樂活動規定爲日常性功課，有很強的穩定性

①據五代時《玄壇刊誤録》記載。

和連續性,經樂傳習有相當正規的制度和教程,頗像一所音樂學校。十方叢林每年冬季要設兩個"學",一是講學;一是韵學。講學由寮房設備,請都講講學。所講爲《陰符經》、《道德經》、《文始經》、《南華經》、《沖虚經》、《早晚壇功課經》、《參同契》等。韵學由寮房設備,專門學習儀式音樂常用的基本經韵和鑼鼓經,由高功教學,教唱十方韵大小七十二條,四錘鼓、七星鼓、風雷雨鼓。罡斗,科儀,經壇所敲法器等①。即使是民間火居道士,其音樂傳習也是家族或師徒傳授,有一定的世襲性和相當嚴格的訓練方式。可見道教在傳習音樂方面是相當專業性的,與民間音樂自生自滅、人逝音亡的傳習方式很不一樣。這種傳習制度保證了道教音樂代代相傳的穩定性,有利于藝術經驗和表現手段的積纍和提高。通過這種專業性的加工提高,逐漸形成了别具神韵的宗教音樂品種,在藝術形式和表現手法上體現出自身的特點來。比如其旋律的悠長清雅,拖腔的婉轉跌宕,演唱上的自然律動連綿不絶,風格上的平和幽深,以法器和管樂爲主的樂隊形式等等,無不展示出道教音樂的獨特風采。

道樂的音樂形式特點有多方面的體現,兹着重就結構特點略作説明。道教音樂主要附麗于儀式,道教儀式均有特定的情節和演繹進程,通常持續時日頗長,少者半天,多則三天七天,這樣長大的儀式所用的音樂數量就十分可觀,僅以曲調優美的經韵歌曲而論,一場科儀,少則用到十多曲,多則用數十首經曲,加上誦經吟咏之聲,器樂法器的琳琅振響,以及載歌載舞的步虚繚繞,實爲集歌、舞、樂、吟、念、做(工)于一體的大型民族歌舞劇,其結構的龐大複雜、曲調音樂的豐富變化、表演形式的多姿多彩,在中外古今都是罕見的。在演法過程中,要使唱者不疲,聽者不厭,必須精心安排音樂的結構,道教通過長期的藝術實踐,在套曲的高潮處

①參見武理真:《全真教十方叢林之規制》,載《中國道教》1987年2期。

理,反覆與變化,對比與統一關係的安排上都積纍了豐富經驗,達到了較高造詣。查道教科儀所用的套曲結構,除了一般民族音樂中常用的“聯曲體”、“板腔體”、“綜合體”結構外,還創造出一些獨到的結構樣式。如西安八仙宫“晚課”科儀套曲在速度結構上即暗合“黄金分割率”的比率,全套曲的高潮點(即速度突然加快的一曲)正處于黄金分割點(0.618)上;而華山玉泉院的“晚課”套曲則是按“平衡對稱”的原則來布局,即以中間一曲爲軸心,其前後的曲調在調性、速度上呈對稱性排列。在單曲結構上,同樣有許多獨特的創造。如:無錫道士阿炳創作的二胡名曲《二泉映月》,采用了獨特的“陰陽循環雙主題變奏曲式;上海白雲觀“香贊”一曲所用的對比性二部加變奏的曲式;茅山“三茅誥”所用的“雙段式循環體”;另有江南民間道士演奏的著名的“十番鑼鼓”,其樂曲結構大多是嚴密地按等差數列:“一三五七九,二四六八十”來安排,如此等等,或出之于自然的審美法則,或導源于古代哲學中的陰陽觀念,或啟迪于古代的數理思維,均是道教在民族傳統文化和宗教文化雙重合力作用下的獨特創造,豐富了中國音樂文化的寶庫。

三、道教音樂的“文物性”

道教齋儀因微妙多彩的音樂而引人入勝,達到宣教的目的,音樂又在齋儀這一特定生態環境的規範和培育中成長,由此形成了一系列新的特點,它的“文物性”亦即“古老性”即是較爲突出的特點之一。道教齋儀的發展經歷了漫長的演變過程,從漢代三張齋儀(塗炭齋、旨教齋)的初萌到兩晉南北朝士族道教規範確立基本的儀式框架,唐宋時科儀繁榮,由簡至繁,至明代又去繁就簡,立成定規,儘管歷代有繁簡變化,但大體上都力求遵循古制,以南北朝時陸修静等士族道教所創始的齋儀爲範本,傳承的綫索基本是延續一貫的,現代齋儀及其所用音樂和曲目,大體沿襲明代之制，是古代遺留下來的活的音樂“文物”。道教音樂較之于民間音樂，有可能更多更完整地保留古樂因素，其內部原因是它的傳承有較強的延續性和保守性。道教音樂特別是宮觀道樂自它形成伊始，就一直受到皇室官府的扶持和蔭護，受到宮觀清規和齋儀軌範的制約，甚少受到塵世動亂的衝擊和打斷，故得以自成一體地連續發展；同時道樂傳承強調照傳統樣式演唱，不允許隨意更改，尤其全真道要求更嚴，至有“死全真”之稱，加之道觀過去經濟多優渥，其儀式音樂多用于神聖場合（如祭祀尊神或國醮等），不能也無需媚俗，故無不斷更新的必要和動力。古代宮廷樂伎星散于民間時多流入道觀是道樂保留文化古董的重要外部原因之一。古代宮廷和貴族，因各種原因，或樂伎年長，或雇主死去，或戰亂等，常要遣散樂伎。這些樂伎多無獨立的經濟地位和自由的生活選擇，其出路主要是進道觀寺院修道，其次纔是嫁人。在北魏時期，貴族高陽王雍死後，其五百樂伎大多奉命入道①。這種情況歷代有之。唐代宮廷樂工入道觀，已成慣例，連不少公主也有脱塵入觀爲道者。這些精通音樂的人入觀後，遂將古樂帶入道觀保存下來，如姜白石從南嶽道觀樂工舊書中覓得唐代《霓裳曲譜》即是顯例（詳下節所述）。

在現實的宮觀道樂中，仍有斑斑古迹可考。查現存道樂曲目，不少淵源甚古，有的已有上千年流傳史，如《步虛》、《澄清韵》和一些《贊》、《頌》類樂曲；有的沿用唐宋以來就有的齋儀，如《黃籙齋》、《三寶香》、《白鶴詞》、《嘆骷髏》等；現道教儀式中的“步罡踏斗”，實源于古代巫舞中的“禹步”；現道樂韵腔的演唱速度多較緩慢，一字多音，一唱三嘆，字間大量用襯詞襯腔，這些特點，與北宋《玉音法事》中的歌唱形態十分相似；道樂的經文歌詞，多用四言、五言、六言、七言的古詩體和駢偶漢賦體、佛教贊偈體，基本不用唐以後的詞曲體。純從音樂形態上考查，也可找到大量

①北魏《洛陽伽藍記》：王雍有“伎女五百……，雍薨後，諸伎悉令入道。”

保留古制的例證。如現存武當山和青城山的韵腔至少有二十多首,以上十分相似,有的是完整經韵(包括經詞和詞曲配合)的相似①,表明兩山道樂有密切的淵源。經口碑和文獻的綜合研究,已查明現存青城山、二仙庵等川西宮觀的全真經韵的主體部分,是武當全真道士于清初傳去的②,第一個傳人是武當太子坡全真高道陳清覺(1606—— 1705),于康熙八年(1669)來青城山傳武當龍門派,創碧洞宗,在陳氏之後入川還有五道友: 張清湖繼之主持青城天師洞,張清雲住持三臺雲臺觀,穆清風住持眉山重瞳觀,張清仕住持青城文昌宮,張清夜住持成都青羊宮與武侯祠,對四川道教影響深遠,川西道教至此由杜氏之道演爲武當全真龍門派之嫡傳分支,陳清覺下傳十二代至易理倫(字心瑩),曾任中國道協副會長,四川道協會長。清初,青城道教因李自成起義等原因已香火熄滅,宮觀荒廢,這批武當道士入蜀後,活動頻繁,通過創宗立派,建立、恢復叢林制度,使一度中斷的青城道教重新發展起來。現存兩山的這些相似的經韵,當是清初時武當道士傳去青城的,這些經韵在相距千里的兩座道教名山分別傳唱了三百多年後的今天,其形態仍保持着完整的相似性,這就有力地證明,這些歌曲基本上保留了三百年前(康熙年間)的原貌! 類似的現象,在宮觀道樂中并不鮮見,道教音樂的"文物性",使其有可能較好地保留下來古代音樂的完整形態,在古代音樂材料極度匱乏的今天,道教音樂將越益顯示出特別珍貴的歷史價值。

四、道教音樂的輻射性

道教文化對中國社會的影響廣泛而深刻,以至我們常常置身其間而不自知。道教音樂亦然,她在與民族音樂交融的過程中,也以其獨特的創造力和藝術經驗對民族音樂的發展產生了積極

①其相似性有幾種不同情況,或同名(標題)同詞同曲,或異名同詞同曲,或異名異詞同曲,或同名異詞同曲等等。

②詳參蒲亨強、蒲亨建:《武當山青城山道教音樂之比較研究》、《武當山青城山道教音樂之比較研究補》兩文,載《交響》1988 年 3 期,1989 年 2 期。

的影響,并滲透到幾乎所有的傳統音樂門類。

兩晉南北朝時期,道教創立了正統的儀式音樂體系和音樂理想,其強調音樂是修心養性的工具和通神成仙的必要途徑①,這些理想,尤受帝王和文人的歡迎。故自隋唐時始,道樂就爲官方所承認和崇奉,從宮廷和文人兩途中流入社會,成爲中國傳統音樂的重要組成部分。隋煬帝即位後,大造宮觀,廣度道士,屢召道士人"內道場"和"玉清觀"中章醮②。唐玄宗更是愛好道教音樂的典型,他即位前常出入道觀,受到道教音樂的熏陶,及登帝位,更大力倡導運用道教音樂,他創作了大量仙道風格的作品,名揚千古的大型法曲傑作《霓裳羽衣曲》據他自稱是夢游月宮,聽仙人曲調默記後創作而成的,史書記載《霓裳》曲的樂風是"清麗、清商、淒清",正是道曲的典型韵味;他還令宮中高官也創作改編了不少的道教歌曲,這些新編曲和傳統道教音樂,多用于宮廷祭祀和宴享儀節中,使道樂充斥宮廷音樂的各種品類。上有好者,下必甚焉,有唐一代,道樂和步虛聲盛行朝野,到處可聞。宋徽宗曾親爲道教歌曲集《玉音法事》撰寫歌詞數首,并令頒布全國宮觀,還從全國各地道觀選送道士上京集訓科儀音樂。明太祖更設"神仙觀",以精通音樂的大道士冷謙制定祭祀雅樂的音律和樂器,并由道童任神樂觀的樂舞生,主持國家祭祀儀式音樂。宋代文人詞樂也深受道教音樂的影響,最突出的是著名南宋詞人音樂家姜白石道人,他寫了十七首自注工尺傍譜的詞樂,這是八百年前傳下來的貨真價實的唐宋音樂。姜一生崇拜道教,他的音樂技能,即得自衡山異人(老道人)的傳授①,比較白石歌曲與現存道曲的音調,兩者都用了

①早期的道教經典中多強調誦經的重要功能,《黃庭內景玉經·上清章》謂:"玉書可精研,咏之萬遍升三天。"《太上老君說常清常靜妙經》第2頁稱:"學道之士,持誦此經者,即得十天善神,擁護其人,然後玉符保神,金液煉形,形神俱妙,與道合真。"

②《舊唐書》第16冊5089頁說他將道士薛頤:"引入內道場,亟令章醮。"將道士馬賾:"引入玉清觀,每加恩禮,召令章醮。"(《冊府元龜》第10冊9768頁》)《歷代崇道記》稱:"煬帝遷都洛陽,……造觀二十四所,度道士一千一百人。"

一種通用性歌腔"MI DO RE",在出現頻率、位置和風格上都極相似,暗示出他確曾受到道教音樂的影響。其詞樂中沿用前代樂譜的作品,也與道教音樂密切相關。如《霓裳中序第一》一調就是他從衡山道觀樂工舊書中覓得《霓裳曲》十八段樂譜,填中序一段而成的[②]。此曲的音調也用了通用腔和明顯的商調色彩。

在下層俗樂中,道教的影響同樣十分廣泛。

中國傳統戲曲音樂是富于民族特色的綜合藝術形式,其在表演形式、樂隊編制和功能、音樂結構和唱腔形態上都與道教儀式音樂很相似,據研究,戲曲音樂的形成和發展頗得力于道教音樂的影響[③]。玆略舉幾點事實。首先,道教題材的劇目貫穿戲曲發展史[④],戲曲的創作主體文人和民間藝人也深受道教影響。元明兩代文人劇作家,崇尚道教,附庸神仙,多以仙道爲名號[⑤],而民間戲曲藝人,不少是出自道教,如明清時流行全國的弋陽腔,從元末弋陽當地的高腔發展而成,而最早的高腔戲班,則是由當地道士組成,所用唱腔,即是道教法事中的經腔,故當地人都稱之爲"道士班"、"道士腔"。戲曲與道教儀式音樂有共同的表演模式,有情節,有程式,有靜態的舞臺布景和道具設備,動態的唱做念舞說白韵白,以歌唱爲主的表演形式,以器樂貫穿全局的氣氛渲染,等等,

①白石《詩說一卷》自序謂淳熙丙午游南岳密雲峰得異人傳授《詩說一卷》。明張羽《白石道人傳》說自他從異人處得授《詩說一卷》後:"自是益深于詩,解知音,通陰陽律呂;古今南北樂部,凡管弦雜調,皆能以詞譜其音。"

②其原序云:"丙午歲(1186),留長沙,登祝融因得祠神之曲,曰黃帝炎、蘇合香。又于樂工故書中覓得商調霓裳曲十八曲,皆虛譜無詞。……然音節閑雅,不類今曲。予不暇盡作,作中序一闋傳于世。"

③詳拙文《道教音樂與中國傳統戲曲音樂》,載《華中師範大學學報》(哲社版)1986年6期。

④最早是公元前約一百年之《總會仙唱》,再是公元六世紀之初梁武帝所作的《上雲樂》,均以神仙爲主角,搬演仙道情節。從唐下沿到13世紀之雜劇南戲,遂興搬演神仙道化劇之大波,明朱權將元雜劇按題材分爲十二科,當頭一科即是"神仙道化"。現代崑曲藝人將戲曲器樂曲分爲六類,第一類即爲"神樂類"。

⑤史樟號散仙,朱權號瞿仙,高明號菜根道人,徐渭號青藤道人,王驥德號方諸仙史,等等。

然從歷史上考察，這種模式的形成，是道教齋儀在前（至晚正式形成于南北朝），戲曲在後（南宋正式形成），戲曲中常用的所謂“科範”，道教在唐代就已用之①。這些都足以暗示出兩者間的傳遞關係究係如何。

衹要持細心客觀的態度，不難發現過去冠以民間器樂的許多著名樂種，其實都有濃厚的道教背景。如明代就流行于江南的吹打樂種《十番鑼鼓》，流行于西安的《陝西鼓樂》，最早都與道教儀式音樂有關，其執樂人員多是道士世家出身，如名震中外的南鼓王朱勤甫，其家五世以道教音樂爲藝，他 11 歲正式拜堂叔朱秀亭（道教樂師）爲師，12 歲習司鼓，17 歲時已掌握笛、笙、嗩吶、梆胡和大部分打擊樂器，成爲著名的鼓師，1940 年左右他組織各有專長的道教音樂家成立的一個“十勿拆”樂班，是蘇錫常一帶演奏水平較高的班社，經常出外演出，名震京滬綫，曾吸引美國波斯頓交響樂隊指揮愛希漢兩度慕名前來聽賞，并高度贊賞其司鼓技藝。直到 50 年代初，他一直以道士爲職業，長期打醮奏樂。1957 年，著名音樂史學家楊蔭瀏將他演奏的鼓曲録音整理成書，將原標題《鈞天妙樂》改爲《蘇南吹打曲》正式出版，成爲代表中國司鼓藝術最高水平的重要文獻。但由于標題改變，後人大都只知是民間器樂曲，而不知其原出于道教。類似情況帶有普遍性，如西安鼓樂的名鼓師安來緒，著名盲藝人阿炳等，曾創作出堪稱世界級水平的音樂精品如《八拍鼓段》、《二泉映月》等，他們都出身道教世家，以音樂道士爲職業②。過去的火居道士們在從事法事音樂過程中，常與民間藝人搭班演出，自然將原用的法事音樂兼用于民間器樂

①《硯北雜志》卷下載廬山道士黄可立云：“寇謙之之醮籙，杜光庭之科範，不如吳鈞之詩；……何則？漸近自然。”

②阿炳之父華清和是無錫名道觀雷尊殿的當家住持，精通音樂，會多種樂器，阿炳自幼得其嫡傳，嚴格訓練，17 歲就以精湛的技藝名震無錫，號稱“小天師”。他一生受道教音樂熏陶，從事道教音樂演奏，後來留下的六首二胡和琵琶名曲，大多取材于道教音樂。這些作品已成爲世界音樂文化寶庫的珍品。

藝術活動中,從而影響促進了中國器樂演奏藝術的發展。

在悠久的音樂歷史長河中,我們的祖先還創造了許多富于民族特色的樂譜形式,其對于傳承古代音樂起到重要作用。在目前所知的各種古譜中,《漢書·藝文志》中所載的"聲曲折"是最古老最神秘的樂譜,但因詩譜俱亡,此譜式的來源、創造者及歷代流變綫索等問題遂成疑案。我近年從道樂角度切入此項研究,發現此譜的創造、運用和歷代傳承,實以道教爲載體。其發生發展的流變路綫爲: 古文 ⇨ 道士符文 ⇨ 漢代"聲曲折"⇨ 唐代"歌樓格"譜和類梵字的《霓裳》譜 ⇨ 宋代"玉音法事"道樂譜 ⇨ 元明高腔"圈腔譜"①。"聲曲折"譜式僅用了兩種很簡單的音樂性符號: 曲綫和圓圈,以彎曲綫條"象"旋律起伏婉轉之"形",以圓圈象鑼鼓節奏樂之形,此象形性的構形特點暗示出它與古代文字的微妙聯繫,又察漢代以後,此譜式的流傳一直與道教音樂息息相關,沿這兩條思路溯源探流,遂見此譜發生發展的脈絡:

漢代,符籙派道士采用象形、會意之造字法複合爲雲氣繚繞的"雲篆"符文②,在畫符行法唱經過程中,爲便于傳譜之需,遂簡化符文,取其獨體中之單式曲綫,改造爲直接摹擬旋律綫狀之音樂符號,摘其圓圈,轉换爲打擊樂演奏和節奏標記之音樂符號,從而將超驗的巫術符號升華爲有助于音樂傳承的最早的樂譜形式;唐代,傳有兩種神怪譜式: "歌樓格"和"霓裳譜",其相關綫索如傳譜之人用譜之樂均與道教聯繫密切,當是聲曲折在唐代的流變形式③。宋代,《道藏》編入的《玉音法事》譜,可確認爲道教樂譜,是漢代聲曲折的嫡傳。元末明初興起于江西弋陽、迅速流傳到南

①拙文:《〈玉音法事〉曲綫譜源流初探》于此有詳述。文載《中國音樂學》1992 年 4 期。

②此觀點是臺灣學者黄公偉提出,詳《道教與修道秘義提要》,臺灣新文豐出版公司,1982 年。《道藏》中載有"雲篆度人妙經",豎排一百三十三經文,每字上附曲綫符文及圓圈,形態與《玉音法事》之曲綫譜完全一樣。

③宋沈括《夢溪筆談》卷五《樂律》載:"今蒲中逍遥樓楣上有唐人横書,類梵字,相傳是《霓裳》譜,字訓不通,莫知是非。或謂今燕部有《獻仙音曲》,乃其遺聲。"此處所説的兩曲,均是唐宋有名的道樂風格的法曲。又明末鈕少雅、徐子室二人編《南曲九宫正史》曾附唐譜歌樓格,自序中指歌樓格曰:"此書乃漢武帝唐玄宗之曲譜也。凡今之曲調,多從上古之樂府來源。然今此書致多有式無文者,上古名曰骷髏格,至漢易爲蛤蟆貫。後唐玄宗鄙其不雅,易作歌樓格,又曰詞輿,……流傳至今者也。"漢武、明皇都是崇道君主,明皇更精通道樂,在在見出與道教的關係。

方各省的高腔諸劇種中，有不少劇種使用着名曰"圈腔"譜的曲綫譜，從已知的手抄本看，運用此譜的時間上逮明中葉，下迨現代，最早是明嘉靖(1522—1566)年間的潮劇抄本，另有青陽腔，湖南湘劇高腔，湖南辰河高腔都有此譜的運用，其中尤以辰河高腔的譜式最爲接近《玉音法事》譜的形態。這些劇種都與早期的"道士弋陽腔"有歷史淵源，而江西弋陽附近的龍虎山，又是天師道的大本營，自唐以來，以張天師爲教主的正一派在南方勢力甚大，一度受朝廷委派掌江南和天下道教，此派道士在用道教音樂唱戲時，將其熟悉的聲曲折譜式移用于戲曲唱本中，實屬十分自然之事，此譜式至今仍在高腔藝人中應用。由此證明，漢唐以後，我國最早產生的樂譜形式——"聲曲折"一直在傳統音樂大河中流傳，其發生發展過程始終與道教音樂密切相關，經千百年時光磨蝕，仍存其創造初期的基本特點，而且，聲曲折的思維方式與符號特徵，對中國音樂的民族傳統，也有深遠影響，如中國古譜構造上與文字的孿生關係，表義的模糊性，需以口傳輔助，給表演者留下較大二度空間等等特點，均可從聲曲折譜的特點中找到源頭，獲得啟示。

五、音樂風格的"超地域性"

音樂風格，作爲審美體驗的總體感受，由多種音樂表現元素集合而成，地域風格是民族音樂理論研究中一個常用術語，通常指一個特定地域(通常以省、區的範圍爲限)內的各種樂種在音樂形式上(如在音階、調式、旋法、曲調和韵味以至樂器組合上等等)具有同一性，而與外地音樂形式有所區別。一般說來，同在一地的民間樂種大多具有同一性，故"地域性"幾乎成了民間樂種一個固有屬性。然而，這種定勢思維在道教音樂的研究中卻行不通①，從已經掌握的大量音樂資料來看，很多地區道教音樂恰恰含有多

①這裏主要指宮觀道樂，它最能代表道教音樂的自身特點，民間道樂則另當別論。

種外地音樂風格因素而本地音樂色彩甚少,具有明顯的"超地域性"。這一特點尤其體現于"全真正韵"上,"全真正韵"又名"十方韵",是全國十方叢林中都通用的一種經韵體系,至遲形成于明代。我近年來對全國大部分已開放的重點宮觀作了調查①,發現全真正韵音樂的形態和風格偏重于我國江南一帶音樂的特點,以五聲音階爲主,多用級進旋法,旋律連綿悠長,韵味典雅清婉等,現凡屬全真宮觀,地不分南北,大都演唱此韵,如南方的青城山、二仙庵、杭州抱朴道院、江蘇茅山頂宮,北方的武當山、武昌長春觀、西安八仙宮、華山玉泉院、北京白雲觀等等,這就表明,道教音樂確實具有"超地域性"的風格,這是它區別于民間樂種的一個重要特點。道教音樂的"超地域性"之成因較複雜,但最主要有兩個方面,一是宮觀叢林制度的制約,具體體現于道士四海爲家,八方雲游的習慣,這是道樂超地域性形成的內在條件;二是皇室中央集權政治的控制,主要通過委任道官道職,選調道士來體現,過去很多名山宮觀,常是皇室國醮祭祀的家廟,其住廟道官道士,多由皇帝或正一教主親自從全國選調②,這是道樂超地域性形成的外在條件,這兩種合力作用使道樂的超地域性風格具有了必然性。道教音樂的超地域現象表明道教很早就曾在全國範圍內做過統一經韵的工作③。令人驚奇和欣慰的是,歷史上早已有之的"十方韵"至今仍在宮觀中傳唱、通用(雖然已有不同程度的變異),這就雄辯證明,超地域性確是道教音樂區别于其它音樂品種的一個重要

---

①最近已撰成《中國宮觀道教音樂現狀》一書,《音樂愛好者》雙月刊從 1994 年 1 期開始以《中國道教音樂巡禮》的標題連載此書的摘要,共 12 期載完。

②僅以武當山爲例,據明代《太和山志》載,其欽命的 23 名提點,僅一人來自武當本地,餘皆來自外地,其中江西、南直(今江蘇、安徽)和浙江三省共得 16 人,約占總數的八成左右,山西、陝西兩省共得 3 人,湖北 2 人,武當 1 人,江南籍明顯占優勢,一般道士選派的情況也大致一樣,詳參拙著《道教與中國傳統音樂》58—59 頁。臺灣文津出版社 1993 年 3 月初版。

③現在已知最早的是北宋的徽宗,他曾調各地宮觀道士上京集訓科儀音樂,并將道曲集中編輯後在全國發行,以後明代皇帝、清代全真派中興主將王常月,都曾不同程度地作過統一全國道樂的工作。

特質，道教從古到今使用着一些全國通用的曲詞，衹要將現存各地的道樂全部收集起來，予以比較，找出通用的那些曲調，那麽，不但可以據之認識道教音樂最典型的本質特點，而且可以據之重構古代道樂的形態特點，其道理很簡單，這些各地共有的曲調，必然是道教在古代統一經韵時運用的東西。因此，認識道教音樂的超地域性，將爲古代音樂史的研究提供一個新的視角。

結　語

道教音樂的特點，當然不止于上述，但這些確是最基本的，也是最重要的。雖然道教音樂從古代民族民間音樂中吸收了不少養料，但卻將其熔于一爐，化爲一體，而創造成一種獨立品格的藝術形式和别具神韵的音樂形象，發展出自己的運用、創造、組織音樂的特殊技法和手段，并反過來影響推動着其它民族音樂品種的發展進程，在集中、傳授、保存和提高古代民族民間音樂方面起了重要作用。從以上簡略論述中不難看出，道教音樂對中國音樂的發展起到過多方面的影響和積極作用，在中國音樂史上占有獨特的重要地位，不認清它的面貌和特點，將不可能完整把握中國道教文化和音樂文化的整體風貌。在迅猛發展的現代社會中，道教音樂仍不失其獨到的藝術魅力，它仍在諸多莊嚴静穆殿堂中傳唱，或以各種變異形態活躍于民間樂種之中，繼續給廣大人民以美的享受。它那特殊的藝術構思和音樂表達形式，將會爲現代音樂的新創造提供有益的啟示和借鑒。

作者簡介　蒲亨强，1952 年生，四川重慶人，1987 年畢業于武漢音樂學院，文學碩士，1993 年任華中師範大學副教授，現爲中央音樂學院博士生。已發表專著《道教與中國傳統音樂》、《武當山道教音樂研究》。

道教對雲南文化的影響

郭　武

內容提要　本文從五個方面闡述了道教對雲南地區文化的影響。指出自秦漢以來，雲南的政治、民間宗教、民俗、文學藝術及學術思想都受到道教思想的熏染。文章還運用豐富的文獻及調查材料證明道教在雲南地區與中原地區的文化交流中起着重要的推動作用。

道教是中國土生土長的宗教，曾對中國文化的很多方面產生過巨大影響，這種影響也曾波及地處祖國西南邊陲的雲南。

雲南是一個多種少數民族聚居的地區，自古以來就有着人類的活動。雲南境內的各少數民族與從內地遷來的漢族人民一道，在其生活實踐的過程中創造出了富有地方民族特色的雲南文化，爲中國文化綴上了一顆璀璨的明珠。雲南文化雖有着其獨特的地域性和民族性，但同時也與"內地"文化有着很多的聯繫，如與道教的聯繫就是典型的一例。在此，我們想就道教如何對雲南文化產生影響的問題作些探討，以圖在局部上展示道教對中國文化的影響，不妥之處，祈望方家教正。

道教與雲南政治

秦漢以來，中原地區的封建統治者雖不斷在雲南設置郡縣、派遣官吏，但在元王朝派平章政事賽典赤·瞻思丁行省雲南以前，雲南地區的政治實際上多是由當地的土著主宰，中原朝廷的影響則若即若離，尚未能將雲南地區完全地控制于自己的鐵腕之下。

三國時期，雲南地區大部分爲蜀國所控制。劉備卒後，南中大姓紛紛起兵叛蜀。《華陽國志·南中志》載，時有南中大姓雍闓、孟獲等假借"鬼教"煽動百姓背蜀向吳，"夷以爲然"。我們認爲，雍闓、孟獲所利用的"鬼教"當與五斗米道有很密切的關係，甚至可以説就是五斗米道的一支。南中之民雖"俗信巫鬼"，但這只是一種自發的信仰，尚未有人爲的教化因素摻雜其中，故在古代尚無人稱這種自發的信仰爲某"教"(現代人爲了研究的方便，纔將其稱作原始宗教或巫教，以與"神學宗教"或"人爲宗教"相對)。而五斗米道在漢晉時期則多被稱爲"鬼道"或"鬼教"，如《晉書·李特載記》言："漢末，張魯居漢中，以鬼道教百姓。"《華陽國志》作者爲晉時人，其將南中的五斗米道稱爲"鬼教"是不足爲怪的。五斗米道在漢末即已進入雲南并對早期雲南文化産生過較深的影響①，孟獲等人利用其來煽動南中百姓也不足爲怪；況且，五斗米道本與蜀漢政權有間隙，如《華陽國志·漢中志》載張魯言："寧爲曹公作奴，不爲劉備上客！"南中百姓因之而追隨孟獲等人更無可怪。爲了平息這場叛亂，蜀漢丞相諸葛亮曾親自南征。有意思的是，諸葛亮在這次征戰過程中竟還得到了孟氏家族中一位名叫孟優的道士相助。《新纂雲南通志·釋道傳四》載：孟優"素懷道念，常往來瀾滄、瀘水間，得異人授長生久視方藥諸書，隨處濟人。"後主建興三年(225)，諸葛亮入南中平叛，其軍卒有誤飲啞泉者，輒手足四禁而不能語，或謂孟優有良藥，亮遂使人往求之；孟優至，"進仙草，軍卒用之立驗"。此事雖不見于正史記載，但也

①詳請參閱拙文《道教在雲南的傳播與發展》，載《雲南社會科學》1993年第4期。

未可全視爲無。孟氏家族中有人叛蜀,有人助蜀,説明當時的南中大姓內部并不團結;這也是南中叛蜀活動能迅速爲諸葛亮平定的原因之一。在南中諸郡紛紛叛蜀之際,惟永昌郡吏吕凱(字季平,永昌不韋人)"閉境拒闓",并譴責雍闓"不睹盛衰之紀,成敗之符"①。以"紀"、"符"言王朝興衰,先爲陰陽五行家所倡,後則多爲道教術士所擅,吕凱用之來規勸雍闓,亦可見道教觀念在當時南中人們心中的地位。

《三國志·霍弋傳》注引《漢晉春秋》言:蜀亡後,建寧(今雲南曲靖地區)太守霍弋向曹魏政權上降表曰:"臣聞人生于三,事之如一,惟難所在,則致其命。今臣國敗主附,守死無所,是以委質,不敢有貳。"晉文王司馬昭善之,又拜他爲南中都督,委以本任。按:"人生于三"又作"民生于三",語出《國語·晉語》;後則多爲道教宣揚,如《太平經》言:"元氣恍惚自然,共凝成一,名爲天也;分而生陰而成地,名爲二也;因爲上天下地,陰陽相合施生人,名爲三也。"②《老君太上虛無自然本起經》亦言:"天爲一,地爲二,人爲三。"建寧太守霍弋在降表中以"人生于三,事之如一"來爲自己開脱,可見其所受道教的影響。此外,《華陽國志·南中志》載晉時南中大姓毛詵、李睿聯兵反晉失敗後曾向晉校尉李毅遞交降箋言:"退考靈符,晉德長久,誠非狂夫所能幹。"按:"靈符"、"晉德"多爲道教所宣揚;道教于魏晉以來有"占驗"一派,善用術數之學(風角、星算、飛符、龜策等)來占斷吉凶禍福、預言王朝更替。毛詵、李睿以"退考靈符,晉德長久"之言來取悦晉王朝,表明他們已深諳中土之學。

西晉時期,略陽、天水六郡氐叟、青叟飢民十餘萬人流入蜀地求食。晉王朝不顧人民的死活,竟下令遣返所有流民。流民在李特兄弟的領導下舉行了起義,攻入成都,建立了成漢政權。李特本

①《三國志·吕凱傳》,中華書局標點本。

②《太平經合校》第305頁,王明撰,中華書局1960年2月版。

爲賨人,《晉書·李特載記》言:“漢末張魯居漢中,以鬼道教百姓,賨人敬信巫覡,多往奉之。”由此可知李特先人屬五斗米道徒。《晉書·李雄載記》又記李特之子李雄曾以道士范長生“岩居穴處,求道養志”而“欲迎立爲君而臣之”,而范則勸李雄稱帝;李雄稱帝後即“加范長生爲天地太師”。由此可知成漢政權與道教有密切關係。在李特、李雄起義反晉的過程中,南中人民曾予以響應和支持,史載“南夷校尉李毅固守不降,(李)雄誘建寧夷使討之”①,又載咸和八年(333)“南中盡爲雄所有”②。南中與成漢政權聯合反晉,固然是由于晉王朝的不得人心,但兩地人民之間的民族、宗教關係也不容忽視。李特、李雄所率的氐叟、青叟流民與南中的叟族皆同源于古代的氐羌族系,成漢政權所崇奉的五斗米道在當時的南中也有着一定影響,這是他們聯合反晉的行動能夠一拍即合的重要條件之一。

唐宋時期,中原統治者對道教推崇備至;與唐宋王朝有着密切關係的南詔、大理統治者也受到了道教的深刻影響。如南詔王世隆曾于建極十三年(872)在白崖諸葛武侯所立鐵柱之地“鑄天尊柱”③;天啟六年(南詔國年號,公元紀年時間不詳),南詔統治者頒定蒼山十八溪澗、十九峰巒之名,其中“第九(名)應樂峰、隱仙溪”④;唐莊宗同光四年(926),篡奪南詔王權的大長和國國王鄭昶又“服丹藥,躁怒殺人”⑤;宋真宗景德元年(1004),大理國王段素英曾下令“開科取士,定制以僧、道讀儒書者應舉”⑥;大理總管段光率軍擊退蒙古梁王入侵大理後,其侍臣楊天甫曾作《長壽仙曲》來頌揚這次勝利,令段光“大喜”⑦。在這期間,南詔、大理政權幾

①《晉書·李雄載記》。
②《華陽國志·南中志》。
③木芹:《南詔野史會證》第149頁,雲南人民出版社1990年3月版。
④尤中:《僰古通紀淺述校注》第68-69頁,雲南人民出版社1989年3月版。
⑤木芹:《南詔野史會證》第190頁。
⑥倪蜕:《滇雲歷年傳》卷五,李埏校點本,雲南大學出版社1992年6月版。
⑦木芹:《南詔野史會證》第357頁。

次政治上的大事，都與道教有着關係。下面簡要述之。

唐玄宗天寶年間，唐王朝與南詔關係一度惡化；南詔王閣羅鳳不得已投靠吐蕃，起兵反唐，兩次殲滅前來征討的唐軍。爲了給日後重新"歸唐"留下退路，閣羅鳳曾命清平官鄭回撰成《南詔德化碑》，聲明："我上世奉中國，累封賞，後嗣容歸之。若唐使者至，可指碑澡拔吾罪也。"(《新唐書・南蠻傳》)碑文言：

> 恭聞清濁初分，運陰陽而生萬物；川岳既列，樹元首而定八方。故知懸象著明，莫大于日月；崇高辨位，莫大于君臣。道治則中外寧，政乖必風雅變。我贊普鍾蒙國大詔，性業合道……然後修文習武，官設百司，列尊叙卑，位分九等，闡三教，賓四門。陰陽序而日月不潛，賞罰明而奸邪屏迹。通三才而制禮，用六府以經邦……

很明顯，文中的"道味"是很濃的。這一方面表明南詔王室對道教瞭解甚深，另方面則表明南詔王很懂唐王室的崇道心理，企圖用這十足的"道味"來取得唐王朝的信任。閣羅鳳死後，其孫異牟尋繼位；異牟尋在清平官鄭回的建議下，開始謀求歸附唐朝。貞元十年(794)，劍南節度使韋皋遣巡官崔佐時抵達南詔陽苴咩城(今大理)，與異牟尋會盟于點蒼山；樊綽《蠻書》(《雲南志》)載異牟尋"與劍南西川節度使判官崔佐時謹詣玷蒼山北，上請天、地、水三官，五岳、四瀆及管川谷諸神靈同請降臨，永爲證據"①。"三官"乃道教所奉重要神靈，南詔王與唐使盟誓時同請其降臨作證，可見道教在南詔與唐朝政治交往中的作用。

大理國的政治也與道教有密切關係。據康熙《大理府志》言，大理政權的建立即與一位名叫董迦羅的道士有關。該志卷二十六《仙釋》載："(董迦羅)有禳赤雪、致風雨之術。晉天福二年(937)，段思平興師討楊干貞；思平駐軍關上，夜感三夢，以爲不詳，疑懼

---

①趙吕甫：《雲南志校釋》第329-330頁。中國社會科學出版社1985年7月版。

不敢進。迦羅解之,皆吉;思平乃決入關,逐楊氏而有其位,改號大理。”董迦羅因此而被大理國王尊爲“國師”①。後來,大理國王段智興曾改元爲“元亨”、“利貞”、“安定”等②,“元亨”、“利貞”本爲《易經》名詞,後則多爲道教運用,大理國王以之作爲年號,我們從中不難看出道教在大理國政治中的影響。前述段素英詔令開科取士“以僧、道讀儒書者應舉”,更可説明道教在大理國中的政治地位。

總之,道教在元以前的雲南政治活動中,曾起到過很重要的作用。尤其是在雲南地方政權加強與中原朝廷政治聯繫的過程中,道教充當了重要的媒體。在古代中國,政治活動乃是影響一地文化發展的重要因素;雲南政治多與道教有所聯繫,在很大程度上促進了道教對雲南文化的影響。

道教與雲南各族民間宗教

宗教是普遍存在于世界各民族中的一種社會現象,對各民族的日常生活及文化發展有着不可忽視的影響。古代雲南各少數民族多信奉原始巫教,如《華陽國志・南中志》載南中之民“俗妖巫,惑禁忌,多神祠”;後來,雲南的一些少數民族宗教又受漢文化的影響而多有儒釋道三教的內容摻于其中。下面,我們以彝族、瑤族宗教及明清以來雲南的一些民間宗教組織爲例,考察道教與雲南民族民間宗教的關係,借以説明道教對雲南文化的影響。

彝族宗教與道家、道教有着很密切的關係,甚至有學者認爲道家、道教起源于古代彝族先民的虎宇宙觀,如彝族學者劉堯漢先生著《中國文明源頭新探——道家與彝族虎宇宙觀》認爲西王母、老子、列子等道教所崇拜的人物皆與羌戎民族有關,而“太一”、八卦、天地水“三官”等道教觀念亦與彝族先民的文化有關。

①尤中:《僰古通紀淺述校注》第98頁。
②木芹:《南詔野史會證》第299頁。

劉先生爲抬高本民族(彝族)地位而力主道家、道教源于彝族文化,未明道教乃是多種地域文化相融合的產物,有失偏頗;但其所言道教與彝族文化之間的共同性還是基本上站得住脚的,只是這種共同性究竟是道家、道教影響彝族文化的結果,還是彝族文化影響道家、道教的結果,尚有待于進一步探討。我們認爲,劉著所用論據多是在現世中調查而得的一些材料,這些材料是否可以視爲是兩千餘年前就存在的東西,很令人懷疑;如果將它們視爲是道家、道教產生以後纔逐漸在彝族中出現的東西,也不是不能成立的。

今昆明地區有彝族撒尼支撒梅人居住,撒梅人崇奉西波教;西波教已有了一套較完整的神靈系統和一些粗糙的經文和教義①,從中我們可以看出道教的影響。

西波教奉太上老君爲最高主神,其下有通天教主輔之。通天教主奉太上老君之命而主持天庭的日常事務,其下又有兩個部門:一是由雷部總管統率的雷部諸神,主管自然界的變化如打雷、下雨、冷暖等,并兼有懲罰惡人之職;一部以元始天尊爲首,主管人的生死疾苦和作祟人間的鬼怪。雷部總管天王君之下有天應大神陶天君、雷府吉奏張天君、雷師太保辛天君輔之,其下有十二雷神、四道雷神、三十六雷神,再下又有屬于地仙系統的南方三氣火、道、藥和仙君,五顯華光火關聖君,報信報馬等;元始天尊之下有萬方主師、星天道主、陵寶天尊輔之,其下有天通土地未卜仙官、六十甲子本命星官,再下又有屬于地仙系統的主師、地母、土主、五穀神、山神、牛王、馬王、豬王等。不難看出,其神靈系統的道教色彩很濃。

西波教的一些經文也染有濃厚的道教色彩,如其《請神經》言:"三清道號觀歲殃,一句念消萬千恙,七寶林中朝上帝,五明

①參閲鄧立木《撒梅人的西波教》,載《雲南民族學院學報》1985年第3期。

功能禮性隍,長辰白鶴游上帝,每將請容遍世安,長跪至心歸命裏,鸞公鳳母將繞堂。"《阿好莫》(五行訣)又言:"金生水,水生木,木生火,火生土,土生金,金克木,木克土,土克水,水克火,火克金,阿好莫,阿好莫,五行相生,五行相克。"其創世説中也有不少道教神人物,如言劃分天地界綫的是盤古,安排晝夜的是三皇,李淳風製定了大月和小月,張子房分出了四季的節令,女媧氏使天變爲三十六層,等等。

西波教的巫師稱"西波","西波"可以傳授弟子;弟子入學時皆須向太上老君的牌位磕頭,承認自己是太上老君的凡間弟子。"西波"舉行宗教活動時須于桌上正供太上老君的牌位。由此可見西波教受道教影響之深。

雲南瑤族的宗教也與道教有着密切的關係。瑤族學者趙廷光先生曾説:"瑤族不僅信仰原始宗教,而且還受到道教的很深的影響。"①這種影響集中地表現在瑤族道公和師公爲瑤族子弟成年而舉行的"度戒"之中。

雲南瑤族的男子通常在 15 歲左右都要舉行一次"度戒"儀式;只有經過"度戒",取得了法名,接受了戒律,纔能被正式承認爲成年人的成員,編入瑤族的族籍,列入族譜的名册,否則就會被認爲不是瑤家的人而在瑤族中没有社會地位。這種儀式的意義與道教對入道者傳授"法籙"的意義大致相同,其來歷很可能即是源于道教的"法籙"傳授中。道教正一派對初入道的童子(通常指七八歲至十五六歲的男生、女生)須授"太上童子一將軍籙"等,童子受籙後方可以稱作"正一籙生弟子"而正式成爲正一道的門徒。瑤族在南北朝末年或唐朝初年即已受道教影響,其"度戒"儀式受道教傳籙作法的影響是不難理解的。

雲南瑤族舉行"度戒"儀式時,須設立神臺并在神臺前裝設兩

---

①趙廷光:《論瑤族傳統文化》第 22 頁,雲南人民出版社 1990 年 12 月版。

扇花壇，象徵陰陽二府的宮門；花壇下部設五道拱門，每道拱門上掛一顆黄色的桔子，稱之爲“仙桃果”；拱門後掛着三清、盤王、玉皇、三元、雷王、龍王和趙、鄧、馬、關四元帥的畫像；拱門兩邊寫着與度戒內容相關的對聯，其文曰：功曹執狀三天清，土地含秀府內傳；三元保見戒童子，祖師哉教過陰司；社皇保見還前願，壇主證盟合謝恩；拜答酬恩消願烟，花插瓶中貴子添。從中不難看出道教影響的痕迹。

“度戒”儀式結束後，道公和師公要爲受戒的男子取法名，授戒律，開葷。其所授戒律也多與道教的戒律相似，如不得誤殺生靈、不得將直爲曲、不得貪財愛色、不得輕慢朋友父母兄弟、不得罵師罵聖等。

此外，師宗、文山、邱北等地的壯族羣衆也多有信奉道教神靈者，其宗教神職人員稱爲道公和師公；道公和師公做道場時要懸掛太上老君的神像，其設壇供奉的神靈有：桃源寶山仙郎、上座羅天子、中座李天王、下座蕭天子、雲霄三十娘、青蛇判官、巡洞部兵天將梁九官等等。大理地區的白族中也有許多火居道士，常爲群衆舉辦齋醮活動，其誦經做道場時須供奉三清、玉皇、三元、五斗、二十八宿、靈官、吕祖、八仙的牌位。羅平、富源一帶的布依族村寨中多有供奉三清、八仙、真官等道教神靈的人，長底鄉、牛街鄉的各寨中還建有“真官廟”祀奉道教神靈。麗江、華坪、永勝等地的納西族也曾受過道教的影響，光緒《麗江府志》載：木土司曾在雪山脚下建岩脚廟，與張姓道士共誦道經，又多次派人到武當山學道，請回道教經像供奉。張姓道士的後裔定居于白沙及大研鎮，至今已傳至第 18 代；其誦經時多用漢文道經，但間或也用納西語爲納西族羣衆驅鬼除穢①。

明清時期，雲南地區還出現了許多民間宗教組織；這些民間

①参阅雷宏安等撰《雲南省宗教志・道教》(手稿)。

宗教組織兼融儒釋道三教思想,尤以道教色彩最濃。例如"聖諭壇",自稱以代天傳旨、教化人民爲務,其經典有《太上老君說常清静經》等,壇內設有宣化、督講、監講、宣講、助講等職務,負責齋課、誦經、做會等宗教事務。再如"洞經會","以談演誦經爲主,輔以音樂;凡祈晴禱雨、聖誕慶祝、超度事悉爲之。其經夾雜佛道,間以儒經附會,入壇者皆男子而無女流者也"①。其他如"青蓮教",以"喫齋、誦經爲主,間爲人祈禱"②;"同善社"則"未嘗誦經,而專于禮拜,其尊宗者,釋道俱有"③;"普緣社"的內容"多與同善社相類,亦男婦俱多,但誦經請乩略不相同耳"④。這類宗教組織在雲南民間有着很大的影響,如朱象賢《聞見偶録》載清初大理府太和縣有張保太,繼永昌人楊鵬翼傳所謂"大乘教","所奉者儒與老、釋并列……數十年間幾遍天下";《清史稿》卷十一也稱:"雲南張保太傳邪教,蔓延數省。"又據《徐霞客游記》言,徐霞客曾于保山城中遇一邱姓民間道士,邱氏本爲新添人,卻多雲游于騰衝、保山一帶"以箕仙行術"⑤。由此可知民間道士在當時雲南境內的活動範圍很大,有着廣泛的"市場"。

總之,道教對雲南一些少數民族的宗教信仰及明清以來雲南的一些民間宗教組織有着較深的影響。雲南大部分少數民族及部分漢族人民的日常生活往往浸有濃厚的宗教神秘色彩,由道教對其宗教信仰的影響,可知道教對雲南文化的浸染程度之深。

道教對雲南民俗的影響

民俗是人們日常生活中的習慣性行爲模式,是一個羣體長久以來的文化積澱。雲南地區的諸多民族由于各種歷史原因,形成了各自獨具特色的民俗;其中,又有不少民族的民俗染有較濃的

①②③④民國《昭通縣志稿・宗教》。

⑤朱惠榮:《徐霞客游記校注》下册第1084頁及第1099頁,雲南人民出版社1985年6月版。

道教文化色彩。

節日的慶典是各民族生活中的一件大事。雲南各地民族的節日慶典中有一項即是從道教"三元節"演化而來的"三元會",如巍山彝族、洱源白族、耿馬傣族及蒙自、開遠、昆明等地的漢族中均盛行舉辦"三元會",只是各地辦會的內容及時間稍有差異。例如,在農曆正月十五日這天,昆明地區的漢族慶祝天官誕辰,蒙自縣漢族舉辦"龍華會"祭瑤池王母,耿馬縣漢族和部分傣族舉辦"地母會"拜地母娘娘,洱源白族則在正月十五至二十二日舉辦"上元會";在農曆七月十五日這天,昆明漢族慶祝地官誕辰,巍山彝族舉辦"中元普渡會",納西族則在七月十一至十四日舉行祭天、祭祖儀式,等等①。

除了"三元節"的時間外,雲南人民還在某些特定的日子舉行崇道活動,形成了一些道教文化色彩很濃的歲時風俗。戴筠帆《昆明縣志·風俗志》載:昆明人有在農曆元月九日謁誠南之玉皇閣、二月三日謁寶城門外文昌宮及真武廟、二月十八日謁城東之東岳廟的習俗,且"每歲以六月始朔日至六日禮南斗祈年,九月始朔日至九日禮北斗祈年"。王建《道教與雲南民族歲時風俗》又記:麗江縣大研鎮納西族每年農曆二月初三慶文昌聖誕,六月二十四日慶關帝聖誕;大理白族則在五月十三日慶關帝聖誕,冬月十一日慶太乙聖誕;巍山彝族在正月十九日慶丘祖聖誕,二月初三慶文昌帝君誕辰,三月初三慶真武大帝誕辰,四月十四日慶呂祖誕辰,等等。

雲南各族人民在節日間舉行崇道活動的同時,往往還舉辦各種大型的"廟會",如巍山彝族的松花會(玉皇會)、文昌會、財神會、火聖會、竈君會,永仁彝族的火神會、魁星會,蒙自漢族的文昌會、巡天會、温天君會、舉刀會(祭關羽)、松抄會(萬仙團圓會),馬

①參閱王建《道教與雲南民族歲時風俗》,載《雲南宗教研究》1991年第1期。

關縣的土地會、清醮會、都天會、南斗會、北斗會等等。舉辦廟會時，場面異常熱鬧，如民國《馬關縣志》載該地"清醮會"的盛況：

> 每三年一舉辦，于二三月擇吉行之。蓋爲祈福消災、禱雨祈年也。挨户捐資，無敢不出。請道士設法壇，本地經生設經壇諷經。醮期七日，以第四日行香爲最熱鬧；行香抬瘟神像、靈官像出游，道士往各廟上香焚表以達建醮悃忱也。官紳士衆，一體加入，衣冠整肅，各執信香；儀仗鼓樂導于前，道士神像殿于後，并有高臺高蹺、妝男扮女，百戲并陳。夜間，道士禹步踏罡斗、破地獄，放烟火架，放孔明燈，以故城鄉哄動、萬人空巷……

此外，昆明、麗江、金平等地的彝、白、瑤、納西、普米、傈僳等少數民族還有崇拜竈神、門神、財神的風俗，其中也明顯有道教影響的痕迹，如金平瑤族《竈王歌》唱道："有人犯着竈中鬼，變成蒼界上娘身。你若不信竈王鬼，兩手把捼大腿根。鬼谷先生會點卦，占出五龍竈命神，有人殺豬去祭鬼，一時病患脱病身。"①安寧彝族的門神多爲秦叔寶、尉遲恭、趙子龍等；昆明西山區彝族祭財神時須在其家門上掛一塊畫有"八卦"圖形的紅布，等等。

一個人的出生、婚姻和喪葬在雲南各民族人民中也屬于大事之一。各民族有關這些事件的活動曾形成了不同的風俗，我們從中也可窺出道教的影響。

魯甸縣漢族人家的孩子誕生後，其父母往往請"道士先生"來爲孩子取名。"道士先生"根據孩子誕生的年月日時"八字"來判斷孩子"命"中缺少什麽，然後以金、木、水、火、土"五行"中的某個字或偏旁中有"五行"的字來爲孩子取名；孩子的父母則根據"道士先生"所言"命"中缺少什麽，將孩子過繼給木匠、鐵匠 (金) 或泥瓦匠 (土) 等，以圖孩子日後健康成長②。不僅漢族如此，紅河州緑春縣的拉祜族及其它地區的白族也是如此，"如白族孩子庚辰中金

①參閱并轉引自王建《道教與雲南民族歲時風俗》。

②參閱魯甸縣地方志編纂委員會編《魯甸縣志·民族民俗志》，1991 年 3 月印本。

木水火土缺哪方面，就用取名來彌補。庚辰缺金，名字就帶金旁；缺水就帶水旁。認爲這樣做後，就可以五行俱全，清吉平安"①。

魯甸縣漢族的青年男女婚配前要請"道士先生"來看看雙方的"八字"是否相合。雲南其他一些地方的白族青年訂婚時，則須先由男方父母托媒人要來女方的生辰八字，請算命先生合婚；若不衝不犯，便把女方的生辰八字書寫在紅紙上，交男方收執，以爲婚約憑據。故其訂婚叫做"發紅帖"。瑤族青年雖戀愛自由，但婚姻須由父母根據"合婚書"來定。"合婚書"以金木水火土"五行"來推算八字，看男女雙方是否可以成婚。瑤族的道士——師公一般都有這樣一本合婚書，合婚書對婚配的規定很嚴格，如有"兩金夫妻不相宜"、"金木夫妻不可婚"、"金水夫妻相得閑"、"木火夫妻好相守"、"金土夫妻六合強"等語。此外，納西、藏、壯、蒙古、布依族等也有類似習俗②。

戴䌹帆《昆明縣志・風俗志》載：昆明人舊時舉行喪禮只求奢華，"至崇信釋道，建齋誦經，其風固大概相同也"。由此可知清時昆明人舉行喪禮時多請和尚、道士來參加。民國《順寧縣志初稿・禮俗》亦載順寧 (今鳳慶縣) 人家"出殯前仍延僧道就靈前諷經"。今魯甸縣漢族人家死人時，也要請道士先生來爲死者念"指路經"并製作亡靈牌位、引魂幡等，葬期也要由道士先生根據死者生卒年月日時來推定；下葬時要請道士先生幫助選擇墓地，葬完後又要請道士先生推測死者靈魂"回壁"的時間，以便家人屆時恭候③。彝族老人死後，其子須請巫師"畢摩"爲其製作靈位，并將之供奉在家 (多爲長子家) 若干年；然後再請"畢摩"爲之舉行"安靈"(或曰"除靈") 大典，亦即將祖靈位送至高山崖洞中。此儀式涼山彝族稱爲"撮畢"，雲南武定"納蘇"、"乃蘇"支系彝族稱爲"耐木"。武定納蘇支系彝族的具體做法是：安靈前做好一支"祖靈筒"，把

①劉稚、秦榕：《宗教與民俗》第 30 頁，雲南人民出版社 1991 年 12 月版。

②劉雅、秦榕：《宗教與民俗》第 40 頁。

③參閱魯甸縣地方志編纂委員會编《魯甸縣志・民族民俗志》。

同宗帶來的靈位之名字一一記録在一塊白綢布上，然後把白綢布裝入"祖靈筒"內，靈位則焚毁或埋于馬櫻花樹下；之後再把"祖靈筒"送往不爲人知的高山崖洞中。涼山彝族則直接把"祖靈筒"送到本族祖先共同歸宿的高山崖洞中。有學者認爲：彝族把祖先靈位送人崖洞，其目的是讓亡靈回到始祖所在的地方（或曰仙境）。彝族祖先把葫蘆或石洞看成是一个小宇宙，认为人类始祖是从葫蘆或石洞裏出来的；而道教也把洞穴看成是一个小宇宙，认为是神仙所居，如所谓的"洞天福地"之说。从中可以看出彝族丧葬仪式与道教的关系①。此外，大理地區白族人家的堂屋或正樓中常供有太上老君的神像，其家人死後，多于發喪的前夜去請道士先生來爲死者"開咽喉"，即給死者發去陰間的"通行證"；喪葬完畢後還須請道士給死者做道場以超度亡靈②。

雲南人民遇上一些喜慶的事也常在道觀中舉行慶典儀式，如解放前麗江各縣若有人考中舉人，衆人多到當地的文昌宫內舉辦"新科舉子會"以表慶賀，由新科舉子擔任齋主。甚至，雲南某些地方的語言也受到了道教文化的影響，如大理一帶方言"神氣"之意爲"健康"；某人問："可有神氣？"意即是否健康。被問者若答："神氣不有。"則表示精神不好或生病了③。"神氣"乃道教所認爲的人身之寶，大理地區的群衆以"神氣"代稱健康，應與道教文化的影響有關。

道教與雲南文學藝術

道教在宣揚其宗教思想時，往往借助一些文學藝術形式來進行表達；同時，一些文人學士又往往以道教的一些人物和典故爲題材來進行創作。這樣，中國文藝就在很多方面染上了濃厚的道

①參閲李世康《彝族葬俗與道教的關係》，載《楚雄社科論壇》1991 年第 2 期。

②③參閲吴棠《道教在大理的傳播和影響》，見《南詔文化論》第 339－348 頁，雲南人民出版社 1991 年版。

教文化色彩。雲南的地方文藝也是如此。下面我們列舉一些這方面的例子。

民間文學是雲南地方文藝的一個重要組成内容。雲南民間文學起初多是在民間口頭流傳的一些故事，後來經過文學家們搜集、整理并加以潤色而得以定型的文學作品。在雲南的很多地方，流傳着不少有關道教人物和典故的故事，後來形成了一些頗有地方性特色的道教文藝類典籍，如大理地區有《巍寶山遇仙峰的傳説》、《長春洞黑衣道人戰惡寇》、《王靈官治服小黑龍》、《長春洞的傳説》、《太上老君點化細奴羅的故事》等"主要宣傳了道家君權神授、修道成仙、道術能斬妖除鬼、修行能煉金丹妙藥、道人武藝高強等道教的宗教思想"的文學作品①。專門刊載雲南民族民間文學的《山茶》雜志 (雲南省社科院民族文學研究所主辦)，也經常載有一些有關道教人物典故的民間文學作品，如該刊 1993 年第 3 期曾有《豆腐搭橋》、《梭米洞》、《飛鳳投江》、《飛燕達多雙變樹》等一組"張三丰故事"，描述了道士張三丰救助窮苦、懲治惡吏的事迹。昭通地區大龍洞道觀也曾出資刊印過一本名爲《七真天仙寶傳》的道教文藝典籍，該書對"全真七子"教化世人的事迹進行了文學描述，語言多爲壓韵詩。

雲南一些文人學士所作的詩詞楹聯，也有很多染有濃厚的道教文化色彩。如明代雲南大儒李元陽著《中溪文集》中就有不少這類作品，我們信手摘録幾首如下。

其一，《登大王峰》。詩曰：

> 神仙多窟室，盡在大王峰。萬丈梯青壁，千年儼玉容。
> 岩花寒淰淰，石發碧茸茸。還應有笙鶴，夜到武溪松。

其二，《訪唐隱君》。詩曰：

> 隱君修道處，茅屋傍龍池。漱齒開仙笈，簪瓶長玉芝。

---

①薛琳：《巍寶山道教調查》，見《雲南巍山彝族社會歷史調查》，雲南人民出版社 1986 年 10 月版。

雲心迥無住，石色看來奇。習氣應消盡，真堪作我師。

其三，《贈道士二首》。詩曰：

辭家三千里，獨鶴繞天涯。半榻侵雲霧，閑情覽物華。

飯隨丹竈火，人似赤松家。童顏如可駐，從子啜胡麻。

又：

華陽觀中住，幽討遂尋真。救病常行藥，得錢便與人。

秋光了閑屧，雲氣在綸巾。若不騎生鶴，孤空男子身。①

雲南道觀的楹聯之中，也有不少妙語。如瀕臨滇池而起的太華山（西山）三清閣，有一聯曰："極目太華高，偌大乾坤撐半壁。蕩胸滇海闊，無邊風月依層樓。"語言雖少，卻寫得氣勢磅礴、豪情滿懷。又有一聯稍長，對仗貼切，語言流麗：

半壁起危樓，嶺如屏，海如鏡，舟如葉，城廓村落如畫。況四時風月，朝暮晴陰。試問古今游人：誰領略萬千氣象？

九秋臨絶頂，洞有雲，崖有泉，松有濤，花鳥林壑有情。憶八載星霜，關河奔走。難得棲遲故里，來嘯傲金碧湖山！

此外，龍門慈雲洞前也有不少好詩聯，如贊頌開鑿龍門的道士吳來清之詩言："萬鑽千錘顯巨才，懸崖陡處闢仙臺。何須佛洞天生就，直賽龍門禹鑿開。"語言質樸，刻畫入骨。其他詩聯，兹不贅述。

"洞經會"是雲南特有的一種染有濃厚道教色彩的民間宗教組織，"以談演誦經爲主，輔以音樂；凡祈晴禱雨、聖誕慶祝，超度事悉爲之"②。在談誦經文時使用音樂伴奏，既能使呆板沉悶的談誦變得生動活潑，引人入勝，又能壯大誦經的聲勢，使人振奮，從而取得增強誦經吸引力，擴大談經影響的效果。據有關學者調查，洞經會的主要經典是《文昌大洞仙經》（又稱文經）和《關聖帝君覺世真經》（又稱武經）。從語言結構來看，文武兩經都分有專供念讀

①《李中溪先生全集》卷一，民國重刊本。

②民國《昭通縣志稿·宗教》。

的二三字、十餘字長短句(散文式的)和五言、七言式的詩句(韻文)。不同的句型有不同的念法,不同職責的誦經人所用的腔調以及所講、念、唱、誦的段落也不同。通常是"上長"領誦領唱,大衆隨聲唱和,左右"講玄"講解經義。經典正文中,凡有五言句皆必須配《元始》、《吉祥》之曲;凡有七言句必須配《八卦》、《咒章》、《華通》等曲;四字句則配《清河老人》之曲。而講述、念誦多伴配《萬年花》、《柳搖金》、《小白門》、《旦午》、《山坡羊》、《到春來》、《到夏來》、《到秋來》、《到冬來》等曲。演奏這些樂曲所用的樂器分吹奏與打擊兩大類。吹奏樂器有笛子、嗩吶、胡琴、胡撥、琵琶、三弦、瑟律等,打擊樂器有大小鑼鼓、雲樂、鐃、鈸、碰鈴、提手、木魚等。據洞經會員説,洞經會的樂曲有二三十種,分爲大調、小調兩類;大調是所有樂器齊奏出氣勢磅礴的曲調,適用于壯聲勢、造氣氛的章節、段落、贊、咒;小調是只用部分樂器配音,適用于講解經義、上供養時的伴奏。這種分工是爲了從不同的方面增強談經的效果。調查學者認爲:洞經音樂所表現的意境、刻畫的形象、歌頌的主要內容完全是宗教性的東西,樂曲的每個音符都充滿了追求長生、渴望成仙的慾望;而這又和洞經會所用《文昌大洞仙經》等道經的特定內容(如宣揚苦煉成仙思想)有關。如《大洞仙經》39 章,每章都以"元始天王曰"開頭,樂曲則配以《元始》來烘托元始天王的威嚴和神仙境界的高尚氣氛;經中有一百句"吉祥檀熾鈞",至此則用《大吉祥》之曲伴奏,反覆贊頌《大洞仙經》是能給人帶來幸福的吉祥之音;送聖時須齊奏《龍擺尾》之曲,以頌揚神的威靈。是故,洞經音樂不是可有可無的孤立的東西,而是與道經緊密地結合在一起的、談誦洞經的重要組成部分。這種洞經音樂"在雲南有着較長遠的歷史和比較深廣的羣衆基礎"①。由上,可窺道教對雲南地方音樂的影響之一斑。

---

①參閱并轉引自雷宏安《麗江洞經會調查》(下),載《宗教學研究》1990 年第 1-2 期。

雲南的建築藝術也受到了道教文化的一定影響。這種影響主要表現爲雲南的一些道教宮觀建築集藝術與宗教文化于一身。如今昆明市城東15里處的鳴鳳山(又稱鸚鵡山)有一座創建于明萬曆三十年(1602)的"太和宫",該宮曾毁于兵燹,續修于咸豐、同治、光緒年間;宮外有三天門,喻三清天,由山腳至一天門有七十二級臺階,喻七十二地煞,一天門内有臺階三十六級,喻三十六天罡;宮内有欞星門、鐘樓、雷神殿及金殿等建築,其藝術水平頗高,尤以金殿最爲著名。金殿俗稱銅瓦寺,初建于明萬曆三十年(1602),係雲南巡撫陳用賓命人仿湖北武當山太和宮銅殿式樣鑄成,後被拆遷至大理賓川鷄足山(毁于"文革"間)。清康熙十年(1671),平西王吳三桂又于鳴鳳山重鑄殿(即今金殿)。該銅殿面闊三間,寬7.8米,進深7.8米,高6.7米,有16根立柱,36扇格子門,重250餘頓,殿内正中供奉銅鑄真武帝君神像,兩旁有銅鑄金童玉女侍立;銅殿及神像造型精緻、維妙維肖,表現出了極高的鑄造水平。該銅殿乃目前全國最大、最重、造型最精緻的銅殿,1982年被國務院列爲全國重點文物保護單位。此外,昆明西山的"三清閣",有道教宮觀十餘所;各觀緣山壁而上,層層疊疊,櫛比鱗次,如危卵纍積,在建築上頗有特色。從三清閣往上有"龍門"石窟,石窟鑿于懸崖絶壁上,共有道教神像22尊;其驚險壯麗,亦享譽海内外。1983年,昆明市人民政府將其列爲第一批市級文物保護單位。其他一些道教建築佳品如昆明黑龍宮、大理清微觀等,介紹從略。

總之,道教對雲南的文學藝術曾産生過一定的影響。這種影響的例子很多,限于篇幅,只能簡單羅列上述幾個。需要説明的是:這種影響僅僅只是一種表層的浸染,尚未滲入到文藝理論和審美觀念等較深的層次中。這也是我們只作列舉而未加詳細分析的原因。

道教對雲南學術的影響

長期以來,以宣揚忠君孝親爲核心思想的儒家學説在古代中國學術史上占據着正統的地位;同時,道、佛二教也以其博大而精深的理論體系在中國學術史上贏得了重要的一席之地。我們可以説,儒、釋、道三家乃是中國傳統文化的三大支柱,是中國古代學術的三大主流。雲南雖有爲數衆多的少數民族文化細流。但自明清以來,儒釋道三家文化也同樣在雲南文化史上占據着重要的地位,扮演着主要的角色。是故,觀察雲南儒釋道三家的學術發展,尤其是觀察道教對儒釋二家理論的影響,基本上可以看出道教對雲南學術的影響。

據《明清滇人著述書目》記載,明清時期的雲南曾有《道德經贊頌》及《莊子注》等闡揚道教聖人思想的著作出現,又有《洞天秘典注》等道書問世,“多前賢未發之旨”①,還有《大易集解》、《太極圖衍義》、《河洛解》、《太極明辨》、《皇極經世心易發微》等有關易學、理學的著述 40 餘部。從以上數目衆多的著述可知,此時雲南學術界關于道家、道教的研究和認識已有較大的進步。而關于道家、道教的學術研究乃是中國學術之一項重要內容,故可以説此時雲南學術界在這方面的進步在一定程度上體現了雲南學術的發展。

明清時期,雲南的道教與儒釋二教多相互融合。據《徐霞客游記》載,此時雲南各地的道觀多與佛寺及儒家的文廟、學校交錯分布而難分彼此的屬地。如昆明太華山“梵宇仙宫(雷神廟、三佛殿、壽佛殿、關帝殿、張仙祠、真武宫)次第連綴”②;賓川鷄足山佛教聖

①方樹梅:《明清滇人著述書目》第 38 頁,國立雲南大學西南文化研究室印行本,民國 33 年版。

②朱惠榮:《徐霞客游記校注》下册第 716 頁。

峰寺後有祀奉玉皇大帝的"玉皇閣"①,碧雲寺衆僧之師所住之處名爲"真武閣"②;漾濞縣金牛屯玉皇閣初創于朱、史二道人,後則有"僧三賢擴而大之"③;大理崇聖寺後有淨土庵,"庵前爲玉皇閣道院"④;洱源西山有佛教護明寺,"寺之南爲文昌閣,又南爲文廟"⑤;劍川"有道宮倚西山下,亦東向,其內左偏有何氏書館,何鄉紳之子讀書其中,宮中焚修者非黄冠,乃瞿曇也"⑥;騰衝烏雅山"中蓋玉皇閣,前三楹奉白衣大士,後三楹奉三教聖人"⑦。在這種背景下,道教對雲南地區的儒、釋産生了較大的影響。

道教對雲南儒家的影響主要表現在一些雲南大儒往往借助道教的一些觀念來闡述儒家的思想,使雲南的儒學染上了較濃的道教色彩。下面我們以明清時期的雲南大儒李元陽和高奣映爲例來説明這一點。

李元陽(1497—1580),字仁甫,號中溪,出生于大理的一個白族地主家庭,自幼發憤讀書,于嘉靖元年(1522)舉雲貴鄉試第二名,嘉靖五年(1526)中進士,授翰林院庶吉士,後因參預"大禮議"之争而被貶出朝,歷任分宜、江陰縣令,又入京任户部主事,遷監察御史,曾巡按福建。"世廟以荆南路衝地重,如所謂淮陰股肱郡,思得大賢處之,乃即班中拜(元陽)先生;先生治荆,德政及民,不可殫述"⑧。李元陽晚年返歸故里,居大理而不出,著書立説,撰有《雲南通志》一部,并留有《中溪文集》十卷,被滇人譽爲"理學巨儒"⑨。

李元陽以儒生出,對儒家學説深有研究,據説其學"淵源于陸

①朱惠榮:《徐霞客游記校注》,下册第892頁。
②同上,下册第885頁。
③同上,下册第1002頁。
④同上,下册第993頁。
⑤同上,下册第996頁。
⑥同上,下册第953頁。
⑦同上,下册第1048頁。
⑧⑨《重刊中溪匯稿序》,見《李中溪先生全集》。

子（九淵）而與朱子（熹）殊途同歸"[1]。然而綜觀其説，實則既有儒學，又有佛理及道教色彩。在此我們僅談論其所受道教的影響。

李元陽學問博通、明習吏事，"晚而究心性命之旨，兼涉佛藏"[2]。又多與道人交往，受其影響。前述《中溪文集》中有《登大王峰》、《訪唐隱君》、《贈道士二首》等游山訪道之詩，此外還有《與黄西野道長》等文，以爲"翰教疊疊，良切欽仰"[3]。萬曆《雲南通志》載其曾盡捐家資而建"瑞鶴觀"，楊升庵嘆之"不獨爲南中佳處，即寰宇名勝，蓋鮮其匹矣！"《滇志》又載道士鄧豁渠辭蜀入滇至大理時，李元陽曾館之于三塔寺。在這樣的環境中，李元陽的思想中不可避免地染上了一些道教色彩，如其曾作《天地世界圖序》言：

> 大略世界以須彌山爲主山，形爲世之杖鼓，上下闊而中細。山頂七寶所成爲忉利天，上帝玉京在焉；三十二帝宫闕圍繞之，道家所謂大羅天是已。山頂處爲欲界十天，依實而住；欲界之上爲色界十八天，又上爲無色界四天，皆依空而住。山之東西南北，各有寶窟，爲四天王所居。四天王之下，爲日月星宿，依氣旋轉，一息不停，氣使然也。須彌山根，重山重海，山曰金山，海曰香水海，爲聖賢仙人所居，即世所謂閬苑、玄圃、瀛洲、蓬萊等是已。惟四大部洲，則在山根之外，大海之內，東曰勝神洲、南曰贍部洲、西曰牛貨洲、北曰巨盧洲。四洲之內，南洲又爲獨勝，修道易成。今中國即南洲地也。此言一須彌、一日月、一世界之大概耳！若須彌日月以億萬計，世界亦億萬計，惟神聖乃能知之。[4]

很明顯，上述説法乃是融合佛、道思想的結果。須彌山、欲界色界無色界、四天王、金山、香海、四大部洲等本爲佛教之説，但後來也曾爲道教所擇取。《雲笈七籤》卷二十一《天地部》引《玉京山經》言：

> 玉京山冠于八方諸大羅天，列世比地之樞上中央矣。山有

---

①②《重刊中溪匯稿序》，見《李中溪先生全集》。

③④《李中溪先生全集》卷十。

七寶城,城有七寶宮,宮有七寶玄臺,其山自然生七寶之樹,一株乃彌覆一天,八樹彌覆八方大羅天矣。

該書同卷《四梵三界三十二天》又言: 欲界有六天、色界十八天、無色界有四天,之上有四梵天,合爲三十二天;三十二天之上爲"梵行","梵行之上則是上清之天,玉京玄都紫微宫也,乃太上道君所治,真人所登也"。《枕中書》引《真記》則言:"玄都玉京七寶山,周回九萬里,在大羅之上。"是知李元陽所言"山頂七寶所成爲忉利天,上帝玉京在焉;三十二帝宫闕圍繞之,道家所謂大羅天是已"實本于道經所記。此外,閬苑、玄圃、瀛洲、蓬萊之説也多爲道教宣揚,李元陽將之與佛教"金山"、"香水海"相混,并言是"聖賢仙人所居",可見其融合佛道之力。儒家本來很少有探究世界之起源及結構者,滇中李元陽有此較爲系統的説法,實是對儒學的一個貢獻,而其中又有一份道教及佛教的功勞。

高奣映(1647—1707),字雪君,一字元廓,小字遐齡,别號問米居士,又號結嶙山叟,出生于姚安的一個彝族(又説白族)土官家庭,自幼嗜書成癖,凡經史百家、先儒論説、詩詞文藝皆學有心得,曾得襲其父職,又因助清軍蕩平吴三桂之亂而得特授"參政"之職。後辭官退居結嶙山,日事丹鉛并開庭講學,弟子成進士者 28 人、登鄉薦者 47 人。高氏勤于著述,《姚安縣志》載其平生著書 81 種,于儒釋性命、老莊哲理以及醫占雜藝等"皆能掃前人支離,自闢精義"。其對儒家理學、易學及佛道教學術等的研究均有很大建樹。著有《太極明辨》、《理學西銘補述》、《理學粹》、《增訂來氏易注》、《易占匯考》、《金剛彗解》、《心經發微》、《定觀經解》、《胎息經解》、《道德經注解》、《莊子尋脈解》等作品。上述著作現多已亡佚,僅見于《姚安縣志》、《雲南通志》及《續雲南通志》等書的"存目"之中。今僅對其《太極明辨》一書所受道教影響稍作探討。

高奣映著《太極明辨》一書,對理學大師朱熹所推崇的周敦頤"無極而太極"一語進行了精深的辨析,認爲:"決不得于太極之前又有一無極","在太極以前,只是一混沌","太極以前祇可名混沌,不可舉以名無極也”。高奣映考證,“自上古已有太極之名,實無無極之説也……後儒更未之説”。他認爲:“所謂無極而太極者,蓋指無形象、無聲臭、無方所者以言之,非謂太極之前别有一無極,無極之外别有一渾淪也”,“蓋當混沌不至于極之時,總是一個混沌,決決不必于此混沌裏面添設一無極道理;若既連無極也無,又有何道理之可蘊鴻”。爲了論證自己的觀點。高奣映進一步對周敦頤所傳《太極圖》考證道:

周子觀先天太極後,豁然有悟,遂得其理,乃爲是圖,其散見之圖并説詳見性理。周子惟有圖而無字,其陰陽、動静、五行、男女、萬物之精皆備發于《通書》。朱子窺《通書》之微,遂以字釋出,然未敢于白圈名無極也。或曰圖上周子原有字亦并不名白圈爲無極。可見白圈是太極未發本體,不是無極。

高氏又引朱熹“夫豈有以爲太極之上復有所謂無極哉!”一語而言:“是紫陽先生亦明知太極上不可安無極最明確矣!”最後,高奣映得出結論説:“言無極蓋多見于老氏之説,即三素之義,仙家配洞元、洞明、洞玄以言之。”如果“將孔子所重之太極轉被于混沌上,又弄出一個無極,又與太極争功抗微,如此豈不是開後學以務高遠異端之病?”所以,“不得將太極功施分歸于無極,使後學務高遠,必致流爲異端耳”①。高氏在此書中雖有明顯的貶道尊儒之傾向,但不可否認的是:他對道教學説之瞭解和運用,乃是其著成《太極明辨》這一力作的重要條件。

除了對雲南儒學産生過影響外,道教還對雲南佛教的學術産生過影響。《徐霞客游記》載徐霞客過鷄足山悉檀寺時曾見該寺僧人撰有《老子元覽》一書②。《明清滇人著述書目》則録之爲《老子注解》。陳垣《明季滇黔佛教考》亦曾提及此事。筆者未能得閲此注解,故有關道教對雲南佛教所産生影響的具體内容只好暫付缺

①高奣映:《太極明辨》,方氏學山樓藏本。
②朱惠榮:《徐霞客游記校注》下册第910頁。

如。不過,僅從雲南僧人熱衷于研讀道教經典并撰有道經注解這一事實,我們也足以窺出道教對雲南佛教學術的影響了。

從上述五個方面內容中,我們可以感受到道教對雲南文化的影響是很強的。需要説明的是,道教在對雲南文化產生影響的同時,也在一定程度上受到了雲南文化的影響,如一些本爲雲南少數民族崇奉的神靈曾進入了雲南道教的神團之中,使雲南道教出現了與內地道教不同的特點;限于篇幅,對此不作具體闡述。

作者簡介 郭武,1966 年生于雲南。1991 年獲哲學碩士學位。現在雲南省社會科學院宗教研究所工作。

論《揚善半月刊》

吴亞魁

内容提要 《揚善半月刊》是近代中國最有影響的道教期刊。1933年7月1日創刊,1937年8月停刊,逾時四載,刊風二易:從三教貫通到偏重道教再到專弘仙道,自始至終以弘揚仙道爲要務者僅陳攖寧一人。《揚善》的道教思想内容并非僅見于陳攖寧一人一家,但我們確乎可以説,他的思想反映了《揚善》的基本道教面貌并規定了《揚善》的主要發展路向。六十年後的今天,我們仍需要大力"揚善"!

《揚善半月刊》1933年7月創刊于上海,1937年8月停刊,前後五年,一共出了99期。據國民政府1936年《内政年鑒》統計,其時,全國共有報刊1763種。在如此紛呈雜出的報刊之林中,《揚善》可謂影響甚微。但就是這樣一份刊物,以其"近代東方闡揚三教之惟一專刊"①、"專門仙學雜志"②的一幟獨樹,在當時的上海乃至全國的道教界名噪一時,從而在近代道教文化的空頁上書寫了濃重的一筆。以致于我們今日,無論是治上海道教史志,還是從事陳攖寧研究,對《揚善》都不能夠略而不論。但迄今爲止,我們對《揚善》的認識仍舊是比較膚淺的。所以我們要問:《揚善半月刊》到底是一份怎樣的刊物呢?

---

①張健華《從善惡形成之原理説到〈揚善半月刊〉》(《揚善》一卷13期)。

②《揚善》第76期(始)封面。

一、《揚善》始末

欲知《揚善》始末，還得從翼化堂善書局説起。翼化堂善書局始創于清咸豐七年 (1857)，位設于申城名園“豫園”，創辦人爲申江望族、浦東名家張雪堂。名“翼化堂”，取其羽翼聖經、感化人心之意，設善書局，“迨因時值末劫，人心險惡，故發行有益世道之善書，以善化爲宗旨”①。張雪堂 (1837－1909)，晚清滬上大慈善家。名韋承，字雪堂，人稱雪堂先生。本姓衛，相傳爲南宋狀元宰相文節公的後裔，曾祖衛焕文時，自浦東始遷上海。祖衛錫成，父衛德銓，都稱得上一鄉一時的善士。張雪堂“以支子，奉父命爲舅氏，後故姓張氏”②。秉性慈和，讀書好道，終身茹素不娶，傾畢生心血于慈善事業，凡戒殺、放生、化俗、勸善、救苦、濟貧、賑飢、拯溺、保嬰、養蒙、恤嫠、贍老、施衣米醫藥棺木、修馬路橋梁津渡，種種善舉，皆視爲天職所在，無不盡心盡力以爲之。尤“具特别眼光，知非搜羅勸善之書籍，印行廣播，不足以挽末俗而正人心，故以獨資經營”翼化堂善書局③。所爲者，不獨翼化堂善書局一家，還有“城中之保嬰局”、“城北之仁濟局、城南之放生局、公濟堂、周家渡之義渡局暨仁濟、公濟附設之義務小學。”④雪堂先生無後，遂由其同懷兄弟之子樹森 (? 一 1909，字蔚山) 過繼爲子，“吾今可以對張氏先人矣！” 1909 年卒，壽七十有三。屍身未葬而養子樹森亦死，樹森之弟文熙 (? —1932，字芝山) 又以己子廣勛過繼爲樹森之後。這個廣勛就是《揚善半月刊》的創辦人和發行人、身爲翼化堂末代堂主的張竹銘。

還是要説翼化堂善書局。雪堂先生在世時，身兼數務，所以善書局事主要由其弟甫堂一手掌理。雪堂“待之怡怡最篤，遂以書局

①翼化堂善書局書目廣告 (《揚善》一卷 1 期)。
②《張君雪堂墓志銘》(《揚善》二卷 13 期)。
③《翼化堂善書局八十周紀念徵文啓事》(《揚善》三卷 12 期)。
④《張君雪堂墓志銘》(《揚善》二卷 13 期)。

事屬之”,“日事搜攬,凡古今聖哲名賢訓世之巽言,佛者慈悲之法語,無不製諸梨棗,印刷成書,并選學堂經典書籍,咸備于局,購索者不僅三吳,即各通都大邑,郵函載道,頻相購取。”①甫堂因斯勞疾,寢疾而卒,善書局事遂由蔚山公樹森繼理,規模又漸擴大。後(1909 年初)張雪堂和養子樹森相繼病逝,而此時樹森之嗣張竹銘尚在肄業,不敷掌善書局事,遂由其生父芝山公文熙公務之餘代爲料理,“務求善書推廣,以維道德而挽天心,故雖一言一行之仁慈,東亞西歐之善舉,悉羅致纂編,實之書局,以供贈賣,善書于焉大備。”②1932 年春,文熙病逝滬上,“彌留之際,猶囑銘毋墜先人創辦善書之志也。銘不敏,謹承遺命,不敢告勞,雖猥務業繫,而對于善書局之發展,靡不精思研究。”③經其幾代人的不懈努力,翼化堂善書局“自清咸豐七年至今,搜羅各種道學佛學勸善等書,已出版者不下千餘種,久爲海內外各界所深知。”④諸如: 木版善書、石印善書、木版道書、丹經秘旨、大乘佛經、梵本經懺、著名經香、朱紅木魚、各色佛珠、方技用書,等等,皆在其印售經銷之列。著名道教學者陳攖寧 (1880－1969) 稱: “張君竹銘者,好古敏求之士也,承其先代遺風,嘗以弘揚道術爲己任,搜羅古籍,刊印流通,學者稱便。”⑤

張竹銘本人并不知足于此,“竊以邇來天災人禍,連歲疊興,而道德古風,日趨淪落,縱有善書,其將于不閱者何? 迺參以潮流之所向,廣結海內名賢道德仁慈博學善長,徵集鴻文,匯成一册,名曰《揚善半月刊》,一以藉名流仁言之普化,一以廣善書旨趨之宣傳,上以副先人創造之誠,下以盡予小子繼志之素。”⑥今日再看《揚善半月刊》及後來的《仙道月報》在中國道教文化寶庫中所據的位置,我們自不能低估張竹銘承先啓後、篳路藍縷之功!

①②③張竹銘《翼化堂善書局之創設及本刊發行之原因》(《揚善》一卷 13 期)。
④《翼化堂徵求道書啟事》(《揚善》二卷 19 期)。
⑤陳攖寧《旁門小術録序》(《揚善》二卷 19 期)。
⑥張竹銘《翼化堂善書局之創設及本刊發行之原因》(《揚善》一卷 13 期)。

1933年7月1日,《揚善半月刊》正式創刊發行。10月9日,上報國民政府內政部核准,10月24日,上海市政府予以批覆。

《揚善半月刊》的創辦人暨發行人爲翼化堂主張竹銘,出版機構爲翼化堂善書局,《揚善半月刊》社亦設址于此(邑廟豫園路18號),下設編輯部、發行部、廣告部,主編笑儀,助編半龕,特約撰述有常遵先、張健華、陳攖寧、楊叔和、汪伯英、詹芳譜、周指南等。每月逢1日、16日出版。

從1933年7月1日創刊,到1937年8月停刊,《揚善》一共出了99期,歷時四載,刊風二易,終因時局不靖、戰事影響而被迫停刊。繼《揚善》之後的是張竹銘創辦于1939年1月的《仙道月報》。

二、《揚善》的旨趣、內容與影響

"揚善"顧名思義是"宣揚善舉"。誠如楊叔和《何必揚善》中說,出版《揚善》,是爲"提倡道德,指示人心"。還是這位楊叔和,在《揚善》首期中呼籲:"以前的勸善的失敗,是在太莊嚴、太單純、太枯悶了,現在要'改變作風',文字要通俗,意味要雋永,筆法要詼諧,要有旁敲側擊的方法,要有耐人尋味的結束。"①《揚善》的草創,意在或者說已在對前人的勸善方式作某種完善,而在其辦刊過程中,這種不斷變革、不斷完善的勢頭一直貫穿刊物的始終。

創刊伊始的《揚善》高標其爲"近代東方闡揚三教之惟一專刊也,其于道學之發闡,儒學之研究,佛學之宣揚,固兼該而并進,亦包羅而萬象。"②

宋元以來,三教合一、三教融通、三教平等,一直是中國社會文化思潮的主流。《揚善》承其餘緒,凡關于勸善、勸孝、戒殺、放

①楊叔和《勸善的方術》(《揚善》一卷1期)。
②張健華《從善惡形成之原理說到〈揚善半月刊〉》(《揚善》一卷13期)。

生、敬字惜穀、遏淫、戒賭、戒烟、戒酒、拯難、濟急、治家、修身、道學、佛經等感化人心、有益世道的文字、圖畫，一律來者不拒，而且“文體最好文言”。

一年半之後，《揚善》的刊風，就有一次改易。它重申其辦刊宗旨爲：

1、本刊以揚善爲宗旨，凡有利于人羣，有益于社會之事實，并其學説理論，無不竭力表揚，但絶對不談政治。

2、本刊對于世界各大宗教，一律平等，不分軒輊。

3、因爲吾人是黄帝子孫，不能數典忘宗，故對于黄老之遺教，無論是正脈本宗，或旁支餘緒，皆當盡力宣傳，以繼往開來爲己任。

4、世界方日趨進化，設若吾人僅提倡迷信，閉塞民智，如何能與他族競生存，故對于迷信文字一律不登。

5、本刊名爲揚善，不是揚惡。凡各教信徒投贈稿件，衹許説本教之長，不可説他教之短，若有妄自尊大、藐視他教之文字，恕不代登。

并將編輯取材，分爲二十大部：社會論壇、先哲格言、名賢模範、方外奇緣、雲水閑吟、性命玄機、金丹秘訣、延壽須知、林泉清話、勝迹游踪、道術叢譚、各教精華、學理研究、雜俎餘興、通函問答、古本經懺、勸誡文字、醒世小説、新聞消息、來稿附刊。

宗旨一變的主要原因，蓋“惟因他種佛教之刊物，對于仙道，常多輕視之論調，以故難望達到平等一貫之目的。”①

自第 63 期錢心《仙佛判決書》及第 65 期陳攖寧《吕祖參黄龍事考證》、《吕祖參黄龍事疑問》、《吕祖參黄龍事評議》各篇刊出之後，《揚善》又有一次刊風改易。它改變宗旨，專弘仙道，飄然獨立，不受釋教之拘。

自第 68 期起，《揚善》更進一步作徹底改革，并對“善之真義”

①《本刊三周紀念七十二期之回顧》(《揚善》四卷 1 期)。

作出新解：學理，重研究，不重崇拜；工夫，尚實踐，不尚空談；思想，要積極，不要消極；精神，圖自立，不圖依賴；能力，宜團結，不宜分散；事業，貴創造，不貴模仿；幸福，講生前，不講死後，信仰，憑實驗，不憑經典；住世，是長存，不是速朽；出世，在超脱，不在皈依（第68期封面）。凡不合此十條真義者一概不登。

至第76期，則封面赫然標明：專門仙學雜志。

如若我們從內容上加以分析，則與《揚善》旨趣一再變易相一致的是，《揚善》的思想內容也有一個從三教貫通到偏重道教，再到專弘仙道的嬗變過程。

從一開始，《揚善》就旗幟鮮明地勸人爲善。談“勸善的方術”（楊叔和），“劈陰惡佯善論禍福果報説”（汪伯英），論“勸善從大學著手是根本大法”（常遵先），緊扣旨趣，高標“揚善”，文字淺近，意味雋永。雖刊風二易，勸善止惡的文字是一貫到底的。

自創刊至第36期止，宗旨爲三教一貫，內容相應地也是包容三教。除少數道學專家著述而外，其餘文字無異于其他慈善刊物。舉其大者：談儒，有《説孝》（趙延芳，一卷1期）、《我之勸孝觀》（詹芳譜，一卷4期）、《孔子忠恕化》（常遵先，一卷17—19期）等；論佛，有《悉達太子寶卷全集》（一卷3－12、14－17、19－24期、二卷1－6期）、《金剛渡世彌陀真經》（一卷23、24期，二卷1－3期）、《佛説大意經》（二卷5期）、《佛説受歲經》（二卷6期）、《佛説七知經》（二卷7期）、《佛説是法非法經》（二卷8期）、《佛説養生子經》（二卷11、12期）、《佛氏悟性化》（常遵先，一卷17－19期）等；説道，則有陳攖寧《黄庭經講義》（一卷1－14期）、《孫不二女丹詩注》（一卷5－13、15－17、19－24期，二卷1－3期）、《中國道教源流概論》（一卷14期）、《口訣鈎玄録》（二卷8、16、17期，三卷1－3期，四卷8、12、14期），常遵先《老子道德化》（一卷17—19期）、《吕祖詩解》（二卷7—17期），陸甸孫《洞天福地考》（一卷4－12期、14期），汪伯英《如何修道》（二卷4－6期）等。餘則多爲普通勸善文字。

自第 37 期起，至第 67 期止，宗旨仍爲三教一貫，而內容則仙道文字居多，并兼載金丹要訣，至于勸誡文字，雖每期必登，但不占篇幅。佛教方面，除《佛説長者子六過出家經》(二卷 13、14 期)、《菩薩修行經》(二卷 15－17 期) 續登之外，其餘文字較少刊載。道教方面文字則比比皆是。要者如：陳攖寧《口訣鈎玄録》《讀化聲叙的感想》(二卷 13－15 期、17、23 期，三卷 1－7 期)、《吕祖參黄龍事考證》、《吕祖參黄龍事疑問》、《吕祖參黄龍事評議》(三卷 17 期) 以及 20 餘封答道書信，常遵先《黄帝內經補注》(二卷 13－17 期、21、24 期，三卷 1、2 期)、《秘藏鍾吕傳道集注解》(二卷 21、23、24 期，三卷 1－5 期、8、9 期)，淨心子《修道新論》(三卷 7 期)，等等。

自第 68 期起，《揚善》徹底改變宗旨，專弘仙道，內容則清一色的談玄論道。主要內容有陳攖寧《論〈四庫提要〉不識道家學術之全體》(三卷 20－22 期)、《辨楞嚴經十種仙》(四卷 24 期、五卷 2 期) 以及 50 餘封答道書信，許得德《道教本旨略論》(三卷 22 期，四卷 2－4 期)，竺潛《答客問太極》(三卷 20－23 期)，《金丹三十論》(四卷 8、10、12、13 期 20－23 期)，張化聲《胡適近著〈陶弘景真誥考〉之批評》(四卷 9 期)，易心瑩《道教分宗表》(四卷 21 期)、汪伯英《論〈陰符經〉》(四卷 23 期) 等。

從上述分析可以看出，自始至終以弘揚仙道爲要務的祇有陳攖寧一人，其文字數量之多、研究範圍之廣、學識水平之高、思想影響之大，在《揚善》同仁中都是首屈一指的。《揚善》的道教思想內容并非僅見于陳攖寧一人一家，但我們確乎可以説，他的思想反映了《揚善》的基本道教面貌并代表了《揚善》的主要努力方向。

陳攖寧在《揚善》刊上的文字大致可分作三類：道書詮注、學理文章、通函問答，內容則包括理論上弘揚"仙學"和實踐上傳授道術兩個方面。

陳攖寧此時所主張，"迺狹義的神仙學派"，亦即所謂"仙學"。他認爲，所謂仙學，即指煉丹術而言，有外丹內丹兩種分别。①而主

①參見陳攖寧《衆妙居問答》(《揚善》四卷 24 期)。

要是內丹。仙學是始于黄帝、超出三教範圍以外的一種種族性的、獨立化的專門學術。不是宗教。也不是道教。仙學有四大原則：第一務實不務虚，第二論事不論理，第三貴逆不貴順，第四重訣不重文。仙家的修持法門有吐納導引、煉氣闢穀、服食藥草、精思存想，静淨坐忘等。凡此種種，都屬道教的修煉方術。所以，從仙學的本質和內容看，無論陳攖寧如何"提拔"和"扶助"，仙學還是不能獨立于道教之外，始終爲道教整體之一部分。

陳攖寧論道，有廣義和狹義之分。廣義之道又有本體之道和道家之道之别。本體之道是宇宙萬物之源，無名無形，絶對不二，圓滿普遍，萬古常存。所謂修道，就是修這個道。以此而論，則三教原無分别，同爲道中的一部分，耶穌、天主、回回，也是道中的一部分。道體本一，而其用萬殊；從流溯源，則萬殊復歸于一。道家之道是始于黄帝、源出老莊的一種思想體系，不限于清静無爲，也不限于煉養、服食、符籙、經典、科教；用于內，可以修身養性，用于外，可以治國齊家。以此而論，則秦漢以前諸子百家之學術皆起源于道教，像儒家、陰陽家、墨家、法家、名家等，其源均出于道家。狹義之道是寇謙之之科誡符籙，張天師之正一派五雷法，邱長春之全真派經懺齋醮祈禱等類，這些叫作道教。在他看來，一部《道藏》，惟有《參同契》、《黄庭經》、《抱朴子》三種書籍，爲仙道門中最有價值之書。

陳攖寧弘揚仙道，注重修持實踐和理論闡釋，尤對女丹功法勤加研究。他的三本丹學要著都與女丹有關。《孫不二女丹詩注》結合原詩，解釋名詞：收心、養氣、行功、斬龍、養丹、胎息、符火、接藥、煉神、服食、闢穀、面壁、出神、衝舉。《黄庭經講義》擇其精要，分類注釋：黄庭、泥丸、魂魄、呼吸、漱津、存神、致虚、斷欲八種名詞及出處原文。《靈源大道歌白話注解》則將宋曹文逸《靈源大道歌》全篇128句一一作注。此三篇要著，再加上他因人因時而宜的大量答道書信，對當時女道修煉頗具影響。"可以認爲，攖寧是近代女丹功法研究的集大成者。"①

①上海人民出版社《上海宗教史·上海道教史》。

陳攖寧著述宏富,尤多答道文字。因其形式的散漫、出語的率直,論事説理就難免有不夠縝密之處,從而思想也就有些駁雜。但這無礙于《揚善》的道教面目,也無損其影響廣布。

"近代中國最有影響的道教期刊,一般認爲是由道教居士翼化堂主張竹銘等主辦的《揚善半月刊》和《仙道月報》。"①《揚善》不是一份由道教中人(道士)出資并承辦的道教刊物。"無論是辦學和辦刊,主要是依靠熱心道教的居士出資、出力和出人,道教的教職人員限于文化素質、經濟實力以及組織化程度都未能對于這些文化教育事業有多大的干預。"②就在《揚善》創辦當中,1935年底,上海道教界人士籌組成立中華道教會,在他們起草的"中華道教會草章"中,第四條第四款就是:"設立道學院,闡明道家學術源流,發揚玄門要旨,并辦道教月刊,振興道教,感化人心。"③某種程度上這或許表明,道教中人并不以《揚善》爲純粹的道教刊物。擬議中的"辦道教月刊"終歸是流于一紙空文,祇有《揚善》以其"專門仙學雜志"的純粹道教面目,贏得了當時全國好道同志的喜閱以及今日道、學兩界的認同。

《揚善》一經問世,便得到社會各界的一致好評。"發行半載,名賢詞藻,惠然肯來,社會傳觀,每刊增印。"④"各慈善道德長者,寄錫宏文,編刊揚摶,中外無不共賞。呈之政府,內部及與登記,市府亦批予保護。即各省報刊亦交相揚贊。"⑤及至一年,《揚善》編輯部稱:"自去歲發行以來,凡海內外慈善大家,緇黄長老,争相函訂。每期必須增印方敷寄答。"⑥兩年過後,《揚善》編輯部又稱:"本社創辦《揚善半月刊》,一周時已通行各省。及二卷十三期改良

①上海知識出版社《中國道教》(一)。
②上海人民出版社《上海宗教史·上海道教史》。
③《中華道教會草章》(《揚善》三卷10期)。
④張竹銘《翼化堂善書局之創設及本刊發行之原因》(《揚善》一卷13期)。
⑤半龕《本刊半年來之回顧及以後之希望》(《揚善》一卷13期)。
⑥《本刊一周紀念》(《揚善》一卷1期)。

後，承海內外道德名賢，鴻文惠錫，名言道範，滿紙珠璣，各界爭訂，浸銷海外。其所以異于諸刊報而獨能永固者，……良由三教一貫，以道爲宗，勸善揚仁，爲世界人人所樂觀者也。”①一時間，也曾博得部分佛教界人士的好評，但與之俱來的則是部分道教中人的種種不解和不滿。

1936 年 12 月，《揚善》發表了“爲修道集團事徵求同志諸君之意見”書。意見書説：“今日若言修道，决非個人之心思財力孤立獨行者，所能勝任，必須合羣策羣力以赴之，始克有濟。”②此意見書一經刊出，便得到全國好道同志的熱烈響應，他們紛紛投書《揚善》，提出對成立修道團體的具體意見。可見全國的好道同志是真心重視《揚善》、熱切關注道教的。《揚善》之影響，于此可見一斑。

從《揚善》選登的讀者來信及陳攖寧作覆的答道書信看，《揚善》的讀者群至少已遍及上海、南京、北平、河北、山西、山東、江蘇、浙江、安徽、江西、福建、廣東、湖南、湖北、河南、四川、雲南等全國十七個省市，所以，《揚善》在全國範圍內，還是有相當的知名度和影響力的，當然主要局限于道教界以及好道同志。據説，《揚善》的“發行量爲 2000 份”。③在今天，這算是少的。但在當時，文化知識尚未普及、國內交通遠不便捷、各種信息相對閉塞的落後條件下，《揚善》能有如此廣泛的覆蓋面和廣大的發行量，已屬相當不易！從中還可以看出，《揚善》的知名度和影響力，在一定程度上可以歸結爲陳攖寧的文字般若之力在當時社會發生積極效應之故。這正是《揚善》編輯部所説的：“報刊以名人作爲根基，著作宏富，則報刊自然增進。”④

---

①《本刊兩周紀念》(《揚善》三卷 1 期)。
②《揚善》四卷 12 期。
③上海畫報出版社《宗教鈎沉》。
④《本刊兩周紀念》(《揚善》三卷 1 期)。

三、陳攖寧與《揚善》

《揚善》宗旨改變的一個明顯標志和直接結果，就是陳攖寧在《揚善》中的地位和作用日漸突出和更加重要，這話應該正過來這樣説：《揚善》宗旨的一再變易，從包容三教轉至專弘仙道，是陳攖寧的仙學主張在《揚善》刊及道教界的影響逐步加深、漸居主導的結果。從表面上看，創刊初始，身爲《揚善》特約撰述的陳攖寧并不是唯一的，一如我們過去常言的"主編《揚善半月刊》"，甚至也不是最主要的，衹能稱以《揚善》的星空璀璨群星中的一顆。到了後來，陳攖寧則無疑是這份刊物及那個時代最有見地和最有影響的弘揚"仙學"第一人。有一點可以認定，陳攖寧的文字在《揚善》的整個篇幅中占有較大的比重，以致于我們不能不認爲，陳攖寧的仙學主張，在很大程度上規定和影響着《揚善》的發展路向。

陳攖寧從不是三教一貫的積極倡言人。他一生，學儒學老學佛學道，且由儒而老而佛而道。他曾説："以我個人歷程而論，初以儒門狹隘，收拾不住，則入于老莊；覆以老莊玄虛，收拾不住，則入于釋氏；更以釋氏誇矣誕，收拾不住，遂入于神仙，吾將以此爲歸宿矣。"①所以，他是一位堅定的道教信仰者，同時又是一位篤實的道教實踐家，他的修道理論是付諸具體修持實踐的。在當時道教處境困頓、政府不予認可、學者不予理解、社會不予同情的窘境中，他獨樹一幟，高標"仙學"，實則提倡的還是道教中的學術精粹，真心實力爲道教搖旗吶喊。他不盲從古聖，亦不苟合時賢，他曾明確地説："我不願講三教一貫，更不願講仙佛同源。"②"愚見對于前人三教一貫之旨趣，固未嘗厚非，奈彼教徒等法執不破，我見太深，每多輕視仙道之論調，是爲遺憾耳，果伊等肯稍事圓融

①陳攖寧《讀化聲叙的感想》(《揚善》三卷 6 期)。
②陳攖寧《呂祖参黄龍事評議》(《揚善》三卷 17 期)。

者,弟亦何必浪費筆墨乎?”[①]所以,“《揚善》刊上面凡屬陳攖寧君之作品,可謂無一句一字不是將仙佛界限劃分明白者,此迺陳君眼光遠大之處,蓋早防有此糾紛耳。……陳攖寧君之見解,不許將佛教混入仙學之內,以免狂辭瞽說,玷污神仙。”[②]同爲《揚善》主筆,他的主張不同于純一,不同于竺潛道人,也不同于常遵先(瀟湘漁夫)。對此,他并不諱言:“寧之志願,因欲集仙學之大成,不便偏守一家言論,且不肯讓仙學爲富貴人所獨占,故不提倡栽種説,所以異于純一(純一子篤信雙修接命之説,不承認餘宗别派);因欲維持仙學地位,不屑借用佛典中之名詞與理解,以免受佛教徒之輕視,故異于竺潛(竺潛道人精于禪宗);因希望肉體證得之神通,消滅科學戰争之利器,不得不注重實驗,謝絶空談,祇講物質變化,不講心性玄言,故異于三教一貫(常君遵先主張儒釋道三教一貫)。”[③]他甚至不能苟同于前輩學者。“因欲聯絡全國超等天才,同修同證,并以偉大神通力,挽此世界末日之厄運,非但不贊成生西方,并且不許升天,不許作自了漢,不許厭惡此世界之苦而求脱離,不許欣慕彼世界之樂而思趨附,故異于往昔前輩之宗旨。”[④]他一生孜孜以求的是“達則兼善天下,窮則獨善其身”,念念不忘的是聯絡全國好道同志(超等天才),組織一實行修道之團體。所以,他不是獨自一人,潛隱默修,“作自了漢”,而是盡其所能地將修道心得公之于衆,求“同修同證”。

《揚善》就是他提倡仙學并“將親身實驗之情形,逐漸公開于大衆”[⑤]的固定講壇。用他自己的話説:“聊借文字般若之效力,稍抒人己兩利之情懷。”[⑥]據其自述:“溯自本刊出版以來,已閲四載,經敝道友張竹銘醫師努力維持,再加之以寧個人犧牲一切之

①陳攖寧《覆常遵先函》(《揚善》四卷 17 期)。
②《本社覆函》(《揚善》四卷 3 期)。
③④陳攖寧《再覆北平楊少臣君》(《揚善》四卷 1 期)。
⑤《陳攖寧啟事》(《揚善》三卷 8 期)。
⑥陳攖寧《覆南京歐陽德三先生書》(《揚善》四卷 7 期)。

精神,逐步改觀,始有幾日。試問我輩將何所圖,且引古語一句答之曰:'君子謀道不謀食'而已。"①他爲《揚善》撰稿選材,純粹義務性質,毫無利益可言。"所以不憚辛勞,盡心竭力,以提倡道學爲己任者,非欲于此中求何利益,實因昔日從師學道時,即發此願,奈人事蹉跎,遷延歲月,未能實行,今幸遇機緣,翼化堂主人堪稱同志,或可償我宿願。"②宿願得償,他"把全副精神都放在上面,凡有拙作,都是破天荒的論調,乃前人所不敢言者。"③"前人所不敢言者",如:《答覆南通佛學研究社問龍樹菩薩學長生事》《呂祖參黄龍事考證》、《呂祖參黄龍事疑問》、《呂祖參黄龍事評議》、《論〈四庫提要〉不識道家學術之全體》、《辨楞嚴經十種仙》,等等。迄今所見的陳攖寧的大部分著述,包括《黄庭經講義》、《孫不二女丹詩注》、《口訣鈎玄録》等,均首先發表于《揚善半月刊》,并深得全國道衆的喜閲,人稱"攖寧道長,定非凡品,前身大半仙裔之流,故能窮其理路,盡其究竟,問題答覆,字字簡易,句句透徹,誠乃後人進德之慈航,當代修養之寶筏。"④又謂:"賢者作矣,道將興矣!""非先生其與誰歸?"

陳攖寧以《揚善》爲提倡仙學、弘傳道法的陣地,真心實力爲道教搖旗吶喊,促就《揚善》一步步向仙道化、學理化一方偏轉,并以其出色的文字般若之力爲《揚善》贏得了廣大的讀者羣和相當的影響力。可以説,没有《揚善》作爲載體,陳攖寧的許多見解、主張,極有可能湮没無聞,而没有陳攖寧作爲中堅,則《揚善》斷不可能以現在這副熔弘揚仙道與研究學理于一爐的純粹道教面目出現于世。

陳攖寧一生,從慕道、學道,到護道、弘道,須臾不曾離道,真正是抱道終身。但他道學生涯最輝煌期,應自 1933 年《揚善》創

①陳攖寧《答雲臺山趙隱華君》(《揚善》四卷 18 期)。
②陳攖寧《答覆江蘇海門蔡德淨君》(《揚善》一卷 19 期)。
③陳攖寧《答上海蔣永亮君》(《揚善》四卷 15 期)。
④三悟道人《論道正理》(《揚善》四卷 4 期)。

刊始,前後不過十年的光景。

《揚善》之得陳攖寧是《揚善》之幸,也是中國道教之幸,而陳攖寧之遇《揚善》又何嘗不是平生大幸?

四、"揚善"的現代意義

《揚善》早已成爲歷史的遺存。當我們今日展閱它時,須拂去一層厚厚的積塵。

《揚善》先以三教貫通、繼以專弘仙道爲刊旨,大力宣揚善舉,以期維繫人心、挽救世道,其實質還在闡揚教理、傳授道術的一面。就此而言,以其時間的短暫,容量的有限,《揚善》留予我們的道教文化的遺産并不十分豐厚。但六十年來《揚善》對我們的啟示和警醒卻始終如新,那就是:一舉"揚善",不可能是包醫百病的靈丹妙藥,更不可能舉一役而畢其功;《揚善》的使命并没有完成,六十年後的今天,我們仍需要大力"揚善"!1994年10月16日,滬上《新民晚報》頭版"今日論壇"欄目發表署名石炎的評論《我們需要道德家》説:"我們國家正在逐步進入社會主義市場經濟的運行軌道。與之相適應,我們需要加強對人的道德品質的教育。現在不是有人慨嘆社會風氣不良,感嘆人和人之間關係淡漠,這就更説明政治思想教育中需要有道德教育的內容。"就是説,需要大力揚善!

無惡也就無所謂善,揚善是因爲還有種種惡。人與人之間,是隔閡、欺詐、傾軋乃至殺戮;人與自然之間,是人在征服自然、改造自然的過程中對大自然的肆意掠奪和不斷破壞,而大自然則以種種無情的毀滅性舉措還治其人之身;人與社會之間,是個人在現代社會中的孤獨、迷茫迺至墮落,而現代社會的快節奏、多元化等無形中又加劇了人的這種孤獨和迷茫。

善的內容是多種多樣的。不同的時代,不同的人們,對善惡是非盡可以有其各不相同的取舍評判標准,但總有一些人類共通的、永恆的倫理准則、道德理想是無分古今中外、不論道俗智愚都應當秉承恪守的。對此，我們理應大力弘揚！

《揚善》同仁的使命感和道義感、膽識和勇氣，同樣令人感佩。三、五個好道向善的同志，或出資，或出力，或出人。就義無反顧地張扯起一面維繫人心、針貶社會的大旗，這在物欲横流、罪孽滋生的舊上海、舊中國，想來是頗爲刺目也頗爲寂寥的。"驀地一聲叫出脆弱的警鐘，揚善的同人高擎着異纛；要排除罪惡環境，挽回道德——以'古訓'服天下——天下爲公。……在古色頹廢的神州的一角，牢牢地植下和平的福根！"①

"和平的福根"上依然會結出罪惡之花和醜陋之果。祇要還有種種惡，"揚善"就永遠是亙古而常新的話題。

作者簡介　吳亞魁，1963年生。現爲上海社科院宗教研究所助理研究員，撰有《陳攖寧的生平和思想》等論文。

①雪塵《獻詞》(《揚善》一卷1期)。